La mystérieuse histoire de

L'ŒILLET ROSE

La mystérieuse histoire de L'ŒILLET ROSE

Lauren Willig

Traduit de l'anglais par
Karine Mailhot-Sarrasin (CPRL)

éditions

Éditeur : François Doucet
Traduction : Karine Mailhot-Sarrasin (CPRL)
Révision linguistique : Féminin pluriel
Correction d'épreuves : Nancy Coulombe, Catherine Vallée-Dumas
Conception de la couverture : Matthieu Fortin
Photo de la couverture : © Thinkstock
Mise en pages : Sébastien Michaud
ISBN papier 978-2-89752-816-4
ISBN PDF numérique 978-2-89752-817-1
ISBN ePub 978-2-89752-818-8
Première impression : 2015
Dépôt légal : 2015
Bibliothèque et Archives nationales du Québec
Bibliothèque Nationale du Canada

Éditions AdA Inc.
1385, boul. Lionel-Boulet
Varennes, Québec, Canada, J3X 1P7
Téléphone : 450-929-0296
Télécopieur : 450-929-0220
www.ada-inc.com
info@ada-inc.com

Diffusion
Canada :   Éditions AdA Inc.
France :   D.G. Diffusion
                Z.I. des Bogues
                31750 Escalquens — France
                Téléphone : 05.61.00.09.99
Suisse :   Transat — 23.42.77.40
Belgique :   D.G. Diffusion — 05.61.00.09.99

Imprimé au Canada

Crédit d'impôt   Gestion
livres   SODEC
Participation de la SODEC.
Nous reconnaissons l'aide financière du gouvernement du Canada par l'entremise du Fonds du livre du Canada (FLC) pour nos activités d'édition.
Gouvernement du Québec — Programme de crédit d'impôt pour l'édition de livres — Gestion SODEC.

Catalogage avant publication de Bibliothèque et Archives nationales du Québec et Bibliothèque et Archives Canada

Willig, Lauren

    [Secret History of the Pink Carnation. Français]
    La mystérieuse histoire de l'Œillet rose
    (Série de l'Œillet rose ; tome 1)
    Traduction de : The Secret History of the Pink Carnation.
    ISBN 978-2-89752-816-4
    I. Beaume, Sophie, 1968- . II. Titre. III. Titre : Secret History of the Pink Carnation. Français.

PS3623.I4766S4214 2015   813'.6   C2015-941175-0

À mes parents.

Remerciements

❁

À l'instar de celui qui gagne son premier Oscar et remercie tout le monde, de son enseignant de première année à cet excellent chiropraticien qu'il a consulté le mois précédent, avant de devoir être sorti de la scène de force par le col de son veston, il y a beaucoup, beaucoup de gens à qui je dois mes plus humbles remerciements pour l'existence de ce livre. Mais, contrairement à ces gagnants d'Oscar, il n'y a pas d'orchestre prêt à jouer si je m'éternise. Ne me dites pas que je ne vous ai pas avertis.

Et les remerciements vont à…

Brooke, ma petite sœur et apprentie héroïne favorite, pour m'avoir fourni des idées d'intrigues, avoir rigolé aux passages rigolos et s'être noblement retenue de me frapper à coups de matraque chaque fois que j'ai crié : «Oh! Viens voir ce dialogue que je viens d'écrire!» Le prochain livre sera le tien, Brookie-fly!

Nancy Flynn, mon âme sœur par excellence, pour la grande quantité de conseils éditoriaux, pour la quantité encore plus grande de soutien moral et pour avoir donné son nom à la Gentiane pourpre.

Abby Vietor, pour avoir joué depuis le tout début la bonne fée marraine de l'Œillet rose, de la lecture des premiers chapitres jusqu'à l'envoi rapide du manuscrit à Joe (voir sous « super agent ») — sans toi, ce livre n'existerait pas.

Claudia Brittenham, parce qu'elle connaît mes personnages encore mieux que moi-même, m'a envoyé des colis de ravitaillement de violettes confites et m'a aidée à retrouver le sens de l'humour quand je l'avais perdu.

Eric Friedman, pour m'avoir écoutée parler de la Gentiane pourpre pendant trois ans — même s'il voulait l'appeler *Le faux voyou voyageur*.

Les femmes merveilleuses du Département d'histoire de Harvard, Jenny Davis, Liz Mellyn, Rebecca Goetz et Sara Byala, parce qu'elles ont toujours été là avec un café ou un cosmo.

Joe Veltre, aussi connu sous le nom « super agent », parce qu'il a su prendre un mélange de blagues de moutons, de dénigrement des Français et de quelques passages excitants, pour en faire un livre.

Laurie Chittenden, ma fabuleuse éditrice, pour avoir chassé les moutons et empêché le manuscrit d'enfler jusqu'à ce qu'il prenne les proportions de *Guerre et paix*.

Et pour terminer, les dames géniales du Beau Monde et de Writing Regency, parce qu'elles connaissent tout, des politiques de Napoléon à la coupe de la veste de Beau Brummell, et parce qu'elles ont bien voulu le partager avec moi malgré mes écarts dans la modernité.

Merci à tous et à toutes !

Prologue

❀

Le métro était tombé en panne. Encore.

En me tenant sur l'extrémité de la pointe des pieds, je parvins à me cramponner à la barre au-dessus de ma tête. Je me cognai le nez sur le bras de l'homme à côté de moi. À en juger par son col roulé noir et par le fait que son aisselle était une zone sans déodorant, il était français. En lui faisant ma meilleure imitation de l'accent anglais, je murmurai des excuses, puis j'essayai de m'éloigner de sous son bras, me pris les pieds dans un parapluie qui dépassait et tombai sur les genoux recouverts de denim de l'homme assis en face de moi.

— *Cheers*! dit-il en me faisant un clin d'œil alors que je me tortillais pour me relever de sur sa jambe.

Ah! *Cheers*!, cette magnifique expression anglaise passe-partout qui peut vouloir dire n'importe quoi, de «bonjour» à «merci», en passant par «tu as de belles fesses, tu sais». Cramoisie (une teinte qui ne va pas du tout avec mes cheveux auburn), je jetai un coup d'œil aux alentours à la recherche d'un endroit où me cacher. Mais le métro était plein à craquer, rempli de Londoniens fatigués et grognons qui rentraient chez eux après le travail. Un serpent relative-ment émacié n'aurait pas eu assez de place pour se faufiler à travers la foule, alors imaginez une Américaine en bonne santé qui a mangé un peu trop de poisson-frites au cours des deux derniers mois.

Bon, d'accord, disons beaucoup trop de poisson-frites. Habiter dans un sous-sol équipé d'une cuisine de la grandeur d'un petit pois ne stimule pas les efforts culinaires.

En reprenant ma place à côté du Français au sourire suffisant, je me demandai pour la cinq centième fois ce qui avait bien pu me prendre de venir à Londres.

Quand j'étais assise dans mon cubicule de la bibliothèque Widener à Harvard, d'où je regardais par mon petit bout de fenêtre les étudiants de premier cycle écrasés sous le poids de leurs sacs à dos courir dans tous les sens dans le passage souterrain comme autant de fourmis ouvrières, demander une bourse d'études qui me permettrait de passer un an à faire des recherches à la British Library m'avait paru être une idée géniale. Terminés, les travaux d'étudiants à corriger! Terminées, les heures passées à scruter des microfilms! Terminé, Grant.

Grant.

Mon esprit effleura doucement le nom, puis recula. Grant. L'autre raison pour laquelle je jouais les sardines dans le métro de Londres, plutôt que d'éplucher gaiement des microfilms dans le sous-sol de la bibliothèque Widener.

Je l'avais largué. Enfin, presque. Le fait de l'avoir trouvé en train d'étreindre passionnément une historienne de l'art fraîchement diplômée du premier cycle dans les toilettes du Cercle des professeurs de la faculté lors de la fête de Noël du Département d'histoire avait bien quelque chose à y voir; je ne pouvais donc pas affirmer qu'il n'avait joué aucun rôle dans la rupture. Mais c'est moi qui avais arraché la bague de mon doigt pour la lui lancer à travers la pièce de la manière consacrée par l'usage d'une femme en colère.

Juste au cas où quelqu'un se poserait la question, ce n'était pas une bague de fiançailles.

Le métro redémarra dans un soubresaut, ce qui suscita les acclamations désabusées de la part des autres passagers. J'étais trop occupée à ne pas retomber sur les genoux de l'homme assis en face de moi. Atterrir une fois sur les genoux de quelqu'un, c'est de la négligence. Deux fois, cela pourrait être interprété comme une invitation.

Pour le moment, les seuls hommes auxquels je m'intéressais étaient morts depuis longtemps.

Le Mouron rouge, la Gentiane pourpre et l'Œillet rose… La sonorité même de leurs noms évoquait une époque révolue, où des hommes vêtus de hauts-de-chausses et de redingotes se battaient en duels à coups de remarques spirituelles plus tranchantes que la pointe de leur épée. Une époque au cours de laquelle les hommes pouvaient être des héros.

Le Mouron rouge, qui avait sauvé d'innombrables hommes de la guillotine, la Gentiane pourpre, dont les frasques avaient rendu fou le ministère français de la Police et qui avait déjoué au moins deux tentatives d'assassinats sur le roi George III, ainsi que l'Œillet rose… Entre 1803 et 1814, je ne crois pas qu'il y ait eu un seul journal londonien qui n'ait pas mentionné au moins une fois l'Œillet rose, l'espion le plus insaisissable de tous.

Les deux autres, le Mouron rouge et la Gentiane pourpre, avaient tour à tour été démasqués par les Français et identifiés comme étant Sir Percy Blakeney et Lord Richard Selwick. Ils s'étaient retirés dans leurs domaines d'Angleterre afin d'élever des enfants précoces et raconter, après le dîner, de longues histoires sur leurs séjours en France autour d'un verre de porto. Mais l'Œillet rose ne s'était jamais fait prendre.

Du moins, jusqu'à ce jour.

C'était ce que j'avais l'intention de faire : chasser l'insaisissable Œillet rose à travers les archives d'Angleterre, repérer la moindre trace de rumeur depuis longtemps éteinte, qui pourrait me mener à la découverte de ce que les plus grands cerveaux du gouvernement français n'avaient jamais réussi à élucider.

Évidemment, ce n'était pas ainsi que je l'avais formulé lorsque j'avais présenté l'idée à mon directeur de thèse.

J'avais blablaté savamment au sujet de lacunes à combler dans l'historiographie, de la symbolique profonde de l'espionnage en tant que moyen d'affirmer sa masculinité et d'autres idées débiles rédigées dans un langage intellectuel incompréhensible. Je l'avais intitulé « L'espionnage aristocratique lors des guerres contre la France, de 1789 à 1815 ».

Un titre plutôt ennuyeux, mais pour une raison quelconque, je doute que le jury ait accepté « La raison pour laquelle j'aime les hommes qui portent un masque noir ». Tout cela me paraissait très simple à Cambridge. Il devait y avoir eu un certain lien entre les trois aristocrates, qui avaient enfilé un masque noir afin de jouer au plus malin avec les Français. En effet, puisque la haute société anglaise formait, au début du XIXe siècle, un cercle restreint, je ne pouvais imaginer que des hommes qui avaient tous été espions en France n'aient pas partagé leur expertise les uns avec les autres. Je connaissais l'identité de Sir Percy Blakeney et de Lord Richard Selwick — en fait, il existait une correspondance substantielle entre ces deux hommes. Il devait certainement y avoir quelque chose dans leurs papiers, quelque lapsus rédactionnel, qui pourrait me mener à l'Œillet rose.

Mais il n'y avait *rien* dans les archives. Rien. Jusqu'ici, j'avais lu l'équivalent de vingt ans de relevés de la fortune des Blakeney et de listes de blanchissage des Selwick. Je m'étais même aventurée jusqu'à l'immense édifice des Archives nationales à Kew, me traînant avec mon ordinateur à travers les vestiaires et les fouilles de sacs pour atteindre les registres du début du XIXe siècle du ministère de la Guerre. J'aurais dû penser que ce n'était pas appelé « service secret » sans raison. Rien, rien et encore rien. Pas même une référence codée à « notre ami fleuri » dans l'un des rapports officiels.

Commençant à paniquer parce que je n'avais pas vraiment envie de devoir écrire sur l'espionnage en tant qu'allégorie de la masculinité, j'avais fait appel à mon plan de dernier recours : je m'étais assise par terre à la librairie avec un exemplaire de l'annuaire nobiliaire Debrett ouvert sur les genoux et j'avais écrit à tous les descendants vivants de Sir Percy Blakeney et de Lord Richard Selwick. Je me fichais qu'ils aient ou non accès aux archives familiales (c'est dire si j'étais désespérée) ; je me serais contentée d'histoires de famille, de légendes à moitié oubliées que grand-père avait l'habitude de raconter au sujet d'un ancêtre extravagant qui était espion dans les années 1800, ou de n'importe quoi d'autre qui aurait pu m'indiquer où chercher ensuite.

J'avais envoyé vingt lettres. J'avais reçu trois réponses.

Les propriétaires du domaine Blakeney m'avaient envoyé une lettre type impersonnelle avec le détail des jours où le domaine était ouvert au public ; ils y avaient inclus gentiment le calendrier des reconstitutions historiques du Mouron rouge pour l'automne 2003. Il y a peu de choses que j'imagine plus déprimantes que de regarder une bande de touristes surexcités se pavaner en capes noires et agiter des monocles en s'exclamant « Morbleu ! ».

L'actuel propriétaire de Selwick Hall s'était avéré encore plus décourageant. Il m'avait envoyé une réponse dactylographiée sur du papier à lettres huppé destiné à intimider, m'informant que Selwick Hall était toujours une résidence privée, qu'elle n'était aucunement ouverte au public et que tous les documents que la famille désirait mettre à la disposition du public se trouvaient à la British Library. Bien que monsieur Colin Selwick n'ait pas clairement écrit « Va te faire voir ! », cela était fortement sous-entendu.

Mais il suffit d'une, pas vrai ?

Et celle-là, madame Arabella Selwick-Alderly, m'attendait à l'instant au — je sortis le bout de papier écorné de ma poche en montant en vitesse l'escalier de la station de métro South Kensington — 43, Onslow Square.

Évidemment, il pleuvait. C'est en général ce qui arrive quand on a oublié son parapluie. Je m'arrêtai sur le pas de la porte du 43, Onslow Square, pour passer les doigts dans mes cheveux dégoulinants et faire le point sur mon apparence. Les bottes en daim marron Jimmy Choo, qui avaient eu l'air si chic dans la boutique de chaussures de Harvard Square, étaient irrécupérables, trempées et couvertes de boue. Ma jupe à chevrons qui arrivait au genou avait trouvé le moyen de faire demi-tour, de sorte que la fermeture ressortait à l'avant au lieu d'être aplatie à l'arrière. Il y avait aussi une tache brunâtre de bonne taille sur l'ourlet de mon épais pull beige — une blessure de guerre, résultat d'une collision fâcheuse avec la tasse de café de quelqu'un à la cafétéria de la British Library cet après-midi-là.

Moi qui voulais impressionner madame Selwick-Alderly avec mon air sophistiqué et mon charme...

J'appuyai sur la sonnette tout en tirant sur ma jupe pour la remettre en place.

— Allô? répondit une voix chevrotante.

J'enfonçai le bouton de réponse.

— C'est Éloïse, criai-je dans la grille métallique.

Je déteste parler dans les interphones ; je ne sais jamais si je presse le bon bouton, ni si je parle dans le bon récepteur, ni si je suis sur le point de me faire téléporter par des extraterrestres.

— Éloïse Kelly. Au sujet de la Gentiane pourpre ?

Je réussis à attraper la porte juste avant que le timbre s'arrête.

— Par ici, cria une voix désincarnée.

Je penchai la tête en arrière pour regarder en haut de la cage d'escalier. Je ne voyais personne, mais je savais exactement à quoi ressemblerait madame Selwick-Alderly. Elle aurait le visage ridé sous des frisottis blancs comme neige, serait vêtue de tweed à l'ancienne et serait penchée sur une canne aussi noueuse que sa peau. Suivant les directives qui me venaient d'en haut, je commençai à monter l'escalier en répétant le petit discours que j'avais préparé mentalement la veille. Je lui ferais de gentils commentaires sur le fait que c'était charmant de sa part de prendre le temps de me rencontrer. Je sourirais humblement et lui dirais combien j'espérais pouvoir contribuer, aussi modestement que ce soit, à éviter que son ancêtre bien-aimé ne tombe dans le gouffre historique de l'oubli. Et je n'oublierais pas de parler fort eu égard à ses oreilles âgées.

— Pauvre enfant ! Vous avez l'air complètement crevée.

Une dame élégante vêtue d'un ensemble marine en laine rêche, une écharpe rouge et or nouée autour du cou, me souriait d'un air compatissant. Ses cheveux blancs comme neige — j'avais eu au moins ça de bon dans l'image que je m'étais faite ! — étaient tressés de façon élaborée et enroulés autour de sa tête d'une manière qui aurait dû avoir l'air démodée, mais qui lui donnait une allure royale. Peut-être était-ce son dos droit et son air autoritaire qui la faisaient paraître plus grande qu'elle ne l'était en réalité, mais elle me donnait l'impression que j'étais petite (malgré mon mètre soixante-quinze, en comptant les talons de sept centimètres et demi essentiels à ma vie quotidienne). Cette femme ne souffrait pas d'ostéoporose.

Mon beau discours s'évapora à la même vitesse que les gouttes de pluie dégouttaient de l'ourlet de mon imperméable.

— Euh, bonjour, bredouillai-je.

— Il fait un temps affreux aujourd'hui, n'est-ce pas ?

En me faisant passer dans un vestibule couleur crème, madame Selwick-Alderly m'indiqua d'y poser mon imperméable trempé sur une chaise.

— Comme c'est gentil de vous être déplacée jusqu'ici depuis — la British Library, c'est bien cela ? — pour me rendre visite par une journée si peu agréable.

Je la suivis dans un salon aux couleurs gaies, mes bottes ruinées faisant un bruit de succion qui ne laissait présager rien de bon pour le tapis persan défraîchi. Un canapé de chintz et deux chaises avaient été disposés en cercle à une distance confortable du feu qui crépitait sous le manteau de la cheminée en marbre. Sur la table à café, un assortiment éclectique de livres avait été tassé sur le côté pour faire place à un plateau à thé lourdement chargé.

Madame Selwick-Alderly jeta un œil au plateau à thé et poussa un petit soupir d'agacement.

— J'ai oublié les biscuits. Ça ne prendra qu'un instant. Installez-vous confortablement.

Confortablement. Je pensais qu'il y avait peu de chance que ce soit le cas. Malgré le fait que madame Selwick-Alderly était charmante, je me sentais comme un enfant de cinquième année maladroit qui attendait le retour de la directrice.

Les mains jointes derrière le dos, je me dirigeai vers la cheminée, sur laquelle trônait un ensemble de photos de famille disposées dans le désordre. À l'extrême droite dominait le grand portrait sépia d'une débutante aux cheveux courts bouclés à la mode des années trente, un simple rang de perles autour du cou, qui regardait vers le haut d'un air mélancolique. Les autres photos étaient plus modernes et moins formelles ; un tas de photos de famille prises en tenue de soirée ou en jean à l'intérieur et à l'extérieur, des gens qui faisaient des grimaces à l'appareil photo ou s'en faisaient entre eux. Il était évident qu'ils faisaient partie d'une grande famille soudée.

L'une des photos retint particulièrement mon attention. Elle était placée vers le centre de la cheminée, à demi cachée derrière la photo de deux fillettes habillées en filles d'honneur. Contrairement aux autres, elle ne présentait qu'un seul sujet — à moins de compter le cheval —, dont un des bras reposait de façon détendue sur le flanc du cheval. Ses cheveux blond foncé avaient été ébouriffés par le vent et une dure chevauchée. Quelque chose dans la forme de ses lèvres et la beauté pure de ses joues me faisait penser à madame Selwick-Alderly. Mais alors que sa beauté était une question d'élégance, comme c'est le cas d'une pièce d'ivoire finement sculptée, cet homme était aussi vivant que l'éclat du soleil dans ses cheveux ou que le cheval sous son bras. Son sourire rayonnait au-delà de la photo avec tant de bonne humeur complice — comme s'il partageait avec l'observateur quelque blague hilarante — qu'il était impossible de ne pas sourire en retour.

Ce qui est exactement ce que j'étais en train de faire lorsque mon hôte revint avec une assiette pleine de biscuits recouverts de chocolat.

Je sursautai, l'air coupable, comme si je m'étais fait prendre dans une situation embarrassante.

Madame Selwick-Alderly plaça les biscuits à côté du plateau à thé.

— Je vois que vous avez trouvé mes photos. Les photos des autres ont quelque chose d'irrésistible, n'est-ce pas ?

Je la rejoignis sur le canapé, posant prudemment mes fesses recouvertes de tissu à chevrons humide tout au bord d'un coussin à fleurs.

— C'est tellement plus facile de s'inventer des histoires au sujet de personnes qu'on ne connaît pas, dis-je pour gagner du temps. Surtout avec de vieilles photos. On se demande comment ils vivaient, ce qui leur est arrivé...

— Cela fait partie de la fascination qu'exerce l'histoire, n'est-ce pas ? répondit-elle en s'activant autour de la théière.

Pendant que nous accomplissions les gestes rituels associés au thé, soit le choix entre le lait et le sucre, l'offre de biscuits et le découpage du gâteau, nous nous adonnâmes à une conversation facile sur l'histoire anglaise, et le malaise se dissipa.

Sur l'invitation subtile de madame Selwick-Alderly, je me retrouvai à divaguer sur les raisons pour lesquelles j'en étais venue à m'intéresser à l'histoire (trop de romans historiques à un âge impressionnable), sur la politique du Département d'histoire de Harvard (trop compliquée pour seulement aborder la question) et les motifs de ma venue en Angleterre. Lorsque la conversation se mit à dévier sur ce qui avait mal tourné avec Grant (tout), je changeai rapidement de sujet et demandai à madame Selwick-Alderly si elle avait entendu des histoires sur les espions du XIXe siècle quand elle était enfant.

— Oh oui, très chère!

Madame Selwick-Alderly regardait sa tasse de thé avec un sourire nostalgique.

— J'ai passé une grande partie de mon enfance à jouer aux espions avec mes cousins. Chacun son tour, on était la Gentiane pourpre et l'Œillet rose. Mon cousin Charles insistait toujours pour jouer Delaroche, le méchant gendarme français. La façon dont il imitait l'accent français, ce garçon! Il aurait fait honte à Maurice Chevalier. Même après toutes ces années, je ris encore rien que d'y penser. Il se dessinait une moustache extravagante — à cette époque, tout méchant qui se respectait portait la moustache — et mettait une cape faite de l'un des vieux châles de ma mère, puis il tempêtait de long en large sur la pelouse en agitant le poing et en jurant de se venger de l'Œillet rose.

— Qui était votre personnage favori? demandai-je, charmée par la vision.

— Mais, l'Œillet rose, bien sûr.

Nous avons échangé un sourire de parfaite complicité par-dessus nos tasses.

— Mais vous avez un motif supplémentaire de vous intéresser à l'Œillet rose, suggéra madame Selwick-Alderly d'un air qui en disait long. Votre thèse, n'est-ce pas?

— Oh! Oui! Ma thèse!

Je lui exposai les grandes lignes du travail que j'avais fait jusque-là : les chapitres sur les missions du Mouron rouge, les costumes de la Gentiane pourpre et le peu que j'avais pu trouver sur la façon dont ils dirigeaient leurs ligues.

— Mais je n'ai pas pu trouver quoi que ce soit sur l'Œillet rose, terminai-je. Évidemment, j'ai lu les vieux articles de journaux, alors je connais les exploits les plus spectaculaires de l'Œillet rose, mais c'est tout.

— Qu'espériez-vous trouver ?

Je baissai les yeux sur mon thé, l'air honteuse.

— Eh bien, le rêve de tout historien : un manuscrit perdu intitulé *Comment et pourquoi je suis devenu l'Œillet rose*. Je me serais aussi contentée d'un indice sur son identité dans une lettre ou un rapport du ministère de la Guerre. Juste quelque chose pour me donner une idée d'où chercher ensuite.

— Je crois que je pourrais peut-être vous aider.

Un petit sourire planait sur les lèvres de madame Selwick-Alderly.

— Vraiment ?

Cela me remonta — littéralement. Je m'assis tellement droite que ma tasse de thé faillit tomber de mes genoux.

— Des histoires de famille ?

Madame Selwick-Alderly avait les yeux pétillants. Elle se pencha en avant d'un air conspirateur.

— Encore mieux.

Les possibilités défilaient dans mon esprit. Une vieille lettre, peut-être, ou le secret d'une confidence sur un lit de mort, transmis de Selwick en Selwick et dont madame Selwick-Alderly serait l'actuelle gardienne. Mais, s'il y avait bel et bien un secret dans la famille Selwick, pourquoi me le confierait-elle ? Je laissai tomber l'imagination au profit d'un espoir de vérité.

— De quoi s'agit-il? demandai-je à bout de souffle.

Madame Selwick-Alderly se leva avec une grâce innée du canapé. Posant sa tasse de thé sur la table basse, elle m'invita à la suivre.

— Venez voir.

Je me débarrassai avec fracas de ma tasse pour m'empresser de la suivre vers les fenêtres à meneau qui donnaient sur la place. Deux petits portraits étaient accrochés entre les deux fenêtres et, pendant un instant de déception, je crus qu'elle voulait simplement me conduire aux portraits... Il ne semblait y avoir rien d'autre qui soit digne d'attention. À droite des fenêtres, une lampe à abat-jour rose et une bonbonnière en porcelaine étaient disposées sur une petite table octogonale, mais pas grand-chose d'autre. À gauche, une rangée de bibliothèques recouvrait le fond de la pièce, mais madame Selwick-Alderly ne jeta même pas un œil dans cette direction.

Elle s'agenouilla devant un grand coffre placé directement sous les portraits miniatures. Je ne me suis jamais intéressée aux arts décoratifs ni à l'histoire des matériaux, ou peu importe comment cela s'appelle, mais j'avais passé assez d'après-midi à traîner dans les galeries britanniques du musée Victoria and Albert pour reconnaître qu'il datait du début du XVIIIᵉ siècle, ou que c'était une excellente reproduction. Des motifs fantaisistes de fleurs et d'oiseaux étaient dessinés en bois de couleurs variées sur tout le couvercle du coffre, alors qu'un grand oiseau de paradis en décorait le centre.

Madame Selwick-Alderly sortit une clé travaillée de sa poche.

— Dans ce coffre, dit-elle en tenant la clé devant la serrure, repose la véritable identité de l'Œillet rose.

Madame Selwick-Alderly se pencha pour insérer la clé — qui était presque aussi décorée que le coffre lui-même et dont le bout était torsadé d'enjolivures élaborées — dans la serrure aux bordures cuivrées. Le couvercle s'ouvrit avec la facilité que permettent les pentures bien huilées. J'avais rejoint madame Selwick-Alderly par terre sans même m'en rendre compte.

Le premier coup d'œil fut décevant. Pas un papier en vue, pas même un fragment de lettre d'amour oubliée. En revanche, en balayant l'intérieur du regard, mes yeux se posèrent sur l'ivoire terni d'un vieil éventail, le bout jauni d'une étoffe brodée, ainsi que les restes squelettiques d'un bouquet encore attaché par un ruban abîmé. Il y avait d'autres babioles du genre, mais je n'y prêtais pas tellement attention lorsque je m'affaissai sur mes hanches à côté du coffre.

Toutefois, madame Selwick-Alderly n'avait pas terminé. D'un geste délibéré, elle passa délicatement une main veinée de bleu le long de chaque côté de la doublure de velours, et tira. Le plateau supérieur sortit facilement de son support. À l'intérieur... J'étais de nouveau à genoux, les mains agrippées au rebord du coffre.

— C'est... c'est fantastique ! bégayai-je. Sont-elles toutes... ?

— Toutes du début du XIXᵉ siècle, termina à ma place madame Selwick-Alderly en posant un regard affectueux sur le contenu du coffre. Elles ont toutes été triées par ordre chronologique, alors vous devriez vous y retrouver.

Elle tendit la main dans le coffre pour attraper un paquet de feuilles.

— Ça ne va pas, marmonna-t-elle en le mettant de côté.

Après avoir passé un moment à scruter l'intérieur du coffre en émettant un claquement de langue occasionnel, elle s'empara d'une boîte rectangulaire; c'était l'une de ces boîtes faites de carton sans acide qu'on utilise dans les bibliothèques pour protéger les livres anciens.

— Vous feriez mieux de commencer par celles-ci, me conseilla-t-elle. Celles d'Amy.

— Amy? demandai-je en effleurant le cordon qui tenait la boîte fermée.

Madame Selwick-Alderly voulut répondre, puis se reprit et se leva en s'appuyant sur le bord du coffre.

— Ces lettres racontent l'histoire bien mieux que je ne pourrais le faire. Si vous avez besoin de quoi que ce soit, dit-elle pour mettre gentiment fin à mes questions incohérentes, je serai dans mon bureau. C'est juste au bout du couloir à droite.

— Mais qui est-il? suppliai-je en me tournant vers elle alors qu'elle se dirigeait vers la porte. L'Œillet rose?

— Lisez et vous verrez...

La voix de madame Selwick-Alderly se tut au moment où elle disparut par la porte ouverte.

Grrr! En me mordillant la lèvre inférieure, je baissai les yeux sur la boîte de manuscrits dans mes mains. La boîte en carton gris était douce et lisse sous mes doigts; quelqu'un prenait bien soin de ces papiers, contrairement aux vieilles boîtes usées et poussiéreuses des étagères de la bibliothèque Widener. L'identité de l'Œillet rose. Était-elle sérieuse?

J'aurais dû être en train d'arracher la ficelle nouée autour de la boîte, mais quelque chose dans l'immobilité tranquille de la pièce, uniquement troublée par le crépitement occasionnel de l'écorce dans l'âtre, décourageait tout mouvement brusque. Je pouvais presque sentir les portraits miniatures sur le mur s'étirer pour regarder par-dessus mon épaule.

D'ailleurs, me dis-je en détachant mécaniquement le cordon, je ne devrais pas me laisser emporter trop vite. Madame Selwick-Alderly pourrait exagérer. Ou être folle. Il est vrai qu'elle n'avait pas l'air d'être folle, mais peut-être que son délire consistait à penser qu'elle tenait la clé de l'identité de l'Œillet rose. J'allais ouvrir la boîte pour me rendre compte qu'elle contenait un tas de paroles des chansons des Beatles ou de la poésie amateur.

La dernière boucle de corde se défit. Le rabat de la boîte en carton s'ouvrit, révélant une pile de papiers jaunis. D'une écriture irrégulière était griffonnée sur la première lettre la date du 4 mars 1803.

Ce n'était pas de la poésie amateur.

Ivre d'enthousiasme, je survolai l'épais paquet de papiers. Certaines feuilles étaient en meilleur état que d'autres ; par endroits, l'encre avait coulé ou des lignes avaient été effacées par les plis. Les restes de sceaux de cire rougeâtres collaient au bord de quelques-unes, alors que les ravages du temps et les doigts voraces de lecteurs pressés avaient arraché des coins à d'autres. Certaines étaient rédigées d'une écriture noire audacieuse, d'autres d'une écriture moulée pointue, et plusieurs étaient griffonnées de façon à peine lisible. Mais elles avaient un point commun : elles étaient toutes datées de 1803. Des phrases se détachaient de la mer de gribouillis pendant que je feuilletais… « homme provoquant… frère n'aurait jamais… »

Je m'obligeai à revenir à la première page. Me laissant tomber sur le tapis devant le foyer, je replaçai ma jupe, réchauffai ma tasse de thé refroidie et commençai à lire la première lettre. Elle était écrite dans un mauvais français que je traduisis à mesure que je lisais.

«Le 4 mars 1803. Ma chère sœur, avec la fin des dernières hostilités, je me trouve enfin en mesure de te presser de bien vouloir reprendre la place qui te revient à la maison Balcourt...»

Chapitre 1

❀

« ... Ta ville natale attend ton retour. Je te prie de bien vouloir me faire parvenir dans les plus brefs délais les détails de ton voyage. Ton dévoué frère, Édouard. »

— Ta ville natale attend ton retour, chuchota Amy pour elle-même.

Enfin ! Resserrant son étreinte sur le papier entre ses mains, elle leva un regard euphorique vers le ciel. Pour souligner un événement si important, elle se serait attendue à des éclairs, ou au moins à des nuages d'orage. Mais le ciel du Shropshire la regardait calmement, tout à fait indifférent à l'événement historique qui se déroulait sous lui.

N'était-ce pas typique du Shropshire ?

Se laissant tomber sur la pelouse, Amy contempla l'endroit où elle avait passé la majeure partie de sa vie. Derrière elle, par-delà les champs ondoyants, le manoir de brique était sereinement sis au sommet de la colline. Oncle Bertrand était certainement juste là, à trois fenêtres sur la gauche, assis dans son fauteuil de cuir craquelé, en train d'examiner les dernières trouvailles de la Société royale d'agriculture, exactement comme il le faisait tous les jours. Tante Prudence devait être assise dans le petit salon jaune et crème, en train de plisser les yeux sur ses fils à broder, exactement comme elle le faisait tous les jours. Tout était paisible, buco-lique et ennuyeux.

La vue devant elle n'était pas beaucoup plus excitante ; rien que de longues bandes vertes, uniquement animées par les boules de laine des moutons.

Mais, finalement, les longues années d'ennui tiraient maintenant à leur fin. Elle tenait dans sa main la possibilité de quitter à jamais le manoir Wooliston et son troupeau bichonné. Elle ne serait plus la simple Amy Balcourt, nièce du plus ambitieux éleveur de moutons du Shropshire, mais bien Aimée, mademoiselle de Balcourt. Cela arrangeait bien Amy d'ignorer le fait que la France révolutionnaire avait banni les titres en même temps qu'elle avait décapité sa noblesse.

Elle avait six ans lorsque la révolution l'avait obligée à s'exiler dans la campagne anglaise. À la fin du mois de mai 1789, sa mère et elle avaient traversé la Manche en bateau pour ce qui ne devait être qu'une visite de deux mois, le temps que sa mère voit ses sœurs et enseigne à sa fille quelque chose des manières anglaises. Malgré toutes les années passées en France, sa mère était toujours anglaise dans l'âme.

L'oncle Bertrand, arborant une perruque légèrement de travers, était sorti à grands pas pour les accueillir. Derrière lui se tenait tante Prudence, son tambour à broder à la main. Trois petites filles vêtues de robes de mousseline identiques étaient massées dans l'embrasure de la porte ; c'étaient les cousines d'Amy : Sophia, Jane et Agnès.

— Tu vois, ma chérie, avait chuchoté sa mère. Il y aura d'autres fillettes pour jouer avec toi. N'est-ce pas charmant ?

Ce n'était pas charmant. Agnès, encore à l'âge de zézayer et de trébucher, était trop jeune pour être une compagne de jeu. Sophia passait tout son temps penchée vertueusement sur sa broderie. Jane, silencieuse et timide, avait été rejetée par Amy comme étant pusillanime. Même les moutons avaient perdu rapidement leur intérêt. Au bout d'un mois, Amy était plus que mûre pour rentrer en France. Elle avait préparé sa petite malle, l'avait tirée et l'avait poussée le long du couloir jusqu'à la chambre de sa mère, puis elle lui avait annoncé qu'elle était prête à partir.

Sa mère avait eu un demi-sourire, mais il s'était tordu en un sanglot. Elle avait arraché sa fille à la malle et l'avait serrée très, très fort.

— Mais maman, *qu'est-ce qui se passe*[1]? avait demandé Amy, qui pensait toujours en français à cette époque.

— Nous ne pouvons pas rentrer, ma chérie. Pas maintenant. Je ne sais pas si nous le pourrons un jour... Oh, ton pauvre père! Pauvre de nous! Et Édouard, que lui font-ils subir?

Amy ne savait pas à qui «ils» faisait référence, mais en se remémorant la façon dont Édouard lui avait tiré les boucles et pincé le bras alors qu'il était censé lui faire un câlin d'adieu, elle n'avait pu s'empêcher de penser que, peu importe ce qu'on lui faisait, son frère le méritait bien. Elle en avait fait part à sa mère.

Sa mère avait baissé sur elle un regard misérable.

— Oh, non, ma chérie, pas cela. Personne ne mérite cela.

Très lentement, entre de profondes inspirations, elle avait expliqué à Amy que les foules s'étaient emparées de Paris, que le roi et la reine étaient prisonniers et que son père et Édouard couraient un grave danger.

Durant les quelques mois qui avaient suivi, le manoir Wooliston était devenu l'improbable centre d'un mouvement

---

1. N.d.T.: Les mots en italique suivis d'un astérisque sont en français dans le texte original anglais.

contre-révolutionnaire. Tout le monde lisait attentivement les gazettes hebdomadaires et tressaillait devant les nouvelles d'atrocités commises de l'autre côté de la Manche. Sa mère avait usé une plume à la suite de l'autre à force d'écrire des lettres désespérées à des connaissances en France, à Londres et en Autriche. Lorsque le Mouron rouge était entré en scène pour arracher des aristocrates aux griffes acérées de madame la Guillotine, sa mère avait été remplie de nouveaux espoirs. Elle avait saupoudré chaque bulletin de nouvelles dans un rayon de mille cinq cents kilomètres de Londres d'annonces pour implorer le Mouron rouge de voler à la rescousse de son fils et de son mari.

Au cœur de ce brouhaha, Amy restait éveillée la nuit dans sa chambre d'enfant, à rêver d'être assez vieille pour rentrer elle-même en France et secourir son père. Elle irait déguisée, bien entendu, puisque tout le monde savait qu'une opération de sauvetage digne de ce nom devait être faite costumée. Lorsqu'il n'y avait personne dans les parages, Amy se faufilait dans les chambres des domestiques pour essayer leurs vêtements et s'exercer à parler le français rustique des paysans de la campagne. Si quelqu'un la surprenait, Amy racontait qu'elle préparait une pièce de théâtre amateur. Les adultes, qui lui répondaient distraitement « Comme c'est mignon, très chère » en lui caressant la tête, avaient tellement de raisons de s'inquiéter qu'aucun d'eux ne se donnait la peine de se demander pourquoi la performance promise ne se réalisait jamais.

Sauf Jane. Lorsque Jane était tombée sur une Amy vêtue d'un ensemble de vieux jupons sortis d'un sac de chiffons et d'une perruque dont l'oncle Bertrand s'était débarrassé, Amy l'avait informée d'un ton énervé qu'elle répétait pour une version à une seule actrice des *Deux gentilshommes de Vérone*.

Jane l'avait considérée d'un air songeur.

— Je ne crois pas que tu dises la vérité, avait-elle dit en s'excusant presque.

Ne trouvant aucune réponse cinglante, Amy s'était contentée de lui lancer un regard noir.

— Je t'en prie, pourquoi ne me dis-tu pas ce que tu fais vraiment ? avait réussi à lui demander Jane en resserrant son étreinte sur sa poupée de chiffon.

— Tu ne le diras pas à mère ni aux autres ?

Amy avait tenté de prendre un air suffisamment féroce, mais l'effet avait été plutôt ruiné par le fait que la perruque avait glissé de travers et était restée suspendue à l'une de ses oreilles.

Jane s'était empressée d'acquiescer.

— Je, avait déclaré solennellement Amy, vais rejoindre la Ligue du Mouron rouge pour secourir mon père.

Jane avait oublié la poupée qui pendait dans l'une de ses mains et avait considéré cette nouvelle information.

— Puis-je te venir en aide ? avait-elle demandé.

L'aide inespérée de sa cousine s'était avérée une bénédiction pour Amy. C'était Jane qui avait trouvé comment se mettre de la suie et de la gomme à mâcher sur les dents pour qu'elles ressemblent à celles d'une vieille sorcière décharnée — et comment l'enlever ensuite sans laisser de traces avant que leur nourrice s'en aperçoive. C'était Jane qui avait planifié une route vers la France sur le globe terrestre de leur chambre d'enfant et qui avait découvert une façon de se faufiler en bas de l'escalier de service sans le faire craquer.

Elles n'eurent jamais l'occasion de mettre leur plan à exécution. Sans tenir compte des deux fillettes qui se préparaient à entrer à son service, le Mouron rouge avait bêtement tenté de secourir le vicomte de Balcourt sans elles. Dans les gazettes, Amy avait appris que le Mouron avait fait évader son père de la prison en le dissimulant dans un tonneau de vin rouge bon marché. L'opération de sauvetage aurait pu se dérouler sans encombre, n'eût été le garde assoiffé, aux portes de la ville, qui avait insisté pour percer le tonneau. Lorsqu'il avait trouvé son père à la place du Beaujolais, le garde en colère avait donné l'alerte. Selon les gazettes, son père s'était battu vaillamment, mais n'était pas de taille à lutter contre toute une troupe de soldats révolutionnaires. Une semaine plus tard, sa mère avait reçu une petite carte. Il y était simplement écrit « Je suis désolé », avec une fleur rouge en guise de signature.

La nouvelle avait fait dépérir sa mère et enrager Amy. Prenant Jane à témoin, elle avait juré de venger son père et sa mère aussitôt qu'elle serait assez vieille pour rentrer en France. Pour cela, son français devrait être excellent ; cependant, Amy sentait déjà que sa langue maternelle commençait à lui échapper devant les assauts constants de la conversation en anglais. Au début, elle avait tenté de parler en français aux gouvernantes, mais le vocabulaire de ces femmes honorables avait tendance à se limiter aux couleurs des étoffes et à la dernière mode en matière de chapeaux pour dames. Amy emportait donc son Molière à l'extérieur et le lisait à voix haute aux moutons.

Le latin et le grec ne l'aideraient pas dans sa mission, mais Amy les avait étudiés tout de même, en mémoire de son père, qui lui racontait tous les soirs des histoires de dieux capricieux et de déesses vengeresses à l'heure d'aller au lit. Amy avait retrouvé toutes ses histoires parmi les livres de la bibliothèque peu utilisée du manoir Wooliston. Les goûts personnels de l'oncle Bertrand étaient plutôt orientés vers les manuels sur l'élevage des animaux, mais *quelqu'un* dans la famille avait dû lire jadis parce que la bibliothèque offrait une collection de classiques assez estimable. Amy avait lu Ovide, Virgile, Aristophane et Homère. Elle avait lu des histoires ennuyeuses ainsi que de scandaleux poèmes d'amour (ses gouvernantes, qui ne comprenaient que peu le latin et encore moins le grec, présumaient naïvement que tout ce qui était rédigé en langue classique devait être respectable), mais, surtout, elle revenait toujours à *L'Odyssée*. Ulysse avait lutté pour rentrer chez lui, et Amy ferait de même.

Lorsqu'Amy avait eu dix ans, les gazettes illustrées avaient annoncé que le Mouron rouge s'était retiré dès qu'on avait découvert son identité — les journaux étaient toutefois restés plutôt nébuleux quant à savoir qui, du gouvernement français ou d'eux-mêmes, avait publié l'exclusivité en premier. *L'Informateur du Shropshire* proclamait « Le Mouron rouge démasqué ! », alors que le *Livret des dames cosmopolites* présentait un dossier de dix pages sur « La mode selon le Mouron rouge : conseils de déguisements de la part de l'homme qui vous amena l'aristocratie française ».

Amy était dévastée. Il était vrai que le Mouron avait bâclé le sauvetage de son père, mais dans l'ensemble, la liste des aristocrates qu'il avait secourus était assez impressionnante. Et puis d'ailleurs, à qui d'autre Amy pourrait-elle bien offrir ses connaissances de la langue française si le Mouron prenait sa retraite ? Amy était toute prête à constituer sa propre bande lorsqu'une ligne de l'article de *L'Informateur du Shropshire* avait retenu son attention. « Je suis convaincu que la Gentiane pourpre reprendra là où j'ai dû m'arrêter », aurait dit Sir Percy, selon la gazette.

Perplexe, Amy avait passé le journal à Jane.

— Qui est la Gentiane pourpre ?

Tout le monde se posait la même question. Rapidement, la Gentiane pourpre avait fait régulièrement la manchette des bulletins de nouvelles. Une semaine, il avait fait sortir quinze aristocrates de Paris en les faisant passer pour un cirque ambulant. On racontait que la Gentiane pourpre s'était déguisée en ours dansant. Certains allaient jusqu'à dire que Robespierre lui-même avait flatté la tête de l'animal sans jamais se douter qu'il s'agissait de son pire ennemi. Lorsque la France avait cessé de tuer ses aristocrates pour se concentrer plutôt sur la guerre contre l'Angleterre, la Gentiane pourpre était devenue l'espion le plus fiable du ministère de la Guerre.

« Cette victoire n'aurait jamais eu lieu sans la bravoure d'un homme — un homme représenté par une petite fleur pourpre », avait affirmé l'amiral Nelson après avoir anéanti la flotte française en Égypte.

Anglais et Français brûlaient du même désir de connaître l'identité de la Gentiane pourpre. Les rumeurs allaient bon train de part et d'autre de la Manche. Certains prétendaient que la Gentiane pourpre était un aristocrate anglais, un chouchou de la haute société londonienne, tout comme l'était Sir Percy Blakeney. En fait, certains affirmaient que c'était Sir Percy Blakeney, qui avait dupé les Français naïfs en réapparaissant sous un autre nom. Les potins londoniens avaient nommé tout un chacun, de Beau Brummell (en se basant sur le fait que personne ne pouvait s'intéresser *à ce point* à la mode) au duc d'York, le frère dissipé du prince de Galles. D'autres soutenaient que la Gentiane pourpre devait être un membre exilé de la noblesse française qui se battait pour sa patrie. Certains disaient qu'il était soldat, d'autres, un prêtre renégat. Les Français disaient tout simplement qu'il était un foutu casse-pieds. Ou plutôt, c'est ce qu'ils auraient dit s'ils avaient eu la chance de parler anglais, mais puisqu'ils étaient Français, ils étaient obligés de le dire dans leur propre langue.

Amy disait qu'il était son héros.

Évidemment, elle ne l'avait dit qu'à Jane. Tous leurs anciens projets avaient été ravivés, la seule différence étant que c'était désormais à la Ligue de la Gentiane pourpre qu'Amy envisageait d'offrir ses services.

Mais les années s'étaient écoulées, Amy était restée dans le Shropshire, et le seul homme masqué qu'elle avait vu était son petit cousin Ned, qui jouait au bandit de grand chemin. Amy envisageait par moments de s'enfuir à Paris, mais comment ferait-elle pour seulement se rendre jusque-là ? À cause de la guerre qui faisait rage entre l'Angleterre et la France, les traversées régulières de la Manche avaient été interrompues. Amy avait commencé à perdre espoir d'atteindre un jour la France et plus encore de trouver la Gentiane pourpre. Elle s'était imaginé un avenir morne dans la tranquillité pastorale.

Jusqu'à ce qu'elle reçoive la lettre d'Édouard.

— Je pensais bien te trouver ici.

Amy fut brusquement tirée de sa béate contemplation de la lettre d'Édouard lorsqu'un volant bleu lui effleura le bras.

— Qu'y a-t-il ?

Un panier de fleurs sauvages accroché au bras de Jane témoignait d'une promenade sur les terres du domaine, mais elle ne montrait aucun autre signe d'activité extérieure : aucun faux pli n'avait osé s'imprégner dans le drapé de sa robe en mousseline, ses cheveux brun pâle étaient toujours sagement noués sur sa nuque, et même les boucles du nœud qui retenait son chapeau étaient remarquablement égales. Mis à part un soupçon de rouge sur ses joues pâles, elle aurait très bien pu avoir passé l'après-midi assise au salon.

— Mère te cherche partout. Elle veut savoir ce que tu as fait de son écheveau de soie à broder rose.

— Qu'est-ce qui lui fait croire que je l'ai ? D'ailleurs, ajouta Amy en agitant la lettre d'Édouard sans laisser le temps à Jane de formuler une réponse qui s'annonçait très logique, qui pourrait avoir la tête aux soies à broder quand *ceci* vient tout juste d'arriver ?

— Une lettre ? Pas encore un poème d'amour de la part de Derek ?

— Beurk ! fit Amy en frissonnant de façon théâtrale. Vraiment, Jane ! Quelle idée répugnante ! Non, dit-elle en se penchant en avant et en baissant la voix. C'est une lettre d'Édouard.

— Edward ?

Jane, puisqu'elle était Jane, prononça automatiquement son nom à l'anglaise.

— Après toutes ces années, poursuivit-elle, il a finalement daigné se rappeler ton existence ?

— Oh, Jane, ne sois pas si dure ! Il veut que j'aille vivre avec lui !

Jane laissa tomber son panier de fleurs.

— Tu ne peux pas être sérieuse, Amy !

— Mais je le suis ! N'est-ce pas merveilleux ?

Amy aida sa cousine à ramasser les fleurs éparpillées, les remettant pêle-mêle dans le panier avec plus d'enthousiasme que de grâce.

— Que dit la lettre d'Edward, *exactement* ?

— C'est formidable, Jane ! Maintenant que la guerre est terminée, il dit que je peux enfin rentrer sans risque. Il dit qu'il veut que je lui serve d'hôtesse.

— Mais es-tu certaine que ce soit prudent ?

L'inquiétude assombrit les yeux gris de Jane.

Amy rit.

— Il n'y a plus de foule hurlante, Jane. Après tout, Bonaparte est consul depuis... Combien de temps ? Trois ans déjà ? En fait, c'est exactement pour cela qu'Édouard veut que j'aille là-bas. Bonaparte essaie désespérément de rendre légitime son gouvernement parvenu, meurtrier et usurpateur...

— Comme si tu étais objective, murmura Jane.

— ... alors il courtise la vieille noblesse, continua Amy en ignorant volontairement le commentaire de sa cousine. Mais la séduction se fait surtout par l'entremise de sa femme Joséphine — elle tient un salon pour les dames de l'ancien régime —, alors Édouard a besoin de moi pour y avoir ses entrées.

— Au sein de ce gouvernement parvenu, meurtrier et usurpateur ? dit Jane d'une voix poliment perplexe.

Amy lui lança une marguerite d'un air agacé.

— Moque-toi tant que tu veux, Jane ! Ne vois-tu pas ? C'est exactement l'occasion dont j'avais besoin !

— Pour devenir la belle de la cour de Bonaparte ?

Amy s'abstint de gâcher une autre fleur.

— Non, dit-elle en joignant les mains, les yeux brillants. Pour rejoindre la Ligue de la Gentiane pourpre !

Chapitre 2

❀

C e n'était pas une bonne journée pour la Gentiane pourpre. Lord Richard Selwick, fils cadet du marquis d'Uppington, objet de premier choix pour les mères entremetteuses et maître dans l'art de contrarier les ambitions de Napoléon, se tenait dans le hall d'entrée du domicile londonien de ses parents et traînait les pieds comme un enfant qui fait la tête.

— Ça suffit comme ça, dit sa mère en secouant la tête d'un air exaspéré mais affectueux, faisant valser dans l'air immobile du hall d'entrée les aigrettes de plumes perchées de manière instable sur sa coiffure. Il s'agit d'une soirée à Almack, pas d'un peloton d'exécution.

— Mais, mère…

Richard entendit la plainte dans sa propre voix et fit la grimace. Bon sang! Que se passait-il quand il était à la maison pour qu'il retrouve les manières et la maturité d'un garçon de douze ans?

Richard inspira profondément pour s'assurer de reprendre un ton convenable.

— Écoutez, mère, je suis plutôt occupé en ce moment. Je serai à Londres encore deux semaines seulement, et il y a beaucoup de choses…

Sa mère émit un son qu'on aurait grossièrement appelé « renâcler » chez quiconque d'une classe inférieure à celle de comtesse. Comme l'avait une fois observé un membre intimidé de la haute, « Personne ne se racle la gorge aussi bien que la marquise d'Uppington ».

— Tut-tut ! fit sa mère en balayant ses paroles d'un revers de son éventail en plumes. Ce n'est pas parce que tu es un agent secret que tu pourras toujours remettre à plus tard le moment de fonder un foyer. Vraiment, Richard.

Elle fit furtivement le tour de la pièce du regard pour vérifier qu'aucun domestique ne fût présent puisqu'il n'était pas souhaitable, après tout, de révéler l'identité secrète de son fils et parce que les domestiques avaient tendance à commérer.

— Tu as presque trente ans, déjà ! revint-elle à la charge après s'être assurée qu'il n'y avait personne aux alentours. Le simple fait d'être la Gentiane pourpre — quel nom ridicule ! — ne t'exonère pas de toute *responsabilité* !

— Je croyais que sauver l'Europe d'un tyran était une responsabilité plutôt importante, marmonna Richard entre ses dents.

Malheureusement, l'entrée en marbre avait une excellente acoustique.

— Je parlais des responsabilités envers ta famille. Et si la lignée d'Uppington devait disparaître complètement parce que tu ne t'es pas donné la peine de passer une seule petite soirée à Almack pour rencontrer une gentille demoiselle, hein ?

Elle inclina la tête de côté, le regardant fixement de ses yeux verts plissés, des yeux verts qui étaient somme toute trop perspicaces pour leur bien à tous les deux, pensa amèrement Richard. Sa mère, comme il l'avait appris à ses dépens, possédait la rhétorique évasive de Cicéron, l'endurance vocale d'une chanteuse d'opéra, ainsi que le pur acharnement obstiné de Napoléon Bonaparte. Par moments, Richard avait la profonde impression qu'il avait de bien meilleures chances d'empêcher Bonaparte de conquérir l'Europe que de contrecarrer les plans de sa mère de le voir marié d'ici la fin de la prochaine saison mondaine.

Néanmoins, Richard se défendit courageusement.

— Mère, Charles produit un enfant par an depuis son mariage. Je doute sincèrement que la lignée soit en péril.

Sa mère fronça les sourcils.

— Un accident est vite arrivé. Mais on ne doit surtout pas y penser.

Reconsidérant sa stratégie, Lady Uppington se mit à faire les cent pas dans l'entrée, faisant bruisser ses jupes de soie dorées au rythme de ses pas.

— Ce que je voulais dire, c'est que tu devras bien, tôt ou tard, arrêter de jouer les espions.

Richard resta bouche bée. *Jouer* les espions ? Il lança à sa mère un regard chargé en parts égales d'outrage et d'incrédulité. Qui venait de fournir à Nelson l'information qui lui avait permis d'anéantir la flotte de Napoléon à Aboukir ? Et qui avait empêché quatre assassins français déterminés de tuer le roi dans ses jardins de Kew ? C'était Lord Richard Selwick, alias la Gentiane pourpre ! S'il n'avait pas été retenu par l'immense respect et l'affection filiale qu'il avait pour sa mère, Richard se serait raclé la gorge de sorte à faire l'envie de la marquise.

Mais puisque rien de tout cela ne parvint de la pensée de Richard à ses lèvres, sa mère poursuivit allègrement son sermon.

— Tout ce vagabondage sur le continent... cela fait presque dix ans, Richard. Même Percy s'est retiré après avoir rencontré sa Marguerite.

— Percy s'est retiré parce que les Français avaient découvert qu'il était le Mouron rouge, grommela Richard sans y penser.

Soudain pris d'un horrible pressentiment, il leva brusquement la tête.

— Mère, vous n'oseriez pas...

Lady Uppington s'arrêta.

— Non, je n'oserais pas, dit-elle avec regret.

Pendant un instant, elle posa un regard absent sur le bouquet de fleurs qui ornait l'une des alcôves du mur.

— Quel dommage! ajouta-t-elle ensuite. Ce serait si efficace.

Secouant la tête comme pour chasser prestement la tentation, elle reprit sa progression à vive allure autour de la pièce.

— Chéri, tu sais que je ne pourrais jamais te saborder. Et tu sais que ton père et moi sommes tous deux extrêmement fiers de toi. Ne t'imagine pas que nous ne sommes pas reconnaissants du fait que tu aies eu suffisamment confiance en nous pour nous révéler ton secret. Prends la pauvre Lady Falconstone; c'est seulement après que son fils eut été capturé par cet espion français et qu'ils eûrent commencé à lui envoyer toutes ces sales demandes de rançon en français qu'elle a découvert qu'il était un agent du ministère de la Guerre. Dire qu'il n'avait même pas de surnom et n'avait jamais été cité dans les gazettes illustrées! dit la marquise en s'autorisant un petit sourire maternel satisfait. Nous voulons simplement ton *bonheur*, conclut-elle avec sincérité.

Sentant la venue d'un nouveau discours maternel, l'un de ces sermons du genre « Je t'ai porté, alors je sais ce qui est bon pour toi», Richard fit un mouvement clair en direction de la porte.

— Si c'est tout pour l'instant, mère, je dois vraiment y aller. Le ministère de la Guerre...

La marquise laissa échapper un autre de ses raclements de gorge tristement célèbres.

— Amuse-toi bien au White's, chéri, dit-elle d'un ton tranchant.

Richard s'arrêta sur le pas de la porte pour lui lancer un regard incrédule.

— Comment pouvez-vous toujours tout savoir?

Lady Uppington avait l'air fière d'elle-même.

— Je suis ta mère. Allez, ouste, maintenant! Fiche le camp! À Almack, à vingt et une heures! entendit-il sa mère lui crier joyeusement comme la porte se refermait derrière lui. N'oublie pas de revêtir des hauts-de-chausses!

Le claquement de la porte enterra le grognement bien senti de Richard. Des hauts-de-chausses. Bon sang! Il y avait si longtemps qu'il n'avait pas été traîné de force pour franchir les redoutables portes des salons d'Almack qu'il avait complètement oublié l'histoire des hauts-de-chausses. En longeant la rue Upper Brook en direction de la rue St. James, Richard avait l'air morose, et avec raison; la perspective aurait suffi à précipiter n'importe qui vers la déchéance. Comment sa mère réussissait-elle à lui faire accepter ce genre de choses? Si le ministère des Affaires étrangères avait eu l'idée de lâcher sa mère sur la France... elle aurait probablement marié tout le pays en un mois.

— Bonjour, Selwick!

Richard fit distraitement un signe de tête à une connaissance qui passait en cabriolet. Comme il était tout juste dix-sept heures, l'heure de draguer à cheval, Richard croisa un flot constant de gens élégants en carrosse ou à cheval, qui se rendaient à Hyde Park. Richard sourit et fit des signes de tête à répétition, mais son esprit était déjà parti à la dérive de l'autre côté de la Manche, vers son travail en France.

Lorsqu'il était tout petit, Richard avait décidé d'être un héros. Cela avait peut-être quelque chose à voir avec le fait que sa mère lui lisait les passages les plus émouvants de *Henri V* alors qu'il était encore beaucoup trop jeune. Richard menait la charge dans sa chambre d'enfant et se battait en duel avec des Français invisibles. Ou peut-être cela lui venait-il des après-midi passés à jouer au roi Arthur et aux chevaliers de la Table ronde avec son père dans le jardin. Pendant des années, Richard avait été convaincu que le Saint Graal était caché sous le plancher du temple grec décoratif, où sa mère recevait pour le thé. Lorsque Richard était apparu avec une pelle et une pioche pendant que la duchesse douairière de Dovedale prenait le thé en plein air, sa mère n'avait pas trouvé à rire ; elle avait proclamé sur-le-champ la fin de la quête du Graal.

Envoyé à Eton pour étudier les classiques, Richard avait dévoré les aventures d'Ulysse et d'Énée, ce qui lui avait valu une réputation d'intellectuel totalement imméritée. Richard attendait impatiemment le jour où il pourrait partir lui-même à l'aventure.

Il n'y avait qu'un seul problème : il semblait ne pas y avoir expressément besoin de héros à ce moment-là. Il s'était rendu compte qu'il avait le malheur de vivre à une époque particulièrement paisible et civilisée. Il devrait trouver un autre emploi.

Gardant cela en tête, Richard s'était intéressé d'abord à la gestion du patrimoine. Il avait bien son propre petit domaine, mais l'intendant était un homme d'âge mûr avenant, aimé de tous et exceptionnellement compétent. Richard avait peu à faire, sinon se balader à cheval pour converser poliment avec ses métayers et embrasser les rares bébés. Il y avait là certainement quelque chose de satisfaisant, mais Richard savait que jouer le rôle du gentilhomme fermier l'ennuierait et le laisserait fébrile.

Richard avait donc ce que tout jeune homme aurait fait dans pareille situation : il avait entrepris de se dépraver. À l'âge de seize ans, le fils cadet du marquis d'Uppington était bien connu dans les salons de jeu et les maisons de débauche à la mode de Londres. Il jouait souvent aux cartes, conduisait son cheval trop vite et changeait de maîtresse aussi souvent qu'il changeait de chemise. Mais il s'ennuyait toujours.

Et puis, juste au moment où Richard allait se résigner à une vie de débauche vide de sens, la chance lui avait souri sous la forme de la Révolution française. Depuis des centaines d'années, le domaine d'Uppington jouxtait celui des Blakeney. Richard avait passé d'innombrables après-midi à chasser avec Sir Percy, à faire des descentes dans ses cuisines en quête de tartes, à courir dans la bibliothèque des Blakeney et à lire la vaste collection d'œuvres classiques de Percy, dont chacune était ornée d'un ex-libris avec les armoiries des Blakeney, qui comportaient justement une petite fleur rouge. Lorsque le Mouron rouge avait commencé à défrayer la chronique, Richard n'avait eu aucun mal à additionner deux et deux pour en venir à la conclusion que son voisin était le plus grand héros que l'Angleterre ait porté depuis Henri V.

Richard l'avait supplié et imploré jusqu'à ce que Percy accepte de l'emmener en mission. Cette première mission avait été un succès, puis il y eut une deuxième et une troisième, jusqu'à ce que Richard et son talent pour l'héroïsme deviennent absolument indispensables à la Ligue du Mouron rouge. Tellement indispensables que Percy et les autres lui avaient pardonné quand… non. Richard chassa cette pensée avant qu'elle ne prenne trop d'ampleur dans sa mémoire et monta d'une vigueur excessive les marches à l'entrée de son club.

Richard sentit qu'il se détendait lorsqu'il passa la porte du bastion de la masculinité qu'était le White's. Une odeur dense de tabac et de liqueur flottait dans l'air. D'une pièce à sa droite lui parvenait le bruit sourd des fléchettes lancées sur une cible — ratée, à en croire les jurons qui provenaient de la même pièce. Il traversa le premier étage en zigzaguant et repéra plusieurs parties de cartes en cours, mais aucune à laquelle il eut envie de se joindre. L'un des nombreux prétendants de sa sœur tenta au moyen de grands gestes de bienvenue enthousiastes d'attirer Richard vers la petite table où il était confortablement installé avec deux amis autour d'une bouteille de porto. Malheureusement, son accueil fut un peu trop enthousiaste : il tomba à la renverse et bascula par-dessus le bras de son fauteuil, emportant dans sa chute la table, la carafe de porto et trois verres.

— Eh bien, en voilà un que nous ne verrons pas à Almack ce soir, murmura Richard pour lui-même en saluant d'un signe de tête le garçon gesticulant et ses amis imbibés de porto alors qu'il passait devant eux.

Richard trouva ce qu'il cherchait à la bibliothèque.

— Selwick !

L'honorable Miles Dorrington mit de côté le bulletin de nouvelles qu'il était en train de lire et bondit de sa chaise pour donner une tape dans le dos de son ami. Il se rassit ensuite prestement, l'air légèrement embarrassé par cette démonstration d'affection déplacée.

Henrietta, la sœur de Richard, avait une fois lors d'un accès de colère fait référence à Miles comme à « ce chien de berger trop dévoué », et il fallait reconnaître qu'il y avait une part de vérité dans cette description. Avec ses cheveux blond-roux qui lui tombaient sur le visage et ses yeux marron brillants de bonne camaraderie, Miles présentait bel et bien une ressemblance saisissante avec les espèces les plus aimables du meilleur ami de l'homme. En fait, il était le meilleur ami de Richard ; ils étaient devenus amis dès leurs premiers jours à Eton.

— Quand es-tu rentré à Londres ? s'enquit Miles.

Richard se laissa tomber sur le siège à côté de lui et s'affala avec bonheur dans le fauteuil de cuir usé. Il étira confortablement ses longues jambes devant lui.

— Tard hier soir. J'ai quitté Paris jeudi, mais je me suis arrêté quelques jours à Uppington Hall, puis je suis arrivé en ville vers minuit, dit-il en faisant un large sourire à son ami. Je me cache.

Miles se raidit instantanément.

— De qui ? chuchota-t-il en se penchant en avant après avoir anxieusement regardé de gauche à droite. T'ont-ils suivi jusqu'ici ?

Richard éclata de rire.

— Grand Dieu, non, il ne s'agit pas de cela, mon ami ! Je fuis ma mère.

Miles se détendit.

— Tu aurais dû le dire, rétorqua-t-il avec humeur. Comme tu dois t'en douter, nous sommes tous un peu tendus.

— Désolé, mon vieux.

Richard sourit en guise de remerciement lorsqu'un verre de sa marque favorite de scotch se matérialisa dans sa main. Ah ! Comme c'était bon d'être de retour dans son club !

Miles accepta un whisky et se renfonça dans son fauteuil.

— De quoi s'agit-il, cette fois ? T'impose-t-elle une autre cousine éloignée ?

— Pire, répondit Richard avant de prendre une longue gorgée de scotch. Almack.

Miles eut une grimace de sympathie.

— Pas les hauts-de-chausses.

— Hauts-de-chausses et tout ce qui va avec.

Il y eut un instant de silence convivial pendant que les deux hommes, élégamment vêtus de pantalons marron clair ajustés, songeaient avec horreur aux hauts-de-chausses. Miles termina son whisky et posa son verre sur une table basse à côté de son fauteuil.

— Comment vont les choses à Paris ? demanda-t-il à Richard après avoir fait plus attentivement le tour de la pièce du regard.

Miles était non seulement le plus vieux et le meilleur ami de Richard, mais il lui servait aussi de contact au ministère de la Guerre. Lorsque Richard avait cessé de secourir des aristocrates pour recueillir des informations secrètes, le ministre de la Guerre avait sagement fait remarquer que le meilleur moyen de communiquer avec Richard était certainement par l'intermédiaire du jeune Miles Dorrington. Après tout, les deux hommes évoluaient dans les mêmes cercles, partageaient les mêmes amis et pouvaient souvent être vus en train d'évoquer des souvenirs autour des tables du White's. Personne ne trouverait quoi que ce soit d'étrange au fait que deux vieux amis conversent à voix basse. En guise d'excuse pour ses fréquentes visites chez les Uppington, Miles avait laissé entendre qu'il envisageait de courtiser la sœur de Richard. Henrietta s'était prêtée au jeu avec un peu trop de plaisir au goût de son frère aîné.

Richard examina la pièce à son tour et remarqua le derrière d'une tête blanche qui dépassait au sommet d'un dossier. Il regarda Miles en levant un sourcil d'un air interrogateur.

Miles haussa les épaules.

— Ce n'est que le vieux Falconstone. Sourd comme un pot et profondément endormi par-dessus le marché.

— Et son fils est l'un des nôtres. C'est bon. À Paris ç'a été... agité.

Miles tira sur son foulard.

— Qu'entends-tu par *agité*?

— Lâche ça, sinon ton valet voudra ta mort.

L'air penaud, Miles tenta de replacer les plis de son foulard qui, au lieu de cascader parfaitement, débordait maintenant de partout.

— Beaucoup d'allées et venues aux Tuileries, plus que d'habitude, poursuivit Richard. J'ai envoyé un rapport détaillé au bureau, ainsi que certaines informations gracieusement compilées par notre ami commun du ministère de la Police, monsieur Delaroche.

Ses lèvres formèrent un sourire de pure allégresse.

— Bien joué! Je savais que tu y arriverais! Une liste de tous leurs agents à Londres... et juste sous le nez de Delaroche, rien de moins! Tu es vraiment un sacré veinard.

Puisque le dos de Richard était hors de portée, Miles tapa avec admiration sur le bras de son fauteuil.

— Et tes liens avec le Premier Consul?

— Meilleurs que jamais, répondit Richard. Il a fait déplacer la collection d'artefacts égyptiens à l'intérieur du palais.

Le sujet des artefacts égyptiens pouvait sembler hors du cadre des compétences du ministère de la Guerre. Mais pas quand leur meilleur agent jouait le rôle de l'intellectuel favori de Napoléon.

23

Lorsque Richard avait créé la Gentiane pourpre, son talent pour les langues anciennes, qui avait épaté ses professeurs à Eton, lui avait été utile une fois de plus. Alors que Sir Percy avait fait semblant d'être un dandy, Richard ennuyait les Français jusqu'à la fatuité avec ses longs discours sur l'Antiquité. Lorsque les Français voulaient savoir ce qu'il faisait en France et que les Anglais l'accusaient de fraterniser avec l'ennemi, Richard écarquillait les yeux et déclarait : « Mais un érudit est un citoyen du monde ! » Puis il leur déclamait une citation grecque. En général, les gens ne posaient pas la question deux fois. Même Gaston Delaroche, l'adjoint au ministre de la Police, qui avait juré de se venger de la Gentiane pourpre et qui était aussi tenace que… eh bien, que la mère de Richard, avait cessé de tourner autour de Richard après avoir été soumis à deux passages particulièrement épineux de l'*Odyssée*.

La décision de Bonaparte d'envahir l'Égypte avait été un désastre pour la France, mais une bénédiction pour Richard. Il avait déjà acquis une réputation d'érudit et d'antiquaire ; qui d'autre aurait été mieux placé pour se joindre au groupe d'experts que Bonaparte emmenait en Égypte ? Sous le couvert de sa ferveur d'antiquaire, Richard avait recueilli plus de renseignements au sujet des activités françaises que sur les antiquités égyptiennes. Grâce aux rapports de Richard, les Anglais avaient pu détruire la flotte française, échouant Bonaparte en Égypte pendant des mois.

Durant ces longs mois passés en Égypte, Richard était devenu bon ami avec Eugène de Beauharnais, le beau-fils de Bonaparte, un jeune homme rayonnant et aimable qui appelait l'amitié. Lorsqu'Eugène avait présenté Richard à Bonaparte comme un expert des antiquités, Bonaparte avait immédiatement engagé Richard dans un long débat sur la

Vie des douze Césars, de Suétone. Impressionné par l'argumentaire détendu et l'immense répertoire de citations de Richard, il lui avait adressé une invitation permanente à passer par sa tente pour discuter des temps anciens. Un mois plus tard, il avait promu Richard directeur des antiquités égyptiennes. Au beau milieu des sables du camp français en Égypte, c'était un titre plutôt insignifiant. À leur retour à Paris, cependant, Richard s'était retrouvé avec deux salles pleines d'artefacts et ses entrées au palais. Qu'est-ce qu'un espion pouvait bien demander de plus? Et maintenant, ses artefacts avaient été déplacés à l'intérieur du palais, dans l'antre de Bonaparte...

On aurait dit que Miles venait de recevoir un amas de cadeaux de Noël en juillet.

— Et ton bureau aussi?

— Et mon bureau aussi.

— Fichtre! Richard, c'est génial! Génial!

Miles s'emporta tant qu'il éleva la voix au-dessus du seuil du chuchotement. Très au-dessus du seuil du chuchotement.

À l'autre bout de la pièce, le vieux Falconstone se réveilla.

— Quoi? Hein? Quoi?

— Je suis assez d'accord, dit Richard à voix haute. La poésie de Wordsworth est plutôt brillante, mais je préférerai toujours celle de Catulle.

Miles lui lança un regard dubitatif.

— Wordsworth et Catulle? chuchota-t-il.

— Écoute, c'est toi qui as crié, rétorqua Richard. Il fallait bien que je trouve quelque chose.

— Si l'on venait à apprendre que j'ai lu Wordsworth, je me ferais mettre à la porte de mes clubs. Ma maîtresse me renierait. Ma réputation serait ruinée, siffla Miles sur un ton de détresse exagérée.

Entre-temps, Falconstone s'était levé tant bien que mal et il exécuta une drôle de danse en essayant de retrouver son équilibre avec sa canne. Lorsqu'il aperçut Richard à l'autre bout de la pièce, son visage s'assombrit pour s'accorder à son gilet bordeaux.

— Tu as un sacré culot de te montrer ici ! Après avoir fréquenté ces satanés Français, hein ? hurla Falconstone avec le peu de pudeur des gens extrêmement sourds et le peu de grammaire des gens extrêmement consanguins. Un sacré culot, ma foi !

Du bout de sa canne, il tenta de mettre de petits coups à Richard, mais le geste s'avéra un trop grand effort pour lui, et il serait tombé si ce dernier ne l'avait pas retenu.

Falconstone lui jeta un regard noir et dégagea brusquement son bras avant de sortir d'un pas raide en marmonnant.

Miles avait bondi sur ses pieds au moment où Falconstone avait chargé Richard. Il posa sur son ami un regard inquiet.

— Cela t'arrive souvent ?

— Seulement de la part de Falconstone. Il faut vraiment que je trouve le temps de faire sortir son fils de la prison de la tour du Temple un de ces jours, dit Richard en reprenant son siège avant de vider d'un trait le reste de son scotch. Ne joue pas les vieilles bonnes femmes, Miles. Cela ne me dérange pas. Écoute, je préfère de loin les vociférations de Falconstone à tous les babillages des débutantes au sujet de la Gentiane pourpre. Peux-tu imaginer tout ce que je devrais endurer si la vérité venait à éclater ?

Miles inclina la tête d'un air songeur, faisant tomber devant ses yeux une mèche de cheveux blonds et souples.

— Mmm ! Des débutantes éprises...

— Pense à combien ta maîtresse serait jalouse, dit sèchement Richard.

Miles tressaillit. Sa maîtresse actuelle était une chanteuse d'opéra reconnue tant pour la force de son bras que pour celle de sa voix. Il avait déjà frôlé la commotion cérébrale parce qu'il avait dragué publiquement une danseuse de ballet, et il n'avait aucune intention de retenter l'expérience.

— D'accord, d'accord, j'ai compris, répondit-il. Oh, malédiction ! Je lui avais promis de dîner avec elle avant l'opéra. Elle cassera probablement la moitié de toutes les assiettes de la maison si j'arrive en retard.

— Dont la plupart sur ta tête, ajouta aimablement Richard. Puisque je préfère ta tête en un morceau, tu ferais bien de me transmettre ma mission rapidement.

— Tu as bien raison ! répliqua vivement Miles.

Il s'efforça de reprendre ses esprits ainsi que le sérieux qui incombait à un représentant du ministère de la Guerre.

— Très bien, poursuivit-il. Ta mission. Nous sommes pratiquement certains que Bonaparte profite de la paix pour se préparer à envahir l'Angleterre.

Richard hocha la tête, l'air grave.

— C'est ce que je crois aussi.

— Ton rôle est de découvrir tout ce que tu peux au sujet de ses préparatifs. Nous voulons des dates, des lieux et des chiffres aussi rapidement que possible. Nous aurons une série de messagers postés de Paris à Calais pour relayer au fur et à mesure les renseignements que tu dénicheras. Voilà, Richard !

Les yeux de Miles brillèrent avec une lueur d'enthousiasme, semblable à celle d'un chien sur les traces d'un renard.

— *La* mission, continua-t-il. Nous comptons sur *toi* pour garder le bon vieux Boney hors de l'Angleterre.

Richard fut parcouru d'un frisson d'excitation familier. Comment Percy avait-il pu abandonner cela ? La montée d'adrénaline, l'excitation, le défi ! La sensation grisante de savoir que la sécurité de l'Angleterre dépendait de lui. Évidemment, Richard ne s'imaginait pas qu'il était le seul espoir du pays. Il savait bien que le ministère de la Guerre avait une bonne dizaine d'espions dispersés autour de la capitale française, qui s'efforçaient tous de découvrir les mêmes choses que lui. Mais il savait aussi, sans fausse modestie, qu'il était leur meilleur atout.

— Le code habituel, je suppose ?

Ils avaient conçu ce code pendant leur première année à Eton dans le cadre d'un plan complexe pour se montrer plus malins que leur surveillant tortionnaire.

Miles acquiesça.

— Tu pars pour Paris dans deux semaines ?

Richard se frotta le front.

— Oui. J'ai quelques affaires personnelles à régler, et j'ai promis à ma mère d'escorter Hen pour faire fuir les chasseurs de fortune. De toute façon, Bonaparte devrait passer la majeure partie de la prochaine semaine à Malmaison, et j'ai confié à Geoff la tâche de surveiller ce qui se passe en mon absence.

— Chic type, ce Geoff, dit Miles en se levant pour s'étirer. S'il était ici, nous pourrions nous faire une superbe soirée de débauche, comme au bon vieux temps, tous les trois. J'imagine que cela devra attendre que nous nous soyons débarrassés du bon vieux Boney une fois pour toutes. Que Dieu soit avec Harry, l'Angleterre et saint Georges, etc.

Miles tentait désespérément de réarranger son foulard et de lisser ses cheveux.

— Bon sang! s'exclama-t-il. Pas le temps de passer à la maison pour demander à mon valet de faire des retouches. Eh bien. Embrasse Hen pour moi.

Richard lui lança un regard perçant.

— Sur la joue, mon vieux, sur la joue, ajouta-t-il. Dieu sait que je ne tenterais jamais quoi que ce soit d'inconvenant avec ta sœur. Ce n'est pas qu'elle n'est pas jolie ni rien, c'est juste que, enfin, c'est ta *sœur*.

Richard donna une tape sur l'épaule de son ami en signe d'approbation.

— Bien dit! C'est exactement en ces termes que je veux que tu penses à elle.

Miles marmonna quelque chose au sujet du fait qu'il était reconnaissant que ses sœurs soient bien plus âgées que lui.

— Tu sais que tu te transformes en vrai raseur lorsque tu escortes Hen, grommela-t-il.

Richard regarda Miles en haussant un sourcil, une habileté qu'il avait pratiquée devant le miroir pendant plusieurs mois quand il avait douze ans, mais l'investissement en avait amplement valu la peine.

— *Moi*, au moins, je n'ai pas laissé ma sœur m'habiller avec son jupon à l'âge de cinq ans.

Miles resta bouche bée.

— Qui t'a raconté ça? demanda-t-il d'un ton indigné.

Richard sourit.

— J'ai mes sources, répondit-il d'un air désinvolte.

Miles, qui n'était pas l'un des meilleurs agents du ministère de la Guerre sans raison, réfléchit un instant, puis ses yeux se plissèrent.

— Tu peux dire à ta source qu'elle devra trouver quelqu'un d'autre pour aller lui chercher de la limonade au bal des Alsworthy demain soir, à moins qu'elle ne s'excuse. Tu peux lui dire aussi que j'accepterai des excuses verbales ou écrites, tant qu'elles sont suffisamment plates. Et cela veut dire très, très plates, ajouta sombrement Miles en attrapant son chapeau et ses gants sur une petite table. Hé, c'est bon! Cesse de sourire ainsi. Ce n'était pas si drôle.

Richard se frotta le menton comme s'il était profondément plongé dans ses pensées.

— Dis-moi, Miles, c'était un jupon en dentelle?

Poussant un grognement mécontent, Miles fit demi-tour et sortit de la pièce d'un pas lourd.

Richard ramassa les bulletins de nouvelles que Miles avait laissés et s'installa de nouveau confortablement dans le fauteuil en cuir.

Deux semaines, se dit-il. Dans deux semaines, il serait de retour en France à risquer sa couverture et sa vie.

Richard était impatient d'y être.

Chapitre 3

❀

— Comment peux-tu seulement espérer trouver la Gentiane pourpre ? demanda Jane en courant derrière Amy dans la spacieuse chambre tapissée de papier peint blanc et bleu qu'elles partageaient depuis qu'elles avaient eu l'âge de quitter leur chambre d'enfant. Les Français essaient depuis des années !

Leur chambre commençait à ressembler à la boutique d'un modiste frappée par un ouragan. Une jarretière était pendue à l'horloge sur la cheminée, le lit d'Amy était enseveli sous une pile de jupons vaporeux, et cette dernière avait même réussi, par quelque lancer surexcité, à envoyer un bonnet sur le baldaquin du lit de Jane. Jane pouvait tout juste apercevoir les bouts de rubans roses qui pendaient au bord du baldaquin.

Amy s'était mise en tête que si elle faisait ses bagages immédiatement, elle serait en mesure de partir le lendemain. C'était typique d'Amy, se dit Jane. Elle était persuadée que si Amy avait été là au moment de la création du monde, elle aurait pressé le Seigneur de créer la Terre en deux jours plutôt qu'en sept.

Plusieurs paires de bas filèrent à toute allure en direction de Jane.

— Tu te souviens de cette auberge où les gazettes disaient que le Mouron rouge avait l'habitude de s'arrêter? Celle à Douvres?

— Le Repos du Pêcheur, précisa Jane.

— Eh bien, selon *L'Informateur du Shropshire*, la Gentiane pourpre pourrait poursuivre la tradition. Alors... si on s'arrêtait au Repos du Pêcheur avant la traversée? En écoutant subtilement ce qui s'y dit, qui sait?

— *L'Informateur du Shropshire*, lui rappela Jane, a aussi publié un article sur la naissance d'une chèvre à deux têtes à Nottingham. Et l'édition du mois dernier affirmait que Sa Majesté le roi était encore une fois devenu fou et qu'il avait nommé la reine Charlotte régente.

— Oui, bon, j'admets que ce n'est pas la plus fiable des publications...

— Pas *la plus* fiable?

— As-tu vu la une d'aujourd'hui, Jane? Dans le *Spectateur*, cela dit, pas dans *L'Informateur*.

S'emparant de la feuille de papier maintes fois manipulée, Amy lut avec enthousiasme :

— «La fleur favorite de l'Angleterre subtilise des dossiers français lors d'un cambriolage audacieux.»

Amy fut interrompue par le raclement de la porte qui s'entrouvrit. Elle ne pouvait s'ouvrir de plus de trois ou quatre centimètres parce qu'elle était bloquée par la malle d'Amy, qu'elle avait tirée de sous le lit.

— Pardonnez-moi, mademoiselle Jane, mademoiselle Amy, dit Mary, la femme de chambre, en passant la tête par la porte et en faisant la révérence, mais la maîtresse m'a demandé de voir si vous n'aviez pas besoin d'aide pour vous habiller pour le dîner.

Le visage d'Amy se tordit d'horreur comme celui de madame Siddons lorsqu'elle jouait la scène d'hystérie de Lady Macbeth.

— Ah non! Nous sommes jeudi!

— Oui, mademoiselle, et demain, nous serons vendredi, répondit gentiment Mary.

— Ah, zut, zut, zut, zut, zut! murmura Amy à voix basse.

Il revint donc à Jane de sourire poliment.

— Nous n'aurons pas besoin de votre aide, Mary. Vous pouvez dire à mère que mademoiselle Amy et moi-même descendrons bientôt.

— Bien, mademoiselle.

La femme de chambre fit de nouveau la révérence avant de refermer minutieusement la porte derrière elle.

— Zut, zut, zut, fit Amy.

— Tu pourrais porter ta robe de mousseline couleur pêche, suggéra Jane.

— Dis-leur que j'ai la migraine... non, la peste! J'ai besoin de quelque chose de bien contagieux.

— Une demi-douzaine de personnes t'ont vue courir sur la pelouse en pleine forme il y a moins d'une demi-heure.

— Nous leur dirons que c'est arrivé subitement?

Jane regarda Amy en secouant la tête et lui tendit la robe couleur pêche. Amy tourna docilement le dos à Jane pour qu'elle déboutonne ses vêtements.

— Je n'ai pas la patience de supporter Derek ce soir! Ce soir encore moins que n'importe quel autre soir! Il faut que je me *prépare*! s'exclama-t-elle d'une voix qui fut légèrement assourdie à l'instant où Jane lui passa la robe propre par-dessus la tête. Pourquoi fallait-il que nous soyons jeudi?

Jane tapota le dos d'Amy avec compassion avant de commencer à boutonner sa robe couleur pêche.

Comme tous les jeudis, ils seraient douze pour le dîner.

Tous les jeudis soir, avec la même inévitable régularité que la tonte des moutons, une calèche démodée, dont le côté était orné d'armoiries floues, remontait l'allée en cahotant. Tous les jeudis en descendaient leurs voisins les plus proches : monsieur Henry Meadows, sa femme, sa sœur vieille fille, ainsi que son fils Derek.

Amy se jeta sur la chaise basse devant la coiffeuse et entreprit de brosser ses courtes boucles avec une telle violence qu'elles cassèrent en frisottis tout autour de son visage.

— Je ne crois vraiment pas pouvoir le supporter plus longtemps, Jane. Personne ne devrait être tenu d'endurer quelqu'un comme Derek !

— Il y a des moyens plus faciles d'éviter Derek que de partir à la recherche de la Gentiane pourpre, répondit Jane en tendant le bras par-dessus Amy pour attraper un médaillon pendu à un ruban bleu sur la coiffeuse.

— Comment oses-tu combiner leurs deux noms dans une même phrase ? protesta Amy en grimaçant.

Le menton appuyé sur ses mains jointes, elle regarda Jane dans le miroir en souriant.

— Reconnais-le, poursuivit-elle. Tu as autant envie que moi de partir à la recherche de la Gentiane pourpre. N'essaie pas de faire comme si tu n'étais pas excitée.

— J'imagine que quelqu'un devra t'accompagner pour t'empêcher de t'attirer des ennuis.

Il était impossible de rater l'étincelle dans les yeux gris de Jane.

Amy bondit de sa chaise et se jeta sur sa cousine pour la prendre dans ses bras.

— Enfin! se réjouit-elle. Après toutes ces années!

— Et tous nos préparatifs, ajouta Jane en serrant triomphalement Amy dans ses bras à son tour. Mais je refuse de mettre de la suie sur mes dents ou la vieille perruque de mon père.

— Entendu. Je suis certaine que je peux trouver quelque chose de beaucoup, beaucoup plus malin que ça…

Jane recula subitement en fronçant les sourcils.

— Que ferons-nous si père n'est pas d'accord?

— Oh, Jane! Comment pourrait-il refuser?

— Il n'en est absolument pas question, dit oncle Bertrand.

Amy bouillait d'indignation.

— Mais…

Oncle Bertrand la fit taire en brandissant sa fourchette, ce qui envoya voler une traînée de sauce à travers la salle à manger.

— Je ne tolérerai pas qu'une de mes nièces vive parmi ces Français meurtriers. Des moutons noirs, voilà ce qu'ils sont! Pas vrai, Monsieur le Pasteur?

Oncle Bertrand donna un coup de coude dans la redingote noire du pasteur, ce qui eut pour effet de le faire chanceler et heurter le valet, qui renversa la moitié de la carafe de bordeaux sur le tapis d'Aubusson.

Amy posa sa fourchette en argent richement ciselée.

— Puis-je vous rappeler, oncle Bertrand, que je suis moi-même à moitié française?

Oncle Bertrand n'était pas très sensible aux nuances de ton.

— Ne t'en fais pas avec ça, jeune femme, répondit-il joyeusement. Ton père était un chic type pour un Français. Nous ne t'en tenons pas rigueur. Hein, Derek?

De l'autre côté de la table, Derek fit un petit sourire en coin à Amy. Il avait l'air d'une grenouille particulièrement raffinée dans sa redingote couleur eau du Nil, pensa Amy avec répugnance.

— Si tu as envie de bouger un peu, chère Amy, tu seras toujours la bienvenue chez nous ! dit gaiement la mère de Derek, assise à la droite d'oncle Bertrand.

Son double menton rebondit d'enthousiasme.

— Je suis persuadée que Derek pourra trouver le temps de t'emmener faire une charmante promenade dans la roseraie… avec chaperon, comme il se doit, bien sûr !

De sa main potelée, elle fit un geste en direction du chaperon tout désigné, la sœur vieille fille de monsieur Meadows, communément appelée « mademoiselle Gwen ». Mademoiselle Gwen lui répondit de la même manière qu'à l'habitude : elle lui lança un regard noir. Amy supposa qu'elle aussi lancerait des regards noirs si elle devait vivre avec madame Meadows et Derek.

— Oh, mon amour est comme une rose bien rouge…, commença Derek en faisant les yeux doux à Amy.

Sa voix fut couverte par celle de son père.

— Je ne veux pas entendre parler de tes roseraies. Ils iront à cheval, aboya monsieur Meadows de l'autre bout de la table, où il était assis à côté de tante Prudence. Inspecter les terres. Faire d'une pierre deux coups. Derek, tu viendras chercher la demoiselle demain. Je veux que tu ailles jeter un œil aux clôtures près de Scraggle Corner.

— Je suis certaine qu'elle préférerait voir mes roses, n'est-ce pas, très chère ? s'enquit madame Meadows en lançant à son mari un regard qui se voulait lourd de sens. Elles sont tellement plus… romantiques.

Se tournant vers la gauche, Amy croisa les yeux de Jane et grimaça.

Elle dirigea un regard implorant vers sa tante Prudence au bout de la table, mais aucune aide ne viendrait de ce côté. La seule et unique passion de tante Prudence était de recouvrir chaque surface du manoir Wooliston de kilomètres de broderie ; elle était insensible à toute autre chose.

Amy passa au plan B. Elle redressa les épaules et regarda son oncle en face.

— Oncle Bertrand, je vais en France. Si je n'obtiens pas votre consentement, je partirai sans.

Elle se prépara à argumenter.

— Elle est fougueuse, celle-là, n'est-ce pas ? déclara monsieur Meadows d'un air approbateur. Je croyais que le sang français aurait affaibli la race, continua-t-il en mesurant Amy du regard comme s'il s'était agi d'une brebis au marché. Les gènes de la lignée maternelle ont prédominé ! On le voit chez mes filles aussi, pas vrai Marcus ? De la bonne graine d'Hereford.

Il était très difficile de savoir si oncle Bertrand parlait de sa nièce, de ses moutons, de ses filles ou des trois.

— J'ai acheté un bélier d'Hereford une fois...

— Ha ! Ce n'est rien comparé à la brebis que j'ai achetée au vieux Ticklepenny. Annabelle, qu'il l'appelait. Elle avait un de ces regards..., s'extasia oncle Bertrand à la lueur de la chandelle.

La conversation semblait sur le point de dégénérer vers un inventaire nostalgique des moutons qu'ils avaient connus et aimés. Amy faisait mentalement ses bagages en prévision d'une fuite nocturne jusqu'à la malle-poste pour Douvres (le plan C), lorsque la douce voix de Jane s'éleva au-dessus de l'énumération des pédigrées ovins.

— C'est bien dommage pour les tapisseries, dit-elle simplement.

Sa voix basse parvint malgré tout à couvrir les exclamations des deux hommes.

Amy jeta un vif coup d'œil à Jane et en fut récompensée par un petit coup de pied rapide sur la cheville. Était-ce un coup de pied qui voulait dire « Dis quelque chose et vite ! », ou alors « Tais-toi et reste tranquille » ? Amy donna à son tour un coup de pied en guise de question. Jane appuya fermement son pied sur celui d'Amy, qui décida que cela pouvait être interprété tant comme « Tais-toi et reste tranquille » que comme « Cesse immédiatement de me donner des coups de pied ».

On entendit presque le déclic qui fit sortir tante Prudence de sa rêverie.

— Les tapisseries ? s'enquit-elle avec empressement.

— Eh bien, oui, mère, répondit modestement Jane. J'avais espoir que pendant notre séjour en France, on nous accorderait peut-être, à Amy et à moi, un accès aux tapisseries des Tuileries.

Les paroles calmes de Jane plongèrent la tablée dans un état fébrile d'expectative. Les fourchettes restèrent suspendues dans les airs au-dessus des assiettes, les verres de vin restèrent inclinés à mi-chemin en direction des bouches ouvertes, et le petit Ned, qui était en train de glisser un petit pois dans le dos de la robe d'Agnès, arrêta son geste. Même mademoiselle Gwen cessa de lancer des regards noirs assez longtemps pour contempler Jane d'un air qui semblait plus spéculatif qu'amer.

— Pas la série des Gobelins sur Apollon et Daphné ! s'écria tante Prudence.

— Mais bien sûr, tante Prudence, lança Amy, qui avait du mal à se retenir de se retourner pour serrer sa cousine dans ses bras.

Tante Prudence avait passé de longues heures à se plaindre qu'elle n'avait jamais pris le temps, avant la guerre, de copier le modèle des tapisseries accrochées dans le palais des Tuileries.

— Jane et moi avions l'intention d'en faire une esquisse pour vous, n'est-ce pas, Jane?

— En effet, confirma Jane en opinant gracieusement. Cependant, si père est d'avis que la France est toujours dangereuse, nous nous soumettrons à sa grande sagesse.

À l'autre bout de la table, tante Prudence balançait. Littéralement. Déchirée entre la confiance qu'elle avait en son mari et son vif intérêt pour les modèles de broderie, elle vacilla légèrement sur sa chaise, faisant frissonner dans son agitation les plumes de son petit turban de soie.

— Cela ne peut certainement pas être si dangereux, n'est-ce pas Bertrand? demanda-t-elle en se penchant sur la table pour scruter son mari de ses yeux devenus myopes à force de passer de longues heures penchée sur son métier à broder. Après tout, si ce cher Édouard est disposé à assumer la responsabilité des filles...

— Édouard prendra bien soin de nous, j'en suis certaine, tante Prudence! Si seulement vous lisiez sa lettre, vous verriez que... aïe!

Jane venait de lui donner un autre coup de pied.

— Vous savez que je n'approuve pas le fait de traîner avec des étrangers, dit oncle Bertrand en secouant son verre de vin d'un air menaçant. Comment se fait-il que ta sœur...

— Oui, oui, mon cher, je sais, mais tout cela est du passé, et puis Édouard *est* notre neveu.

Amy serra ses mains entre ses cuisses. Elle devait rassembler toute sa volonté pour ne pas ouvrir la bouche; elle pouvait sentir sa poitrine se soulever dans un effort pour contenir les mots durs qui lui venaient. Jane, qui s'en était rendu compte, lui fit un petit signe de tête d'avertissement. Remarquant quelque chose de tout à fait différent, Derek lorgna le décolleté d'Amy. Celle-ci lança un regard noir à Derek, qui ne se rendit compte de rien. Après tout, ce n'était pas le visage d'Amy qu'il fixait.

— ... seulement pour quelques semaines.

Lorsque les paroles de tante Prudence atteignirent ses oreilles, Amy se rendit compte qu'elle avait raté quelques échanges de la conversation.

— Ce n'est pas si loin, et nous pouvons aller les chercher s'il y a un problème.

Amy remarqua, avec une pointe d'allégresse, qu'oncle Bertrand faiblissait manifestement. Il regardait tante Prudence de l'autre côté de la table d'un air plutôt perplexe. S'il s'était agi d'un homme plus jeune, Amy aurait qualifié son regard d'épris. Quant à tante Prudence, si elle avait été une femme plus jeune, Amy aurait dit qu'elle arborait une expression indéniablement aguicheuse! Sa tête était inclinée dans son angle le plus seyant, et elle souriait tendrement à oncle Bertrand. Ned, le cousin d'Amy âgé de douze ans, paraissait horrifié.

Derek aussi. Il tournait nerveusement la tête de gauche à droite pour regarder l'un et l'autre.

— Vous n'avez pas l'intention de les laisser partir! glapit-il. Monsieur, s'empressa-t-il d'ajouter lorsqu'oncle Bertrand détacha son regard de tante Prudence.

Les lèvres de madame Meadows s'étirèrent pour ne former qu'une mince ligne.

— De toute façon, dit-elle à l'intention de tante Prudence, vous ne serez pas en mesure d'y envoyer les filles avant plusieurs mois, j'imagine. Vous allez devoir embaucher un bon chaperon, ce qui peut prendre beaucoup de temps; les bonnes duègnes sont si difficiles à trouver de nos jours.

— Je suis certaine qu'Édouard a prévu qu'un chaperon nous attende à Paris, dit hâtivement Amy. Si nous partions immédiatement...

— Mais qui vous accompagnera pendant le voyage? s'enquit madame Meadows en se redressant pour jeter un regard sévère à Amy de l'autre côté de la table. Jane et toi ne pouvez pas envisager de voyager seules! Deux jeunes demoiselles délicates à la merci des voyous et des bandits de grand chemin!

— Vous pourriez demander à un domestique de nous accompagner, n'est-ce pas, oncle Bertrand? demanda Amy à son oncle. Pour repousser tous les bandits de grand chemin?

Derek s'enfonça dans sa chaise, ses lèvres épaisses gonflées par une moue peu séduisante.

Madame Meadows redoubla d'efforts.

— Pensez à votre réputation! hurla-t-elle.

— J'imagine que je vais devoir mettre une petite annonce, soupira tante Prudence.

— Certainement, déclara madame Meadows sur un ton autoritaire. Il n'y a vraiment aucune autre option.

Amy se demanda si elle arriverait à attraper la malle-poste de minuit si elle se faufilait hors de sa chambre vers vingt-trois heures.

— *Je* leur servirai de chaperon.

Dix têtes (Ned était toujours occupé à enfoncer subtilement le reste de ses légumes dans le dos d'Agnès) se tournèrent pour fixer mademoiselle Gwen avec stupéfaction. Dix bouches s'ouvrirent en même temps.

— Quand pouvons-nous partir? Je peux être prête demain matin, lança joyeusement Amy par-dessus le vacarme.

Avec tout ce chahut, personne ne vit Agnès porter une main à sa nuque, crier, puis secouer Ned par le col jusqu'à ce qu'il prenne un teint violet foncé et s'enfuie de la pièce en éparpillant des petites boules vertes.

Toujours en train de couper sa viande calmement, mademoiselle Gwen fixa tour à tour chacun des multiples intervenants.

— Vous pouvez être certaine, Prudence, que je garderai un œil attentif sur Jane et Amy. Quant à vous, mademoiselle Amy, *vous* êtes peut-être prête, mais *moi*, non.

Mademoiselle Gwen attrapa un petit pois avec une précision militaire.

— Nous partirons dans deux semaines.

Chapitre 4

❀

Lorsqu'il entendit le bruit de la porte frapper contre le mur, Richard se tourna brusquement vers l'entrée par réflexe, et tout son corps se tendit pour réagir aux ennuis. Sacrebleu ! Il ne devait y avoir personne d'autre que lui sur le bateau postal de Douvres, à Calais. Dix couronnes, qu'il avait glissées dans les mains du capitaine à l'aspect plutôt huileux, dix couronnes de bonne monnaie britannique, et il en avait promis cinq autres à l'arrivée. Le capitaine lui avait assuré qu'il aurait le bateau pour lui seul et qu'ils lèveraient l'ancre dès le prochain coup de vent favorable au lieu de traîner pendant une semaine à attendre des passagers.

Alors qui pouvait bien faire claquer les portes ? Selon son expérience, le bruit du chêne contre le chêne précédait généralement les chaises qui volent, les chandeliers renversés, les jurons grognés en trois langues et, si on n'avait vraiment pas de chance, la fumée âcre de la poudre d'un pistolet. La cabine d'un navire sur la Manche était un bien mauvais endroit pour se faire piéger. Le plafond était trop bas pour qu'un homme puisse se tenir debout et se battre convenablement. Et si le fichu bateau se mettait à tanguer… Richard tressaillit rien qu'à y penser. Cela pourrait ajouter une toute nouvelle dimension à l'escrime. Richard était d'humeur lugubre lorsqu'il se tourna brusquement vers la porte.

Il fut tellement surpris par la silhouette dans l'embrasure de la porte qu'il faillit tomber à la renverse sur sa chaise. Au lieu des gros balourds auxquels il s'attendait, il vit une jeune demoiselle plutôt agitée plantée avec indignation au milieu de l'entrée.

— Mais pourquoi pas? demandait-elle à quelqu'un devant elle.

Richard se racla bruyamment la gorge.

Le dos de la jeune fille, vêtue d'une robe jaune ajustée, avait tout ce que l'on pouvait espérer d'un dos agréable, mais ceci était *son* bateau, bon sang, et personne d'autre n'avait quoi que ce soit à faire dessus, pas même de jeunes demoiselles aux dos ravissants.

La jeune demoiselle ne fit pas attention à lui.

— Mais mademoiselle Gwen! Le capitaine a dit que les vents ne seraient pas favorables avant des *heures*. Nous pourrions simplement passer au Repos du Pêcheur le temps d'une limonade. Je suis certaine qu'il ne peut y avoir quoi que ce soit d'inconvenant dans le fait de boire une limonade.

Richard se racla la gorge à nouveau. Très bruyamment. La jeune fille en jaune se tourna à moitié, permettant à Richard d'apercevoir momentanément un joli petit nez, un menton déterminé et un grand œil bleu. L'œil se fixa brièvement sur lui et s'écarta tout aussi rapidement. Rejetant en arrière ses boucles couleur acajou, elle continua de supplier son chaperon invisible.

— Et Jane est d'accord avec moi, n'est-ce pas, Jane? poursuivit la jeune fille.

— Seulement *une* limonade, mademoiselle Gwen!

Était-il possible d'être si assoiffé ? Richard n'arrivait pas à comprendre qu'une limonade puisse revêtir autant d'importance. À moins, bien sûr, que la jeune fille souffrît d'une malheureuse condition médicale qui ne pût être apaisée que par l'application constante de limonade. À en juger par l'énergie avec laquelle la jeune fille plaidait sa cause et par la façon dont elle sautait sur place avec enthousiasme tel un boxeur professionnel qui attend son tour pour entrer dans le ring, Richard doutait vraiment qu'elle soit atteinte d'une quelconque maladie dégénérative et débilitante.

Il écouta la ridicule dispute à sens unique pendant quelques minutes encore avant de se rappeler que, aussi amusant fût-il de spéculer sur les raisons qui motivaient la jeune fille et aussi agréable fût-il de regarder ses jupes remuer à chacune de ses paroles véhémentes, le temps était venu d'intervenir. Il avait des dépêches à lire et risquait, s'il tardait trop, que le bateau prenne la mer avec ces bruyantes intruses toujours à son bord.

— Excusez-moi, dit Richard d'une voix traînante si forte qu'on eût pu l'entendre jusqu'à Londres.

Cela attira finalement son attention. La jeune fille se tourna. Maintenant complet, son visage correspondait aux attentes créées par son profil. Il ne répondait pas à la définition classique d'un beau visage ; ses traits manquaient de cette espèce de dignité sculptée à laquelle on pouvait s'attendre d'une statue de marbre. Son visage était plutôt l'œuvre d'un graveur talentueux, fin et résolu. Sa bouche en cœur était constamment en mouvement soit pour s'exclamer, soit pour parler ou pour rire. Non, Richard changea d'avis ; ce n'était pas une gravure en fin de compte. Son teint était trop vif pour le noir et blanc d'un imprimé. Le brun foncé de ses cheveux luisait avec de subtils reflets d'or rouge, comme un feu qui brillerait derrière un pare-étincelles d'acajou. Entre des cils foncés et de belles joues, ses yeux étincelaient d'un bleu saisissant.

Son visage arborait une expression perplexe, comme si elle venait tout juste de remarquer la présence de Richard et qu'elle n'était pas tout à fait certaine de ce qu'elle devait en faire. Afin de lui venir en aide, Richard leva un sourcil moqueur. C'était une expression qui était célèbre pour avoir fait jeter leurs as à des joueurs de cartes malhonnêtes et gazouiller comme des bébés les agents secrets les plus secrets. Pendant un instant, la confusion continua à planer dans les yeux bleus plissés de la jeune fille. Puis, elle fit un grand sourire à Richard et bondit vers lui dans la pièce.

— Vous avez l'air de quelqu'un qui a beaucoup voyagé ! Ne pensez-vous pas que nous avons amplement le temps de passer à l'auberge boire une limonade ?

Avant que Richard ait pu lui suggérer de faire exactement cela — et, idéalement, de s'attarder sur son verre de limonade jusqu'à ce que son bateau soit parti —, une autre silhouette apparut derrière elle. Ah, le chaperon, conclut Richard. Après plusieurs soirées ennuyeuses à Almack, il en était venu à la conclusion qu'il y avait deux types de chaperons. Vu le nombre d'événements auxquels il avait été forcé d'escorter Hen, Richard considérait qu'il avait mené une étude relativement exhaustive sur la question.

Les deux types étaient des vieilles filles qui prenaient de l'âge (Richard ne comptait pas les jeunes veuves qui s'occupaient des débuts de leurs sœurs cadettes ; celles-là avaient tendance à avoir davantage besoin d'un chaperon que les jeunes demoiselles qu'elles étaient censées surveiller), mais c'est tout ce qu'ils avaient en commun. Le premier type était constitué des têtes de linotte mal fagotées. Bien que d'âge indéterminé, elles s'habillaient de volants comme si elles avaient dix-sept ans. Leurs cheveux, sans parler du fait qu'ils fussent rares ou gris, étaient tellement bouclés et frisottés qu'ils ressemblaient à un nid construit par un geai bleu particulièrement dépourvu de talents. Elles gazouillaient et minaudaient lorsqu'on leur adressait la parole, lisaient dans leurs temps libres les romans à l'eau de rose les plus fleur bleue et trouvaient généralement le moyen de perdre accidentellement leurs protégées au moins deux fois par jour. Les voyous et les séducteurs adoraient le premier type de chaperons ; elles leur rendaient la tâche tellement plus facile.

Puis il y avait l'autre type de chaperon. Le chaperon de style dragon menaçant. Le genre dont la colonne vertébrale semblait avoir été renforcée à l'aide de quelques colonnes doriques. Les chaperons appartenant au second type regardaient les volants ou les frisottis avec mépris. Elles ne minaudaient jamais quand elles pouvaient grogner, lisaient des sermons prohibitifs écrits par des puritains du XVIIe siècle et attachaient pratiquement leurs protégées à leurs poignets.

Alors que la femme fonçait vers lui, Richard, grâce à ses brillantes capacités de déduction, en conclut rapidement que ce chaperon était du second type. Ses cheveux gris étaient rigoureusement ramenés en arrière, et sa bouche, pincée en une ligne sévère. La seule touche incongrue consistait en une grappe de fleurs épouvantablement pourpres placée sur le dessus de son bonnet gris autrement austère. Peut-être le chapelier avait-il fait une erreur dans la commande et n'avait-elle pas eu le temps de le changer, se dit Richard avec indulgence.

De toute façon, décida-t-il, voilà quelqu'un avec qui il pourrait discuter raisonnablement. L'un des avantages du type numéro deux, c'était qu'elles étaient presque toujours extrêmement raisonnables. Richard lança un bref regard vers ses pieds. Sous l'ourlet gris de sa jupe, il put tout juste apercevoir deux bottes noires résistantes à semelles épaisses. Oui, indéniablement raisonnable.

Comme Richard ouvrait la bouche pour parler, la pointe d'une ombrelle s'enfonça entre ses côtes.

— Qui êtes-vous, jeune homme, et que faites-vous sur notre bateau ?

— Je vous demande pardon, madame.

Les mots étaient sortis plus saccadés qu'il ne l'aurait voulu, mais il était difficile de prendre un ton sophistiqué lorsque tout l'oxygène de vos poumons venait d'en être expulsé d'une manière des plus désagréables.

— *Votre* bateau ? s'enquit-il.

— Pourquoi Jane et moi n'irions-nous pas faire un saut à l'auberge pendant que vous réglez la situation avec ce gentilhomme…, commença jovialement la jeune fille en jaune avant d'être interrompue par la voix menaçante de sa duègne.

— Vous, mademoiselle, vous ne bougez pas d'ici.

Le dragon réussit à tendre le bras et à attraper celui de la jeune fille sans lever ses yeux perçants de sur Richard.

— Oui, monsieur, *notre* bateau. Ce type à l'aspect huileux qui se dit capitaine nous a assurées que nous serions les seules passagères. Si vous êtes un membre de l'équipage — ce dont je doute, à en juger par la façon dont vous êtes vêtu et parlez —, mettez-vous au travail. Sinon, veuillez partir immédiatement.

Elle semblait prête à user de la pointe de son ombrelle pour faire respecter ses paroles. Richard jugea qu'il était avisé de se déplacer hors de portée. Qui avait déjà entendu parler d'une ombrelle avec un bout de métal si pointu et aiguisé? Ils étaient censés être des objets féminins délicats, pas des armes mortelles.

Se levant de son fauteuil, Richard fit un pas de côté pour éviter la luisante pointe de l'ombrelle et fit une petite, mais élégante, révérence.

— Pardonnez-moi, madame. J'ai négligé les règles de la bienséance. Je suis Lord Richard Selwick.

Le chaperon donnait toujours l'impression qu'elle aurait préféré le frapper plutôt que lui parler, mais elle connaissait les bonnes manières.

— Je suis, milord, mademoiselle Gwendolyn Meadows, répondit-elle en inclinant la tête et en pliant le genou tout juste assez pour que c'eût l'air d'une révérence. Permettez-moi de vous présenter mes deux protégées, mademoiselle Jane Wooliston — une jeune fille que Richard n'avait pas remarquée sortit de l'ombre derrière mademoiselle Meadows et fit la révérence — et mademoiselle Amy Balcourt.

La jeune fille réservée vêtue de bleu prit subtilement Amy par le bras et essaya de l'entraîner à l'écart. Serrant affectueusement la main de l'autre jeune fille, Amy secoua la tête et resta où elle était. Richard était si absorbé par cette scène qu'il perdit complètement le fil de ce que disait le chaperon, jusqu'à ce que la pointe de son ombrelle fasse une nouvelle sortie sur son gilet.

— Monsieur! M'écoutez-vous?

Selon ce que Richard avait appris de ses rencontres juvéniles avec la duchesse douairière de Dovedale, une honnêteté désarmante était le meilleur des atouts pour négocier avec les dames d'un certain âge furieuses.

— Non, madame, j'ai bien peur que je ne vous aie pas écoutée.

— Hem. J'ai dit que maintenant que les politesses ont été échangées, nous vous serions reconnaissantes de bien vouloir quitter notre bateau.

— Je craignais que ce soit ce que vous ayez dit, répondit Richard avec un sourire triomphant en prenant soin de se mettre hors de portée de l'ombrelle. Voyez-vous, j'ai moi aussi payé le capitaine pour l'usage privé de ce bateau.

Le visage de mademoiselle Gwen s'assombrit de façon alarmante. Richard observa avec une certaine fascination la façon dont les fleurs de son chapeau se mirent à trembler de rage. Si elle avait été un homme, elle se serait sans doute autorisé quelques gros mots. Dans l'état actuel des choses et étant donné la manière inquiétante dont elle balançait son ombrelle, on aurait dit qu'elle prévoyait de sérieuses blessures corporelles pour le capitaine, Richard, ou les deux.

La jeune fille réservée, Jane, s'avança pour poser une main rassurante sur le bras du chaperon.

— Il doit y avoir eu erreur, dit-elle d'un ton apaisant. Je suis persuadée que nous pouvons trouver une solution convenable pour tous.

Mademoiselle Gwen avait l'air aussi aimable qu'Attila, le roi des Huns.

— La seule solution possible est que ce gentilhomme quitte notre moyen de transport.

Richard sentit qu'il commençait à perdre patience. Regarder le chaperon se chamailler avec sa protégée avait été une distraction passablement amusante, mais, bon sang, il devait s'occuper de choses sérieuses. Des choses importantes. Pour le ministère de la Guerre. Et, de toute façon, il était là le premier.

Puisque ce fait était particulièrement convaincant aux yeux de Richard, il décida de le signaler.

— Qui était là en premier, madame ?

Cet argument n'avait pas aidé les Saxons en 1066 et il fut tout aussi inefficace contre mademoiselle Gwen, qui regarda Richard d'un air impérieux digne de Guillaume le Conquérant.

— Vous êtes peut-être arrivé le premier, milord, mais nous sommes des *dames*, répondit mademoiselle Gwen en le fusillant du regard d'une façon des plus disgracieuses. Et nous sommes plus nombreuses. Vous devriez donc nous céder la place.

— Pourquoi n'irions-nous pas tous à l'auberge pour boire un bon verre de limonade pendant que nous en discutons ? suggéra Amy pleine d'espoir.

Aucun des combattants ne lui prêta la moindre attention.

Se tenant à l'écart, les bras croisés sur la poitrine — une posture très peu féminine, mais, après tout, mademoiselle Gwen ne regardait pas —, Amy observait le débat avec le même intérêt avide qu'elle aurait accordé à un duel. Pendant que les deux croisaient le fer, leurs phrases acérées se terminaient par des politesses aussi incongrues que des embouts protecteurs sur des épées.

Lord Richard fit un pas vers mademoiselle Gwen, ce qui le rapprocha suffisamment pour que le chaperon dût lever la tête pour le regarder en face. Mademoiselle Gwen était assez grande pour une femme, mais Lord Richard Selwick la dépassait de presque quinze centimètres. Luisant de sa propre clarté dans la cabine sombre, sa tête blonde planait au-dessus des fleurs pourpres qui se balançaient sur le chapeau. Contrairement aux hommes qu'Amy avait connus dans le Shropshire, qui portaient encore leurs cheveux tirés en arrière à l'aide d'un ruban, ceux de Lord Richard étaient coupés court à la nouvelle mode française. Lord Richard se tenait avec une assurance détendue infiniment plus convaincante que la démarche arrogante de Derek. De ses bottes bien cirées jusqu'à son gilet brodé de subtils motifs argentés, il était vêtu avec une élégance décontractée, qui faisait paraître Derek et ses semblables précieux et surfaits. Il avait manifestement prévu d'être seul sur le bateau, parce que sa redingote noire avait été jetée sur une chaise, son gilet déboutonné et sa cravate desserrée. À l'endroit où son col s'ouvrait, Amy pouvait apercevoir les fortes lignes de sa gorge. Il ressemblait, pensa Amy, à une illustration qu'elle avait vue un jour d'Horace devant le pont, en train de défendre Rome envers et contre tous.

Ses joues s'empourprèrent et prirent une teinte embarrassante lorsqu'elle se rendit compte que ses lèvres s'étaient immobilisées, que la pièce était silencieuse et que Lord Richard la regardait le regarder.

— C'est absolument ridicule! dit Amy avec empressement pour cacher son trouble. Il n'y a aucune raison pour que quiconque soit forcé d'attendre le prochain bateau. Après tout, il y a bien assez d'espace pour nous tous, conclut-elle en montrant d'un grand geste les quatre murs de la pièce.

— Il n'en est pas question, répliqua mademoiselle Gwen d'un ton sec.

Amy secoua ses boucles foncées dans un geste de défiance inconscient.

— Pourquoi?

— Parce que, prononça mademoiselle Gwen avec mépris, vous ne pouvez pas passer la nuit dans la même pièce qu'un gentilhomme.

— Oh.

Amy jeta un bref coup d'œil à la montre épinglée à la poitrine osseuse de mademoiselle Gwen. Selon ce qu'elle pouvait voir, il semblait être un peu plus de seize heures. Le carrosse d'Édouard ne devait pas venir les prendre avant le lendemain matin de toute façon, alors elles passeraient la nuit dans une auberge à Calais. Il ne pouvait tout de même pas être si long de traverser une étendue d'eau aussi étroite que la Manche. Tant qu'ils atteignaient la France avant minuit, rester dans la cabine avec Lord Richard ne pouvait pas vraiment être considéré comme passer la nuit dans la même pièce qu'un homme. Après tout, raisonna Amy avec un formidable manque de logique, si personne n'allait au lit, ce n'était pas « passer la nuit ».

— Combien de temps faut-il pour atteindre Calais, milord ?

— Cela dépend du temps qu'il fait. Cela peut prendre deux heures comme trois jours.

— Trois jours ?

— Uniquement par très mauvais temps, dit Richard d'une voix traînante.

— Oh. Mais regardez ! Il fait un temps magnifique dehors. Franchement, qu'y a-t-il de mal à partager l'espace pendant deux pauvres petites heures ?

Amy fit le tour du petit groupe des yeux, l'air d'attendre quelque chose. Jane se tourna soudain vers la fenêtre et leva la main en signe de silence.

— Écoutez, dit-elle.

Amy écouta. Elle entendit le claquement régulier des vagues sur la quille du navire, le cri perçant des goélands et le grincement de leurs bagages sur le plancher de bois alors que les mouvements du bateau les faisaient glisser de gauche à droite. Rien d'autre.

— Que suis-je censée entendre? demanda-t-elle avec curiosité. Je n'entends rien. Seulement… oh!

À en juger par l'expression de mécontentement sur le visage de Lord Richard, elle sut qu'il en était arrivé à une conclusion semblable.

Mademoiselle Gwen tapa impatiemment sur le plancher avec son ombrelle.

— Qu'y a-t-il? Parle, jeune fille.

Amy jeta un coup d'œil de Jane à Lord Richard en espérant une confirmation.

— Je n'entends plus le bruit des gens sur le quai.

— C'est exact, dit Lord Richard en hochant la tête, l'air grave. Nous avons levé l'ancre.

Le visage d'Amy se décomposa l'espace d'un instant.

— Tant pis pour le plan A, marmonna-t-elle.

S'arrêter à l'auberge n'était plus une option. Au moins, elle pouvait se consoler en se disant que les chances de tomber sur la Gentiane pourpre à cet endroit étaient extrêmement faibles. Pour ce qu'elle en savait, il était en France à l'instant même, en train de donner des instructions à sa bande d'hommes dévoués, ou de voler des documents sous le nez d'officiels français, ou… Tout bien réfléchi, il était vraiment préférable d'arriver en France le plus rapidement possible.

— Eh bien, cela règle le problème, alors! proclama gaiement Amy en se dirigeant vers le hublot pour regarder dehors. Il ne sert à rien de continuer à argumenter, n'est-ce pas? Dans deux heures, nous serons en France! Viens voir, Jane, ne dirait-on pas des poupées sur le quai?

Mademoiselle Gwen resta où elle était, se tenant droite comme un piquet en plein milieu de la pièce. Richard se laissa retomber sur la chaise qu'il occupait avant que les dames fassent irruption dans la pièce.

— Je n'aime pas cela plus que vous, dit-il doucement. Mais je m'efforcerai de rester hors de votre chemin si vous tenez vos protégées hors du mien.

Mademoiselle Gwen lui accorda un hochement de tête réticent.

— Espérons qu'il ne pleuvra pas, dit-elle aigrement avant de s'éloigner d'un pas raide pour rejoindre ses jeunes demoiselles à la fenêtre.

Exactement trois quarts d'heure plus tard, les premières gouttes de pluie heurtèrent le hublot. L'attention de Richard fut attirée par le haut cri de détresse d'Amy.

— Il ne peut pas pleuvoir, il ne peut pas pleuvoir, il ne peut pas pleuvoir, murmurait-elle comme s'il s'agissait d'une incantation.

— Si, il peut, dit Richard.

Sur le visage d'Amy, on pouvait lire qu'elle ne trouvait pas cela amusant. Elle lui lança un regard profondément dédaigneux, dont l'effet fut quelque peu diminué par le fait que le bateau tangua soudain et qu'elle chancela pour retrouver l'équilibre.

— Je le vois bien, n'est-ce pas ?

Elle retourna à sa veille funèbre devant la fenêtre, mais ne put résister à la tentation de se retourner pour demander anxieusement :

— Combien de temps encore croyez-vous que le voyage durera ?

— Ma chère demoiselle, je vous l'ai déjà dit, cela peut prendre...

— Je sais, je sais, deux heures comme trois jours.

Elle paraissait aussi frustrée que la chatte de sa mère lorsqu'on laissait pendiller une souris en tissu devant elle pour la faire disparaître ensuite.

— Cela dépend de la violence de l'orage.

— Et selon vous, à quel point... ?

Les paroles d'Amy furent noyées par un grondement de tonnerre sourd.

— Oubliez ça, termina-t-elle à l'instant où Richard répondait à sa question laissée en suspens.

— À ce point-là.

Amy rit malgré elle. Le son donna une note inattendue de gaieté à la pièce assombrie par la pluie. Les hublots étaient déjà trop petits pour laisser passer beaucoup de lumière en temps normal, alors maintenant que le soleil était caché par les nuages, seule l'inquiétante lueur d'un ciel orageux pénétrait dans la pièce. L'obscurité produisait un effet « Belle au bois dormant ». Jane avait succombé au sommeil sur une couchette à l'autre bout de la pièce, sa broderie toujours à la main, ses pieds pudiquement remontés sous l'ourlet de sa robe. Défiant les lois habituelles de la nature, mademoiselle Gwen avait réussi à s'endormir bien droite sur une chaise bancale en bois. Même les forces combinées du sommeil et du mouvement de balancier du bateau n'avaient pas réussi à détendre la colonne vertébrale d'acier de mademoiselle Gwen ; elle était assise aussi droite que lorsqu'elle était éveillée.

La seule autre personne réveillée était Lord Richard Selwick.

Amy réprima l'ignoble envie de secouer Jane pour la réveiller. Elle avait besoin de parler à quelqu'un de quelque chose, n'importe quoi, ne serait-ce que pour calmer l'angoisse liée à l'anticipation qui lui donnait des picotements dans les mains. Si elle ne faisait pas bientôt quelque chose pour se distraire, elle se mettrait probablement à courir comme une folle à travers la pièce, à sauter partout ou à tournoyer frénétiquement dans l'unique but de dépenser un peu de son surplus d'énergie. Même l'une des leçons d'oncle Bertrand sur le croisement des moutons serait bienvenue.

À l'autre bout de la pièce, Lord Richard était assis sur une chaise en bois raide trop petite pour sa large carrure, une cheville posée sur le genou opposé, hautement absorbé par ce qui semblait être une revue quelconque. Amy la fixa sans vergogne de l'autre bout de la pièce, mais fut incapable d'en déchiffrer le titre. Peu importe ce dont il s'agissait, cela ne pouvait pas être pire que les manuels d'élevage d'oncle Bertrand. À moins que... Elle avait entendu parler d'une revue entièrement dédiée à la culture de petits légumes racines. Cependant, Lord Richard n'avait vraiment pas l'air du genre à être obsédé par les navets. En outre, Amy pouvait sentir les épingles et les aiguilles de l'énergie nerveuse de ses mains se précipiter à travers tout son corps jusque dans ses pieds pour la faire avancer.

Lorsqu'elle traversa la pièce, ses jupes jaunes produisirent une tache de couleur vive dans la cabine qui s'obscurcissait rapidement.

— Que lisez-vous ?

Richard retourna à son intention l'épaisse brochure vers l'autre côté de la table. Habituellement, la littérature spécialisée sur les antiquités fonctionnait tout aussi bien pour décourager les jeunes femmes curieuses que les espions français.

Amy fit un effort pour lire dans l'obscurité.

— *Comptes rendus de la Société royale d'égyptologie*? Je ne savais pas que nous en avions une.

— Eh oui, dit sèchement Richard.

Amy lui lança un regard exaspéré.

— Oui, c'est évident.

Elle feuilleta les pages, inclinant le périodique pour essayer de capter la lumière.

— A-t-on fait des progrès avec la pierre de Rosette?

— Vous avez entendu parler de la pierre de Rosette?

Richard savait que cela semblait grossier, mais il ne put faire autrement. La dernière jeune demoiselle à qui il avait débité son monologue sur la pierre de Rosette lui avait demandé si la pierre de Rosette était une nouvelle sorte de pierre précieuse et, si oui, de quelle couleur elle était et s'il croyait que ce serait plus joli que des saphirs avec sa robe de soie bleue.

Amy lui fit sa mauvaise tête.

— Même au fin fond du Shropshire, nous recevons les gazettes, vous savez.

— Vous intéressez-vous aux antiquités?

Il avait beau se creuser les méninges, il n'arrivait pas à comprendre pourquoi il se donnait la peine d'entretenir une conversation avec la gamine. Premièrement, parce qu'il avait mieux à faire, comme préparer la prochaine sortie de la Gentiane pourpre. Les plans audacieux ne s'échafaudaient pas tout seuls; il fallait y consacrer du temps, de l'esprit et de l'imagination. Et deuxièmement, parce qu'entamer volontairement une conversation avec de jeunes demoiselles de bonne famille était inévitablement une aventure périlleuse. Cela leur donnait des idées. Cela leur donnait des idées terrifiantes qui impliquaient des voiles nuptiaux, des traînes de trois mètres et des bouquets de fleurs orangées.

Et pourtant, il encourageait la jeune fille à parler. Absurde.

— Je ne sais pas grand-chose des antiquités, avoua honnêtement Amy. Mais j'adore les histoires anciennes ! Pénélope qui leurrait tous ses prétendants, Énée qui luttait pour se rendre jusqu'aux Enfers...

Il faisait trop noir pour lire, raisonna Richard. Et la fille n'avait pas l'air de le draguer. S'entretenir avec elle n'était donc qu'un moyen inoffensif et pratique de passer le temps. Il n'y avait rien d'absurde là-dedans.

— En revanche, poursuivit Amy, je n'ai lu aucune littérature de l'Antiquité égyptienne. Y en a-t-il ? Tout ce que je sais de l'Égypte antique, c'est ce que j'en ai lu dans l'œuvre d'Hérodote, poursuivit Amy. Et, franchement, j'ai l'impression que la moitié de ce qu'il a écrit sur les Égyptiens n'était que pur sensationnalisme. Toutes ces absurdités au sujet d'aspirer le cerveau des gens par leur nez pour le mettre dans des pots. Il est pire que L'Informateur du Shropshire.

Richard réussit à s'empêcher de lui demander si elle avait réellement lu Hérodote en version grecque originale. Immédiatement après son commentaire sur la pierre de Rosette, il aurait pu donner l'impression de vouloir l'insulter.

— En fait, nous croyons qu'Hérodote a pu dire vrai à ce sujet. À l'intérieur des chambres funéraires des tombeaux, nous avons découvert les restes d'organes humains dans des vases funéraires.

Si la jeune fille n'était pas sincèrement intéressée, Richard n'avait jamais vu une actrice si douée.

— Nous? Êtes-vous vraiment allé là-bas, milord?

— Oui, il y a plusieurs années.

Les questions se bousculaient tellement dans la bouche d'Amy que Richard avait à peine le temps de répondre à l'une d'elles avant qu'une autre ne fuse. Elle était penchée en avant sur la table de telle sorte que mademoiselle Gwen aurait sans doute hurlé «posture!» si elle avait été réveillée pour la voir. Elle écoutait avidement Richard lui décrire le panthéon de l'Égypte antique, l'interrompant à l'occasion pour le comparer aux anciens dieux grecs.

— Après tout, argua-t-elle, il dut y avoir une certaine communication entre les Grecs et les Égyptiens. Oh, pas seulement Hérodote! Prenez *Antigone*, cela se passe à Thèbes. Et les légendes de Jason aussi, n'est-ce pas? À moins que... Croyez-vous que l'Égypte ait pu être pour les auteurs grecs ce que l'Italie fut pour Shakespeare? Une sorte de contrée miraculeuse où tout pouvait arriver?

Dehors, la tempête faisait toujours rage contre la fenêtre et entraînait le bateau loin de sa destination, mais ni Amy ni Richard ne s'en rendaient compte.

— Je ne peux vous dire à quel point il est agréable de pouvoir finalement tenir une conversation réellement *intéressante* avec quelqu'un! confessa ouvertement Amy. À la maison, personne ne parle d'autres choses que de moutons et de broderies. Non, vraiment, je n'exagère pas. Et quand je tombe sur quelqu'un qui a bel et bien vécu quelque chose d'intéressant, il change de sujet et parle du temps qu'il fait!

Amy avait l'air si ennuyée que Richard ne put s'empêcher de rire.

— Vous devez bien accorder une certaine importance au temps? la taquina-t-il. Regardez les conséquences qu'il a sur nous aujourd'hui.

— Bien sûr, mais si vous commencez à en parler, je devrai me souvenir que j'ai oublié quelque chose à l'autre bout de la pièce ou ressentir une envie irrésistible de faire la sieste.

— Croyez-vous qu'il fera beau demain?

— Oh, alors tel est votre plan, monsieur! Vous voulez vraiment lire votre revue en paix, alors vous avez décidé de m'ennuyer jusqu'à ce que je vous laisse! C'est incroyablement sournois de votre part. Mais si je ne suis pas la bienvenue..., dit Amy en se levant de sa chaise dans un bruissement de jupes jaunes.

Le plan qu'elle venait d'énoncer décrivait assez bien ses intentions une heure plus tôt.

— Non, restez, se surprit à dire Richard en souriant, sans même avoir pris le temps d'y penser. Je vous donne ma parole que je ne parlerai pas du temps qu'il fait si vous jurez de ne pas aborder le thème des robes, des bijoux ou des dernières rumeurs.

— Est-ce tout ce dont parlent les jeunes demoiselles de votre connaissance?

— Mis à part quelques notables exceptions, oui.

Amy se demanda qui pouvaient être ces notables exceptions. Une fiancée, peut-être?

— Vous devriez vous estimer heureux, milord. Au moins, elles ne parlent pas de moutons.

— Non, elles ne font que se comporter en tant que tels.

Leur fou rire partagé retentit doucement à travers la pièce sombre.

Richard s'adossa à sa chaise et regarda attentivement Amy. Le rire d'Amy se figea dans sa gorge. De quelque façon, son regard perçait l'obscurité, comme si toutes les lumières de la sombre cabine étaient concentrées dans ses yeux.

Soudain étourdie, Amy posa les mains sur les bords de sa chaise pour s'y agripper fermement. Ce doit être le bateau qui tangue maintenant davantage à cause de la tempête, pensa-t-elle, confuse. Ce ne peut être que cela.

Richard contemplait Amy avec un mélange de ravissement et de perplexité. Il connaissait bien d'autres femmes intelligentes — Henrietta, par exemple, ainsi que certaines autres dans l'entourage de sa sœur, qui étaient des femmes brillantes, intelligentes et trop jolies pour être rejetées comme étant des bas bleus. Il était même passé par le salon de son plein gré à une ou deux reprises pour se joindre à leurs conversations. Mais il ne pouvait pas s'imaginer badiner aussi aisément avec une des amies d'Hen.

Peut-être était-ce à cause de l'intimité due à la pénombre ou à l'espace exigu, mais il avait l'impression d'être presque aussi à l'aise à bavarder avec Amy Balcourt qu'il l'avait toujours été avec Miles ou Geoff. Seulement, Miles n'avait pas de grands yeux bleus ornés de cils foncés. Et Geoff ne possédait certainement pas un cou pâle et délicat muni de creux au-dessus des clavicules qui donnaient envie de les embrasser...

Tout compte fait, conclut Richard, les Parques savaient ce qu'elles faisaient lorsqu'elles avaient fait monter Amy Balcourt sur son bateau.

— Je suis réellement enchanté de vous avoir rencontrée, mademoiselle Balcourt. Et je promets de ne pas parler du temps qu'il fait ni de moutons, à moins que cela ne soit absolument essentiel.

— Dans ce cas...

Amy joignit les mains sous son menton et reprit son interrogatoire passionné.

— Mais l'Égypte ne grouillait-elle pas de soldats français? demanda Amy une fois qu'elle eut satisfait sa curiosité sur des sujets importants comme les tombeaux, les momies et les malédictions. Comment avez-vous réussi à vous y faufiler?

— J'étais avec les Français.

Pendant un instant, les mots restèrent suspendus en l'air. Amy fronça les sourcils en tentant de donner un sens à ce qu'il venait de dire.

— Avez-vous... Étiez-vous un prisonnier de guerre? demanda-t-elle avec hésitation.

— Non. J'y suis allé sur l'invitation de Bonaparte, en tant qu'expert.

La colonne vertébrale d'Amy se redressa d'un coup. Alors qu'elle fixait Richard la tête haute et les épaules droites, sa posture se figea en une rigidité d'acier dont même mademoiselle Gwen eût été fière.

— Vous étiez à la solde de Bonaparte?

— En fait, dit Richard en se détendant sur sa chaise, il ne m'a pas payé. J'y suis allé à mes frais.

— Vous n'étiez pas contraint? Vous y êtes allé de votre propre gré?

— Mademoiselle Balcourt, vous semblez horrifiée. Vous devez admettre qu'il s'agissait de la chance de toute une vie pour un chercheur.

Amy ouvrit la bouche, mais aucun son n'en sortit.

Richard avait raison; elle *était* horrifiée.

Qu'un Anglais ait accompagné l'ennemi de sa nation... qu'il ait fait fi de tout devoir et de tout honneur en quête de savoir... N'aurait-il pas pu attendre que les Anglais s'emparent de l'Égypte avant d'explorer ses pyramides? Et comment était-il possible qu'un homme, un homme sensé, un homme intelligent avec un minimum de sensibilité, ait eu quoi que ce soit à voir avec une nation qui avait massacré à la guillotine tant de gens de son propre peuple de façon si cruelle et absurde? Et qu'il ait fait fi de tout cela au profit de quelques tombeaux! C'était un outrage envers son pays et un outrage envers l'humanité.

Toutefois, pour être très, très honnête, ce qui blessait le plus Amy n'était pas tant l'outrage envers l'humanité, mais plutôt le sentiment de trahison que ses paroles avaient fait naître. C'était tout à fait ridicule. Elle ne connaissait cet homme que depuis deux heures. On ne pouvait pas vraiment prétendre à la trahison deux heures après avoir fait la connaissance de quelqu'un. Et même si c'était le cas, ce n'était pas comme s'il lui avait menti pendant ces deux heures et avait affirmé avoir combattu pour les Anglais, puis laissé échapper accidentellement qu'il avait été du côté des Français.

Il avait été plein d'esprit, intéressant et charmant. Il avait discuté d'antiquités avec Amy comme si elle eût été son égale et non une simple jeune fille qui n'avait jamais quitté le pays et qui savait uniquement ce qu'elle avait trouvé par hasard dans la bibliothèque de son oncle. Juste ciel! Il lui avait même dit, d'un ton des plus sérieux, qu'il était honoré d'avoir fait sa connaissance. Bref, il avait commis le crime d'agir comme s'il l'aimait bien et celui encore plus grave de l'avoir séduite pour qu'elle l'aime bien aussi. Pour lui révéler ensuite qu'il était passé du côté des Français...

Soudain, l'homme assis en face d'elle revêtit toutes sortes d'attributs sinistres. Le sourire qui, une demi-heure plus tôt, lui avait semblé amical, avait maintenant l'air moqueur.

Dans ses yeux verts, la lueur qui paraissait candide était devenue sinistre. Même les couleurs sombres de ses habits passèrent d'élégantes à dangereuses, comme la fourrure lisse d'une panthère en chasse. Il était probablement expert dans l'art de leurrer les gens peu méfiants pour gagner leur affection et leur confiance. Juste ciel ! Pour ce qu'elle en savait, il pouvait aussi bien être un espion français ! Sinon, pourquoi serait-il retourné en Angleterre ? La partie logique de son cerveau, celle qui avait la voix de Jane, lui rappela qu'il pouvait très bien avoir de la famille en Angleterre à qui il avait eu envie de rendre visite. Amy la fit taire.

De l'autre côté de la table, Richard leva un sourcil comme pour lui poser une question muette. Le geste donna à Amy envie de le frapper à grands coups de *Comptes rendus de la Société royale d'égyptologie* sur la tête.

Amy chercha ses mots pour lui exprimer son dégoût.

— Le savoir, c'est très bien, mais après ce que les Français ont fait… alors que votre propre pays était en guerre contre eux ! Rejoindre l'armée française !

— Je ne faisais pas partie de l'armée française, la reprit Richard. J'ai seulement voyagé avec elle.

Amy retrouva la voix et son vocabulaire.

— L'Égypte était d'abord une opération militaire et, ensuite, une expédition scientifique ! Vous ne pouvez pas faire comme si vous ne le saviez pas… Je suis certaine que même les sauvages au fin fond des Amériques le savaient.

— Priorités, ma chère, priorités.

Richard se rendit compte qu'il était provocant, mais quelque chose dans la façon qu'Amy avait de le regarder, comme si elle venait tout juste de découvrir neuf femmes démembrées dans le placard de sa chambre, faisait ressortir les pires aspects de sa personnalité. Le fait qu'il était d'accord avec tout ce qu'elle disait l'irritait encore davantage. Il épousseta un grain de poussière imaginaire sur sa manche.

— J'ai choisi de me concentrer sur le « ensuite ».

— Vous avez choisi d'ignorer les milliers de personnes innocentes qui ont été massacrées à la guillotine. Vous avez choisi de vous ranger, contre votre propre pays, du côté d'une foule meurtrière ! rétorqua Amy.

À combien de personnes avait-il évité la guillotine depuis le premier jour où il avait rejoint Percy et la Ligue du Mouron rouge ? Cinquante ? Cent ? Il avait perdu le compte après quelques dizaines. Richard tenta de rester calme et civilisé, mais la colère montait en lui comme la chaleur irradie des sables égyptiens.

— Qu'est-ce que la guillotine peut bien avoir à faire avec mes recherches ? demanda-t-il nonchalamment.

C'était une imitation assez crédible d'un dandy londonien insipide, et Amy réagit exactement comme il s'y attendait. Elle s'étrangla.

Rationnellement, Richard savait qu'à sa place, lui aussi se serait étranglé, choqué par une telle insensibilité égoïste. Rationnellement, il savait qu'il se comportait d'une manière absolument choquante. Rationnellement. Bien entendu, Richard se sentait plutôt irrationnellement irrité à cet instant ; par conséquent, il s'amusait de son désarroi. L'enfant de cinq ans en lui croyait fermement que c'était bien fait pour elle. En quoi exactement, il ne le savait pas trop, mais pourquoi s'en faire avec des détails ?

— Cette armée était dirigée par les mêmes personnes qui ont massacré froidement des milliers de leurs compatriotes ! Le sol de la Place de la Bastille était encore rouge du sang de leurs victimes lorsque vous êtes allé en Égypte. Par votre simple présence, vous avez cautionné leur infamie! dit Amy en haussant le ton, et sa voix se brisa sous l'intensité de ses émotions.

— Je suis assez d'accord, chère demoiselle. Ce qu'ont fait les Français était répréhensible. *Ont fait.* Au passé. Vous êtes un peu décalée dans le temps. Ils ont cessé de tuer leurs aristocrates il y a déjà plusieurs années.

— Vous pourriez aussi bien dire qu'un cannibale, simplement parce qu'il mange des légumes depuis quelques années, n'est plus un cannibale, s'étouffa Amy. Le fait demeure qu'il a déjà consommé de la chair humaine et qu'on ne peut pas le laisser s'en tirer ainsi!

La pure étrangeté de l'analogie laissa Richard sans voix l'espace d'un instant. Il consacra son énergie à repousser une horrible vision de Bonaparte, dans la salle à manger dorée des Tuileries, en train de gruger une jambe humaine, pendant que son élégante épouse Joséphine croquait un bras. Richard tressaillit.

— Laissons les cannibales hors de cela, voulez-vous? Je vous l'assure; les Français mangent peut-être de la viande de cheval, mais ils ne sont pas allés jusqu'aux humains.

— Je n'ai pas l'intention de discuter des habitudes alimentaires des Français!

— C'est vous qui avez abordé le sujet.

— Je n'ai pas... Oh, pour l'amour du ciel, c'était une métaphore!

— Donc, métaphoriquement parlant, en allant en Égypte, j'ai métaphoriquement festoyé avec les cannibales métaphoriques.

— Oui!

— Vous êtes sur un bateau en direction de Calais.

Amy cligna des yeux.

— Si vous cherchez si désespérément à changer de sujet, vous pourriez trouver un moyen plus subtil de le faire, vous savez.

— Je n'essaie pas de changer de sujet. Je ne fais que souligner le fait que vous, ô fléau des cannibales métaphoriques, êtes sur un bateau en direction de la France.

Amy se tortilla quelque peu sur sa chaise, rendue muette par la colère et la frustration. Elle eut le désagréable pressentiment de savoir où il allait avec cette remarque.

— Dites-moi donc, maintenant, quel était ce commentaire que vous avez fait au sujet de la culpabilité par association ? poursuivit Richard, l'air hautain. Quelque chose sur la façon dont je cautionnais leur vilenie par ma présence, n'est-ce pas ? C'est bien joli tout cela, mais n'y a-t-il pas un vieux dicton qui dit de ne pas lancer de pierres chez les voisins quand on vit dans une maison en verre ? Et cette robe dont vous êtes vêtue — Amy porta automatiquement les mains à son corsage —, n'est-elle pas à la mode française ? La mode révolutionnaire ? Si s'associer aux révolutionnaires est un crime qui mérite la pendaison, qu'en est-il d'imiter leur mode ? Ne me parlez plus de cautionner.

Amy se leva si brusquement que sa chaise tomba à la renverse.

— Ce n'est pas la même chose du tout ! Cela fait cinq ans que…

— Mais un cannibale reste toujours un cannibale, n'est-ce pas, mademoiselle Balcourt ?

— …et l'Angleterre n'est plus en guerre contre la France… et…

Amy n'arrivait plus à trouver d'autres arguments logiques, mais elle savait, elle savait tout simplement qu'elle avait raison et qu'il avait absolument, indéniablement *tort*.

Maudit soit-il et maudites soient ses sales techniques d'argumentation sournoises et sophistiquées! Ceci avait duré beaucoup trop longtemps. Elle aurait dû se lever et partir aussitôt qu'il lui avait révélé avoir accompagné les Français au lieu de rester à discuter comme une idiote idéaliste.

— Et? demanda Richard en levant les yeux de la dentelle à ses poignets avec laquelle il jouait négligemment.

Amy ravala des larmes de pure rage. Oh, comme il aurait été bon d'être un homme pour pouvoir simplement frapper quelqu'un quand elle ne savait plus quoi dire!

— Et comment osez-vous me juger alors que vous ne savez rien de mes motivations! *Rien du tout*!

Entraînant ses jupes avec elle comme si elle fuyait quelque chose d'infect, elle reprit son poste près du hublot, dos à Lord Richard.

Laissé tranquille en parfaite solitude à la petite table, Richard se rendit compte qu'il avait finalement le calme qu'il avait tant désiré. Après tout, ne voulait-il pas simplement travailler en paix? Après avoir allumé l'une des lampes couvertes, Richard se rendit jusqu'à une couchette à l'autre bout de la pièce et sortit la dernière dépêche du ministère de la Guerre. Il alla même jusqu'à poser une page sur son genou et à fixer les mots sur le papier. Mais tout ce qu'il voyait, c'était une paire d'yeux bleus en colère.

Chapitre 5

✿

— De quel droit — *vlan* — me juge-t-elle ? Elle ne sait même pas de quoi elle parle.

Vlan ! Richard frappa l'oreiller presque plat qui était sous sa tête pour lui donner une forme plus convenable.

— Et pourquoi diable cela devrait-il m'embêter ?

Vlan !

— Cela ne devrait pas m'embêter. Je ne suis *pas* embêté.

Richard frappa l'oreiller encore une fois. Il ne s'imaginait pas que cela pourrait le rendre confortable, mais frapper quelque chose lui faisait du bien, et il ne pouvait pas vraiment frapper Amy.

Après son altercation avec elle, Richard s'était tenu scrupuleusement de son côté de la cabine. Une ligne aurait tout aussi bien pu avoir été tracée sur le plancher de bois usé. Lorsque la vraie noirceur s'était installée, remplaçant l'obscurité grise de la pluie, mademoiselle Gwen avait insisté pour ériger une véritable barrière au milieu de la pièce.

— Je ne permettrai pas que vous partagiez une chambre à coucher avec une personne de sexe opposé, avait-elle déclaré aux deux jeunes filles avant d'aller harceler le capitaine pour obtenir des retailles de toile à voile.

Le capitaine avait refusé de se laisser harceler. Sans se laisser abattre, mademoiselle Gwen avait réquisitionné la cape de Richard pour la tendre au milieu de la pièce aux côtés de sa propre cape et de celles d'Amy et de Jane, ce qui forma une séparation irrégulière mais acceptable.

Malheureusement, cela n'avait en rien aidé Richard à oublier l'image du visage furieux d'Amy.

Il roua encore son oreiller de coups. Ainsi, la jeune fille l'avait condamné pour avoir frayé avec les Français. Il aurait cru qu'il en avait l'habitude maintenant. Le vieux Falconstone n'était pas le seul à avoir pris ombrage de ses activités. Au cours des dernières années, Richard avait subi tout type de désapprobation, des remarques méprisantes sifflées dans son dos aux sermons purs et simples. Comparées au savon que lui avait passé la duchesse douairière de Dovedale au beau milieu de la salle de bal des Alsworthy, les protestations d'Amy étaient effectivement banales.

Mais il n'avait pas passé la nuit à maltraiter son oreiller après avoir été réprimandé par la duchesse douairière.

— Tu es un parfait idiot, marmonna-t-il pour lui-même.

Il aurait dû être enchanté de s'être débarrassé de la pénible compagnie d'une jeune femme qui minaudait. Il devait habituellement user de toute son ingéniosité pour s'en débarrasser. Cependant, pour être honnête, la compagnie d'Amy n'avait pas été pénible et elle n'avait pas minaudé. Elle avait sautillé, gloussé et poussé à l'occasion un petit cri perçant, mais elle n'avait pas minaudé. Et elle avait lu la version grecque originale d'Hérodote. Il se demanda si elle était tombée sur les pièces de Sophocle et ce qu'elle avait pensé de… Richard réprima sur-le-champ cette ligne de pensées. Peu importe le nombre de classiques que la jeune fille avait lus, les jeunes demoiselles étaient un handicap qu'un espion intrépide ne pouvait pas se permettre. Richard avait bien appris la leçon cinq ans auparavant.

Il repoussa ce souvenir. Certaines choses ne méritaient pas qu'on se les rappelle.

De toute façon, la dernière chose dont il aurait besoin à Paris pendant qu'il tenterait de dénicher les plans d'invasion de Napoléon, c'était d'avoir une débutante anglaise agrippée à lui. Richard attendait cette mission depuis des années. Tout le monde savait que Napoléon essaierait tôt ou tard d'envahir l'Angleterre — c'était l'un des rares pays pour lesquels il n'avait pas encore trouvé le temps. L'Italie, les Pays-Bas et l'Autriche étaient tous tombés. L'Angleterre avait l'avantage d'être protégée par une douve remplie d'eau, mais combien de temps cela suffirait-il contre le génie tactique de Bonaparte ?

Cela le dérangeait qu'elle ne l'aime pas.

Richard tenta de chasser l'impression désagréable que c'était peut-être la culpabilité qui le gardait éveillé. Il s'était, après tout, affreusement mal conduit. À cela s'ajoutait le fait que la jeune fille avait eu raison. Peut-être était-elle un peu naïve, un peu trop moralisatrice, mais elle avait raison. Bon sang ! Si les rôles avaient été inversés, il lui aurait tenu le même discours. D'une façon plus logique et moins émotive, bien entendu. En retour, il avait été non seulement discourtois, mais carrément méchant.

Bon sang ! Il n'avait pas le temps de s'occuper de cela. L'Angleterre avait toujours besoin d'être sauvée, et il ne pouvait pas sauver l'Angleterre s'il ne *dormait* pas. Richard tira la couverture jusqu'au-dessus de ses oreilles et s'installa confortablement pour un moment de repos bien mérité.

Malheureusement, la couverture était aussi mince et plate que l'oreiller. Malgré le tissu émacié qui lui recouvrait la moitié de la tête, les oreilles exercées de Richard captèrent le léger bruit sourd de quelqu'un qui mettait les pieds hors du lit. Et puis, presque tout de suite, le bruit d'une série de petits pas lents. Ce devait être Amy, se dit Richard, résigné. Ni le chaperon ni l'autre jeune fille ne semblaient du genre à se balader en pleine nuit. Sortant la tête du nid de couverture (qui avait malheureusement conservé l'odeur de son dernier occupant, quelqu'un qui avait manifestement une piètre opinion des bains), Richard entendit un bruit sourd, puis un cri étouffé. Ah! conclut-il logiquement, quelqu'un vient de se cogner les orteils. Les bruits de pas reprirent avec un boitillement. Dans l'obscurité, un sourire étira les lèvres de Richard.

Son sourire disparut lorsque la rôdeuse de nuit se glissa hors de la cabine et referma prudemment la porte derrière elle. Richard s'assit droit comme un piquet dans son lit, ne trouvant plus cela amusant du tout. De toutes les satanées choses stupides qu'elle aurait pu faire! La petite idiote ne se rendait-elle pas compte que le pont pouvait grouiller de brutes? S'il fallait qu'elle tombe sur un marin ivre à cette heure tardive… Richard jura et mit lui-même les pieds hors du lit.

Un instant! Pourquoi la suivrait-il? Richard s'arrêta à moitié accroupi. Elle n'était absolument pas sous sa responsabilité. N'avait-elle pas exprimé on ne peut plus clairement qu'elle ne voulait rien avoir à faire avec lui? Et tout cela était très bien, puisqu'il ne voulait pas non plus avoir quoi que ce soit à faire avec elle. Et puis, bon sang, elle pouvait très bien s'occuper d'elle-même.

Richard se jeta à nouveau sur son lit, assez brusquement pour se cogner la tête contre le mur. Fort. Peut-être était-ce la bosse sur sa tête qui affectait son jugement — du moins, Richard était presque certain que c'était la bosse sur sa tête —, mais alors qu'il frottait son crâne douloureux, il se mit à avoir d'inquiétantes visions d'Amy seule sur le pont. Elle se penchait par-dessus le bastingage pour regarder une étoile, glissait et tombait dans les eaux affamées. Ou alors elle était acculée dans un coin par un marin ivre, et personne n'était là pour l'entendre crier.

D'un bond, Richard était hors du lit et avait parcouru les trois quarts de la distance qui le séparait de la porte.

Amy n'arrivait pas à dormir. Avec tous les hublots fermés, l'air de la cabine était lourd, poussiéreux et déchiré par les ronflements rauques de mademoiselle Gwen. Le léger roulis du bateau aurait dû l'endormir comme il avait endormi Jane. Lorsqu'Amy s'était redressée pour jeter un œil dans la couchette au-dessus d'elle — ce qu'elle avait fait au moins deux fois au cours des quinze dernières minutes —, elle avait pu voir les couvertures de Jane se soulever et s'abaisser doucement au rythme de sa respiration régulière. Pourtant, Amy restait terriblement et inconfortablement réveillée.

Amy se retourna, irritée.

— Je vais m'endormir, je vais m'endormir, marmonnait-elle.

Le bruit provoqua un nouveau crescendo de ronflements de la part de mademoiselle Gwen. Amy se laissa retomber sur le dos. Elle tenta de compter des moutons, mais cela ne fit que lui rappeler le Shropshire. Le Shropshire, qui lui avait paru si détestable ces dix dernières années, ou à peu près, prenait une allure beaucoup plus séduisante avec le recul. Il y avait la chambre bleu et blanc qu'elle partageait avec Jane, l'escalier de service par lequel elle s'était si souvent faufilée en bas, l'arbre sur lequel elle aimait grimper dans le verger... Mais que lui était-il donc passé par la tête?

Tout cela lui avait paru tellement, tellement simple lorsqu'elle était encore dans le Shropshire. Elles s'arrêteraient au Repos du Pêcheur pour boire un verre de limonade, et Jane distrairait mademoiselle Gwen pendant qu'Amy ferait semblant d'avoir besoin d'aller aux toilettes. Elle aurait beaucoup de mal à trouver la pièce en question et devrait s'attarder dans la salle commune de l'auberge en regardant autour d'elle d'un air confus comme si elle cherchait la bonne porte. Ce faisant, elle serait en mesure de s'approcher de deux hommes absorbés par leur conversation (il y aurait assurément deux hommes absorbés par leur conversation) et entendrait l'un d'eux chuchoter anxieusement à l'autre quelque chose qui le désignerait clairement comme étant la Gentiane pourpre (Amy n'arrivait pas à imaginer, simplement ainsi, quelle serait cette phrase, mais elle était convaincue de la reconnaître aussitôt qu'elle l'entendrait).

Toutefois, cela ne s'était pas produit. Et dire que le plan A était si simple! Il est vrai qu'Amy avait les plans B à G en réserve, mais ils étaient tous bien plus compliqués et supposaient une liberté de mouvement qu'elle n'était pas certaine de pouvoir obtenir sous l'œil vigilant de mademoiselle Gwen. Par exemple, le plan B, c'est-à-dire s'habiller en garçon d'écurie et écouter aux portes dans les écuries d'un suspect quelconque, supposait de trouver des vêtements de garçon, de trouver une façon de s'éloigner assez longtemps de mademoiselle Gwen et, bon, de trouver un suspect. Et le plan C devenait encore plus complexe.

Et si Jane avait raison? Si elle les entraînait toutes de l'autre côté de la Manche dans une mission perdue d'avance?

La pénombre oppressait Amy autant que si elle avait été une force physique. Soudain, c'en était trop; elle ne pouvait plus supporter ni l'obscurité accablante de la cabine, ni les ronflements étouffés de mademoiselle Gwen, ni la respiration calme de Jane. Elle avait besoin d'être *seule*. Sortant du lit en trébuchant, Amy tâtonna dans le noir à la recherche de son châle. Elle laissa ses pantoufles telles quelles sur le sol; des pieds nus feraient moins de bruit. Avançant prudemment à l'aveuglette dans le noir, Amy trouva son chemin le long de la cloison avec la grâce silencieuse d'un espion expérimenté.

— Aïe!

Amy se pencha pour prendre ses orteils dans ses mains. Juste ciel! À quoi avait bien pu penser mademoiselle Gwen pour laisser sa malle-penderie là où tout le monde pouvait trébucher dessus! Amy se renfrogna et massa ses orteils blessés. Et pourquoi donc avait-elle senti le besoin de remplir ce satané machin de briques?

Mécontente, Amy boita jusqu'à la porte. C'était en fait tout un défi de boiter à pas de loup. Amy fit une pause dans l'embrasure de la porte et dressa l'oreille une fois de plus. Tout était silencieux. L'orage était passé depuis plusieurs heures, et les eaux calmes léchaient doucement la coque du bateau. Soulevant ses jupes, Amy monta sur la pointe des pieds l'escalier qui menait jusqu'au pont.

Arrivée environ à la moitié de l'étroit escalier, elle fit une pause, immobilisée par une pensée soudaine. Tous ces doutes, toutes ces craintes, toutes ces inquiétudes... Rien de tout cela ne lui était venu à l'esprit avant sa dispute avec Lord Richard. Il était évident que Lord Richard, parce qu'il avait remis en question ses motivations et l'avait traitée d'hypocrite, était à blâmer pour son insomnie.

— Je n'arrive pas à croire que j'ai laissé cet homme me faire douter de moi, marmonna Amy en continuant à monter l'escalier.

Elle respira l'air frais de la nuit en une profonde inspiration de soulagement et de satisfaction.

— Tout se passera à merveille. Je sais que ce sera le cas.

C'était tellement dommage qu'elle n'ait pas trouvé une meilleure réplique cet après-midi.

Ses yeux s'étant habitués à l'obscurité, Amy se dirigea prudemment au bord du pont et s'accouda au bastingage. Après l'odeur de renfermé de la cabine, même les arômes de goudron et de bois humide qui émanaient du pont sentaient la liberté. Une faible bruine avait succédé à la pluie. La lune, cachée derrière les nuages, brodait le ciel de minces fils argentés. Leur lueur surnaturelle rappela à Amy les trois Moires de la mythologie grecque, qui filaient la destinée des gens sur leurs fuseaux. Pendant un instant, seule sur le pont au clair de lune, elle s'imagina que si elle regardait assez bien et assez longtemps, elle pourrait distinguer son propre fil, le démêler d'avec les autres et en suivre la brillance sur toute la longueur jusqu'à sa destinée.

— Ridicule, se dit Amy en secouant la tête.

Après tout, elle connaissait déjà sa destinée. Elle n'avait pas besoin de scruter les nuages pour la percevoir. Elle traquerait la Gentiane pourpre, s'arrangerait pour devenir une membre indispensable de sa ligue et, bien entendu, restaurerait la monarchie. Il faudrait bien plus qu'un intellectuel perfide aux yeux verts moqueurs pour la décourager !

Amy s'appuya contre le bastingage. Était-ce sur un bateau comme celui-ci qu'elle était venue en Angleterre quinze ans plus tôt ? Amy ne gardait que de très vagues souvenirs de ce voyage. La plupart d'entre eux concernaient sa mère qui la soudoyait à coups de bonbons pour qu'elle cesse de pleurer parce qu'elle avait oublié sa poupée favorite à la maison. Amy se demanda si sa mère l'avait soulevée dans ses bras au-dessus d'un bastingage comme celui-ci pour qu'elle fasse au revoir à la France de la main. Dans son imagination, Amy pouvait voir son père, grand et élégant, agiter son mouchoir dans leur direction à partir du quai, et sa mère la déposer par terre pour souffler des baisers à son époux, pendant qu'elle-même sautillait en criant «*Au revoir, père, au revoir**!» jusqu'à ce que sa mère la reprenne dans ses bras avant qu'elle ne passe par-dessus bord. Amy s'était imaginé la scène si souvent qu'elle ne pouvait plus distinguer le rêve du souvenir. Cela aurait très bien pu se passer ainsi. Amy aimait croire que c'était le cas.

En scrutant la bruine, Amy pouvait presque apercevoir son père qui souriait sur le quai et sentir le parfum de lavande de sa mère auprès d'elle.

«Bientôt, je vous vengerai», leur promit-elle en silence.

Amy était si concentrée qu'elle n'entendit pas le faible bruit de pas sur le pont derrière elle. Elle ne vit pas les ombres s'allonger autour d'elle. Elle ne sentit pas le souffle doux sur sa nuque.

Mais il lui fut impossible de ne pas entendre la voix qui résonna pratiquement à l'intérieur de son oreille.

— Vous ne devriez pas être dehors.

Chapitre 6

❀

Le son inattendu d'une voix derrière elle, trop près derrière elle, faillit catapulter Amy par-dessus bord. Les silhouettes de ses parents se volatilisèrent subitement dans la nuit argentée. Le sort était rompu.

— Et vous ne devriez pas surprendre les gens ainsi, répliqua-t-elle sèchement sans se retourner, s'agrippant au bois pour se retenir.

— Et vous ne devriez pas vous appuyer ainsi sur le bastingage, poursuivit d'un calme exaspérant la voix derrière elle. Ces navires sont rarement en bon état.

— Je suis en parfaite… ah !

Amy recula en chancelant lorsque le bastingage eut l'obligeance de se mettre à branler.

— Sécurité ? termina-t-il à sa place. Je ne crois pas.

Amy repoussa la main qu'il avait tendue pour la retenir.

— Je vous remercie de l'avertissement, mais je vais très bien.

Richard la suivit lorsqu'elle lui tourna le dos et traversa le pont en quête de silence et d'une section de bastingage plus solide. Malgré sa mauvaise humeur, il dut réprimer un sourire quand il la vit planter ses coudes sur la planche en bois, comme pour la mettre au défi de branler.

— Vous aurez des échardes, la prévint-il.

Amy l'ignora. Debout à l'avant du bateau, les épaules droites, le menton dans les airs, elle avait l'air d'une figure de proue particulièrement féroce. Elle faisait manifestement beaucoup, beaucoup d'efforts pour l'ignorer. Eh bien, qu'elle essaie. Richard la fixait d'un regard imperturbable, observant la façon dont le clair de lune donnait à sa peau un éclat blanc, qui contrastait avec ses cheveux foncés. Au moment où il était arrivé sur le pont, Amy, le visage tourné vers la nuit, avait des allures de Jeanne d'Arc en train d'avoir une vision.

Secouant la tête, Richard se souvint de son principal objectif.

— Venez à l'intérieur, suggéra-t-il au dos d'Amy.

— Je suis très bien là où je suis.

Comme pour illustrer ses propos, elle s'assit sur le pont humide et serra ses genoux contre elle.

Richard s'assit à ses côtés.

Amy le regarda d'un air surpris. Derek n'aurait jamais pris le risque de faire des marques brunes sur son pantalon brun clair. Ni des taches d'herbe, ni des taches de rouille, ni des taches de n'importe quel autre type de saleté. Amy avait souvent réussi à échapper à ses avances maladroites en grimpant par-dessus une clôture ou en allant traîner dans des endroits où les dandys craignaient de s'aventurer.

— Vous allez tacher votre pantalon.

— Vous allez tacher votre jupe, lui répondit calmement Richard.

— Cette conversation est complètement absurde !

— Préféreriez-vous discuter du temps qu'il fait ?

— Je préférerais ne pas discuter du tout.

— Bien, répliqua Richard en se levant et en se penchant pour lui offrir sa main. Dans ce cas, nous pouvons retourner à l'intérieur.

Amy donna une tape sur sa main tendue à la manière d'un chat qui rejetterait une pelote de laine de mauvaise qualité.

— Non, *vous* pouvez retourner à l'intérieur.

— Mademoiselle Balcourt, vous ne pouvez pas rester seule ici, dehors.

Le ton de sa voix fit grincer Amy des dents, mais elle ne répondit pas.

— Quelqu'un pourrait vous tomber dessus dans l'obscurité.

— Quelqu'un l'a *déjà* fait.

— Ce n'est pas ce que je veux dire. *Je* suis sorti pour m'assurer que vous étiez en sécurité.

— Eh bien, je le suis. Vous vous en êtes assuré. Maintenant, *partez*.

— Vous n'acceptez pas très bien d'être secourue, n'est-ce pas? Très bien, dans ce cas, dit Richard avant d'exécuter une révérence si formelle qu'elle ne pouvait être interprétée autrement que comme une insulte. Bonsoir, mademoiselle Balcourt. Profitez bien de votre séjour sur le pont. Si un marin venait à vous trouver, ne m'appelez surtout pas.

Amy renifla.

Richard tourna brusquement les talons et se dirigea d'un pas raide vers l'escalier. Deux mètres plus loin, il s'arrêta et revint de la même manière qu'il était parti.

— Non. Désolé. Je ne peux pas faire cela, dit-il en secouant la tête en direction d'Amy, qui le regardait d'un air à la fois outré et confus (quoique la confusion semblât l'emporter).

— Vous ne pouvez pas faire quoi, milord? Marcher? C'est assez facile; vous n'avez qu'à mettre un pied devant l'autre et à continuer ainsi jusqu'à ce que vous soyez tout en bas de l'escalier et rendu dans votre propre couchette.

— Non, répondit Richard en se rasseyant à côté d'elle. Je ne peux pas simplement vous laisser ici. Malheureusement pour nous deux, on m'a inculqué un sens de l'honneur qui m'empêche de laisser une jeune demoiselle seule au beau milieu de la nuit avec un équipage de voyous qui dort juste au-dessous. Mon devoir est clair : si vous vous obstinez à rester dehors, je devrai y rester aussi. De plus, ajouta-t-il avant qu'Amy n'ait eu le temps de formuler un commentaire désobligeant au sujet de son sens de l'honneur qui n'allait pas jusqu'à éviter les ennemis de son pays, il est plus facile pour moi de rester ici auprès de vous maintenant que de revenir en courant lorsque vous vous mettrez à crier.

— Je ne le ferai pas.

— Ne tentons pas l'expérience, voulez-vous? Reprenez le cours de vos pensées, quelles qu'elles aient été. Vous remarquerez à peine ma présence.

Comme s'il voulait appuyer ses propos, Richard tourna la tête et regarda ostensiblement vers l'océan.

Amy tenta de raviver le souvenir de ses parents, mais l'image avait maintenant la piètre qualité d'une troupe de personnages en carton qui évoluaient devant un décor maladroitement dessiné. L'homme très réel assis à côté d'elle privait la rêverie d'une partie de sa puissance et la rendait immatérielle. Sa présence remplissait ses pensées. Il était assis à une bonne trentaine de centimètres d'elle, assez loin pour que ce soit convenable, assez loin pour satisfaire les chaperons les plus exigeants (en d'autres mots, mademoiselle Gwen), mais beaucoup trop près au goût d'Amy. Elle pouvait humer les notes d'agrume de son parfum, entendre le souffle régulier de sa respiration et sentir la chaleur qui émanait de son corps dans la fraîcheur de la nuit. Chaque fois qu'il bougeait sur le pont rigide, elle se raidissait.

Chaque fois qu'elle entendait le bruissement de ses cheveux contre son col haut alors qu'il tournait la tête, elle se demandait s'il la regardait.

« Vous remarquerez à peine ma présence ? pensa Amy. Ha !»

Appuyant son menton sur ses genoux, elle ferma les yeux très fort. Elle tenta d'évoquer l'image de la Gentiane pourpre (sa rêverie favorite, celle où il serrait sa main dans la sienne en lui disant qu'il ne pouvait pas vivre sans elle), mais la vision était d'aussi piètre qualité qu'une toile amateur, et la voix de la Gentiane pourpre ne cessait de prendre les accents de Lord Richard Selwick.

Jetant discrètement un regard de côté, Amy se demanda si elle n'avait pas, peut-être, été trop dure avec lui dans l'après-midi. C'était absolument affreux de sa part d'avoir travaillé pour les Français, mais cela s'était produit plus de cinq ans auparavant. Il devait être bien jeune cinq ans plus tôt, et madame Meadows ne cessait de répéter à quel point les jeunes gens faisaient des choses idiotes et inconsidérées. Peut-être n'avait-il vraiment pas réfléchi à la situation en France lorsqu'il s'était précipité en Égypte. Peut-être s'était-il repenti de ses actes depuis.

Peut-être devrait-elle vraiment retourner à l'intérieur, avant que sa présence à ses côtés ne fasse naître en elle des fantasmes encore plus ridicules.

Amy aurait peut-être été un peu soulagée de savoir que l'objet de ses pensées éprouvait une difficulté semblable à se concentrer. Richard avait essayé de réfléchir à des stratégies pour découvrir les plans d'invasion de Bonaparte en Angleterre, mais Amy occupait le cœur de ses pensées beaucoup plus efficacement que n'importe quelle quantité d'unités d'artillerie.

Sous le couvert de l'obscurité, il changea de position pour faire face à Amy.

— Qu'allez-vous faire en France? demanda-t-il doucement.

Amy releva brusquement la tête, immédiatement sur la défensive. Richard leva une main devant lui comme pour se défendre.

— Rétractez vos griffes! J'ai été suffisamment égratigné cet après-midi. Pouvons-nous déclarer une trêve, du moins pour cette nuit?

Amy le mesura du regard d'un air soupçonneux.

— Considérez cela comme notre version personnelle de la paix d'Amiens. Je serai la France, et vous pouvez être l'Angleterre.

L'attitude méfiante d'Amy fondit quelque peu.

— Vous pouvez être l'Angleterre, et je serai la France d'avant la Révolution, proposa-t-elle.

— Désolé. Je crains que vous ne soyez coincée dans le présent.

— Seulement si vous restez de votre côté de la Manche, dans ce cas, dit Amy en montrant la section du pont qui les séparait.

— Que feriez-vous si je tentais l'invasion? demanda Richard en remuant les sourcils d'un air prétendument dragueur.

— Je ferais appel à l'artillerie lourde, répondit-elle en faisant un geste vers la trappe qui menait à l'escalier de la cabine.

— Je suis désolé, mais vous ne pouvez pas faire passer un dragon pour quelques fusils. C'est interdit. Et je vous assure qu'un dragon n'est pas une arme acceptable dans les guerres modernes.

— Pourquoi pas ? Ils crachent tous les deux du feu.

— Oui, mais…, dit Richard en regardant autour de lui en quête d'une réplique. Mais les dragons sont *terrifiants* !

C'est tout ce qu'il put trouver. Cela n'avait vraiment pas l'air très brave ni viril.

— J'ai gagné ! fanfaronna Amy.

— Mais les dragons sont *obsolètes*, termina Richard d'un air satisfait. En tant que gagnant de cette bataille, je réclame un prix.

— Je ne crois pas que vous en méritiez un, sire chevalier. Après tout, vous n'avez vaincu aucun dragon.

— Reste que je réclame tout de même un prix, dit Richard en levant une main magistrale. Se montrer plus malin que vous devrait avoir autant de mérite que vaincre un dragon.

— Je ne suis pas certaine que je qualifierais cela de très malin, protesta Amy.

— C'était un compliment.

— Vous n'offrez pas souvent de compliments, n'est-ce pas ? C'était une tentative vraiment médiocre. Si vous voulez, je peux vous aider à pratiquer. Nous pourrions commencer par quelque chose de facile, par exemple « Oh, Amy, comme vous êtes intelligente ! », puis nous verrons.

— N'empêche. Ai-je tout de même droit à mon prix ? demanda Richard, dont les cheveux blond foncé scintillaient au clair de lune, en se penchant en avant.

Le pouls d'Amy s'accéléra à un rythme dangereux.

— Quel genre de prix aviez-vous en tête ?

— Je voudrais que — sa voix était grave et profonde — vous me disiez pourquoi vous allez en France.

— Oh.

— Est-ce un si grand secret ? la taquina Richard.

Amy lutta contre un absurde sentiment de déception.

— Non, non, bien sûr que non. C'est plutôt ennuyeux, en réalité. Je vais vivre chez mon frère, à Paris.

— Vous me décevez, mademoiselle Balcourt. Comment quelqu'un qui désapprouve tant les Français peut-il avoir un frère là-bas?

Amy se releva péniblement, se prit les orteils nus dans sa jupe et attrapa le bastingage pour reprendre son équilibre. Elle se dressa au-dessus de Richard.

— Mon frère est à moitié français; je suis à moitié française. Juste ciel, vous êtes vraiment le plus exaspérant des hommes! Y a-t-il autre chose que vous voudriez savoir, ou puis-je retourner à l'intérieur?

Richard prit la main d'Amy et l'attira vers le sol.

— Si votre frère est en France et que vous étiez en Angleterre, où sont vos parents?

Amy se laissa attirer, mais s'installa sur ses talons, comme pour être prête à se relever d'un bond à tout moment.

— Ils ont subi l'étreinte de madame la Guillotine, répondit-elle laconiquement.

Tenant toujours sa main, Richard la serra doucement en guise de réconfort.

— En fait, poursuivit-elle, seul mon père a réellement été assassiné, mais ma mère aurait tout aussi bien pu l'être. Elle aimait tellement mon père... Ils ont dû se dire au revoir une trentaine de fois avant que nous partions. Lorsqu'ils ont tué mon père, ils l'ont tuée aussi. Ils s'étaient mariés par amour, vous comprenez.

Assez curieusement — pour un homme qui avait jusque-là tout fait pour éviter le mariage —, Richard comprenait. Ses propres parents s'étaient mariés par amour et étaient restés très amoureux; c'en était même troublant. Du moins, ce l'avait été pour le pauvre adolescent qui devait être témoin du fait que ses parents se tenaient par la main sous la table. Sans compter toutes les fois où Richard était tombé par hasard sur ses parents en train de s'embrasser dans les corridors. Mais, malgré toutes les grimaces qu'il fit et les sons inarticulés qu'il émit à l'occasion pour exprimer son extrême dégoût (parce que tout le monde savait que des *parents* n'étaient pas censés s'engager dans des rapports intimes), en son for intérieur, Richard trouvait cela plutôt mignon. Il trouvait plutôt mignonne la façon dont son indomptable mère rougissait et se mettait dans tous ses états pour un commentaire que lui chuchotait son père, et il trouvait plutôt mignonne la façon dont son digne père s'éclipsait subitement en plein débat à la Chambre des Lords simplement pour aller prendre le thé avec sa mère. Bien entendu, vous ne le prendriez pas à raconter cela à n'importe qui.

Ce n'est qu'une fois fraîchement sorti de l'innocence d'Eton, après avoir commencé à fréquenter la société londonienne en tant que dépravé, que Richard s'était aperçu à quel point le genre de relation qu'entretenaient ses parents était inhabituel. Avant cela, il avait naïvement supposé que tous les couples mariés agissaient ainsi, se tenant la main sous la table au petit déjeuner et s'embrassant dans les corridors. Mais ensuite, il avait vu des hommes mariés dans les bordels, reçu des invitations parfumées de la part de femmes mariées et vu des contrats de mariage signés sans plus de sentiments, d'un côté comme de l'autre, que... eh bien, sans sentiments du tout. Au fil de tous ses vagabondages de salle de bal en salle de bal, Richard avait peut-être vu un couple sur dix partager une certaine affection et un couple sur cent réellement amoureux. Et il avait compris, pour la première fois, que ses parents partageaient une chose merveilleuse, mais rare, et que lui-même ne pourrait jamais s'abaisser à se contenter de moins.

Amy avait connu cela, elle aussi, et elle avait dû être témoin du fait que cela avait été arraché de force.

— Je suis désolé, dit-il doucement.

— Pourquoi devriez-vous l'être ? Vous n'avez pas brandi la hache.

— Si j'avais su, je ne vous aurais pas provoquée ainsi. Je ne m'étais pas rendu compte que vous étiez personnellement touchée.

Amy leva vers lui un regard perplexe, s'inquiétant de son soudain changement d'attitude. La lune avait disparu derrière un nuage, laissant le visage de Richard dans l'ombre, sans aucune lueur pour lui indiquer s'il était sincère ou non. Si seulement les nuages pouvaient se dissiper pour qu'elle puisse voir — elle ne savait pas ce qu'elle espérait voir. Quelque chose qui lui indiquerait s'il était un homme honnête ou un véritable vaurien.

— Je suis vraiment désolé, répéta-t-il.

Et, au son de la voix profonde qui résonna dans ses oreilles, Amy sut, sut tout simplement qu'il était sincère, de la même façon qu'elle savait que Jane était gentille, que les moutons étaient dégoûtants et qu'elle allait trouver la Gentiane pourpre.

Et, d'une certaine façon, cela lui sembla la chose la plus naturelle au monde qu'il prît sa main libre dans la sienne et lui sembla plus naturel encore qu'il se penchât vers elle, et elle vers lui. Leurs mains jointes formèrent une arche au-dessus de la section du pont que Richard avait comiquement appelée leur «Manche». Amy n'aurait su dire si c'était lui ou elle qui tirait ; elle avait l'impression de ne plus sentir où ses bras se terminaient et où ceux de Richard commençaient. Et même si ç'eût été le cas, quelle importance ? Amy ferma les yeux et sentit le souffle chaud de Richard sur ses lèvres.

Chapitre 7

❀

Crac !
La section de bastingage à laquelle Amy était appuyée plus tôt se détacha du pont et tomba à l'eau. Soudain, la main d'Amy lui appartint de nouveau. Clignant des yeux d'un air hébété avant de les ouvrir complètement, elle vit que leur propre petite Manche avait repris sa place entre eux et que les mains de Richard étaient fermement plantées sur le pont de chaque côté de lui. Cela aurait suffi à lui faire croire qu'elle avait imaginé les quelques instants précédents, si ce n'était le fait qu'elle pouvait toujours sentir les picotements laissés sur ses lèvres par le souffle de Richard.

— Le capitaine devrait voir à faire réparer cela, commenta Richard d'une voix légèrement mal assurée. Je lui en glisserai un mot demain matin.

Amy hocha la tête. Pour une fois — et ces occasions étaient effectivement rares —, elle ne trouva rien à dire. « Pardonnez-moi, mais étiez-vous sur le point de m'embrasser ? » ne semblait pas du tout une question décente à poser pour une jeune demoiselle, même si celle-ci s'était comportée d'une façon tout à fait indigne d'une jeune demoiselle en s'asseyant en pleine nuit sur le pont d'un bateau avec un homme, et ce, sans chaperon. D'ailleurs, et s'il répondait non ? Maudit soit le bastingage !

Amy se mordit les lèvres, complètement déboussolée. Un plan, un plan… depuis quand se retrouvait-elle sans plan ? Il est vrai qu'il était extrêmement difficile de planifier sans savoir exactement ce qu'on voulait. Aurait-elle voulu qu'il l'embrassât ? Ou seulement qu'il avouât qu'il avait eu l'intention de l'embrasser ? Et pourquoi était-ce si important ? Oh, ciel ! Amy se tortilla sur le pont rigide. Organiser la restauration de la monarchie était tellement plus facile que faire face aux conséquences d'un quasi-baiser !

Et, franchement, se rappela Amy, il fallait qu'elle se concentre pleinement sur ses plans pour trouver la Gentiane pourpre et restaurer la monarchie plutôt que se torturer pour un homme à la morale douteuse. Même si cet homme avait des pommettes à faire pleurer un sculpteur ainsi qu'une musculature dorsale des plus fascinantes… Amy se remit à se mordiller les lèvres.

Richard se pencha en arrière pour s'appuyer sur ses mains, laissant la sensation du bois rugueux sur ses paumes le ramener à la raison. Embrasser Amy. Mauvaise idée. À quoi diable avait-il bien pu penser ? Il n'avait pas pensé du tout, c'était ça le problème. Du moins, pas avec la partie de son être gouvernée par la logique. La logique. Richard se frotta les mains sur la surface pleine d'échardes du pont pour tenter d'évaluer la situation de façon logique. Logiquement, embrasser Amy était une idée terriblement mauvaise. Il se le répéta quelques fois. Après tout, s'il embrassait Amy, il aurait certaines obligations envers elle, ce qui impliquerait de passer du temps avec elle une fois qu'ils seraient tous deux arrivés en France.

Évidemment, il n'avait rien contre l'idée de passer du temps avec elle... Richard écarta cette idée en toute hâte. Quel que soit le plaisir qu'il pourrait avoir à passer du temps avec Amy, c'était impossible. Il n'avait tout simplement pas de temps pour cela. Pas s'il voulait mettre la main sur les plans de Bonaparte avant que les troupes françaises ne débarquent sur le sol anglais. Personne ne savait mieux que Richard à quel point Bonaparte pouvait bouger rapidement (sauf, peut-être, les Italiens, les Autrichiens et les Néerlandais). Et quant à Amy... Richard avait le sentiment qu'elle pourrait être une distraction plutôt considérable.

Mais s'il ne l'embrassait pas, il n'aurait pas d'obligations envers elle, et par conséquent, elle ne le distrairait pas. Tout cela était parfaitement sensé. Logiquement.

Richard jeta un œil à Amy, qui était assise à côté de lui, anormalement silencieuse. Elle avait à nouveau serré ses genoux contre sa poitrine et regardait droit devant elle vers les eaux obscures en se mordant les lèvres. Il faisait trop noir pour qu'il puisse discerner la couleur de ses lèvres, mais Richard s'en souvenait bien ; d'un rose étonnamment foncé comparé à la pâleur de sa peau, elles étaient douces et invitantes. Il se souvint d'avoir observé la façon dont ses lèvres bougeaient pendant qu'elle parlait, qu'elle souriait. Les mordre les avait probablement fait rougir et enfler, tout comme ses baisers l'auraient fait. Logique, logique, logique, se rappela Richard en penchant la tête en arrière pour regarder le ciel. Lorsqu'il regarda à nouveau, Amy était toujours en train de se mordiller les lèvres.

Richard détourna rapidement les yeux encore une fois.

— Comment s'appelle votre frère ? s'enquit Richard simplement pour poser une question.

Elle ne pouvait pas se mordre les lèvres et parler en même temps, n'est-ce pas?

— Édouard, répondit distraitement Amy. Il est beaucoup plus âgé que moi.

— Édouard.

Richard se redressa si rapidement que la tête lui tourna.

— Pas Édouard de Balcourt?

— Oui! Le connaissez...

— Édouard de Balcourt est votre *frère*?

— Vous le connaissez *bel et bien*, alors? demanda avidement Amy.

— Nous nous connaissons quelque peu, répondit prudemment Richard.

En soi, c'était la vérité; Richard avait fait tout ce qui était en son pouvoir pour maintenir leurs relations au minimum.

— Voudriez-vous m'en parler? S'il vous plaît? Ce que vous savez. Je ne l'ai pas vu depuis l'âge de cinq ans. Il n'écrit pas beaucoup, admit-elle.

Tel qu'il connaissait Balcourt, Richard n'était pas surpris.

— Je suppose qu'il craint que toutes les lettres pour l'Angleterre soient lues, continua-t-elle. Que pouvez-vous me dire sur lui?

— Hum...

Richard pianota sur le pont. À en croire le visage rayonnant d'Amy, il était évident qu'elle nourrissait de grands espoirs à propos de son frère. Damnation! Pourquoi fallait-il que ce soit lui qui lui apprenne que son frère était la risée de la cour de Bonaparte? Édouard de Balcourt était un bellâtre, un lèche-bottes, un homme dépourvu de goût, de morale et de scrupules. Et cela était une description on ne peut plus amicale.

Comment Balcourt pouvait-il être le *frère* d'Amy ? Peut-être était-il un enfant échangé ? L'un des deux devait en être un.

Amy tapa du pied avec impatience.

— Alors ?

— Il ne vous ressemble pas.

C'était la seule chose inoffensive à laquelle Richard put penser.

— Nous nous ressemblions un peu quand nous étions enfants, observa Amy en souriant avec nostalgie. Ma mère disait toujours que ce n'était pas juste que nous ayons tous les deux hérité des traits de famille de mon père. Du côté de ma mère, tout le monde était grand, majestueux et avait la peau claire, comme Jane, mais Édouard et moi étions tous les deux petits et foncés. Pourtant, mon père était grand. Lorsqu'il me juchait sur ses épaules, je pensais que je pourrais toucher les étoiles.

Pendant un instant, Amy se perdit dans ses pensées, se revoyant sauter sur les épaules de son père pour attraper des étoiles. Il lui avait même donné un tout petit bracelet de diamants — une guirlande d'étoiles ramassées pendant qu'elle dormait dans sa chambre d'enfant, avait-il juré.

— Il m'avait promis de me soulever vers le ciel en pleine nuit quand je serais plus grande pour que je puisse me confectionner un collier. Un collier d'étoiles.

Amy cligna des yeux pour en chasser les larmes et leva un regard mélancolique vers le ciel.

Il n'y avait pas d'étoiles ce soir.

Mais il y avait un homme très silencieux à ses côtés, qui l'observait attentivement, et Amy revint brusquement au présent, ébranlée et un peu confuse, tout comme Icare lorsqu'il était tombé du ciel.

Qu'est-ce qui lui avait pris de se dévoiler ainsi ? Les souvenirs qu'elle gardait de son père et sa mère lui étaient personnels, c'était son jardin secret, plus précieux encore que n'importe quelle quantité de colliers d'étoiles. Elle ne parlait d'eux à personne, pas même à Jane, qui était comme une sœur pour elle, sa seule confidente et la personne qui la connaissait le mieux au monde. Pourtant, il avait été si facile de parler d'eux à Lord Richard. Le quasi-baiser et le clair de lune lui avaient manifestement embrouillé l'esprit. Les gens faisaient des choses étranges au clair de lune. Il importait peu que la lune se fût cachée derrière les nuages depuis un bon moment déjà ; bien qu'Amy ne la voie pas, elle était toujours là à influencer ses actes.

Cependant, il y avait aussi quelque chose au sujet de Lord Richard. Quelque chose qui faisait qu'il semblait facile et naturel de se confier à lui. Quelque chose dont elle ne pouvait pas accuser la lune. Quelque chose qui faisait qu'Amy se sentait très, très vulnérable, et elle n'était pas du tout certaine d'aimer cela.

— Maintenant que vous savez tout sur moi, dit Amy l'air plus brave qu'elle ne l'était pour rompre le fragile silence, c'est votre tour. Pourquoi *vous* rendez-vous en France ?

Occupé à admirer le courage d'Amy, Richard répondit sans réfléchir.

— Je suis directeur des antiquités égyptiennes pour le Premier Consul.

Il avait donné cette réponse si souvent et à tant de gens qu'elle lui vint automatiquement.

Amy cligna des yeux.

— Directeur des antiquités pour le Premier Consul ?

— Oui. Lorsque nous sommes rentrés d'Égypte, le Premier Consul m'a invité à…

Richard s'interrompit au moment où Amy se mettait à lutter maladroitement pour se relever.

— Quelque chose ne va pas?

— Vous n'étiez pas désolé du tout, n'est-ce pas? murmura-t-elle.

— Je vous demande pardon?

— Vous ne me provoquiez pas, vous disiez le fond de votre pensée et *vous n'étiez pas désolé.*

— Amy, je...

Richard tendit le bras pour attraper la main d'Amy, mais celle-ci recula en essuyant furieusement sa main sur ses jupes comme pour se purifier de son contact.

— Je ne comprends pas, dit-elle au bord des larmes, ce qui le secoua beaucoup plus durement que ses cris de l'après-midi. Vous êtes avec les Français depuis le début, poursuivit-elle. Vous n'êtes jamais parti. Vous étiez avec *eux* tout ce temps. Puisque vous êtes resté avec eux, vous ne deviez pas croire que ce qu'ils ont fait était si horrible. Pourquoi avez-vous prétendu être compatissant si vous ne l'étiez pas? J'ai été tellement idiote!

— Vous n'êtes pas idiote. Amy...

— Ne vous avisez pas de me dire que je ne suis pas idiote! Ne vous avisez plus de vous permettre de me dire quoi que ce soit, jamais!

Stupéfait par cet accès de colère, Richard resta assis à regarder Amy décrire des cercles enragés autour du pont comme un petit derviche tourneur.

— Je vous aimais bien. Je vous ai fait confiance. Oh, mon Dieu, je vous ai même parlé de mes *parents*!

— Quel est le rapport entre cela et tout le reste? demanda Richard d'un ton sec, plus que légèrement contrarié par cette suite de verbes au passé.

Il attrapa le bastingage et se hissa sur ses pieds.

— Rien. Rien du tout! répondit Amy en agitant furieusement les bras. Cela n'a rien à voir avec le fait que vous êtes un voyou, un goujat, un malotru, un traître à votre patrie et...

Voyou, goujat et malotru étaient déjà bien assez mauvais, mais un traître à sa patrie en plus? Richard avait vaguement nourri l'idée de subir ses insultes patiemment et en silence, mais là, c'en était vraiment trop.

— Oh, vraiment?

Richard s'avança d'un pas aussi furtif que celui d'une panthère en chasse, et sa voix se fit un doux ronronnement plus menaçant que n'importe quel grognement.

— Définissez le terme « traîtrise », mademoiselle Balcourt.

Amy remarqua la lueur dangereuse dans les yeux verts de Lord Richard, mais l'éclat de jade ne fit en quelque sorte qu'ajouter de l'huile sur le feu de sa propre rage bouillonnante. Plutôt que de reculer, Amy avança vers lui d'un pas décidé.

— La traîtrise, déclara-t-elle furieusement en levant la tête jusqu'à ce que son nez retroussé lui effleure pratiquement le menton, c'est lorsqu'un homme s'allie volontairement aux ennemis de son pays.

Amy recula d'un demi-pas, non pas parce qu'elle était intimidée — jamais! —, mais plutôt parce qu'elle avait mal au cou. Maudit soit l'avantage de la taille! C'était totalement injuste qu'il puisse baisser les yeux sur elle de cette façon absolument hautaine simplement parce qu'une bonne fée avait agité sa baguette magique au-dessus de son berceau et lui avait fait cadeau de toute une collection de centimètres complètement immérités. Si sa physionomie avait dû refléter son caractère, eh bien, il aurait fallu qu'il soit un sale petit nain tordu et flétri. Pas un adonis géant en or créé pour inciter les jeunes femmes innocentes à commettre des indiscrétions. L'injustice de tout cela enragea davantage Amy.

— La traîtrise, répéta-t-elle d'une voix perçante, c'est lorsqu'un homme peu scrupuleux fait croire à de jeunes demoiselles innocentes qu'il est un... un individu sensé et sensible ! Alors que pendant tout ce temps...

— Innocente ? rugit Richard. Innocente ? Vous vous dites innocente ? *Je* discutais innocemment d'égyptologie cet après-midi avant que vous vous emportiez et commenciez à m'insulter !

— C'est peut-être parce que c'est *vous* qui êtes à la solde de Bonaparte !

— Avant de critiquer, vous devriez vous regarder dans le miroir !

— Ne serait-il pas plus simple de me mettre à la guillotine, selon vous ?

Richard attrapa Amy par les épaules.

— Vous — *secousse* — êtes tout à fait — *secousse* — *secousse* — RIDICULE !

Amy tapa du pied. Fort. Sur celui de Richard.

— Ça, c'est pour m'avoir dit que j'étais ridicule !

— Aïïïïïïïïïïïe !

Richard lâcha Amy un peu plus brusquement qu'il ne l'aurait voulu. Comment un seul petit pied pouvait-il donner un si grand coup ? Il avait déjà été attaqué par des hommes adultes qui n'avaient pas réussi à lui faire aussi mal.

Amy s'éloigna de lui, apparemment bouillante de colère.

— Ne me touchez pas, ne me parlez pas, ne me suivez pas, cracha-t-elle en se dirigeant vers l'escalier d'un pas raide. Je vais me coucher !

— C'est la chose la plus intelligente que vous ayez dite de toute la soirée ! répondit sèchement Richard en boitillant derrière elle.

Amy se retourna sur un petit talon très dangereux — comme venait de l'apprendre Richard. Il recula, un mouvement involontaire qui fit apparaître une étincelle de plaisir malveillant dans les yeux bleus d'Amy. Cela aurait pu être la simple lueur d'un rayon de lune égaré, mais Richard et son cou-de-pied douloureux étaient presque certains qu'il s'agissait de malveillance.

— Je pensais vous avoir dit de ne pas me suivre !

— Espérez-vous que je dorme sur le pont ? s'enquit amèrement Richard.

Amy marmonna quelque chose d'inintelligible, puis commença à descendre le court escalier.

Richard lui donna un petit coup entre les omoplates, juste sous ses boucles foncées emmêlées, ce qui, à sa grande satisfaction, eut pour résultat de la faire sursauter.

— Qu'avez-vous dit ? demanda-t-il.

Amy serra les poings le long de son corps tout en continuant d'avancer.

— J'ai dit que je ne vous parlerais pas !

— Oh, c'est logique, commenta Richard d'une voix traînante.

Amy émit un son inarticulé rempli d'émotion.

— Ma foi, cela n'est pas considéré comme parler, n'est-ce pas ?

Une main sur la porte de la cabine, Amy fit un petit bond énervé, qui avait l'air de vouloir devenir un accès de colère quand il serait grand.

— Laissez-moi seulement tranquille ! chuchota-t-elle férocement en ouvrant brusquement la porte. Restez de votre côté de la pièce et laissez-moi tranquille !

— Vos désirs sont des ordres, dit Richard en faisant une révérence d'un air moqueur, avant de disparaître sans un bruit derrière le mur de capes.

Amy s'élança d'une manière théâtrale de son côté de la séparation, trébucha bientôt sur la malle-penderie de mademoiselle Gwen, celle-là même dans laquelle elle avait foncé plus tôt, et n'eut aucune difficulté à se convaincre que tout cela était la faute de Lord Richard. Amy sauta sur sa couchette et massa ses orteils blessés. Elle était persuadée que, de quelque façon indirecte, l'orage qui les avait coincés sur ce satané bateau était aussi la faute de Lord Richard. Très probablement un dieu mineur qui se vengeait de ce qu'il l'avait offensé.

— Je le hais, je le hais, je le hais, murmurait Amy alors que le sommeil la gagnait.

En l'espace de quelques instants, Amy se retrouva sur un balcon à l'extérieur d'une salle de bal. À travers les portes-fenêtres, elle entendait le son des rires et de la musique. La lumière des chandelles dessinait d'intrigants motifs au pied d'Amy, mais ils ne réussirent pas à attirer son attention.

Elle inspectait attentivement un jardin — un grand jardin à la française élaboré, avec des tonnelles de roses, un faux temple classique sur une colline éloignée, ainsi qu'un vaste labyrinthe de haies étonnamment sauvages, en plein entre les sentiers pavés et les lits de fleurs. Et ce fut à cet instant qu'elle l'aperçut. Il était lui-même presque une ombre avec sa cape à capuche noire lorsqu'il se faufila hors du labyrinthe pour bondir par-dessus le rebord du balcon. Amy tendit une main impatiente pour l'aider à monter.

— Je savais que vous viendriez!

À travers le cuir de son gant, elle pouvait sentir la chevalière à son doigt, une chevalière qui arborait une petite fleur pourpre.

— Comment pourrais-je rester loin de vous? murmura-t-il.

Amy agrippa sa main.

— Je désire tant vous aider! C'est tout ce que j'ai toujours désiré! Ne me direz-vous donc pas qui vous êtes?

La Gentiane pourpre caressa d'un doigt ganté la joue d'Amy de telle sorte qu'elle frémit de plaisir.

— Et si je vous le montrais?

C'était habituellement à ce moment du rêve — parce qu'Amy avait déjà fait non pas une, mais plusieurs dizaines de fois exactement le même rêve, jusqu'à la couleur des fleurs dans le jardin — qu'Amy se réveillait anxieuse, perdue et encore plus décidée que jamais à suivre les traces de la véritable Gentiane pourpre jusque dans son repaire.

Pourtant, ce soir, elle vit avec un frisson d'excitation la Gentiane défaire minutieusement le nœud qui retenait sa cape à son cou et repousser lentement la capuche enveloppante pour révéler une tête dorée, qui étincela à la lueur de la chandelle, ainsi qu'une paire d'yeux verts moqueurs et astucieux.

— Je parie que vous ne vous attendiez pas à me voir, dit Lord Richard Selwick d'une voix traînante.

Amy se réveilla le souffle coupé par l'horreur.

— Maudit soit-il!

On aurait pu espérer que le sale goujat la laisserait au moins rêver en paix! Amy frappa son oreiller, se retourna et se rendormit. Lord Richard s'immisça à nouveau dans son sommeil, mais cette fois, cela ne la dérangea pas. Elle fit un rêve très satisfaisant où elle le poussait par-dessus bord et lui tirait la langue pendant qu'il tombait dans les eaux glacées de la Manche.

De l'autre côté de la cabine, le sommeil de Lord Richard était tout aussi agité — bien qu'il ne se doutât pas qu'Amy était mentalement en train de le noyer dans la Manche. Il était longtemps resté éveillé, furieux tour à tour de sa propre conduite et de celle d'Amy. Il avait fait taire une voix ridicule dans sa tête (dont la ressemblance avec la voix d'Henrietta était troublante) qui lui avait fait remarquer de façon plutôt cinglante que, s'il voulait attirer l'attention d'Amy, se comporter comme un enfant de sept ans n'était certainement pas la meilleure chose à faire.

— C'est elle qui a commencé, grommela Richard.

Mais il se sentit plus mal encore par la suite parce qu'il était tombé si bas, que le diable l'emporte, qu'il en était venu à argumenter avec quelqu'un qui n'était même pas là. S'il continuait ainsi, il serait meilleur pour l'asile que pour l'espionnage.

Richard s'endormit en esquissant mentalement le brouillon d'une brochure éducative pour le ministère de la Guerre intitulée *Réflexions sur la nécessité d'éviter le sexe opposé lorsqu'engagé dans des activités d'espionnage : guide pratique.* Seulement pour trouver le titre parfait, il dut fournir un certain effort. Avant même d'avoir fini de rédiger le premier point (« Ne vous laissez jamais, sous aucun prétexte, entraîner dans une conversation, peu importe à quel point la demoiselle en question est cultivée ou a de beaux yeux »), Richard glissa doucement dans un cauchemar familier.

Il était à la périphérie de Paris et traversait le bois de Vincennes pour aller retrouver Andrew, Tony et le marquis de Sommelier. Percy devait les rejoindre à Calais avec son yacht ainsi que le comte et la comtesse de Saint-Antoine.

Encore une semaine de travail couronnée de succès pour la Ligue du Mouron rouge.

Richard ne se sentait pas particulièrement fort de ce succès ; il ruminait toujours à propos de la dernière visite qu'il avait rendue à Deirdre. Lorsqu'il était arrivé, elle était en train d'arranger des fleurs reçues du baron Gérard. Le baron Gérard ! Mais quel genre de rival était-ce ? Il devait bien avoir quarante ans ! Richard était prêt à parier que l'homme était incapable de rester assis à cheval le temps d'une partie de chasse et encore moins de réussir de superbes opérations de sauvetage avec la moitié des forces révolutionnaires françaises à ses trousses. Ce qui l'avait provoqué, c'était la façon dont Deirdre avait prononcé son nom quand il lui avait demandé de qui venaient les fleurs.

— Le baron Gérard est passé, avait-elle dit sur un ton qui laissait entendre un soupçon de mystère, de suffisance presque.

Sauf que sa Deirdre, sa belle et parfaite Deirdre, n'aurait jamais été suffisante. C'était à ce moment-là que Richard lui avait inconsidérément révélé *son* secret.

Mais lorsqu'il lui avait dit... eh bien, ce qu'il n'était pas censé lui dire, elle avait simplement continué à arranger les fleurs pestilentielles de Gérard.

— Oh, vous vous moquez de moi, milord ! avait-elle reculé.

— Que faudra-t-il pour vous convaincre ? La tête d'un Français servie sur un plateau d'argent ? avait crié Richard, blessé, avant de sortir en trombe du petit salon.

Geoff lui avait donné un petit coup dans les côtes.

— Richard, quelque chose ne va pas.

En clignant des yeux, Richard s'était rendu compte qu'ils étaient déjà arrivés à la petite cabane qu'ils utilisaient pour leurs réunions. Et Geoff avait raison — quelque chose n'allait pas du tout. Il aurait dû y avoir un bout de tissu rouge dans l'un des rectangles irréguliers qui servaient de fenêtre. La porte de la cabane pendait sur ses gonds, entrouverte de façon inquiétante.

Les deux vieux amis avaient échangé un long regard, puis s'étaient approchés sans bruit en longeant le côté de la cabane.

— Prêt? avait soufflé Richard.

Geoff avait hoché la tête. Ils s'étaient rués à l'intérieur, où ils avaient trouvé couché sur le sol inégal un homme dont les vêtements étaient souillés et trempés par son propre sang.

Tony.

Et puis Geoff avait prononcé les mots que Richard n'arrivait pas à effacer de sa mémoire, pas même avec cent bouteilles de porto.

— Quelqu'un a dû les prévenir.

— Maudite soit-elle! jura Richard en s'agitant dans son sommeil. Maudite soit-elle!

Chapitre 8

❀

Des voix dans l'entrée me firent brusquement sortir du monde d'Amy.

M'attendant à entendre uniquement des bruits de vagues qui lèchent la quille d'un bateau, je fus ramenée contre mon gré au XXIe siècle par des rires dans la pièce d'à côté. Je clignai des yeux pour chasser les dernières images fantômes de ponts goudronneux et de toiles à voile. Je mis un moment à me rappeler où j'étais ; j'avais l'impression d'avoir le cerveau aussi embrouillé qu'après une double dose de médicaments contre le rhume. Un coup d'œil autour de moi m'informa que j'étais toujours affalée sur le tapis persan du salon de madame Selwick-Alderly, et que le feu à côté de moi avait brûlé jusqu'à ce qu'il ne reste plus que des braises parce qu'on ne s'en était pas occupé. Je n'avais aucune idée de l'heure qu'il était ni de combien de temps j'avais passé à lire, mais une de mes jambes semblait engourdie, et je sentais une douleur diffuse dans mes épaules.

J'étais en train, à titre d'expérience, de tendre une jambe raide devant moi — seulement pour vérifier qu'elle fonctionnait toujours — lorsqu'il apparut dans l'embrasure de la porte.

C'était l'homme en or. Celui de la photographie sur le manteau de la cheminée de madame Selwick-Alderly. Pendant un instant, dans mon état de confusion, prise entre le passé et le présent, je crus à moitié qu'il venait de sortir nonchalamment de la photo. D'accord, je sais que ç'a l'air fou, mais j'ai bel et bien jeté un coup d'œil rapide à la photo pour m'assurer que l'homme était toujours là où il devait être, figé dans un éclat de rire perpétuel à côté de son cheval. Il y était. Et après un second regard vers l'homme dans l'embrasure de la porte, j'ai remarqué les différences qui m'avaient échappé à première vue. L'homme sur la photo ne portait pas de pantalon gris ni de blazer, et ses cheveux blonds brillaient au soleil au lieu d'être foncés par la pluie.

Il n'avait pas non plus une femme extraordinairement élégante à son bras.

Elle faisait environ la même taille que moi, mais là s'arrêtait la ressemblance. Ses longs cheveux brun foncé brillants flottaient autour de son visage comme s'ils passaient une audition pour une publicité Pantene. Ses bottes en daim marron étaient aussi immaculées que si elle sortait tout droit du rayon chaussures de chez Harrods, et sa jolie petite robe en laine brune sentait la boutique de Notting Hill à plein nez. Ils formaient un couple séduisant, comme s'ils sortaient directement d'un magazine : «Monsieur et madame fabuleusement fabuleux exhibent leur luxueuse demeure.»

C'était suffisant pour donner à quiconque l'impression d'être une misérable monstruosité.

J'étais tellement plongée dans mes rêveries que je mis un moment à me rendre compte non seulement que l'homme en or souriant de la photo ne souriait pas, mais qu'il avait l'air carrément furieux. Et que c'était envers moi.

— Salut !

Quelques feuilles jaunies tombèrent de mes genoux alors que je me relevais péniblement en m'appuyant sur une main pendant que l'autre agrippait un paquet de lettres.

— Je suis Élo...

L'homme en or traversa le salon d'un pas raide, ramassa les papiers que j'avais laissés par terre, les lança dans le coffre ouvert et en ferma brusquement le couvercle.

— Qui vous a donné l'autorisation de prendre ces papiers ?

J'étais tellement choquée par la transformation de l'homme amical de la photo que mon cerveau et ma bouche cessèrent de travailler en équipe.

— Qui m'a donné... ?

Je baissai bêtement les yeux sur les feuilles de papier dans ma main.

— Ah, ça ! Madame Selwick-Alderly a dit que...

— Tante Arabella ! hurla l'homme en or.

— Madame Selwick-Alderly a dit que je pouvais...

— Séréna, irais-tu chercher tante Arabella ?

La fille élégante se mordit les lèvres.

— Je vais juste aller voir si elle est prête à partir, d'accord ? murmura-t-elle avant de s'éloigner rapidement dans le couloir.

L'homme en or se laissa tomber lourdement sur le coffre, comme pour me mettre au défi d'aller le chercher sous lui, et me lança un regard noir.

Je le fixai d'un air atterré et confus, serrant machinalement les lettres d'Amy plus près de mon pull taché de café. Se pourrait-il qu'il se soit mépris sur mes intentions envers les documents de sa famille ? Peut-être croyait-il que j'étais une experte de l'équivalent britannique du fisc venue réclamer à sa tante de grosses sommes d'argent pour la possession d'un trésor national ou encore une bibliothécaire malhonnête venue voler des documents pour sa bibliothèque. Après tout, s'il y avait des vols d'œuvres d'art, il pouvait tout aussi bien y avoir des vols de documents, et il croyait que j'étais une ignoble voleuse de documents. Je ne pensais pas avoir l'air particulièrement ignoble, seulement débraillée — il est difficile d'avoir l'air ignoble quand on a de grands yeux bleus et un de ces teints qui rougissent facilement —, mais peut-être y avait-il des voleurs de documents de toutes les formes et de toutes les tailles.

— Madame Selwick-Alderly a dit que je pouvais regarder ces papiers pour mes recherches de thèse, tentai-je de le rassurer.

Mais il continua à me regarder comme si j'étais une fille de cuisine de l'époque victorienne qui venait de se faire prendre en train de parader avec la plus belle tiare de diamants de sa maîtresse sur la tête.

— Je suis étudiante au doctorat, ajoutai-je. À Harvard.

Pourquoi avais-je senti le besoin de dire cela ? J'avais l'air d'un de ces intolérables universitaires qui portent des vestons en tweed avec des pièces de cuir ainsi que des lunettes à monture d'écailles.

Apparemment, c'était aussi l'avis de l'homme en or.

— Vous seriez ce fichu David Starkey que ça me serait égal, répondit-il sèchement. Ces papiers ne sont pas accessibles au public.

Oubliez le « en or ». Il fut rapidement rétrogradé au bronze. Bronze terni, en fait.

— Je ne suis pas le public, lui fis-je remarquer au moment où la fille élégante se glissait discrètement dans la pièce par la porte ouverte. Votre tante m'a invitée ici et m'a offert l'usage de ces documents.

— Zut! jura-t-il avec colère.

— Vraiment, Colin, l'interrompit celle aux bottes enviables, je ne crois pas que...

— *Colin*? dis-je en faisant un pas vers lui alors que mes yeux se plissaient au fur et à mesure qu'un soupçon désagréable prenait forme. Pas le monsieur Colin Selwick de Selwick Hall?

Soudain, tout devint clair.

Je laissai tomber le paquet de feuilles controversé sur une chaise rembourrée.

— Pas le monsieur Colin Selwick qui aime envoyer des lettres d'insultes aux étudiants américains?

— Je ne dirais pas..., commença-t-il d'un air anxieux.

Cependant, je ne le laissai pas continuer. Après tout, quitte à me faire jeter à la porte comme une fille de cuisine indisciplinée de l'époque victorienne, autant le faire avec style.

— «Harceler les individus avec d'impertinentes requêtes de documents privés est peut-être approprié de votre côté de l'Atlantique»? le citai-je triomphalement.

La fille élégante eut l'air horrifiée.

— Colin, tu n'as pas fait ça!

Je commençai à me dire que je pourrais lui pardonner pour les bottes.

— Oh, que si!

— J'avais eu une mauvaise journée, marmonna Colin Selwick en se tortillant sur le coffre en bois, mal à l'aise.

J'espérai qu'il était assis sur une écharde. Disons plusieurs échardes.

— Écoutez, vous m'avez mal compris.

— Oh, je ne crois pas, dis-je gentiment. Vous avez été très, très clair monsieur Selwick. Oh, attendez, n'y avait-il pas aussi quelque chose au sujet d'universitaires qui n'ont rien de mieux à faire que de gaspiller l'argent des contribuables en menant des recherches dilatoires qui sont presque aussi utiles au public qu'un sandwich au jambon moisi ?

— Je n'ai jamais...

— J'ai ajouté uniquement la partie sur le sandwich au jambon moisi, ajoutai-je à l'intention de la fille élégante, puisque je ne me souviens pas exactement quelle trépidante analogie a employé monsieur Selwick pour décrire la parfaite futilité de mon existence pour la survie de l'espèce humaine.

— Mémorisez-vous toujours le contenu de vos lettres ? s'enquit-il, exaspéré, en se levant de sur le coffre.

— Uniquement lorsqu'elles sont aussi mémorables que celle-ci. Vous avez vraiment du talent pour l'écriture venimeuse.

— Et *vous* avez une imagination plutôt débordante.

En deux grands pas, il avait parcouru la bande de tapis qui nous séparait.

— Insinuez-vous que j'invente tout ça ? criai-je.

Colin Selwick haussa les épaules.

— J'insinue que vous exagérez énormément.

— Vous avez raison. Je suis certaine que votre comportement actuel de brute grossière est aussi un produit de mon imagination hyperactive.

Je dus pencher la tête en arrière pour lui lancer un regard noir.

De ma position privilégiée juste au-dessous de son menton, je pus voir les muscles de sa gorge se contracter. Il ravalait sans doute quelques termes anglo-saxons bien sentis.

— Écoutez, dit-il d'une voix étranglée, comment vous sentiriez-vous si vous voyiez un parfait étranger farfouiller dans vos effets personnels?

— Ceci n'est pas exactement votre tiroir de caleçons. Et pour ce que j'en sais, ces papiers ne vous appartiennent même pas.

Monsieur Colin Selwick n'aima pas cette remarque. Sous son hâle d'athlète, la peau de son visage se marbra de rouge.

— Ils appartiennent à ma famille.

Un sourire apparut lentement sur mon visage.

— Vous n'avez aucune autorité sur ces documents, n'est-ce pas?

— Ces. Papiers. Sont. Personnels.

Je n'avais jamais vu quelqu'un parler réellement entre ses dents auparavant. Pas étonnant que les soins dentaires anglais soient en si mauvais état.

— Pourquoi? demandai-je sans me soucier de la prudence. Qu'y a-t-il que vous ne voulez pas que je voie? De quoi avez-vous donc si peur?

— Colin...

La fille élégante le tira nerveusement par la manche. Nous l'ignorâmes tous deux.

— La Gentiane pourpre s'était-elle vendue aux Français? Avait-il un penchant pour les dessous féminins? Ou peut-être ne voulez-vous pas que j'en apprenne plus sur l'Œillet rose? Ha!

Une contraction involontaire — une tentative réprimée de m'étrangler, peut-être? — me donna l'indice que je cherchais.

Je repoussai mes cheveux derrière mes oreilles et me penchai en avant pour l'assaut final, sans quitter ses yeux.

— J'ai trouvé! L'Œillet rose était... *français*!

Ce fut ce moment inapproprié que madame Selwick-Alderly choisit pour entrer en trombe, vêtue de noir et de perles pour sortir. Nous nous figeâmes tous comme de vilains garnements pris en train de se bagarrer dans la cour de l'école.

— Navrée de vous avoir fait attendre, mes chéris! Colin, je vois que tu as fait la connaissance d'Éloïse?

C'était une façon de voir les choses.

Colin marmonna quelque chose en direction du tapis.

— Éloïse travaille sur un projet fascinant au sujet de l'Œillet rose, ajouta madame Selwick-Alderly en se couvrant les épaules d'une étole en cachemire. Il faudra que tu en discutes avec Colin un de ces jours, Éloïse. Il a toujours eu une sorte de passion pour l'Œillet rose.

— C'est ce que j'ai compris, dis-je d'une voix aussi sèche qu'un xérès bien vieilli.

Colin me lança un regard perçant.

Je me permis un petit sourire narquois.

Colin me rendit mon sourire d'un air intéressé.

— Quel dommage qu'elle doive partir.

Partir. Mon sourire disparut plus vite que les braises du feu mourant. Sourira bien qui sourira le dernier... Je ne pouvais pas nier que Colin Selwick avait gagné cette bataille. Évidemment, j'aurais dû me rendre compte que si madame Selwick-Alderly sortait, je devrais rentrer chez moi, dans mon appartement de sous-sol désolé avec mon dîner congelé de chez Sainsbury et le championnat national de fléchettes d'Angleterre à la télé. Et si Colin Selwick avait ce qu'il voulait, plus jamais je ne serais invitée ici.

Quelle heure était-il? *Tard*, me répondit le ciel nocturne derrière les rideaux couleur crème. Je supposai qu'il devait être au moins l'heure du dîner, et probablement plus tard encore. Je jetai un regard angoissé en direction des papiers à moitié lus sur la chaise — non seulement je n'étais pas plus près de connaître l'identité de l'Œillet rose, mais je mourais aussi d'envie de savoir si Lord Richard avait fini par embrasser mademoiselle Amy Balcourt. S'était-il glissé sans faire de bruit de son côté du bateau au beau milieu de la nuit pour se hisser sur la pointe des pieds... et embrasser accidentellement mademoiselle Gwen? C'était comme être arraché de devant la télé au beau milieu d'un épisode de *Bachelor, le gentleman célibataire*.

Mais madame Selwick-Alderly, l'étole sur les épaules, était manifestement prête à partir.

— Je suis tellement désolée, dis-je d'un air contrit en me tournant vers madame Selwick-Alderly. J'aurais probablement dû partir il y a des heures, mais j'étais tellement absorbée par les lettres d'Amy que je n'ai pas vu le temps passer. Je ne vous remercierai jamais assez pour votre gentillesse et votre hospitalité.

— Nous ne voudrions pas que vous soyez en retard à cause de nous, interrompit Colin Selwick avec impatience.

— Ce serait un problème uniquement si j'allais quelque part.

— Dans ce cas..., commença madame Selwick-Alderly.

— Eh bien, nous, si, dit brutalement Colin. Au revoir.

— Dans ce cas, répéta madame Selwick-Alderly en lançant un regard légèrement réprobateur à son neveu fautif, il n'y a aucune raison pour que vous ne restiez pas.

C'était comme rencontrer le père Noël, la fée des dents et le lapin de Pâques tous en même temps.

— Êtes-vous sérieuse? Êtes-vous certaine que ça ne vous gênerait pas trop?

— *Aucune raison ?*

— Ça ne me gêne pas du tout. Séréna, voudrais-tu montrer à Éloïse la chambre d'amis avant que nous partions ? Il devrait y avoir de vieilles robes de chambre dans la penderie.

Colin émit un grognement sourd.

— Tante Arabella, êtes-vous certaine que c'est une bonne idée ?

Elle croisa son regard agité d'un air serein.

— Vous savez ce qu'il y a dans ce coffre.

— Mais l'Œillet...

Elle secoua la tête de façon à peine perceptible.

— L'un ne mène pas automatiquement à l'autre, vous savez, dit-elle d'une voix à la fois rassurante et dissuasive.

Elle revint rapidement au côté pratique.

— Alors, Éloïse, la salle de bain est à la troisième porte à droite, et vous trouverez la cuisine tout au fond à gauche. N'hésitez surtout pas à vous servir dans les armoires. Et ne vous donnez pas le mal de faire la vaisselle ; Consuela sera ici demain matin pour s'occuper de tout ça. Ai-je oublié quelque chose ?

Colin marmonna quelque chose qui sonnait comme « le bon sens ».

Madame Selwick-Alderly l'ignora. Moi aussi.

— Je ferai très attention aux papiers, promis-je en détournant le regard vers le coffre au trésor dans le coin.

Toutes ces charmantes lettres à lire...

— N'y manquez pas, dit rapidement Colin Selwick. Tante Arabella ?

Il réussit très bien sa sortie en marchant d'un pas raide, le dos droit et la tête haute. Mais il la gâcha en regardant par-dessus son épaule. Ses traits étaient figés par la colère et la frustration. Je pouvais deviner que rien ne lui aurait fait plus plaisir que de me prendre sur son épaule pour me jeter dehors par la première porte. Ou fenêtre. Il n'avait pas l'air d'humeur à faire le difficile quant au moyen de sortie.

J'aimerais pouvoir dire que j'ai croisé son regard avec dignité. Mais non.

Je souris de toutes mes dents — un bon vrai sourire d'enfant qui découvrait les gencives.

Monsieur Colin Selwick tourna les talons et sortit de la pièce en claquant la porte. Un instant plus tard, j'entendis la porte d'entrée se fermer — pas tout à fait assez énergiquement pour appeler cela un claquement, mais avec assez de force dans le coup de poignet pour laisser penser que la personne était plus que légèrement contrariée.

Toujours souriante, je me laissai de nouveau tomber sur le tapis persan. Éloïse, gagnante de la deuxième bataille. Ce n'était peut-être pas noble, mais, oh, que ç'avait été agréable de voir monsieur Colin Selwick impuissant et bouillant de rage. Sans même tenir compte de l'impardonnable impolitesse dont il avait fait preuve envers une invitée, j'avais envie de me venger depuis que j'avais ouvert cette insupportable lettre de sa part. Ai-je mentionné qu'en plus, je m'étais coupée avec l'enveloppe? Juste pour tourner le couteau dans la plaie.

Mais qu'était donc cette obsession au sujet de la vie privée de sa famille, de toute façon? C'est la question que je me posais en étirant le bras pour attraper les papiers que j'avais laissé tomber sur le fauteuil. On aurait cru qu'il m'avait pincée en train de lire son journal intime.

C'était étrange qu'il ait senti le besoin de maîtriser sa colère devant sa tante. Peut-être devait-il hériter de ses biens et avait-il peur de provoquer son courroux? C'était une intrigue classique de drame télévisé : un parent âgé excentrique et un jeune héritier au mauvais caractère. Cela pourrait donner un tout nouvel éclairage à la réaction explosive de monsieur Colin Selwick à mon égard. Peut-être que tout cela n'avait en fait rien à voir avec les documents sur l'Œillet rose. Peut-être craignait-il en fait que je m'attire les bonnes grâces de sa tante par mon intérêt pour l'histoire familiale et que je lui vole son héritage.

L'idée était amusante. Je m'imaginai vêtue d'une élégante robe noire et coiffée d'un chapeau à voilette mouchetée des années vingt, perchée sur une petite chaise dorée, pendant qu'un notaire à l'air morne lirait d'un ton monotone : « Et je lègue l'essentiel de mes biens à mademoiselle Éloïse Kelly. » Colin Selwick, vêtu de guêtres et coiffé d'un chapeau mou, aurait juré à voix haute et serait sorti de la pièce en trombe, ses espoirs anéantis à jamais. Ça lui apprendrait à écrire des lettres grossières. Une idée amusante, mais il aurait fallu que Colin Selwick ait été plus qu'un peu fou pour voir une rivale potentielle dans chaque petite étudiante américaine de cycle supérieur qui s'aventurait dans l'appartement de sa tante. De plus, la théorie de l'héritage n'expliquait pas l'impardonnable grossièreté de la lettre qu'il m'avait écrite bien avant de me voir confortablement installée dans le salon de sa tante.

Non que ce fût important. Les psychoses de monsieur Colin Selwick — et je suis persuadée qu'un bon psychiatre aurait pu lui en diagnostiquer quelques-unes — étaient son affaire. Entre-temps, j'avais le coffre plein de papiers pour moi toute seule et toute une nuit pour les lire. Pourquoi perdre son temps à spéculer sur d'insupportables hommes modernes quand on pouvait en apprendre sur des héros vêtus de capes et de hauts-de-chausses ?

Même si, à en croire les lettres d'Amy, on avait l'impression que Lord Richard Selwick était tout aussi exaspérant que son détestable descendant.

Au moins, Lord Richard avait une bonne excuse, conclus-je avec indulgence. Cacher une identité secrète devait mettre les nerfs d'un homme à rude épreuve.

Déposant le précieux paquet de lettres à côté de moi, j'enlevai mes bottes déliquescentes, ramenai mes pieds sous moi et m'adossai contre le bras du fauteuil. Faisant défiler les documents dans mes mains, j'en choisis un écrit par Lord Richard Selwick à son ami Miles Dorrington, et je repris ma lecture.

Je donnerais à Lord Richard une chance de se montrer plus sympathique que son insupportable descendant.

Chapitre 9

❀

L e carrosse d'Édouard n'était pas là.

Amy regarda vers la rue pour la cinquième fois en autant de minutes. Il n'y avait toujours aucun signe du carrosse orné des armoiries des Balcourt. Le port de Calais n'avait ni l'agitation ni l'effervescence que mademoiselle Gwen avait reprochées à celui de Douvres. Dans la pâle lueur de l'aurore, le quai était si désert que c'en était presque sinistre. Un seul carrosse avait bravé la fraîcheur de l'aube : un carrosse noir et usé dont la lanterne latérale était brisée et dont les côtés avaient été éclaboussés de boue. Lorsqu'elles avaient débarqué du bateau en chancelant avant le lever du soleil une heure plus tôt, Amy avait aperçu la silhouette d'un carrosse et supposé qu'il s'agissait de celui d'Édouard. Le cocher avait dissipé cette heureuse illusion en passant devant elles pour se diriger droit sur la marchandise en attente. N'ayant rien d'autre à faire, Amy resserra son châle autour de ses épaules et regarda, les bras croisés, trois hommes en habits de travail aller et venir sur la passerelle en soulevant toutes sortes de caisses et de paquets pour les charger dans le carrosse. Édouard allait certainement bientôt arriver, non ?

Le bruit de sabots martelant le pavé fit sursauter Amy. Quatre chevaux noirs apparurent au trot, suivis d'un élégant carrosse noir. Le cocher se leva de son banc et lança un «bonjour» tout sauf servile d'une voix résolument anglaise, à laquelle répondit celle bien trop familière de Lord Richard Selwick. Il était absolument injuste, se dit Amy, que le carrosse d'un homme aussi dépourvu d'honneur que Lord Richard arrivât à l'heure, alors que le leur n'était nulle part en vue. Où était donc la justice dans tout cela? Ne devrait-il pas figurer tout en haut de la liste des châtiments divins en raison de sa perfidie? Eh bien, justice pouvait encore être rendue; peut-être son carrosse perdrait-il une roue et le laisserait-il coincé dans un fossé.

— Bonjour, Robbins! salua Richard en descendant de son perchoir au sommet d'une pile de malles pour se diriger vers son carrosse. Vous avez fait bonne route?

— Aussi bonne que possible sur ces maudites routes françaises, milord. Pardonnez-moi, mesdames, ajouta rapidement le cocher lorsque le bruyant reniflement réprobateur de mademoiselle Gwen attira son attention sur la présence sur le quai de trois dames plutôt échevelées. Elles sont pleines de trous et de nids de poule, expliqua-t-il à mademoiselle Gwen avec le plus grand sérieux.

Mademoiselle Gwen renifla de nouveau.

Jugeant qu'il avait fait tout ce qu'il pouvait pour se faire pardonner sa vulgarité, Robbins haussa les épaules et tourna le dos à la vieille harpie à l'étrange chapeau.

— Quand aurai-je la chance de conduire à nouveau sur nos belles routes anglaises, milord?

— Dès que Bonaparte aura fait cadeau de sa collection d'antiquités au British Museum, répondit sèchement Richard.

Ces paroles furent prononcées par automatisme ; Robbins et lui étaient passés par cette routine plusieurs fois déjà. L'attention de Richard se tourna vers le groupe de dames rassemblées sur le quai venteux.

À l'instant où il posa les yeux sur Amy, elle le fusilla sévèrement du regard.

Son regard mauvais aurait produit un assez bel effet si le vent n'avait pas soufflé ses boucles sur son visage. Richard ne put s'empêcher de sourire en regardant Amy se débattre pour retirer des mèches de cheveux de sa bouche. Elle avait l'air d'un chaton ébouriffé qui luttait contre des boules de poil.

Bien entendu, la jeune fille le laissait, lui, indifférent. Bon, d'accord, il sentait bien un serrement inconfortable à certains endroits de son pantalon lorsque le vent plaquait sa robe sur ses jambes, exactement comme il le faisait à l'instant, et mettaient en évidence son... Richard expira d'un coup. Il était préférable de ne pas penser à ce que le vent exposait. De toute façon, à part le désir — une réponse physiologique, se rappela aussitôt Richard, qui aurait pu être provoquée par n'importe quelle autre femme dont la bouche en cœur donnait envie de l'embrasser et dont les courbes fascinantes étaient mises en évidence par une fine mousseline jaune —, il ne ressentait rien pour elle. Il l'avait rencontrée par hasard, et si elle ne l'aimait pas, c'était son problème. Il la connaissait à peine.

En revanche, il connaissait bien Édouard de Balcourt. Balcourt ne se formaliserait pas de laisser ses parentes à Calais pour une semaine si le fait d'envoyer son carrosse les chercher contrariait son propre emploi du temps. Richard pouvait très bien s'imaginer que Balcourt eût été distrait par l'essayage de pantalons à la toute dernière mode et qu'il ait complètement oublié d'envoyer le carrosse. Il n'aimait pas l'idée que trois jeunes demoiselles de bonne famille restent coincées aux abords du quai. Il y avait évidemment des auberges à Calais, mais elles satisfaisaient les besoins d'une tout autre clientèle. Il y avait sans doute au moins un établissement respectable, mais les ports, comme Richard l'avait trop bien appris au cours de ses pérégrinations de part et d'autre de la Manche, tendaient à attirer la racaille la plus infecte. Avec son ombrelle meurtrière, mademoiselle Gwen était un gardien formidable — la personne qui l'avait choisie pour accompagner Amy et Jane savait ce qu'elle faisait —, mais quand même... Richard imagina Henrietta coincée à Calais pour une semaine et pinça les lèvres d'un air grave. Il n'avait pas d'autre choix que d'emmener les dames à Paris.

Amy croisa le regard de Richard, rougit et détourna rapidement les yeux encore une fois.

— Quel homme insupportable! marmonna-t-elle.

— Amy, j'aimerais vraiment que tu me racontes ce qui s'est passé entre Lord Richard et toi.

— Chut! Il vient par ici!

Balançant nonchalamment son chapeau dans une main, Lord Richard se dirigea vers elles... et les dépassa pour s'incliner devant mademoiselle Gwen.

— Madame, votre carrosse semble avoir été... retardé. Puis-je me permettre de vous offrir de partager le mien?

«Oh non, pensa Amy. Oh non, non, non.»

Amy se redressa de toute la hauteur de son mètre soixante et leva le menton.

— Ce ne sera vraiment pas nécessaire! Je suis persuadée que la voiture d'Édouard sera là dans un instant, ne croyez-vous pas? Des dizaines de raisons peuvent expliquer son retard. Une roue brisée, des bandits ou...

Amy se tut. Mademoiselle Gwen et Lord Richard, de chaque côté d'elle, avaient baissé les yeux sur elle et la regardaient tous deux avec une expression terriblement semblable d'incrédulité polie.

— Eh bien! renchérit-elle, il y a *certainement* des bandits, et une roue brisée peut arriver à n'importe qui!

— En effet, dit Lord Richard, duquel émanait indéniablement un scepticisme des plus désagréables.

Richard se *sentait* hautement désagréable. Bon sang, il était là, à essayer d'être aimable avec la jeune fille, malgré toutes les choses extrêmement méchantes qu'elle lui avait dites la nuit précédente, et elle le traitait comme s'il avait offert de la conduire dans une colonie de lépreux! Elle pourrait au moins tenter d'être polie en retour. Pour l'amour du ciel! Ce n'était pas comme s'*il* avait tué ses parents.

Amy prit une profonde inspiration et résista à l'envie de taper du pied. Idéalement sur celui de Richard. Encore.

— De toute manière, lorsque le carrosse d'Édouard arrivera, parce qu'il *arrivera*, il serait terriblement impoli de notre part de ne pas l'avoir attendu après tout le mal que le cocher se sera donné. Et puis, si le cocher pensait que nous ne sommes pas encore arrivées et restait ici pour nous attendre? Ma foi, le pauvre homme pourrait rester coincé ici pendant des jours!

— Vos préoccupations pour le cocher de votre frère sont tout à votre honneur, mademoiselle Balcourt, commenta sèchement Lord Richard, dont le petit sourire narquois laissait entendre qu'il savait qu'elle n'était pas préoccupée par le cocher d'Édouard. Mais, pour l'instant, c'est *vous* qui semblez coincées ici, pas lui.

Amy redressa les épaules en vue de continuer d'argumenter, mais mademoiselle Gwen l'en empêcha en donnant un grand coup d'ombrelle autoritaire sur le sol.

— Je ne veux plus vous entendre discuter, mademoiselle Amy. La voiture de votre frère aurait dû être ici ce matin. Elle n'y est pas. Nous accepterons donc l'aimable proposition de Lord Richard, et je suis persuadée que le cocher de votre frère, s'il devait arriver, aurait le bon sens de retourner à Paris. Compris? Milord, vous pouvez donner l'ordre à votre homme de charger notre bagage.

— Mademoiselle Meadows, je suis à votre service. Mademoiselle Balcourt, cette occasion de faire plus ample connaissance est, vous en conviendrez, un immense plaisir auquel je ne m'attendais pas.

— *En effet.*

Amy lui renvoya ses propres paroles avec deux fois plus de scepticisme.

Et il rit. Le goujat rit bel et bien.

Amy marcha bruyamment jusqu'au bord du quai lorsque le cocher de Richard unit ses forces à celles de deux marins pour charger toutes leurs malles sur le toit du carrosse. Du moins, elle essaya de marcher bruyamment. Ses bottes d'enfant faisaient si peu de bruit sur les planches en bois que c'en était décevant. Amy avait très envie de faire beaucoup de bruit — taper du pied, claquer des portes, casser de la porcelaine — pour passer son mécontentement. Elle aurait tant aimé pouvoir donner des coups d'ombrelle comme mademoiselle Gwen !

— Peut-être est-ce pour cela qu'elle l'a toujours à la main, murmura Amy à l'intention des vagues.

Les vagues se fracassèrent obligeamment sur le quai en guise de réponse affirmative.

— C'est très aimable de sa part, dit Jane en prenant Amy par le bras.

— Cela lui donne une apparence d'amabilité, la reprit Amy, irritée, en jetant un œil vers Richard qui discutait sérieusement avec mademoiselle Gwen. C'est pour mieux camoufler le fait qu'il est un parfait sans cœur.

Jane fronça ses pâles sourcils, l'air soucieuse.

— Qu'a-t-il fait pour que tu penses cela de lui ? Amy, il n'a pas été inconvenant avec toi ?

— Non, répondit Amy de mauvaise humeur, se sentant, si cela était possible, encore plus irritée qu'avant.

Le souvenir du quasi-baiser — avait-ce seulement été un quasi-baiser ? — dansait d'un air moqueur à la limite de sa mémoire en la narguant au sujet de sa propre stupidité. Juste ciel ! Comment avait-elle pu seulement envisager d'embrasser un tel voyou ? Amy ne savait pas si elle était davantage en colère contre Lord Richard parce qu'il l'avait charmée ou contre elle-même parce qu'elle s'était laissé charmer alors qu'elle aurait dû être plus avisée. Dans les deux cas, elle était en colère.

Jane la regardait toujours avec l'air d'attendre quelque chose. Jane, conclut Amy, ne pouvait pas être mise au courant du quasi-baiser.

— Non, répéta Amy. Ce ne sont pas ses actes, mais plutôt ses principes qui m'ont offensée. Peux-tu croire que cet homme travaille pour Bonaparte ? Un Anglais, un membre de la noblesse, qui travaille pour ce…

— Il vaudrait peut-être mieux ne pas le juger trop vite, l'interrompit Jane alors qu'Amy haussait dangereusement le ton au-dessus du bruit des vagues.

— Crois-moi, Jane, mon jugement est *très* éclairé !

— Amy, tu le connais depuis une journée à peine.

— C'est bien plus que suffisant, affirma obstinément Amy. Bon sang, les malles sont chargées. J'espérais que la voiture d'Édouard apparaisse avant que nous soyons obligées de partir avec *lui*.

Lorsque les jeunes filles rejoignirent mademoiselle Gwen, Lord Richard accueillit chacune d'elles avec une révérence. Un tel excès de civilité ne pouvait être qu'une insulte, décida Amy d'un air grave. Ses pires soupçons se confirmèrent à la façon dont il enchaîna, après ses révérences.

— Bonjour, mademoiselle Wooliston, mademoiselle Balcourt. J'espère que vous avez bien dormi, dit-il d'un ton léger, posant les yeux froidement sur Jane et Amy tour à tour.

— Assez bien, merci, répondit Jane.

Amy lui lança un regard noir.

— J'ai été tenue réveillée par le bruit de quelqu'un qui se baladait d'un pas lourd sur le pont.

Richard sourit platement.

— Vous avez bien fait de ne pas monter là-haut pour savoir ce qui s'y passait. On ne sait jamais sur quel genre de brute on peut tomber sur un bateau postal en provenance de Douvres.

— Je crois que j'en ai une bonne idée, milord.

Sous la bordure de son chapeau de paille, les yeux de Jane passèrent de l'un à l'autre, et elle jeta à Amy un regard sévère.

— Il y a quelque chose que tu ne me dis pas, chuchota-t-elle.

— Plus tard, répondit Amy à voix basse.

Richard les toisa de cet exaspérant regard indulgent et condescendant que les hommes arborent quand des femmes chuchotent devant eux.

Mademoiselle Gwen fut moins indulgente ; elle fit grincer son ombrelle par terre à la manière d'un chef d'orchestre excédé.

— Allons-nous rester ici à prendre l'air ou pouvons-nous partir? Monsieur?

Attrapant le bras tendu de Richard, elle monta royalement dans le carrosse. Jane suivit en murmurant ses remerciements à Richard et s'assit sur le siège à côté de mademoiselle Gwen.

Évitant ostensiblement de mettre les doigts sur le bras que Lord Richard lui tendait, Amy jeta un œil à l'intérieur du carrosse. Ah, la plaie! Il lui faudrait s'asseoir à côté de lui. Amy s'installa sur le bout le plus éloigné du banc. Richard la gratifia d'un regard quelque peu sardonique en s'asseyant de son côté. Il donna un ordre au cocher, et le carrosse s'ébranla. Sous prétexte de ramasser un gant tombé par terre, Richard se pencha vers Amy.

— Je ne suis pas contagieux, vous savez.

Amy ouvrit la bouche pour répondre, mais mademoiselle Gwen la fixait des yeux comme un faucon surveillant sa proie. Avec toute la dignité qu'elle put rassembler, Amy tourna le dos à Richard pour regarder par la fenêtre.

Amy regarda par la fenêtre pendant un bon moment. Elle regarda par la fenêtre jusqu'à ce qu'il n'y ait plus aucun signe de la côte en vue. Elle regarda par la fenêtre jusqu'à en avoir mal au cou. Au bout d'une heure, elle commençait à se demander si elle serait un jour capable de remuer la tête à nouveau. À côté d'elle, Lord Richard conversait avec Jane d'une voix douce et agréable.

— Comparé aux travaux de Mozart, Herr Beethoven..., dit Jane d'un ton sérieux.

À côté d'Amy, la voix de Lord Richard résonna pour répondre, mais elle faiblissait... faiblissait... faiblissait...

Avant de s'endormir, Amy eut tout juste le temps de penser,

confuse, qu'il était étrange que sa voix fût si agréable quand lui-même était si désagréable.

Amy dormit tout le temps que dura un débat sur les mérites de la nouvelle musique romantique et ne s'aperçut de rien lorsque Jane se pencha en équilibre instable en travers du carrosse pour couvrir d'un châle sa silhouette endormie.

— Je vais le faire, offrit Richard alors que Jane vacillait sur le bout de son banc.

Il étira le bras pour prendre le châle, et Jane le lui donna, reconnaissante, avant de reculer pour s'adosser à nouveau aux coussins de velours rembourrés. Robbins avait tendance à manifester ses sentiments envers les Français en fonçant brutalement sur tous les nids de poule qu'il trouvait, ce qui faisait qu'ils étaient ballottés d'un côté puis de l'autre plus violemment dans le carrosse que dans le bateau lors de la tempête la nuit précédente.

Richard retomba sur son propre siège plus prestement qu'il ne l'aurait voulu et se tourna vers Amy. Elle s'était endormie recroquevillée contre la fenêtre, une main sous la joue, et tournait plutôt ostensiblement le dos à Richard. Avec ses pieds bottés qui se balançaient de trois à cinq centimètres du sol, elle semblait toute menue et fragile. Étrange comme elle n'avait pas eu l'air si petite auparavant. Probablement parce qu'elle ne restait jamais en place assez longtemps pour qu'on le remarquât, pensa tristement Richard. Réveillée, elle possédait autant d'énergie qu'une troupe d'Amazones. Et frappait avec autant de puissance. Richard eut un demi-sourire. Il savait que le souvenir du coup d'Amy sur son pied — et sur son orgueil — aurait dû le mettre en colère plutôt que de l'amuser, mais il avait l'impression qu'il serait incapable de mobiliser une quantité suffisante d'indignation, et ce, même si sa vie en dépendait. À la place, il se retrouva en train de réprimer un sentiment de tendresse tout à fait inapproprié.

C'était vraiment aussi bien qu'il soit débarrassé d'elle d'ici quelques heures. Évidemment, puisqu'elle était la sœur de Balcourt, ils tomberaient forcément l'un sur l'autre aux Tuileries, mais avec un peu de chance — et il s'agissait bel et bien de chance, se rappela Richard avec fermeté —, elle l'éviterait probablement comme la peste. Il pourrait alors se remettre réellement au travail. Tout cet intermède dans le bateau... Eh bien, la nécessité créait de drôles d'associations.

Richard jeta brusquement le châle sur la jeune fille endormie.

Amy marmonna quelque chose et se retourna. Directement sur l'épaule de Richard.

Elle devait vraiment dormir très profondément parce qu'au lieu de reculer d'un bond avec horreur, elle se blottit contre la laine fine de la veste de Richard. Richard leva instinctivement le bras pour l'enrouler autour des épaules d'Amy. Bien sûr, ce n'était qu'un réflexe. Jetant un vif coup d'œil coupable vers mademoiselle Gwen, qui était heureusement plongée dans un livre et ne semblait pas avoir remarqué que sa protégée était blottie contre un individu de sexe opposé, Richard colla les bras le long de son corps. Il n'avait aucune envie de se retrouver à la pointe de l'ombrelle de mademoiselle Gwen pour des avances inappropriées. Et ce serait d'autant plus enrageant de mériter un rein perforé pour avoir plus ou moins consciemment fait des avances inappropriées à une jeune fille qui ne l'honorerait même pas d'un «comment allez-vous» poli si elle était éveillée. S'il devait recevoir un coup d'ombrelle de quelqu'un, il vaudrait mieux que ce soit au moins pour quelque chose d'agréable. Pas qu'il était désagréable qu'Amy fût blottie contre lui. Elle était douce, chaude et sentait bon en plus, malgré la nuit qu'ils avaient passée sur le bateau sans prendre de bain. C'était comme — Richard renifla à titre expérimental — de l'eau de lavande. Cela sentait bon. Il renifla encore.

Clac! Le livre de mademoiselle Gwen se ferma en claquant.

Richard releva la tête si subitement qu'il en fut étourdi.

— Auriez-vous l'amabilité de respirer de manière plus convenable? le réprimanda mademoiselle Gwen. J'ai vu des chiens de berger avec des habitudes respiratoires plus raffinées. Amy! Oui, vous!

À côté de Richard, Amy avait commencé à remuer et semblait en train d'essayer de toutes ses forces d'enfouir son nez de façon permanente dans un des plis de sa veste.

— Quel berger? murmura Amy à la clavicule de Richard. Je déteste les moutons.

Un son qui ressemblait étrangement à un gloussement échappa à Jane. Mademoiselle Gwen attrapa son ombrelle. Richard se prépara à esquiver, mais l'instrument de torture de mademoiselle Gwen avait cette fois une autre victime dans sa mire. Un petit coup bien placé dans les côtes suffit pour qu'Amy ouvre les yeux.

— Qu'est-ce?

— Vous allez vous écarter *immédiatement* de Lord Richard.

Ses paroles eurent bien plus d'effet sur Amy que la pointe de son ombrelle. Amy baissa les yeux sur la veste de Richard, les leva vers son visage, puis se recula si brusquement qu'elle rebondit pratiquement contre le mur de la voiture.

— Je... ai-je... oh! juste ciel, je n'ai jamais voulu...

Richard ramassa un cheveu brun bouclé sur la laine de sa veste.

— Je crois que ceci vous appartient, dit-il d'un ton sérieux en le tendant à Amy.

— Pardon? Oh. Euh, vous pouvez le garder, répondit Amy, occupée à se caler à nouveau dans le coin le plus éloigné du siège.

— Trop aimable.

Amy le regarda avec ses yeux ensommeillés d'un air sceptique, puis appuya sa tête contre la paroi de la voiture. En face d'elle, mademoiselle Gwen était retournée à sa lecture attentive. Amy plissa les yeux pour essayer de voir les lettres imprimées sur le dos.

— Vous lisez *Les mystères d'Udolphe*.

— Comme vous êtes perspicace, Amy, répondit mademoiselle Gwen en tournant une page.

— Je ne pensais pas que cela vous plaisait... je veux dire, je ne savais pas que vous lisiez des romans.

— Je n'en lis pas, répliqua mademoiselle Gwen en levant les yeux du livre qui contredisait son affirmation. Il n'y avait rien d'autre à lire dans le carrosse, et il n'est pas égal à tout le monde de dormir en public. Le style de ce livre est plutôt saisissant, poursuivit-elle l'air de bien meilleure humeur après avoir lancé cette pique à Amy, mais je trouve l'héroïne tout à fait antipathique. Se pâmer ne règle rien.

— Vous devriez écrire vous-même, suggéra Richard. Afin d'instruire les jeunes femmes, bien entendu.

Les yeux d'Amy et de Richard se croisèrent dans un instant de pur amusement. Amy allait rendre son sourire à Richard lorsqu'elle se rendit soudain compte qu'elle venait d'échanger un regard significatif avec Lord Richard Selwick. Elle se recroquevilla sur son banc avec l'impression d'être prise au piège.

Juste ciel! Pourquoi ne pouvait-il pas la laisser tranquille?

Elle tourna brusquement la tête et regarda par la fenêtre. Paris ne pouvait plus être si loin, n'est-ce pas?

Si. L'heure du thé, ou plutôt ce qui aurait été l'heure du thé si elles avaient été dans le Shropshire, était passée depuis longtemps quand la voiture cahota à travers les portes de la ville.

Robbins avait ralenti jusqu'à aller à peine plus vite qu'à pied, non pas pour ménager la sensibilité de mademoiselle Gwen (bien qu'elle l'eût menacé, après un virage en épingle, de lui faire goûter de son ombrelle s'il ne ralentissait pas), mais plutôt parce que les rues étroites ne lui permettaient pas de faire autrement. Dans la plupart d'entre elles, des pavés manquaient, et de l'eau ainsi que des ordures coulaient à flots au milieu. Amy dut même reculer prestement pour éviter un ruisselet de saletés qui s'écoulait d'une fenêtre pour rejoindre la crasse au sol. Des gens couraient de gauche à droite à travers les ordures, s'arrêtant à l'occasion pour maudire le carrosse. Amy ajouta d'autres expressions familières à sa collection, qui s'enrichissait rapidement.

— Typiquement français, fit mademoiselle Gwen en tenant de façon évidente un mouchoir devant son nez.

— Ce n'est pas ainsi partout, n'est-ce pas, milord? demanda Jane à Richard d'un air si poliment troublé que Richard dut en rire.

— La résidence de votre cousin est dans un bien plus beau quartier, je vous assure, mais, oui, la majeure partie de Paris est dans un piètre état. Bonaparte a de grands projets de reconstruction, mais il n'a pas encore eu le temps de mettre ses plans à exécution.

— Trop occupé à conquérir le monde?

— Je suis convaincu qu'il serait flatté de votre résumé, mademoiselle Balcourt.

Amy rougit de colère et retourna à sa fenêtre.

Prenant un virage serré qui envoya presque l'ombrelle de mademoiselle Gwen dans les côtes de Richard, le carrosse entra bruyamment dans la cour pavée de l'hôtel de Balcourt — et s'arrêta brusquement. L'allée était bloquée par un vieux carrosse noir dont les côtés étaient éclaboussés de boue et duquel pendait de travers, du côté d'Amy, une lanterne brisée. Plusieurs hommes étaient occupés à décharger de gros paquets emballés de papier brun attachés avec de la corde.

— Pourquoi nous sommes-nous arrêtés ? s'enquit mademoiselle Gwen.

— Une voiture bloque l'entrée, expliqua Amy.

Elle ressortit la tête.

— Monsieur Robbins, auriez-vous l'obligeance de leur demander de nous laisser passer ? Dites-leur que la sœur du vicomte est arrivée.

Robbins gonfla le torse. Dans un mauvais français, il cria avec beaucoup d'enthousiasme de dégager le passage pour l'arrivée de la dame de la maison.

Un des ouvriers s'arrêta le temps de crier qu'il n'y avait aucune dame de la maison.

— Maintenant, si ! déclara Robbins. Qui croyez-vous qu'est cette dame si ce n'est pas la dame de la maison ?

L'ouvrier fit une suggestion très grossière en français. Amy, qui se rappela soudain qu'elle n'était pas censée comprendre la langue, regarda Richard avec de grands yeux.

— Qu'a-t-il dit ? demanda-t-elle.

— Il a exprimé ses doutes quant à votre identité, traduisit platement Richard.

Robbins, rouge de fureur, répliqua dans un ingénieux mélange d'insultes en français et en anglais.

— Enfin ! s'exclama mademoiselle Gwen, qui avait saisi la moitié en anglais.

— Enfin, en effet, répéta Richard, l'air plutôt impressionné.

Ce commentaire sur les habitudes de reproduction des chameaux était assez original.

— Ceci est ridicule ! s'exclama Amy.

— Je suis d'accord. — *Clac !* — Faire référence à un chameau innocent d'une manière si grivoise...

— Non, pas cela ! Ceci ! dit Amy en montrant l'ensemble du carrosse paralysé et de la cour, d'un geste qui frappa presque Richard au menton.

Richard regarda Amy d'un air suspicieux, mais conclut que les blessures corporelles sur sa personne auraient été un dommage collatéral et non un objectif.

— Ne voyez-vous pas ? Il est ridicule de rester enfermées dans le carrosse alors que nous sommes déjà arrivées. Pourquoi ne pourrions-nous pas simplement marcher jusqu'à la porte ? C'est la raison pour laquelle nous avons des jambes, pour l'amour du ciel ! Je vais chercher Édouard.

Sur ce, Amy ouvrit la porte de son côté du carrosse et se prépara à sauter en bas.

Seulement pour être retenue sans cérémonie par l'arrière de sa jupe.

— Oh non, il n'en est pas question, dit Richard en palliant par la fermeté son manque d'originalité. Vous ne sortirez pas d'ici.

Il est difficile de lancer un regard noir à quelqu'un quand cette personne vous retient en arrière par un pli de votre jupe. Amy se libéra en tirant d'un coup et se tourna pour faire face à Richard. Beaucoup mieux.

— Pourquoi pas ? demanda-t-elle une fois qu'elle put lui lancer un véritable regard noir.

Richard fronça les sourcils d'un air narquois en montrant la cour, où deux autres hommes sales et nus à divers degrés s'étaient joints au premier pour échanger des répliques tout sauf pleines d'esprit avec Robbins. Amy n'avait pas envie de l'admettre, mais il avait raison.

— Mais nous ne pouvons pas nous contenter de rester assis ici !

— Je suis d'accord. J'irai.

— Vous irez ? répéta bêtement Amy.

Un instant — Lord Richard venait-il de dire qu'il était d'accord avec elle ?

— Je suis le seul qui sache à quoi ressemble votre frère.

— J'imagine que je pourrai reconnaître mon propre frère, marmonna Amy.

Mais puisqu'elle n'en était pas tout à fait certaine, elle marmonna à voix très basse.

À ce moment-là, la porte de la maison s'ouvrit, et il en sortit un homme corpulent avec beaucoup trop de dentelle aux poignets, qui se mit à réprimander dans un français rapide les ouvriers dans la cour, leur demandant quelle était la cause du retard.

Richard descendit d'un bond du carrosse.

— Hé ! Balcourt !

L'homme leva la tête. Ses cheveux, comme ceux de Richard, avaient été coupés court selon la mode classique rendue populaire par la Révolution, mais cet homme avait une paire de favoris frisottants qui s'étendaient le long de son visage en direction de son menton. Ils descendaient si bas sur son visage qu'ils touchaient les pointes ridiculement hautes du col de sa chemise. C'était un miracle qu'il pût même tourner la tête pour regarder Richard; les pointes de sa chemise montaient jusqu'à ses joues, alors que son menton était entièrement enseveli sous un foulard exubérant.

Une voix émergea des plis de celui-ci.

— Selwick? Que faites-vous ici?

Seigneur! Ce ne pouvait tout de même pas être Édouard, n'est-ce pas?

La réponse de Richard confirma les soupçons d'Amy.

— Je vous ramène votre sœur, Balcourt. Il semblerait que vous l'ayez perdue.

La dernière fois qu'Amy avait vu Édouard, c'était un jeune homme dégingandé de treize ans qui se pavanait devant les miroirs du salon doré et qui trébuchait sur son épée de cour. Ses cheveux tressés étaient noués avec un ruban bleu, et il saupoudrait ses boutons d'adolescent de poudre chipée dans le boudoir de sa mère. À ses yeux de petite fille de cinq ans, il semblait incroyablement grand. Évidemment, cela aurait tout aussi bien pu avoir quelque chose à voir avec les talons hauts, qui étaient à la mode à l'époque. Édouard s'était mis dans une telle colère quand elle s'était faufilée dans sa chambre et qu'elle avait paradé partout avec ses talons hauts... Cet homme avec un gilet de couleur puce tendu sur le ventre et des joues bouffies coincées derrière son col amidonné — c'était un étranger.

Mais à cet instant, il regarda vers le carrosse.

— Ma sœur, dites-vous?

Tout à coup, son visage prit exactement la même expression que celle qu'il avait eue toutes ces années auparavant lorsqu'il avait surpris Amy avec ses talons hauts favoris.

— Édouard! C'est vraiment *toi*!

Amy bondit en bas du carrosse. En atterrissant, elle chancela un peu sur le pavé inégal, mais elle parvint à rester debout à force d'agiter les bras. Elle entendit un gloussement vite étouffé de la part de Richard. Amy l'ignora, tout comme elle ignora les regards impudents des domestiques français et l'odeur dégoûtante qui montait des pavés. Attrapant ses jupes à deux mains, elle se précipita sur son frère.

— Édouard! C'est moi! Amy! Je suis enfin de retour à la maison!

À en juger par son expression — ou plutôt, ce qu'on pouvait en voir —, Édouard hésitait entre la confusion et l'horreur.

— Amy? Vous ne deviez pas être là avant demain!

Chapitre 10

❀

— Oh, cela explique pourquoi ta voiture n'était pas là! Je savais bien qu'il devait y avoir une bonne raison! J'étais certaine de t'avoir dit que nous arrivions aujourd'hui...

— Nous l'avons fait, remarqua froidement mademoiselle Gwen.

— Mais nous sommes là, et c'est tout ce qui compte! Oh, Édouard, je suis si heureuse de te revoir!

Amy se jeta impulsivement au cou de son frère.

Édouard lui tapota le dos d'une façon plutôt maladroite.

— Tout le plaisir est pour moi.

— Et voici notre cousine Jane, l'une des personnes les plus intelligentes et extraordinaires que tu pourras rencontrer.

Amy tira Édouard à travers la cour pour l'emmener en direction du carrosse. Elle dut tirer beaucoup; Édouard regardait la crasse sur les pavés avec une répugnance extrême et marchait à petits pas dans les traces d'Amy avec autant de précautions qu'une jeune demoiselle qui porterait de nouveaux chaussons blancs par un jour de pluie. Cette image fit sourire Richard. Tout le monde savait qu'Édouard de Balcourt faisait courir des domestiques devant lui pour poser des planches de bois en travers des rues afin qu'il ne salisse pas ses chaussures et ses bas de première qualité. Mais on ne pouvait pas résister à Amy.

— Jane, Jane, voici Édouard!

Édouard marmonna ses salutations à travers le mouchoir bordé de dentelle qu'il tenait sur son nez.

— Allons-nous rester assises ici toutes la journée? demanda une voix impérieuse depuis le carrosse.

— Oh, et voici mademoiselle Gwendolyn Meadows, notre chaperon et voisine dans le Shropshire. Mademoiselle Gwen, descendez, que je vous présente mon frère, Édouard!

— J'attends, déclara mademoiselle Gwen, que le carrosse nous conduise jusqu'à la maison.

Sa voix désincarnée qui leur parvint du carrosse était aussi solennelle et terrifiante que celle de l'oracle de Delphes.

— Bien sûr, bien sûr!

Se remettant de sa surprise, Édouard traversa la cour à la hâte pour marmonner quelque chose aux domestiques qui attendaient. Les derniers paquets bruns furent rapidement transportés à l'intérieur, et le carrosse s'en alla bruyamment par le portail.

— Je redécore l'aile ouest, s'empressa d'expliquer Édouard à Richard lorsqu'il intercepta son regard curieux. Il est grand temps que je me débarrasse de toutes ces vielleries que mes parents ont laissées, ne croyez-vous pas? De toute façon, il faut beaucoup de draperies. C'est de cela qu'il s'agissait, vous savez. Des draperies.

Édouard épongea son front en sueur avec son mouchoir à dentelle.

— Tu n'as pas tout changé, n'est-ce pas? demanda anxieusement Amy, pendant que le carrosse de Richard s'avançait jusqu'à la porte.

— Non, non. Redécorer prend beaucoup de temps, tu sais. La chambre de mère n'a pas changé du tout. Tu pourras la faire tienne, si tel est ton désir.

— Puis-je ? Vraiment ?

— Eh bien, oui, si tel est ton désir.

Le ton d'Édouard laissait clairement entendre qu'il ne comprenait pas pourquoi elle le désirerait, mais qu'en tant que frère aîné, il souhaitait faire plaisir à sa sœur cadette. Il tenta d'échanger un de ces regards de complicité masculine avec Richard, mais celui-ci était trop occupé à observer Amy.

Les yeux d'Amy brillaient comme si on venait de lui promettre un Noël supplémentaire en juillet.

L'estomac de Richard fut soulevé par un spasme de dégoût. Il n'avait rien ressenti de tel depuis la fois où Miles s'était emporté et l'avait frappé de plein fouet dans le ventre au Gentleman Jackson's. Pendant un court instant de démence, Richard se demanda quel effet cela lui ferait si elle le regardait ainsi.

Richard se détourna subitement pour aller aider Jane et mademoiselle Gwen à descendre du carrosse. Cela lui sembla plus sûr. Soudain, il n'avait qu'une seule envie : mettre une distance certaine entre les Balcourt ainsi que toutes leurs relations et lui-même. Ils étaient beaucoup, beaucoup trop distrayants. Mais qui diable croyait-il berner ? Il n'y avait pas de « ils » dans cette histoire. Ce n'était certainement pas Édouard de Balcourt qui l'avait gardé éveillé à battre son oreiller, ni l'impérieuse mademoiselle Gwen, ni même la raisonnable Jane. *Amy* était beaucoup, beaucoup trop distrayante.

Après avoir passé la journée à éviter Lord Richard — pour autant que l'on puisse éviter une personne assise à côté de soi à l'intérieur d'un carrosse exigu —, Amy n'était pas du tout préparée à affronter la vague de déception qui déferla sur elle lorsqu'elle le vit sauter dans son carrosse pour quitter bruyamment la cour.

Peu à peu, Amy s'aperçut qu'Édouard tentait de l'emmener à l'intérieur en jacassant sans arrêt.

— Si aimable de la part de Selwick de vous avoir amenées — attention à cette marche —, j'espère que vous avez fait bon voyage?

Amy enfouit toutes les pensées au sujet de Lord Richard dans un placard au plus profond de son esprit, sur la porte duquel était écrit «GARDER FERMÉE» en grosses lettres.

— Qu'importe le voyage maintenant que nous sommes ici? s'exclama-t-elle d'un air un peu trop joyeux, en serrant brièvement mais affectueusement le bras de son frère. Merci infiniment de nous avoir invitées, Édouard! Il y a si longtemps que je rêvais de revenir à la maison et… oh mon Dieu!

— N'est-ce pas magnifique?

L'agitation d'Édouard se calma un instant pendant qu'il contemplait son hall d'entrée. Son gilet menaça d'exploser lorsqu'il bomba le torse de fierté.

— «Incroyable» serait sans doute plus approprié, commenta sèchement mademoiselle Gwen.

— C'est… c'est…

Amy cherchait ses mots.

— C'est certainement cela, finit-elle d'une petite voix.

Le hall de son enfance, aménagé avec élégance, n'existait plus. Seul l'escalier monumental en marbre restait inchangé. Les tapisseries et les miroirs dorés avaient été enlevés des murs, les tables Louis XV destituées de leur poste de chaque côté de l'escalier, et les statues classiques retirées de leurs niches. À leurs places… Amy écarquilla les yeux. Était-ce vraiment un sarcophage dans le coin de la pièce ? Des imitations d'obélisques étaient situées de part et d'autre de l'accès à l'aile est, et de faux sphinx gardaient l'escalier. Jane posa discrètement une main réconfortante sur l'épaule d'Amy.

Édouard était rayonnant, à l'aise pour la première fois depuis l'arrivée d'Amy.

— Le style *Retour d'Égypte** fait fureur, dit-il avec suffisance.

Amy jeta autour d'elle un regard incrédule.

— Doit-on répondre à l'énigme du sphinx avant de pouvoir monter se coucher ?

Édouard la regarda d'un air ahuri.

— Es-tu fatiguée ?

— Tu ne te souviens pas de l'histoire que père avait l'habitude de nous raconter au sujet de… oh, oublie cela, dit Amy. Les nouvelles draperies sont-elles aussi à motifs égyptiens ?

— Les nouvelles draperies ? Ah oui ! Euh, non.

Édouard se raidit à nouveau. Il se dandina jusqu'à l'un de ses faux sphinx et se mit à flatter la tête en pierre d'un air songeur.

— Euh, Amy, au sujet de la chambre de mère…

— C'est si gentil de ta part de me l'avoir offerte.

Édouard tira sur son immense foulard, l'air gêné.

— À ce sujet… il serait peut-être préférable que tu attendes une semaine ou deux avant de t'installer dans la chambre de mère. L'aile ouest est plutôt en désordre. Beaucoup de poussière et, euh, de rats. Oui, il y a certainement des rats. Alors, euh, peut-être est-il préférable de ne pas aller du tout dans l'aile ouest. C'est dangereux. Et sale. Très sale, balbutia Édouard.

— Si tu crois que c'est dangereux…

— Oh, ça l'est! La bonne vous montrera vos chambres...
vous montera un plateau pour le dîner... On m'attend au
théâtre... Je dois y aller... Bonne soirée!

Édouard appela des domestiques, envoya deux baisers
en direction des joues d'Amy et faillit trébucher en s'inclinant en hâte devant Jane et mademoiselle Gwen avant de
disparaître en direction de l'aile ouest.

— Plutôt étrange, commenta mademoiselle Gwen.

Amy ne put faire autrement que d'acquiescer. Il lui faudrait explorer l'aile ouest à la première occasion.

La première occasion se présenta assez rapidement.
Mademoiselle Gwen, *Les mystères d'Udolphe* fermement
coincé sous le bras, annonça qu'elle se coucherait tôt et
claqua énergiquement la porte de sa chambre derrière elle,
ce qui fit vaciller le vase perché sur une table à l'entrée de
la chambre et força le valet qui les suivait à laisser tomber
trois boîtes à chapeau.

Amy s'arrêta à la porte de sa chambre pour réfléchir au
chemin qu'elle emprunterait. L'hôtel de Balcourt avait été
construit, comme bien d'autres demeures du XVIIe siècle, en
carré autour d'une cour centrale, et ses ailes se prolongeaient
juste assez pour former la petite cour pavée par laquelle le
carrosse était arrivé. Une fois qu'Amy eut compris cela, il lui
fut étonnamment facile de se diriger vers l'aile ouest. Tant
qu'elle pouvait voir la verdure de la cour par les fenêtres
situées à sa gauche, il lui était impossible de s'égarer. La
chambre d'Amy était située dans la petite partie qui faisait
saillie pour former la cour pavée. Faisant demi-tour, elle
revint sur ses pas le long du couloir vers l'arrière de la
demeure, passa devant les chambres de Jane et de mademoiselle Gwen, devant les portes fermées des chambres d'invités, ainsi que devant un étroit escalier de service.

Au bout d'une éternité, le couloir décrivit enfin une courbe pour la mener vers ce qui, selon elle, devait être l'aile nord. Une porte entrouverte donnait sur de vastes quartiers, qui ne pouvaient être que ceux d'Édouard. De forts relents d'eau de Cologne s'échappaient par la porte. À l'intérieur, le valet d'Édouard fredonnait une chanson grivoise en brossant les redingotes de son maître. Amy passa très, très vite devant la porte, sur la pointe des pieds.

Encore des portes fermées. Amy ne s'était pas tout à fait rendu compte à quel point la maison était vaste. Jusque-là, elle avait compté au moins quinze chambres et elle n'avait même pas encore atteint l'aile ouest. Cependant, après la dix-septième chambre, le couloir s'arrêtait net. Amy mit les mains sur ses hanches et s'approcha du mur. Les bergères roucoulantes d'une grande tapisserie à sa gauche agitaient leurs bâtons dans sa direction et riaient de sa confusion. Amy les ignora pour se concentrer sur le mur rouge uni devant elle. Il devait y avoir une autre aile ici! Gardant en tête que le valet d'Édouard était plus loin dans le corridor, elle frappa doucement sur le papier peint rouge. Aïe. Amy massa ses jointures blessées. Le mur était résolument solide. En fait, elle était presque certaine qu'il s'agissait de pierre sous le papier peint.

Amy retourna à la fenêtre qui donnait sur la cour centrale. Ha! À sa droite, il y avait sans le moindre doute une autre rangée de fenêtres. L'une d'elles était si près qu'elle pourrait probablement grimper de là où elle était jusque sur le rebord de l'autre... Non. Amy rejeta cette idée. La cour au-dessous était élégante et pleine de fleurs, mais les massifs d'arbustes ne semblaient pas avoir été conçus pour amortir une chute. Il devait y avoir un moyen plus facile d'y accéder.

Évidemment! À l'autre bout du couloir, le virage était apparu juste après la fenêtre. Amy regarda à nouveau l'immense tapisserie. La splendeur rococo des pavillons, des jardins et des amoureux jurait assez vivement avec le froid classicisme du reste du corridor. Le papier peint rouge, dont le haut était décoré d'une frise, avait été conçu pour rappeler Pompéi et les anciennes poteries. Les rares tableaux parsemés sur les murs présentaient des scènes classiques dans le style de David; toutes en couleurs vives, en traits épais et sans aucun jardin ni pavillon ni amoureux.

Pourtant, les bergères et leurs prétendants restaient figés en badinages éternels à côté... d'une licorne? Impossible! Qu'est-ce que des amoureux du XVIIIe siècle faisaient à côté d'une chasse à la licorne du Moyen Âge? Et en face de la chasse à la licorne, la scène se transformait encore pour devenir une tragédie classique, dans laquelle une dame en robe blanche carbonisée pleurait de désespoir devant un paysage de temples en flammes. *Troie*, conclut automatiquement le cerveau d'Amy. *Hécube*. Juste ciel! Il ne s'agissait pas d'une tapisserie, mais bien de trois! Suspendues les unes à côté des autres — et de façon plutôt maladroite en fait, maintenant qu'elle savait où regarder —, comme pour cacher quelque chose.

Amy tâtonna dans le tissu poussiéreux à l'endroit où Patrocle semblait pointer sa lance sur une licorne galeuse. Cherchant une porte, elle tomba pratiquement dans la pièce derrière la tapisserie.

— Père..., murmura Amy. Oh, mère...

Amy chancela dans la chambre de ses parents, étourdie par les souvenirs. Il n'y avait pas de housses de protection. Sous une fine couche grise laissée par le temps, tout était resté exactement dans le même état que quinze ans auparavant lorsque sa mère et elle étaient parties pour l'Angleterre en laissant son père et Édouard derrière elles.

Le nécessaire de correspondance de sa mère était ouvert sur son secrétaire, l'encre séchée et coagulée au fond de l'encrier. Dans la penderie de son père, ses perruques étaient toujours perchées les unes à côté des autres sur leurs supports. Amy ferma les yeux très fort pour lutter contre les souvenirs qui lui revenaient par vagues. D'un instant à l'autre, sa mère la prendrait dans ses bras et...

Amy pouvait comprendre pourquoi Édouard avait fermé l'accès à la chambre de leurs parents.

Se ressaisissant, elle descendit l'étroit escalier en colimaçon qui menait du bureau de son père à l'étage inférieur. Les planches craquèrent légèrement sous ses chaussons, mais elles supportèrent son poids. Elle se retrouva dans ce qui avait été la bibliothèque, avant la Révolution. Les livres poussiéreux l'interpellaient — sous la saleté, Amy pouvait voir les œuvres d'Homère en grec, ainsi que toute une collection d'œuvres en latin couvertes de reliures finement ouvragées. Elles ne pouvaient avoir appartenu qu'à son père, son père qui avait l'habitude de la blottir contre lui dans le salon de sa mère pour lui raconter de merveilleuses histoires de centaures, de héros et de vierges transformées en arbres.

Amy frotta vigoureusement ses joues mouillées et se précipita dans la pièce suivante. Les livres de son père devraient attendre ; pour l'instant, elle avait pour mission d'explorer l'aile ouest avant qu'Édouard ne rentre.

Ma foi ! C'était la salle de bal ! Tous les meubles, un assortiment de canapés et de fauteuils élégants, étaient poussés le long des murs afin de dégager le centre de la pièce pour en faire un plancher de danse. L'immense pièce s'étendait sur presque toute la longueur de l'aile. D'un côté, une série de portes-fenêtres s'ouvrait sur la cour en fleurs. Du moins, Amy supposa qu'elles s'ouvraient sur la cour ; les vitres étaient rendues opaques par l'accumulation de quinze années de crasse. Plissant les yeux dans l'obscurité, Amy souhaita avoir pensé à emporter une chandelle. Telle de la dentelle, des toiles d'araignées recouvraient les appliques le long des murs, et des araignées se balançaient au cœur de leurs chefs-d'œuvre au rythme d'une musique qu'elles seules pouvaient entendre. Tout au bout de la pièce se trouvait un petit espace surélevé qui avait certainement été occupé jadis par des musiciens. Il y avait toujours un clavecin et une harpe — et un tas de paquets emballés de papier brun.

Amy traversa la pièce en courant, glissa et dérapa sur le parquet.

Il s'agissait des mystérieux paquets ! Et il y en avait d'autres aussi : de grosses caisses en bois de toutes les tailles, empilées contre le mur à côté de toujours plus de paquets souples enveloppés dans du papier. L'imagination d'Amy s'emballa tels des chevaux de poste qui martelaient de leurs sabots la route de Calais. Des draperies, hein ! Plutôt des costumes pour la Ligue de la Gentiane pourpre !

Amy avait une folle envie de déchirer le papier, mais elle se força à défaire méticuleusement les nœuds de l'un des paquets. La dernière corde finit par lâcher, et le colis s'ouvrit sur ses genoux.

C'était de la mousseline blanche.

Amy fixa bêtement le tissu qui se déroulait sur les genoux poussiéreux de sa robe. Ce n'était rien de plus que des mètres et des mètres de mousseline blanche des Indes.

Évidemment ! Le visage d'Amy s'illumina. Il devait y avoir des fusils… ou des épées… ou des masques… cachés entre les épaisseurs de tissu! Comme c'était brillant de les enrouler dans du tissu au cas où les paquets auraient été interceptés!

Amy fourragea dans l'étoffe. Il n'y avait rien de caché dans la mousseline des Indes, sinon encore de la mousseline des Indes.

Déçue et déconcertée, Amy s'assit sur ses talons.

Ah, mais il lui restait encore les caisses à examiner! Amy se jeta avec empressement sur l'une des boîtes en bois et tira sur le couvercle. Après avoir gagné trois échardes et perdu un ongle, la caisse lui résistait toujours. La personne qui avait cloué le couvercle n'avait pas lésiné sur les clous.

— Zut! s'exclama Amy en donnant un coup de pied botté sur la caisse.

Le contenu émit un bruissement intéressant.

Intriguée, Amy s'agenouilla sur le sol, attrapa la caisse et tenta de la secouer. Elle était trop lourde pour qu'elle arrivât à faire autre chose que la bercer légèrement, mais elle put entendre le contenu se déplacer. C'était quelque chose de fin, comme des feuilles ou de la poudre.

De la poudre à canon.

Amy se releva péniblement et agrippa le couvercle de la caisse. Il devait certainement y avoir quelque chose dont elle pourrait se servir pour arracher ce couvercle; un bâton ou un tisonnier. Ou alors, peut-être que si elle renversait la caisse, elle pourrait ensuite en soulever le couvercle. Cela lui parut infiniment mieux que d'abandonner la caisse pour partir à la recherche d'un tisonnier. À genoux, Amy glissa ses doigts sous le bord de la caisse sans se soucier du bois qui lui éraflait les paumes. Elle la souleva. La boîte retomba exactement comme elle était. Serrant les dents, Amy faufila à nouveau ses doigts sous la boîte et la souleva encore.

La boîte bascula sur le parquet, causant un vacarme épouvantable. Le couvercle était intact.

Les mains sur les hanches, Amy lança un regard noir à la caisse. Il lui faudrait trouver un tisonnier.

À cet instant, Amy entendit un bruit. C'était quelque chose entre une respiration et un grognement. Comme le soupir d'une âme en peine. Amy fut parcourue d'un frisson de terreur. Oh, pour l'amour du ciel ! Elle ne croyait pas aux fantômes. Marmonnant d'agacement envers elle-même, Amy tituba vers l'extrémité de la salle de bal. C'était probablement le vent qu'elle avait entendu. Un bâtiment de cet âge laissait presque inévitablement passer des courants d'air. Ou des rats. Beurk. Amy n'aimait pas faire la délicate, mais elle pouvait incontestablement se passer de rats. Rassemblant ses jupes autour de ses chevilles, elle scruta le plancher des deux côtés de la pièce.

Quelqu'un avait laissé une botte pendre au bout d'un canapé. Avec une jambe dedans.

Sur un canapé près du mur, sous un portrait de madame de La Vallière, était étendu un homme endormi, avec un pansement imbibé de sang enroulé autour de la tête.

Chapitre 11

❁

— Jane! Tu ne croiras jamais ce que j'ai trouvé!

Entrant en courant et sans frapper dans la chambre de Jane, Amy claqua la porte derrière elle et s'effondra, essoufflée, contre l'encadrement.

— Deux squelettes, trois fantômes et un aliéné dans le grenier? proposa Jane, l'air absente.

— Un blessé!

— Hein? demanda Jane en laissant tomber sur ses genoux le livre épais qu'elle était en train de lire. Bon sang, j'ai perdu ma page. Amy, un domestique avec un doigt écorché ne compte pas comme un blessé.

— Très amusant. Il avait un pansement autour de la tête et… as-tu des sels?

— Oui, j'ai des sels, mais pourquoi as-tu besoin de…?

Jane déposa son livre à côté d'elle sur le couvre-lit et fixa sa cousine d'un regard perplexe.

— Eh bien, je voulais le réveiller pour l'interroger, mais je ne voulais pas le secouer, parce que Dieu seul sait l'effet que cela pourrait avoir sur un homme blessé à la tête… Ah, Jane! Il n'y a pas de temps pour cela! Il faut que nous retournions dans l'aile ouest!

— Ce n'est pas comme s'il pouvait aller très loin, répondit doucement Jane en fouillant dans son réticule.

Elle en sortit une petite fiole en verre verte.

— Que veux-tu lui demander ?

Dansant presque d'impatience, Amy tira sa cousine vers la porte.

— Mais où est la Gentiane pourpre, bien sûr !

— Qu'est-ce qui te fait croire que… ? commença Jane, mais Amy marmonnait pour elle-même à propos d'un raccourci vers l'aile ouest.

— Si nous descendons l'escalier principal et prenons à droite…

Amy passa de la parole aux actes et courut vers l'escalier. Jane l'attrapa par la main.

— Nous attirerons moins l'attention si nous marchons.

Amy lança à sa cousine un regard exaspéré, mais reconnut la sagesse de ses paroles. Elle avait eu assez de chance pour ne croiser aucun domestique pendant sa course effrénée au retour de l'aile ouest, mais il était peu probable d'échapper deux fois d'affilée au personnel. Un instant — elle avait bien vu le valet d'Édouard sortir de la chambre de son frère avec une pile de draps froissés dans les bras. Bah, s'il le disait à Édouard, elle pourrait toujours raconter qu'elle était en train d'admirer les tapisseries, quand un rat lui avait sauté dessus ou quelque chose de semblable.

Elles descendirent l'escalier à un rythme si pondéré qu'Amy serrait les poings d'impatience. Au bas de l'escalier, elles vérifièrent rapidement s'il y avait des domestiques. Bien que les chandelles du hall fussent encore allumées, il ne semblait y avoir personne dans les environs. À leur gauche se trouvaient les chambres de l'aile est et, à leur droite, ce qui semblait être un cul-de-sac.

Maintenant qu'Amy savait quoi chercher, l'entrée de l'aile ouest était tout aussi évidente que si un panneau avait été collé dessus. Édouard avait suspendu une autre tapisserie, illustrant le viol de Lucrèce cette fois. Puisque l'accès du rez-de-chaussée était plus grand que celui à l'étage, il avait pris une précaution supplémentaire : en face de la tapisserie, il avait placé un buste de Jules César sur un piédestal en marbre.

Tendue sous l'effet de la fébrilité, Amy pointa en direction de Jules.

— Là. C'est l'accès.

Jane ramassa un petit candélabre sur un coffre de marbre conçu pour ressembler à un sarcophage.

— Allons-y !

Ensemble, elles soulevèrent suffisamment la tapisserie pour ne pas la toucher avec les chandelles et se glissèrent dessous. Elles se retrouvèrent dans une antichambre, une jolie petite pièce aux murs dorés, dont les chaises étaient si délicates qu'on avait l'impression qu'elles s'effondreraient rien qu'à les regarder. L'antichambre menait à une salle de musique complète, qui comprenait un pianoforte peint de scènes de gaieté pastorale. Jane posa un regard envieux sur les touches jaunies, mais Amy la pressa de continuer jusqu'à la salle de bal. Au départ, Jane ne vit rien d'autre que des tas et des tas de paquets de papier brun.

— Il n'y a rien d'intéressant à l'intérieur, chuchota Amy alors qu'elles contournaient les piles. Seulement de la mousseline.

— Drôle d'endroit pour conserver de la mousseline.

— Peut-être n'avaient-ils plus de place dans le séchoir. Mon blessé est juste là, sur le canapé sous madame de La Vallière, dit Amy en prenant le candélabre des mains de Jane et en avançant d'un pas pressé. Je n'ai pas réussi à enlever les couvercles, mais je crois que...

Amy s'interrompit à l'instant où elle brandit la flamme au-dessus du canapé pour éclairer... absolument rien.

— Où est-il?

Dans son énervement, Amy oublia de chuchoter. Elle agita les chandelles tout autour d'elle, regarda sous le canapé et courut jusqu'au canapé suivant, puis au suivant.

— Je suis certaine qu'il était juste ici! Directement sous madame de La Vallière... Il dormait profondément!

— Amy...

Amy se tourna brusquement pour faire face à Jane, et les flammes tourbillonnèrent avec elle pour former une espèce d'auréole diabolique.

— S'il te plaît, s'il te plaît, Jane, ne me dis pas que j'ai dû l'imaginer. Je *sais* que je l'ai vu!

— Ce n'est pas ce que j'allais dire, répondit sérieusement Jane. Emporte les chandelles par ici.

Obéissant, Amy suivit le regard de Jane. Sur la soie blanche ternie du canapé brillait une tache de sang frais.

Jane tendit le doigt prudemment.

— Il a été déplacé il y a à peine quelques minutes; c'est encore humide.

— Mais qui l'a déplacé? Et pour l'emmener où?

Amy pivota dans tous les sens avec les chandelles, comme si les coupables pouvaient être encore cachés dans les recoins de la pièce.

— Ils l'ont probablement emmené dans la cour en passant par les portes-fenêtres, dit pensivement Jane.

Amy courut jusqu'à la porte la plus proche et tira pour l'ouvrir. Pour des huisseries abîmées par le temps, elle s'ouvrit sans bruit.

— Ç'a été huilé récemment, commenta Jane à mi-voix.

Donnant les chandelles à Jane, Amy descendit un étroit escalier de trois marches pour se précipiter dans le jardin, pendant que Jane examinait les portes. Il n'avait pas plu récemment; la terre n'était donc pas suffisamment humide pour conserver des traces de pas, et il n'y avait pas non plus de traces de boue à suivre sur les sentiers pavés. Et il y avait des portes, des portes et encore des portes de trois côtés. Des portes qui menaient à l'aile est, à l'aile nord et à l'aile ouest. Beaucoup trop de portes. L'homme aurait pu être transporté par n'importe laquelle d'entre elles. Amy parcourut le périmètre du jardin en regardant à travers chacune des portes l'une après l'autre. Contrairement aux fenêtres et aux portes-fenêtres de l'aile ouest, celles à l'est et au nord étaient toutes propres. Amy regarda tour à tour dans deux salons, une autre salle de musique, une salle à petit déjeuner, ainsi qu'une immense salle à manger de réception qui occupait une grande partie de l'aile nord.

— Amy, chuchota Jane par-dessus son épaule tandis que les chandelles dans sa main projetaient des ombres étranges sur la pierre de la balustrade. Reviens par ici, j'ai quelque chose à te montrer.

— Ils ont dû le faire sortir par l'une de ces pièces.

Jane réfléchit.

— Puis le descendre par les quartiers des domestiques? Amy, je crois bien que tu as perdu ton blessé.

Elles étaient en train de faire le tour du jardin pour retourner vers les portes de la salle de bal. Jane s'arrêta à côté d'une inoffensive statue d'Aphrodite.

— Rien de tout cela n'explique pourquoi il était allongé dans la salle de bal avec... de quel type de blessure s'agissait-il?

— À la tête, répondit Amy en montrant l'endroit sur sa propre tête. Je n'ai pas pu voir exactement de quoi il s'agissait puisqu'il avait un pansement, mais il semblait y avoir une sorte d'entaille du côté gauche de sa tête. Du moins, c'est là qu'il y avait du sang sur le pansement.

— Il aurait pu, commença lentement Jane, s'être simplement cogné la tête contre quelque chose en déchargeant ces paquets du carrosse. L'explication pourrait être aussi simple que cela.

— Dans ce cas, pourquoi tout ce subterfuge? Pourquoi le cacher dans la salle de bal pour le déplacer encore par la suite?

Une brise souffla les boucles foncées d'Amy dans son visage, et elle les repoussa d'un geste vif.

— Il aurait pu se sentir mieux et partir.

— *Enfin*, Jane!

La chaleur avait disparu en même temps que le soleil, et Amy, qui sentit la brise nocturne à travers la fine étoffe de sa robe, frissonna dans la fraîcheur du crépuscule.

— Peux-tu vraiment croire cela?

L'air troublée, Jane s'appuya brièvement sur Aphrodite. Elle se redressa finalement et fit une grimace à Amy.

— Non, je ne le peux pas. Suis-moi, je vais te montrer pourquoi.

Amy et sa cousine retournèrent rapidement à la salle de bal, où Jane s'arrêta dès qu'elles eurent franchi les portes.

— Oui? demanda Amy pour encourager Jane, qui avait la fâcheuse habitude de bien réfléchir avant d'agir.

— Regarde ceci, dit Jane en lui montrant la porte.

— C'est sale?

— Exactement. C'est trop sale. On dirait que quelqu'un a volontairement pris de la terre du jardin pour l'étendre sur les vitres. Tu vois ? Ici et là ? C'est trop épais et trop uniforme pour n'être que de la poussière accumulée par le temps. C'est comme si...

— ... quelqu'un ne voulait pas qu'on voie à l'intérieur ! termina à sa place Amy, enthousiaste.

Jane écarta rapidement les chandelles lorsqu'Amy se pencha en avant pour examiner la saleté sur les portes, laissant ses courtes boucles se balancer dangereusement près des flammes.

Jane hocha la tête.

— C'est exact. Mais pourquoi ? Qu'est-ce qu'Édouard pourrait bien avoir à cacher ?

Amy ferma la porte avec un déclic décisif et regarda sa cousine avec un immense sourire.

— Mais, Jane, c'est évident. Ne comprends-tu pas ? C'est la preuve qu'il est de mèche avec la Gentiane pourpre !

La Gentiane pourpre sauta de son carrosse dans la cour de sa propre modeste demeure de célibataire — seulement cinq chambres et une petite équipe de dix domestiques, sans compter son valet, son cuisinier et son cocher — avec un soupir de soulagement qui venait du fond du cœur.

— Morbleu, Geoff, que c'est bon de rentrer à la maison ! s'exclama-t-il à l'intention de l'homme élancé en gilet et en bras de chemise qui attendait près de la porte.

— Après ta dangereuse mission au cœur de la société londonienne ? rétorqua son ami, qui occupait la deuxième place après Miles dans le palmarès de ses amis les plus anciens, avec l'humour discret qui lui avait ouvert les portes du cercle de Richard et Miles à Eton.

— Ne ris pas, lui reprocha Richard en enlevant son chapeau pour se gratter la tête d'une main. C'est tout juste si je m'en suis sorti vivant.

Après avoir fait honneur à leurs décennies d'amitié par une vive poignée de main, Richard se précipita dans le hall d'entrée et entreprit de se débarrasser de son chapeau, de sa cape et de ses gants sur n'importe quelle surface à portée. Son majordome, Stiles, leva les yeux au ciel en suivant Richard à la trace pour ramasser les gants sur le plancher, la cape sur une chaise et le chapeau sur la poignée de porte.

— Ce sera tout, milord ? s'enquit Stiles sur le ton affligé du roi Lear.

— Pourriez-vous voir ce que le cuisinier peut trouver ? Je meurs de faim.

— À vos ordres, milord, psalmodia Stiles d'un air, si cela était possible, encore plus affligé qu'auparavant, avant de sortir en boitillant en direction de la cuisine.

— Il est vraiment très convaincant dans le rôle d'un octogénaire, commenta Richard à Geoff alors qu'ils se dirigeaient vers la salle à manger dans l'espoir optimiste qu'il y aurait bientôt de la nourriture sur la table. Diable, si je n'étais pas au courant, *je* m'y laisserais prendre.

Geoff se précipita dans le bureau et revint en jouant avec une pile de papiers.

— Tu n'es pas le seul qu'il a dupé. Je lui ai donné congé samedi dernier en pensant qu'il allait en profiter pour se donner un coup de jeune, faire la tournée des tavernes et que sais-je encore. Au lieu de cela, il a tiré une chaise près du feu de la cuisine, s'est enroulé un jeté autour des épaules et s'est plaint de son lombago.

Les deux amis échangèrent un regard amusé empreint de désarroi.

— Eh bien, il est difficile de trouver un bon majordome…, fit remarquer Richard.

— Et Stiles restera auprès de toi pour plusieurs décennies encore, conclut Geoff.

— C'est la dernière fois que nous acceptons un acteur au chômage dans la Ligue, grogna Richard. J'imagine que ç'aurait pu être pire... Il aurait pu se prendre pour Jules César et se balader en toge.

— Il se serait parfaitement intégré au Conseil des Cinq-Cents, commenta ironiquement Geoff en faisant référence à l'Assemblée législative instaurée par les révolutionnaires en 1795 dans le but d'imiter les modèles de gouvernement classiques. Près de la moitié d'entre eux étaient convaincus d'être Brutus.

Richard secoua tristement la tête.

— Ils ont lu trop de classiques; de tels hommes sont dangereux. De toute façon, je préfère la psychose courante de Stiles. Je suppose, en l'état actuel des choses, qu'il n'a pas complètement oublié la véritable raison pour laquelle il est ici ?

— Au contraire; il se prête au jeu avec encore plus d'enthousiasme depuis qu'il a décidé d'être *réellement* un majordome de quatre-vingts ans. Il joue aux cartes avec le majordome de Fouché tous les mercredis; apparemment, ils échangent des remèdes contre les rhumatismes et se plaignent de la piètre qualité des employeurs de nos jours, ajouta Geoff les yeux pétillants. Et il entretient une idylle plutôt étrange, quoiqu'informative, avec l'une des femmes de chambre des Tuileries.

— Étrange ? demanda Richard en reniflant avec espoir en entrant dans la salle à manger, mais les victuailles ne les avaient pas précédés.

Geoff tira une chaise près du bout de la table et fit glisser la pile de papiers qu'il tenait sur le bois verni en direction de Richard.

— Il est entré dans ses bonnes grâces en lui faisant un compliment sur sa recette spéciale de crème pour polir l'argenterie. Ils se sont ensuite adonnés à la tâche intime de nettoyer le cristal.

— Bonté divine! s'exclama Richard en se mettant à fouiller dans la pile de courrier qui s'était accumulé pendant son absence. Chacun ses goûts, j'imagine.

La pile que Geoff lui avait apportée contenait le courrier habituel — des rapports de l'intendant de son domaine, des invitations à des bals et des lettres parfumées de la part de Pauline, la sœur aux mœurs légères de Bonaparte. Pauline essayait d'attirer Richard dans son lit depuis qu'il était rentré d'Égypte, et la quantité de parfum dont elle aspergeait ses lettres augmentait à chaque échec. Richard pouvait sentir la dernière tentative à travers toute la pile.

— Et Londres, alors? s'enquit Geoff en faisant signe à un valet d'aller chercher la carafe de bordeaux. Tu as l'air de quelqu'un qui a besoin d'un remontant.

— Tu n'as pas idée, répondit Richard en abandonnant les lettres pour se laisser tomber sur une chaise en face de Geoff. Ma mère a dû me traîner à tous les événements importants de Londres. S'il y avait une soirée avec plus de trois cents invités, j'y étais. J'ai assisté à suffisamment de comédies musicales pour avoir envie de m'arracher les oreilles, si je ne suis pas tout simplement devenu sourd. Je...

— Arrête, s'il te plaît, dit Geoff en secouant la tête. Je refuse de croire que ç'ait pu être aussi terrible.

— Ah, vraiment? rétorqua Richard en haussant les sourcils et en lançant un petit regard en coin à son ami. Mary Alsworthy m'a demandé de tes nouvelles.

— Et? demanda Geoff d'une voix résolument détachée.

— Je lui ai dit que tu t'étais amouraché d'une Française de mauvaise réputation et que tu attendais maintenant ton troisième enfant illégitime. En passant, tu espères avoir une fille cette fois-ci.

Geoff s'étouffa avec son bordeaux.

— Tu n'as pas fait cela. Si c'était le cas, je suis persuadé que j'aurais eu des nouvelles de ma mère entre-temps.

Richard se balança sur sa chaise en soupirant avec regret.

— Non, je ne l'ai pas fait. Mais j'en avais envie. Il aurait été intéressant de voir si elle savait compter suffisamment pour se rendre compte qu'avoir trois enfants en moins de deux ans relevait du domaine de l'impossible.

Geoff détourna le regard, faisant preuve d'un grand intérêt pour l'argenterie dans le buffet derrière Richard.

— Il y a eu quelques développements intéressants pendant ton absence.

Richard abandonna le sujet. Avec un peu de chance, d'ici à ce que Geoff retourne en Angleterre, un autre pauvre type serait la proie des charmes éculés de Mary Alsworthy.

Richard se pencha au-dessus de la table, ses yeux verts remplis d'étincelles.

— Quel genre de développements ?

Geoff le divertit avec des histoires sur les changements dans la sécurité au ministère de la Police (« Plutôt une tentative de fermer les portes de l'écurie une fois que les chevaux se sont enfuis, n'est-ce pas ? » fit remarquer Richard d'un air suffisant), sur les ambitions déçues de Murat, le beau-frère de Napoléon (« Un homme velléitaire s'il en est, commenta Geoff. Il pourrait cependant nous être utile »), ainsi que sur un va-et-vient suspect le long de la côte.

Richard dressa l'oreille.

— Crois-tu qu'il pourrait envoyer des munitions en vue d'envahir l'Angleterre ?

Il était inutile de demander à qui «il» faisait référence.

— Ce n'est pas encore très clair. Personne n'a réussi à s'approcher suffisamment pour voir ce qui est transporté. Notre contact à Calais...

— L'aubergiste au Panneau du Chat qui gratte?

— Lui-même. Il a remarqué une activité inhabituelle ces derniers mois. La serveuse du Rat noyé au Havre rapporte le même genre de choses. Elle dit qu'elle a vu un groupe d'hommes transférer plusieurs gros paquets d'un bateau postal de la Manche à un carrosse non identifié, puis prendre la route de Paris.

— Pourrait-il s'agir des activités habituelles de contrebande?

Richard remercia d'un signe de tête le valet, qui venait de déposer devant lui un bol de potage aux pommes de terre et aux poireaux, en essayant de contenir le frisson d'excitation que les nouvelles de Geoff faisaient monter en lui. Il se sentait comme un chien prêt à partir à la chasse au renard. Évidemment, il devait d'abord être absolument certain qu'il s'agissait bien d'un renard, et non d'un simple lapin ou de feuilles qui s'agitaient. Ou d'autre chose de ce genre. Richard laissa vite tomber la métaphore. Depuis que la guerre avait éclaté entre la France et l'Angleterre, les contrebandiers menaient un commerce prospère en transportant du brandy et de la soie de France en Angleterre et en revenant avec les cales pleines de produits anglais. Il était arrivé à une ou deux reprises que Richard partît en chasse au beau milieu de la nuit, convaincu qu'il était sur la piste d'agents français qui portaient de précieux renseignements en Angleterre, pour se retrouver avec un simple bateau plein de contrebandiers français mécontents et de brandy de dix ans d'âge. Non que Richard eût quoi que ce soit contre le brandy, mais quand même...

— C'est possible, admit Geoff. Mais Stiles a appris du majordome de Fouché que le ministère de la Police affectait très discrètement des hommes à la surveillance de quelque chose qui arrivait de Suisse. Il ne savait pas quoi, ni quand, du moins, pas encore, mais il a dit qu'il s'agissait d'une priorité absolue, peu importe ce que c'était.

— Cela s'annonce effectivement prometteur, quoique vague. J'imagine que tu as mis quelqu'un à la surveillance des principales routes et des grands cours d'eau ?

— Je ne tiendrai pas compte de l'insulte implicite, répondit calmement Geoff. Oui, bien sûr. En plus de trois nouvelles caisses de brandy dans la cave, nous avons quelques indices. Peu importe ce que contiennent ces cargaisons, Georges Marston y est mêlé jusqu'au cou.

Richard fit une grimace de dédain.

— Pourquoi cela ne me surprend-il pas ? s'enquit-il en direction du portrait sur le mur derrière Geoff.

Le portrait, probablement un ancêtre de l'ancien propriétaire de la maison que Richard avait achetée meublée, souriait d'un air méprisant.

On pouvait supposer que le gentilhomme du portrait aurait levé le nez sur Marston et ses semblables, et ce, même s'il avait pu parler. Bien que Marston prétendît avoir un lien de parenté avec une famille distinguée d'Angleterre du côté de son père, tout le monde savait qu'il avait été élevé par sa mère française dans des circonstances qu'on pouvait difficilement décrire comme respectables. Après avoir forcé la famille de son père à lui acheter un poste de commandement dans l'armée anglaise, il avait subitement déserté en pleine bataille pour rejoindre les Français.

— Marston est un habitué des quais, continua Geoff. Je me suis organisé pour que nos hommes le surveillent. Nous avons remarqué une routine : tous les deux ou trois jours, quelqu'un passe là où il habite avec une note, puis il part en trombe vers les quais dans un carrosse.

— Et ensuite ? Oh, que le diable l'emporte ! s'exclama Richard en nettoyant la petite mare de soupe qui s'était accumulée sur sa cuisse en tombant de la cuillère restée suspendue à mi-chemin vers ses lèvres.

— Pas le diable, le corrigea Geoff avec un petit sourire, Marston. J'espère que ce n'était pas un pantalon neuf ?

Richard se renfrogna.

— De toute façon, reprit Geoff, il utilise toujours un carrosse noir non identifié et quatre...

— Je croyais qu'il possédait uniquement ce cabriolet tape-à-l'œil, dit Richard en s'assurant de déposer sa cuillère à soupe avant de parler. Cet affreux truc rouge vif.

— Il ne serait pas mal du tout en dehors de la couleur, commenta pensivement Geoff.

— Marston ? l'encouragea Richard.

— Oui, répondit Geoff en se secouant pour sortir de sa rêverie à propos de cabriolets et de phaétons. Le fait qu'il utilise ce carrosse a alimenté nos doutes. Nous avons suivi sa trace jusqu'à une pension pour chevaux, pas très loin du domicile de Marston.

— Le cabriolet rouge attirerait trop l'attention, supposa Richard. Que fait-il une fois sur les quais, se dépêcha-t-il de demander lorsqu'il vit l'étincelle de l'amateur de cabriolet se raviver dans les yeux de Geoff.

— Habilement déguisé en marin, j'ai suivi Marston jusqu'à une taverne assez peu recommandable appelée Gourdins et Coutelas. Elle porte bien son nom, si je peux me permettre, commenta Geoff d'un air songeur. C'était plutôt une bonne chose que j'aie porté un crochet.

— Et moi qui étais pris avec les débutantes pendant que tu t'amusais, déplora Richard.

— Appeler cela *s'amuser*, c'est quelque peu exagéré. Quand je n'étais pas déjà occupé à rester en un seul morceau, j'ai effectivement aperçu Marston, d'abord engagé dans une conversation avec une bande de voyous, et ensuite se glisser dans une pièce à l'arrière. Puisqu'il ne revenait pas, j'ai quitté l'établissement juste à temps pour voir Marston et ses potes en train de terminer de charger le carrosse de paquets emballés de papier brun.

— De quoi s'agissait-il?

Geoff jeta à Richard un coup d'œil légèrement exaspéré.

— Si nous le savions, quel besoin aurions-nous de continuer à le suivre? Toutefois, je peux te dire qu'au moins une partie de ces cargaisons ont été transportées à l'hôtel Balcourt.

— Balcourt?

— Tu sais, ce petit lèche-bottes qui traîne toujours autour des Tuileries? précisa Geoff.

— Je sais de qui tu parles, dit Richard la bouche pleine de soupe. C'est simplement une coïncidence diablement étrange, expliqua-t-il après avoir avalé. J'ai partagé un bateau, et un carrosse, avec la sœur et la cousine de Balcourt.

— Je ne savais pas qu'il avait une sœur.

— Eh bien si, répondit Richard en repoussant brusquement son bol vide.

— Quel coup de chance! Pourrais-tu utiliser ta relation avec la sœur pour en savoir davantage sur les activités de Balcourt?

— C'est hors de question, répliqua Richard, l'air grave.

Geoff le dévisagea, perplexe.

— Je comprends qu'une sœur de Balcourt est très probablement répugnante, dans le meilleur des cas, mais tu n'as pas besoin de la demander en mariage. Drague-la simplement un peu. Emmène-la faire un tour, rends-lui visite chez elle, utilise-la pour avoir tes entrées dans la maison. Tu as déjà fait cela auparavant.

— Mademoiselle Balcourt n'est pas répugnante, dit Richard en se tortillant sur sa chaise et en fixant la porte. Pourquoi diable le souper n'arrive-t-il pas?

Geoff se pencha au-dessus de la table.

— Eh bien, si elle n'est pas répugnante, alors quel est le... ah!

— Ah? Ah? Que diantre veux-tu dire par «ah»? De toutes les absurdités...

— Toi — Geoff le pointa du doigt, le visage empreint d'une joie diabolique —, tu es troublé non pas parce que tu la trouves répugnante, mais plutôt parce que tu ne la trouves *pas* répugnante.

Richard était sur le point de répondre par un regard maléfique lorsqu'il fut sauvé par l'arrivée du valet qui portait une grande assiette de quelque chose nappé de sauce. Pendant que le valet repartait avec son bol de soupe, Richard se pencha en avant et piqua un morceau de ce qui semblait avoir fait partie d'un poulet.

— Sers-toi, proposa Richard à Geoff, faisant très subtilement dévier la conversation sur la gastronomie.

— Merci. Parle-moi de ta demoiselle Balcourt, reprit Geoff, imperturbable.

— Mis à part le fait qu'elle n'est absolument pas *ma* demoiselle Balcourt — Richard ignora le regard sardonique en provenance de l'autre côté de la table —, la jeune fille est aussi différente de son frère que tu peux l'imaginer. Elle a grandi en Angleterre, quelque part à la campagne. Elle a lu Homère en version grecque originale…

— C'est *vraiment* sérieux, murmura Geoff. Est-elle avenante?

— Avenante?

— Tu sais bien : de jolis cheveux, de jolis yeux, de jolis… Geoff fit un geste auquel Richard se serait plutôt attendu de la part de Miles.

— Elle ne ressemble pas à son frère, si c'est ce que tu veux savoir, cracha Richard.

Geoff tapa sur la table.

— Mais, c'est merveilleux que tu en sois épris! dit-il avec un petit sourire. Tu pourras la courtiser *et* enquêter sur son frère en même temps.

Richard tordit furieusement la serviette qu'il venait de porter à ses lèvres.

— Non, je ne peux pas. Premièrement, tu sais que je ne laisserai jamais plus ma vie personnelle interférer dans une mission. Et deuxièmement… deuxièmement, répéta-t-il en haussant le ton lorsque Geoff ouvrit la bouche pour protester, ai-je oublié de mentionner qu'elle me hait?

— Tu as fait vite. Comment as-tu réussi à te faire haïr d'elle en une seule journée?

— C'était une journée et demie.

Quelque chose entre un grognement et un ricanement s'échappa des lèvres de Geoff.

— C'est facile pour toi de rire, rétorqua Richard.

— Je ne te contredirai pas, gloussa Geoff. Non, franchement, que lui as-tu fait?

Richard appuya les coudes sur le bois poli de la table.

— Je lui ai dit que je travaillais pour Bonaparte.

— C'est tout?

Richard grimaça.

— Elle est plutôt intense quand il est question de la Révolution.

— Dans ce cas, pourquoi est-elle... ?

— Je sais, je sais, je lui ai posé la même question.

— Et tu ne lui as pas dit que...

— Non!

Richard s'éloigna de la table si violemment que les pattes de sa chaise faillirent se fendre en éclats.

— Tu pourrais me laisser finir une phrase de temps à autre, tu sais, dit doucement Geoff.

— Désolé, marmonna Richard.

Geoff profita du silence temporaire de Richard.

— Je ne te dis pas de clamer ton identité à toutes les jeunes demoiselles avenantes qui croisent ta route. Mais si celle-ci est spéciale, ne serait-il pas préférable de prendre le risque de te confier à elle... sans tout lui dire, ajouta-t-il avec empressement, plutôt que de la perdre? Si elle est si fanatique à propos de la Révolution, il semble plutôt improbable qu'elle te trahisse, non?

Richard rassemblait ses arguments, lorsque Geoff le fit taire à nouveau.

— Tout le monde n'est pas aussi superficiel que Deirdre.

Richard pinça les lèvres.

— Tu parles comme ma mère.

— Étant donné que j'aime bien ta mère, je le prendrai comme un compliment et non comme l'insulte voulue, répondit Geoff en appuyant les deux coudes sur la table. D'une certaine façon, tu as eu de la chance de t'en sortir ainsi.

— Mais pas Tony.

— Tu ne peux pas continuer à t'en vouloir pour la mort de Tony. Bon sang, les chances qu'une telle chose se produise étaient nulles ! C'était un accident, Richard. Un accident bête et malheureux.

— Cela ne serait jamais arrivé si la passion n'avait pas affecté mon jugement.

Richard se remémora la fébrilité ressentie chaque fois qu'il galopait pour rendre visite à Deirdre et la manière dont l'odeur enivrante de son parfum lui faisait battre le cœur et tourner la tête. Étrangement, il n'arrivait plus à se rappeler exactement de quoi elle avait l'air. Il avait déjà écrit un sonnet au sujet de ses yeux très, très bleus, mais il se souvenait du sonnet, avec son rythme boiteux et ses rimes forcées, bien mieux qu'il ne se souvenait des yeux en tant que tels. Et pourtant, cette image d'une femme, si peu mémorable aujourd'hui, avait exercé assez de pouvoir sur lui pour qu'il en oublie complètement ses obligations. Que cela te serve de leçon, s'était-il dit. La passion était éphémère ; le déshonneur, permanent. *Sic transit*[2]... eh bien, tout.

Richard tenta de trouver une locution latine plus appropriée, mais en vain. Amy aurait probablement... Richard chassa cette pensée contre-productive avant qu'elle ne prenne forme.

Geoff se versa un deuxième verre de bordeaux.

— D'ailleurs, aussi horrible qu'ait été la fin de l'histoire avec Deirdre, elle n'était pas méchante, simplement écervelée. Que sa femme de chambre ait été une agente secrète française n'était que pure malchance.

Richard ferma les yeux et pressa sa paume très fort sur son front.

— D'accord, ce n'était pas Deirdre, c'était sa fichue femme de chambre française qui était une espionne. Cela n'a rien changé pour Tony.

— Elle a été blanchie de toute mauvaise intention.

2. N.d.T.: De la locution latine *sic transit gloria mundi* signifiant « ainsi passe la gloire du monde ».

— Mais je n'ai pas été innocenté de l'accusation de stupidité, répliqua Richard, dont les yeux verts s'assombrirent au douloureux souvenir. Ne comprends-tu donc pas ? Cela rend les choses encore pires. Un mot de trop devant sa femme de chambre pendant qu'elle lui arrangeait les cheveux, ses satanés cheveux, et Tony était mort ! Supposons que je le dise à Amy...

— C'est donc ainsi qu'elle s'appelle.

— Et qu'Amy en parle, dans la plus grande confidentialité, parce qu'évidemment, ces choses sont toujours répétées dans la plus grande confidentialité, cracha Richard, à sa cousine Jane. Jane est une jeune fille plutôt discrète ; il est possible qu'elle ne le répète pas. Mais la maison grouille de domestiques. Même s'il n'y avait pas de fichue femme de chambre avec elles dans la pièce, un valet rôderait forcément dans les environs. Et puis il y a Balcourt lui-même, qui pourrait être, ou non, à la solde de Bonaparte, mais qui ferait n'importe quoi pour s'attirer ses bonnes grâces. Combien de temps tiendrait la Ligue de la Gentiane pourpre s'il venait à connaître mon identité ? Pas plus de temps qu'il n'en faudrait à Balcourt pour se dandiner jusqu'au bureau du consul, dit Richard en levant son verre de vin en un salut ironique. Adieu, Gentiane pourpre.

— Ce n'est que le pire des scénarios.

Les lèvres de Richard se tordirent en un sourire dépourvu d'humour.

— Dans ce cas, n'est-ce pas ce qu'il faudrait prévoir ? Je ne peux pas prendre ce risque, Geoff. Même s'il n'y avait aucun autre obstacle, je ne pourrais pas prendre ce risque. Trop de gens dépendent de moi.

Geoff le fixa sans ciller, comme un ami de trop longue date pour être déstabilisé par l'ironie ou par l'idéalisme.

— Tu sais ce que Miles dirait s'il était ici ? Il dirait : « Tu es fichtrement trop noble. » Et, dans le cas présent, il aurait raison.

Détachant son regard de celui de Geoff, Richard s'adossa à sa chaise et changea de sujet.

— S'est-il passé autre chose d'excitant pendant mon absence ? Comme Delaroche qui se serait étouffé avec un os de poulet ?

Geoff écarta les restes de son propre poulet froid.

— J'ai le regret de t'informer que Delaroche est toujours bien vivant. Je dois admettre que l'homme a un certain talent pour le théâtre. L'autre jour, il est entré à grands pas dans les Tuileries pour informer Bonaparte du fait que, comme la Gentiane pourpre n'avait pas frappé depuis plus de quinze jours, il était évident que lui, Delaroche, l'avait fait fuir.

— Ça ne va pas du tout, dit Richard d'une voix traînante en se balançant sur sa chaise, alors qu'une lueur maléfique s'allumait dans ses yeux émeraude. Après tout, il serait diablement méchant de notre part de laisser cet homme continuer à entretenir cette illusion, ne crois-tu pas ?

Geoff se pencha en avant, son propre regard s'illuminant en réponse.

— Que crois-tu qu'on puisse faire pour le délivrer de ces fantasmes malsains ?

— Eh bien…, commença Richard en jouant avec le pied de son verre de vin pour admirer la manière dont la lumière de la chandelle faisait ressortir les reflets cramoisis du sombre liquide. On pourrait faire main basse sur ses dossiers secrets… mais on l'a déjà fait, alors où est le plaisir ?

— Ou, réfléchit Geoff pour se mettre dans l'esprit du jeu, on pourrait laisser des messages moqueurs sur son oreiller, mais…

— On l'a déjà fait aussi, conclut tristement Richard. Delaroche a-t-il des dossiers auxquels nous n'avons pas encore jeté un œil ?

Geoff secoua la tête.

— Non. Je dirais que tu as été plutôt consciencieux dans ce domaine. Que dirais-tu de secourir quelqu'un de la prison du Temple ? Il y a longtemps que nous ne l'avons pas fait, et cela rendrait certainement Delaroche furieux.

— C'est exactement ce qu'il faut ! s'exclama Richard en se redressant si brusquement qu'il heurta la table et fit bondir les assiettes et les couverts. Je savais bien que tu pourrais encore m'être utile.

Geoff grimaça.

— J'en suis flatté.

— N'en fais pas une affaire personnelle, lui conseilla gentiment Richard. Le jeune Falconstone abuse *bel et bien* de l'hospitalité de la Bastille depuis beaucoup trop longtemps. Nous ne voudrions surtout pas épuiser leurs réserves.

— De pain rance et d'eau encore plus rance ?

— Sans oublier l'occasionnel rat en guise de présent les jours de fête. Je suis persuadé que les Français considèrent cela comme un vrai délice. Comme la grenouille ou la cervelle de bœuf.

Geoff grogna.

— Pas étonnant qu'ils aient fait la Révolution ! Ils souffraient probablement tous d'indigestion chronique.

— Cette théorie pourrait avoir du bon, répondit Richard en s'écartant de la table pour se lever. Mais gardons la rédaction de notre *Histoire des causes de la Révolution française* pour une autre soirée. Des choses beaucoup plus amusantes nous attendent...

Chapitre 12

❀

Dans une petite pièce du ministère de la Police, un homme se tenait à la fenêtre. Ses mains étaient jointes derrière son dos, les bras et les doigts détendus. Ses cheveux peignés vers l'avant sur son front, dans un style classique, lui donnaient l'air serein d'un buste de sénateur romain, d'un homme calme et sérieux. Mais lorsqu'il ouvrit la bouche, sa voix trembla sous l'effort qu'il faisait pour contenir sa rage.

— Cela a duré trop longtemps, Delaroche. Bonaparte est mécontent. *Je* suis mécontent. On ne peut pas permettre à cet homme de faire de nous la risée de l'Europe, dit le ministre de la Police en se tournant lentement pour fixer son regard sur son subalterne. Qu'avez-vous l'intention de faire ?

— Le tuer.

Il y eut un bruissement, puis un coupe-papier au manche argenté trembla comme par peur, sa pointe enfoncée dans le sous-main du bureau de Delaroche. Le garde à la porte eut un mouvement de recul, mais Fouché regarda le couteau frémir d'un œil cynique.

— Tout cela est très bien, mais vous devez d'abord le trouver, n'est-ce pas ? Depuis combien de temps cela dure-t-il, Delaroche ? Quatre ans ? Cinq ans ?

— Il ne vivra pas une année de plus, répondit Delaroche, son visage blême enflammé par la ferveur fanatique d'un inquisiteur du XVIe siècle. Je dresserai une courte liste de suspects. Mes meilleurs hommes les suivront jour et nuit. Ils n'iront même pas pisser sans que nous le sachions! Il ne me filera *pas* entre les doigts cette fois-ci. Je l'aurai fait pendre devant vous avant la fin du mois.

Delaroche montra les dents et laissa échapper un grognement féroce.

— N'y manquez pas, rétorqua calmement Fouché. L'invasion de l'Angleterre dépend d'une discrétion absolue. Nous ne pouvons nous permettre aucune autre brèche dans la sécurité.

Étirant le bras, il récupéra son chapeau sur le coin du bureau de Delaroche.

— Nous ne pouvons qu'espérer que les journaux n'aient pas encore eu vent de cette dernière humiliation. Je vous recommande de tenir votre promesse, ou alors la Gentiane pourpre pourrait bien ne pas être le seul à se balancer au bout d'une corde. Bonne journée, Delaroche.

La porte se referma derrière le ministre de la Police avec un déclic élégant.

Delaroche se rendit jusqu'à son bureau d'un pas raide, releva les pans de sa veste et se laissa tomber lourdement sur sa chaise. Sur le sous-main, là où Fouché l'avait lancée en entrant, traînait une petite carte couleur crème.

Les mains jointes avec les doigts en pointe devant lui, Delaroche fixa la note. La carte en elle-même était inutile. Delaroche avait tout un tiroir plein de cartes couleur crème qui portaient le sceau pourpre distinctif de la Gentiane. Il y avait bien longtemps qu'il avait suivi la piste des cartes, jusqu'à un papetier très chic de Londres, qui se vantait d'avoir une vaste clientèle dans la haute société. Si Delaroche avait voulu se fier uniquement à la marque du papier, il aurait facilement pu accuser n'importe qui, du prince de Galles à Lady Mary Wortley Montagu. À l'intérieur — Delaroche n'avait pas besoin de libérer la carte du coupe-papier pour regarder ; il se souvenait précisément du pénible contenu —, ce voyou avait détaillé la facture pour l'hébergement. Un shilling pour le pain rassis, un shilling pour l'eau fétide, deux shillings pour les rats, trois shillings pour les insultes amusantes des gardes, etc., avant de signer de son habituelle petite fleur pourpre. Sur la note avait été placée une petite pile de pièces de monnaie anglaise équivalente au total de l'addition.

Maudit soit-il ! La liste avait été écrite de la main de Falconstone — Delaroche reconnaissait l'écriture de chaque homme dont il avait déjà intercepté la correspondance. Il pouvait imaginer la Gentiane pourpre, qui se tenait debout en train de dicter au milieu de la prison la mieux gardée de Paris. L'homme avait un culot incroyable.

Ce qui rendrait encore plus agréable le fait de le tuer.

Fouillant dans l'un des tiroirs de son bureau, Delaroche en sortit une feuille de papier à lettres vierge. Il trempa sauvagement sa plume dans l'encrier en rêvant que ce soit un couteau qui s'enfonçait dans le cœur de la Gentiane. Il aurait ce plaisir bien assez vite. L'homme l'avait fait passer pour un idiot une fois de trop. Delaroche s'était plu au jeu ; il serait le dernier à le nier. Il avait apprécié l'exaltation associée au fait d'avoir un adversaire digne de son attention — la plupart de ces aspirants-espions étaient pitoyablement faciles à identifier, et il était encore plus pitoyablement facile de les forcer à tout dévoiler. Quelques ongles arrachés, et ils babillaient comme des bébés. Pathétique.

S'attaquant au papier en causant une explosion de taches d'encre, Delaroche griffonna le premier nom sur sa liste : Sir Percy Blakeney, baronet.

La Gentiane devait être anglaise, Delaroche en était convaincu. Seul un Anglais pouvait avoir un sens de l'humour si parfaitement inconvenant. Qui d'autre qu'un Anglais se déguiserait en ours dansant ou laisserait à un geôlier une facture détaillée accompagnée de son paiement ? Ces Anglais ! Ne se rendaient-ils pas compte que l'espionnage n'était pas un jeu ?

Lorsqu'il était le Mouron rouge, Sir Percy avait joué de pareils tours au gouvernement français. Il passait toujours une bonne partie de chaque année à Paris avec sa femme française. Il résidait en ce moment même dans sa maison de ville du faubourg Saint-Germain. Évidemment, il était gardé sous étroite surveillance, mais le Mouron rouge n'avait-il pas déjà échappé à la surveillance la plus étroite auparavant ? Bonaparte insistait sur le fait que Sir Percy était aussi inoffensif qu'un serpent auquel on aurait retiré ses crochets. Bonaparte le trouvait amusant. Delaroche le trouvait hautement suspect. À l'instar des bulletins de nouvelles anglais, il avait toujours gardé comme un sentiment que Sir Percy avait simplement changé son nom de guerre, mais pas ses repères.

Delaroche revint à sa liste. Contrairement aux bulletins de nouvelles londoniens, il ne se donna pas la peine de nommer Beau Brummell (après une rencontre déplaisante avec lui à Londres, Delaroche avait conclu que Brummell était effectivement à ce point intéressé par la mode). À la place, Delaroche écrivit le nom de Georges Marston.

Les allées et venues de Marston sur les quais n'avaient pas échappé à l'attention de l'adjoint au ministre de la Police.

Marston affirmait que c'était l'appel de son sang français qui l'avait ramené au service de sa terre natale. D'autres affirmaient que c'était plutôt l'appel irrésistible d'un meilleur salaire. Delaroche considérait une troisième explication : il serait si facile pour un homme d'affirmer un changement d'allégeance pour infiltrer les plus hautes sphères du gouvernement... tout en continuant de rendre des comptes à ses anciens patrons.

Marston avait utilisé sa relation avec cet idiot de beau-frère du consul, Joachim Murat, pour se propulser à l'intérieur des cercles intimes des Tuileries. Cette amitié, avait déduit Delaroche, s'était formée sur des bases de beuverie, de jeu et de putasserie. Delaroche, lui, n'avait rien à faire de tels passe-temps. Il avait cependant entendu dire qu'ils fournissaient d'excellents prétextes pour recueillir des renseignements.

Les narines de Delaroche se dilatèrent dédaigneusement. Amateurs !

Pendant un instant, Delaroche envisagea l'idée de rallier la Gentiane pourpre à la cause de Bonaparte. Georges Marston était un mercenaire. S'il était la Gentiane pourpre, il n'y avait qu'à découvrir combien les Britanniques le payaient et à doubler la somme. Il n'y avait qu'à ajouter un poste de commandement dans l'armée française — colonel, peut-être ? —, puis à le marier à l'une des dames d'honneur de madame Bonaparte, et Marston serait à jamais des leurs. Quel coup extraordinaire ce serait ! LA GENTIANE POURPRE REJOINT BONAPARTE, titreraient les manchettes de ces ignobles gazettes anglaises.

Un tel dénouement pourrait presque être aussi agréable que de le tuer. Delaroche caressa d'un doigt balafré la lame de son coupe-papier. Presque.

Eh bien, on pourrait toujours rallier l'homme, s'amuser de l'humiliation des Anglais pendant quelques semaines et puis s'arranger pour qu'un petit accident arrive au nouveau colonel des forces de Bonaparte.

Déposant à contrecœur le couteau avec une dernière caresse affectueuse, Delaroche inscrivit un troisième nom, notant laconiquement les lettres sur la page : Édouard de Balcourt.

Sous son nom tout à fait français, Balcourt était à moitié anglais. Il n'avait pas échappé à l'attention du ministère de la Police que Balcourt avait envoyé des lettres en Angleterre au fil des années, sous le prétexte d'une correspondance avec sa sœur. Une sœur, ha ! La fille existait bel et bien, mais quel homme se donnerait tant de mal pour une simple sœur ? Delaroche n'avait pas même pensé à sa propre sœur depuis qu'elle avait épousé ce boucher de Rouen, quinze ans plus tôt.

Balcourt avait vu la tête de son père rouler dans la paille sous la guillotine (une journée particulièrement belle pour une exécution, se souvint tendrement Delaroche), ses terres avaient été pillées, et ses vignobles brûlés. Tout cela dans l'intérêt de la République, bien entendu, mais quelqu'un qui n'avait pas l'esprit citoyen pourrait prendre de tels actes comme un affront personnel.

Balcourt, avec ses gilets voyants et ses foulards surdimensionnés... Aucun tailleur français n'accepterait de produire des vêtements aussi exécrables, à moins que ce ne fût un geste délibéré. De tels foulards trahissaient un homme qui avait quelque chose à cacher.

Mais en France, aucun foulard n'était assez grand pour protéger Balcourt des yeux du ministère de la Police, qui voyaient tout.

Sans hésiter, Delaroche passa à son quatrième et dernier suspect, Augustus Whittlesby. Whittlesby proclamait qu'il était un poète romantique en quête d'inspiration à travers les splendeurs de *la belle France**. On pouvait habituellement le trouver en train de traîner dans les auberges du Quartier latin, sa chemise blanche ample de travers, une main pâle appuyée sur le front, et l'autre enroulée autour d'une carafe de bourgogne. Lorsque Delaroche lui avait sèchement demandé s'il était souffrant (après que Whittlesby fut malencontreusement tombé en pâmoison sur les bottes de Delaroche juste comme celui-ci s'apprêtait à poursuivre un suspect), Whittlesby avait déclaré d'un ton dramatique qu'il était submergé non pas par une faiblesse du corps, mais plutôt par les joies qui rongeaient l'âme de l'inspiration poétique. Retenant Delaroche prisonnier par le retroussis de ses bottes, il avait ensuite insisté pour réciter une ode impromptue aux pavés de Paris qui allait ainsi : «Salut à vous, pierres forestières! / Maints pieds foulent votre brillance adamantine! / Que plus de pieds vous foulent! Plus de pieds joyeux, joyeux! / Bottés de gais pompons et de brillant vernis / Qui n'ont jamais connu la crasse d'un chemin de terre.»

Les joyeux, joyeux pieds avaient trotté sur les gais, gais pavés pendant vingt-cinq autres strophes, alors que les pieds de Delaroche étaient restés très malheureusement immobiles sur des pavés plus boueux que joyeux.

Delaroche jeta un coup d'œil interrogateur vers son coupe-papier. Peut-être pourrait-il se débarrasser de Whittlesby même s'il n'était pas la Gentiane pourpre.

Delaroche était sur le point d'appeler le garde pour qu'il convoque quatre agents, lorsqu'un souvenir soudain, remonté à la surface du flot d'informations disparates qu'il recueillait chaque jour, le laissa songeur. La veille, un autre Anglais était rentré à Paris. Ce même Anglais avait quitté Paris tout de suite après que la Gentiane pourpre eut volé les dossiers de Delaroche.

Cet homme avait attiré l'attention de Delaroche auparavant. Cet état de fait, seul, était peu révélateur, puisque la majeure partie de Paris avait attiré l'attention de Delaroche à un moment ou à un autre. Mais il avait tellement retenu l'attention de Delaroche qu'il avait interpellé le gentilhomme en question lors de pas moins de sept réceptions de madame Bonaparte et qu'il l'avait personnellement suivi pendant plus de quinze jours. Les efforts de Delaroche s'étaient révélés inutiles (à moins que l'on tienne compte de la nouvelle compréhension qu'il avait acquise de plusieurs passages de l'œuvre d'Homère). À la fin, Delaroche l'avait rejeté à contrecœur parce que, selon toute vraisemblance, il était exactement ce qu'il affirmait être : un gentilhomme érudit faisant preuve d'un mépris complet pour les affaires courantes et d'une connaissance des classiques à faire pleurer de joie un professeur. Pourtant... La coïncidence dans les dates s'imposa à Delaroche avec une force presque physique.

Avant d'appeler ses espions, Delaroche inscrivit un dernier nom :

Lord Richard Selwick.

Chapitre 13

Lord Richard Selwick regarda en bâillant les gens assemblés dans le salon jaune du palais des Tuileries. Il ne semblait pas y avoir eu tellement de changements pendant les deux semaines où il avait été absent. Richard résista à l'envie de tirer sur les plis minutieusement disposés du foulard autour de son cou ; la chaleur dégagée par le nombre bien trop élevé de corps et de chandelles rendait la pièce étouffante. Des femmes légèrement vêtues papillonnaient d'un groupe à l'autre, comme les phalènes volent d'une lampe à l'autre… Toutefois, remarqua Richard avec un certain amusement, contrairement aux insectes, les dames restaient aussi loin que possible de la lumière révélatrice des flammes. Joséphine, elle-même plus âgée qu'elle ne voulait l'admettre, avait drapé les chandeliers et les miroirs de gazes, mais la faible lueur suffisait à trahir les joues couvertes de fard.

Un bruyant éclat de rire résonna à travers la pièce. Richard dirigea son monocle au-dessus des têtes bouclées et enturbannées de la foule, vers la source du bruit. Ah, Marston. Entre ses longs favoris frisés, le visage de Marston était rougi par la chaleur et l'alcool. Un de ses bras était appuyé sur la cheminée, alors que l'autre gesticulait avec un verre de brandy devant un public admiratif composé de Murat et de quelques autres types, dont les habits militaires étaient décorés de beaucoup plus de médailles qu'il ne devrait être possible à leurs âges. Richard réfléchit à la possibilité d'aller se promener par là pour enquêter, mais conclut qu'il n'était pas nécessaire, pour l'instant, de se frayer un chemin entre les corps parfumés pressés les uns contre les autres. À en juger par les rires gras qui lui parvenaient du foyer, Marston racontait des blagues et non des secrets.

Richard laissa son monocle errer autour de la pièce. Les commérages habituels, les habituels jeux de séduction, la foule habituelle de femmes trop légèrement vêtues et d'hommes trop bien vêtus. Cela suffisait à comprendre pourquoi les Français se plaignaient sans cesse de l'*ennui**.

— Qui sont ces campagnardes avec Balcourt? demanda Vivant Denon à Richard en lui donnant un coup de coude dans les côtes. Les deux plus jeunes ne sont pas trop mal, mais leurs tenues!

Denon, qui avait dirigé l'équipe de chercheurs en Égypte et était à présent responsable de l'installation du nouveau musée de Bonaparte au palais du Louvre, avait des idées bien arrêtées en matière d'esthétique. Surtout quand il était question des femmes. Sa propre maîtresse, élégamment vêtue, madame de Kremy, était à peine deux mètres plus loin et lançait à l'occasion des regards torrides dans sa direction. Du moins, Richard espérait qu'ils soient destinés à Denon; madame de Kremy n'était pas du tout le genre de femmes qu'il préférait.

En parlant du genre de femmes que Richard préférait… Suivant le regard de Denon, Richard aperçut Amy Balcourt, dont une main gantée reposait légèrement sur le bras de son frère. L'*ennui** de Richard s'évapora immédiatement.

Non sans amusement, Richard remarqua qu'Amy gigotait autant qu'un cheval au départ d'un derby et étirait le cou pour regarder par-dessus l'épaule de son frère dans le salon bondé. Balcourt s'était arrêté sur le pas de la porte pour échanger des civilités avec Laure Junot, et Amy ne supportait pas très bien ce contretemps. Sous le regard de Richard, Jane, qui se tenait derrière Amy avec mademoiselle Gwen, se pencha en avant pour lui chuchoter quelque chose à l'oreille, ce à quoi Amy répondit par un petit sourire contrit. Bien que cela ne lui ait pas été destiné, Richard lui sourit en retour.

— Ils devraient remettre une gravure de mode à toutes les jeunes femmes des campagnes et les escorter chez un couturier avant de les laisser entrer aux Tuileries! s'exclama Denon.

— Celles-ci ont le désavantage d'être anglaises, commenta sèchement Richard.

— Ah! Cela explique tout! continua Denon en fixant sans aucune gêne Amy et Jane. Ces étoffes, ces coupes droites, sont si tristement anglaises. Nous devrions envoyer une cargaison de couturiers de l'autre côté de la Manche en guise d'acte de charité.

Richard n'aurait pas décrit les formes d'Amy comme droites. Certes, sa robe n'était pas aussi moulante que celles des Françaises, qui ne portaient sous leurs robes vaporeuses qu'une combinaison, qu'elles humidifiaient afin que le tissu leur collât aux jambes (plus d'une femme avait attrapé un vilain rhume en procédant ainsi en hiver, mais les Françaises semblaient prêtes à risquer la mort pour une question de style). La robe d'Amy tombait gracieusement à partir de sa taille haute, effleurant ses hanches, laissant à peine percevoir les courbes féminines en dessous. Comparé au linon blanc uni porté par les autres femmes, le satin de la robe d'Amy scintillait à la lueur des chandelles telle de la neige au clair de lune.

— Tu aurais beau les parer de vêtements français, elles seraient toujours anglaises, commenta Richard d'un ton admiratif.

— Quel dommage, se méprit Denon en secouant la tête.

Balcourt avait terminé de présenter sa sœur à madame Junot et commençait à se frayer un chemin à travers la foule en direction de Joséphine Bonaparte, qui trônait comme une reine au fond de la pièce. Pendant que Denon continuait à déblatérer sur le triste état de la mode de l'autre côté de la Manche, citant à titre de parfait exemple les plumes d'autruche pourpres enfoncées dans le chignon de cheveux gris de mademoiselle Gwen, Richard se distrayait en observant Amy. Cela ne pouvait pas lui faire de mal de simplement la regarder.

Toutes ses impressions se peignaient sur son visage avec autant de diversité que les couleurs du ciel au crépuscule. Le visage d'Amy s'illumina d'intérêt lorsque son frère la présenta à madame Campan, l'une des anciennes dames d'honneur de Marie-Antoinette. Quand Georges Marston s'inclina pour faire une révérence élaborée, elle cligna des yeux d'incrédulité devant sa veste bleu paon brodée or et chuchota quelque chose à Jane sous le couvert de son éventail, qui fit naître dans les yeux calmes de cette dernière les larmes d'un fou rire étouffé. Les lèvres d'Amy se tordirent en une grimace de dégoût perceptible lorsqu'elle fit la révérence devant Joseph Fouché et Gaston Delaroche, qui se mêlaient à la joyeuse assemblée tels deux corbeaux dans un rassemblement de colombes. Puis les yeux d'Amy se posèrent sur Richard.

Elle se prit les pieds dans l'ourlet de sa robe.

Ce n'était qu'un tout petit faux pas, insuffisant pour que qui que ce soit d'autre le remarque, mais suffisant pour que Richard se sente étrangement satisfait. Après tout, c'était bien de savoir que sa présence avait été remarquée. Amy retrouva rapidement son équilibre et continua d'avancer en inclinant la tête selon un angle qui empêchait Richard d'entrer dans son champ de vision. Elle n'avait donc pas l'intention de reconnaître qu'ils se connaissaient, n'est-ce pas?

Denon donna un coup de coude à Richard.

— Tu connais ces Anglaises, pas vrai?

— Non. Enfin, oui, je les connais. Nous étions sur le même bateau en provenance de Douvres, il y a deux jours. L'une est la sœur de Balcourt, l'autre, sa cousine, et le dragon au plumage pourpre qui les accompagne est leur chaperon.

— *Une femme formidable**! souffla Denon en examinant avec beaucoup d'inquiétude le plumage de mademoiselle Gwen. Je compatis, mon ami. Ces Anglais... Leurs femmes sont dépourvues de tout entregent. Elles ne se rendent pas compte que draguer est un art! Comme tu as dû t'ennuyer sur ce bateau!

— Pas du tout. Tu ne rends pas justice à ces dames.

Ce n'était pas parce qu'Amy lui en voulait que *lui* ne devait pas agir de façon civilisée.

— Mademoiselle Balcourt, la petite brune, poursuivit-il, est étonnamment bien instruite. Elle a quelques théories très originales sur les relations entre les Grecs et les Égyptiens.

Denon suivit le dos d'Amy à travers son monocle.

— Ah! Une... Comment les appelez-vous? Un bas-bleu?

— Elle n'est certainement pas un bas-bleu, répliqua Richard en contemplant les boucles foncées d'Amy. Je ne sais pas trop comment la décrire, ajouta-t-il ensuite d'une voix très, très faible.

— Une originale, peut-être ? proposa Denon en regardant si intensément Amy à travers son monocle que sa maîtresse se mit à agiter son éventail d'un air indigné.

— Une originale, répéta Richard, qui ne put réprimer un sourire en se remémorant les commentaires d'Amy sur le cannibalisme métaphorique et la Révolution française. Assurément.

— Combien de temps as-tu l'intention de garder la tête inclinée ainsi ? chuchota Jane à sa cousine assurément originale en attendant parmi la foule de gens qui présentaient leurs hommages à madame Bonaparte à l'autre bout de la pièce.

— Me regarde-t-il toujours ?

— Non, répliqua Jane d'un ton qui aurait été sec s'il avait été possible de chuchoter ainsi. Amy, tu es ridicule !

— Je ne veux pas être obligée de lui parler. Il m'énerve.

— Et si tu fais semblant de ne pas l'avoir vu, tu n'es pas obligée de lui parler ?

— Exactement !

— Les filles ! Ce n'est pas poli de chuchoter ! chuchota mademoiselle Gwen.

Amy regarda Jane et leva les yeux au ciel derrière son éventail.

Résistant à l'envie de porter une main gantée à son cou endolori pour le masser, Amy se cacha derrière son éventail pour contempler les progrès qu'elle avait faits dans sa quête de la Gentiane pourpre. Ou plutôt l'absence de progrès. Depuis leur arrivée, elle avait espionné dix conversations avec beaucoup de discrétion et d'adresse. En conséquence, elle savait maintenant exactement combien Murat devait à son tailleur, où trouver les meilleurs gants pour enfant à Paris et qu'une madame Rochefort, qui fût-elle, était soi-disant engagée dans une relation amoureuse illicite avec son valet, ou peut-être son palefrenier (la femme au grand turban de soie vert qui racontait l'histoire n'avait pas été tout à fait claire sur ce point). À moins que l'énergique madame Rochefort sût, d'une manière ou d'une autre, qui était la Gentiane pourpre et qu'on pût la faire chanter, Amy ne voyait pas vraiment comment l'une ou l'autre de ces informations pourrait lui être le moindrement utile.

Quant à l'identité de la Gentiane elle-même... Amy avait exclu la plupart des invités parce qu'ils étaient beaucoup trop français. À moins que la Gentiane ait uniquement singé le Mouron rouge, le nom même de la Gentiane était un indice de sa nationalité. Jusque-là, elle n'avait rencontré que deux hommes d'origine anglaise. L'un d'eux, un monsieur Whittlesby, dont les cheveux et les manches flottaient tous deux dans un désordre romantique, n'avait jeté qu'un œil à Jane avant de se prosterner devant ses chaussons bleus pour improviser une ode à la « mirifique princesse aux orteils azur ». Cela sonnait faux. Heureusement, mademoiselle Gwen avait violemment marché sur la main du poète, qui s'était interrompu avec un couinement au beau milieu de sa deuxième strophe. Certes, tout cela aurait pu être une couverture, mais... Amy fronça les sourcils derrière son éventail.

Son second candidat, monsieur Georges Marston, n'était, comme son nom l'indiquait, qu'à moitié anglais, et sa tenue militaire était aussi repoussante, à sa façon, que le lin blanc froissé de monsieur Whittlesby. Toutefois, il y avait une certaine lueur d'audace dans les yeux bleus de monsieur

Marston, qui aurait pu laisser croire qu'un homme d'action se cachait sous tous ces galons or.

Une main avec de gros doigts boudinés se tendit pour abaisser l'éventail d'Amy sous son nez.

— Madame Bonaparte, c'est avec grand plaisir que je vous présente ma sœur, mademoiselle Aimée de Balcourt, dit Édouard en français.

Amy exécuta une grande révérence formelle. Madame Bonaparte répondit en se levant à moitié de sa chaise et en hochant la tête. Elle sourit très chaleureusement à Amy.

— J'ai connu votre chère mère avant la Révolution, lui dit-elle en français. C'était une femme si douce et si charmante ! Ma foi, quand elle a découvert que j'adorais les roses, elle m'a fait parvenir quelques boutures dont je mourais d'envie d'enrichir mon jardin. Il faudra que vous veniez un de ces jours voir mon petit jardin à Malmaison ; sans votre chère mère, il serait loin d'être aussi joli.

Madame Bonaparte parlait français avec un accent créole chantant qui pénétrait ses interlocuteurs de la même manière que la chaleur bienfaisante du soleil des îles. Sous son diadème de diamants, ses yeux noisette brillaient de gentillesse. Amy avait vu des images de la femme de Bonaparte et avait été étonnée qu'elle soit réputée pour sa beauté. En face d'elle, Amy se rendit compte que sa beauté ne tenait pas tant à la régularité de ses traits qu'à la bonne volonté sereine qu'elle semblait exhaler aussi facilement qu'elle respirait. Amy avait envie de se rouler à ses pieds comme un enfant pour l'implorer de lui raconter des histoires sur ses parents. Mais elle ne pouvait pas sacrifier tous ses plans pour un moment de nostalgie. Si madame Bonaparte — et, de ce fait, toute la cour — apprenait qu'elle parlait français, elle perdrait la moitié de son utilité pour la Gentiane pourpre.

Amy se composa donc un air perplexe.

— Le français je ne me souviens, dit-elle dans un très mauvais français écorché digne d'une écolière. L'honorable dame peut-être parle l'anglais?

Une légère expression de détresse s'empara du doux visage de madame Bonaparte. Du coin de l'œil, Amy vit Édouard virer au rouge vif sous l'effet de l'horreur et de la colère.

— Veuillez excuser ma sœur, Votre Excellence, commença-t-il avec empressement, mais une jolie blonde se pencha par-dessus la chaise de madame Bonaparte.

— Il n'est pas nécessaire de vous excuser, monsieur de Balcourt! dit-elle avant de passer à un anglais tout aussi déficient que le français d'Amy. Mère désire de vous dire qu'elle avait la connaissance de votre mère, poursuivit-elle avec application.

Édouard, qui avait l'air de souhaiter par-dessus tout que le parquet ciré s'ouvre sous ses pieds et l'ensevelisse, se hâta de procéder aux présentations. La blonde fut présentée comme étant Hortense de Beauharnais Bonaparte, la fille de madame Bonaparte par sa première union, maintenant mariée à Louis, le plus jeune frère de Napoléon. Ce ne fut que lorsque mademoiselle Gwen marcha d'un pied ferme sur celui d'Édouard qu'il se résigna à la présenter aussi, ainsi que Jane.

— Je dois demander à vous d'excuser pour mon anglais *abominable**! dit Hortense en agitant son éventail dans un mouvement d'autodérision. Mon beau-père, il n'avait pas aimé mon tuteur, alors je manqué des leçons.

— Votre anglais est très bien, la rassura Jane. Il est bien meilleur que mon français, je vous assure.

— Oui, vous êtes beaucoup trop sévère avec vous-même !

Pendant qu'Édouard s'extasiait devant les prouesses linguistiques de la belle-fille du Premier Consul et la bombardait de compliments, le plus brillant des plans s'imposa à Amy. Un plan qui lui garantirait un accès régulier au palais...

— Je serais heureuse de vous enseigner l'anglais ! lança-t-elle.

Hortense eut l'air si ravie et reconnaissante qu'Amy se sentit presque coupable de son subterfuge. Presque.

— Le feriez-vous *vraiment** ?

— Bien sûr qu'elle le fera ! répondit Édouard avec l'air de quelqu'un qui vient d'apercevoir le paradis après un désagréable séjour sous terre en compagnie des flammes et des fourches de l'enfer.

Le fait qu'il serre soudain la main d'Amy lui indiqua qu'elle était de retour dans ses bonnes grâces.

— Les Balcourt sont toujours heureux de se rendre utiles au Premier Consul et à sa famille ! poursuivit-il. Quand désirez-vous commencer ?

Édouard avait-il toujours été un aussi déplorable lèche-bottes ?

Après quelques expressions mutuelles de gratitude, beaucoup de mauvais anglais de la part d'Hortense et un peu de français encore pire de la part d'Amy, elles s'entendirent pour fixer la première leçon au lendemain après-midi. Édouard fit sa révérence aux dames Bonaparte pour discuter avec quelques connaissances. Amy allait faire de même, la révérence et les connaissances en moins, lorsque quelqu'un s'éclaircit la gorge derrière elle. Amy sut immédiatement de quelle gorge le son s'était échappé. D'une gorge musclée et bronzée qu'elle avait déjà vue exposée de manière attrayante par un col ouvert et un foulard desserré. Elle sentit un picotement le long de ses bras et une douleur au cou à cause de l'effort qu'elle dut faire pour ne pas se retourner. Oh, zut alors! N'aurait-il pas pu lui laisser le temps de se réjouir de son exploit?

— Richard!

Dans la bouche d'Hortense, son nom avait une sonorité douce et exotique.

— Depuis quand êtes-vous de retour? lui demanda-t-elle en français.

Richard s'inclina devant la main de madame Bonaparte avant de déposer un baiser sur celle de sa fille.

— Je suis rentré lundi soir.

— Et vous ne nous avez pas rendu visite plus tôt! Goujat! N'est-il pas un rustre, mère, de nous avoir privés si longtemps de sa compagnie? Eugène sera déçu de vous avoir raté; il est au théâtre ce soir.

Amy était sur le point de se retirer subtilement lorsqu'Hortense posa doucement une main gantée sur son bras.

— J'aimerais vous présenter une charmante compatriote à vous!

Radieuse, Hortense inclina la tête en direction d'Amy et la tira en avant. Amy tenta de ne pas regimber visiblement sous le regard complice de Lord Richard.

— Mademoiselle Balcourt, j'aimerais que vous fassiez la connaissance de Lord Richard Selwick.

— Nous nous sommes déjà rencontrés, dit Amy avec empressement.

— C'est vrai?

Manifestement intriguée, Hortense leva ses yeux aguicheurs sur Richard d'un air interrogateur.

— N'essaie pas de jouer les entremetteuses, Hortense ; c'est une très mauvaise habitude, lui conseilla Richard en français. Si Hortense veut bien se passer de vous, dit-il ensuite à Amy en anglais, j'aimerais vous présenter Vivant Denon, le directeur de la campagne d'Égypte. Euh... du *second* objectif de la campagne d'Égypte, en fait. Le volet scientifique.

— J'avais compris ce que vous vouliez dire, milord. Inutile de vous éterniser.

Amy regarda Richard en plissant les yeux par-dessus la bordure en dentelle de son éventail. Les éventails étaient vraiment des objets extraordinairement pratiques. Amy aurait souhaité pouvoir en tenir un à la main en permanence.

— Pourquoi ? demanda-t-elle.

— Amy !

Les plumes de mademoiselle Gwen s'agitèrent d'un air réprobateur.

Richard ne tint pas compte de l'impolitesse d'Amy.

— Parce que j'ai pensé que vous aimeriez discuter des classiques avec lui.

— Jamais je n'aurais cru que mes vues *absurdes* puissent être d'un quelconque intérêt pour des érudits qui ont tant voyagé, répliqua Amy en fermant brusquement son éventail.

Les yeux verts de Lord Richard brillèrent avec amusement.

— Oh, je ne dirais pas que *toutes* vos idées sont absurdes, dit-il d'un ton léger. Seulement certaines d'entre elles.

— *Joséphine !*

Un hurlement de stentor fit trembler les chandelles dans leurs candélabres.

Amy s'agrippa inconsciemment au bras de Richard en regardant nerveusement autour d'elle pour trouver d'où provenait le cri. Dans la pièce, les gens continuèrent à discuter comme si de rien n'était.

— Du calme, dit Richard en tapotant la main délicate agrippée au tissu de sa veste. Ce n'est que le Premier Consul.

— Si vous le dites, répliqua sèchement Amy en retirant aussi prestement sa main que si la veste avait été faite de charbons ardents.

— Joséphine !

L'affreux bruit se répéta, interrompant tout autre commentaire. Venant d'une pièce adjacente, un éclair de velours rouge fit irruption, suivi de près par la silhouette d'un jeune homme qui accourait. Amy fit un pas de côté juste à temps, chancelant sur ses chaussons pour éviter de tomber sur Lord Richard.

Le velours rouge s'arrêta subitement à côté de la chaise de madame Bonaparte.

— Oh. Des visiteurs.

Une fois immobile, le velours rouge s'avéra être un homme de taille légèrement inférieure à la moyenne, vêtu d'une longue veste rouge et d'un pantalon jadis certainement blanc, mais maintenant maculé de taches qui indiquaient aussi clairement qu'une carte ce que l'homme qui le portait avait mangé pour le souper.

— J'aimerais bien que vous cessiez de crier ainsi, Bonaparte, dit madame Bonaparte en levant une main gantée de blanc pour lui caresser doucement la joue.

Bonaparte attrapa sa main pour déposer un bruyant baiser dans sa paume.

— Comment suis-je censé me faire entendre autrement ? demanda-t-il en tirant affectueusement sur l'une de ses boucles. Eh bien, de qui s'agit-il, ce soir ?

— Nous avons des visiteurs d'Angleterre, monsieur, répondit sa belle-fille. J'aimerais vous présenter...

Hortense commença à énumérer leurs noms. Bonaparte se tenait debout, les pieds légèrement écartés, les yeux voilés d'un air manifestement las, une main glissée à l'intérieur du côté opposé de sa veste comme s'il avait le bras en écharpe.

— C'est bientôt fini? demanda-t-il à sa femme en inclinant la tête pour baisser les yeux sur elle.

Vlan!

Tous ceux qui étaient assez près pour entendre sursautèrent au son que le réticule de mademoiselle Gwen fit au contact du bras de Napoléon.

— Monsieur! Sortez cette main de sous votre veste! C'est impoli *et* cela nuit à votre posture. Un homme d'aussi petite stature que la vôtre doit se tenir bien droit.

Quelque chose qui ressemblait à s'y méprendre à un petit rire s'échappa des lèvres de Lord Richard, mais son visage était résolument neutre lorsqu'Amy leva brièvement les yeux sur lui.

Un silence inquiétant s'installa dans la pièce. On cessa de se draguer dans les recoins éloignés. On laissa tomber les discussions d'affaires. Les gens dans l'assistance qui ne parlaient pas anglais tirèrent par la manche ceux qui maîtrisaient la langue et des traductions spontanées — convenablement embellies, bien entendu — furent chuchotées à travers la pièce.

— C'est une tentative d'assassinat! s'écria dramatiquement une femme à côté d'Amy en tombant en pâmoison dans les bras d'un gendarme, qui semblait ne pas trop savoir quoi en faire, mais aurait été vraiment heureux de simplement la laisser tomber.

— Non, ce n'est pas le cas, c'est seulement mademoiselle Gwen, tenta d'expliquer Amy.

Entre-temps, mademoiselle Gwen s'était approchée de Bonaparte, le forçant à reculer de sorte qu'il était presque assis sur les genoux de Joséphine.

— Tant que nous y sommes, monsieur, cette manie que vous avez de débarquer dans les autres pays sans y être invité, c'est tout à fait grossier. Je ne le tolérerai pas ! Vous devriez vous excuser dès que possible auprès des Italiens et des Néerlandais.

— *Mais**, les Italiens, ils m'ont invité ! s'indigna Bonaparte.

Mademoiselle Gwen jeta à Bonaparte un regard sévère digne d'une gouvernante qui écoute les piètres excuses d'un enfant capricieux.

— C'est peut-être vrai, répondit-elle d'un ton qui indiquait qu'elle croyait cela extrêmement improbable, mais votre conduite après être entré dans le pays est impardonnable ! Si vous étiez invité chez quelqu'un le temps d'une fin de semaine, monsieur, réorganiseriez-vous tout l'aménagement intérieur ? Saisiriez-vous toutes les œuvres d'art qui ornent les murs ? Toléreriez-*vous* que des invités se conduisent ainsi ? Je ne le crois pas.

Amy se demanda si Bonaparte pourrait déclarer la guerre uniquement à mademoiselle Gwen sans rompre son accord de paix avec l'Angleterre.

— Tant pis pour la paix d'Amiens ! voulut-elle chuchoter à Jane.

Mais Jane n'était plus à côté d'elle.

Amy se demanda si Jane s'était éloignée pendant qu'elle croisait le fer avec Lord Richard. Elle était vaguement convaincue que Jane était toujours à côté d'elle lorsque Lord Richard était entré en scène, mais après, sa présence avait tellement monopolisé son attention qu'elle n'était certaine d'absolument rien. Amy regarda du coin de l'œil vers la droite, s'attendant à entrevoir furtivement un bras musclé sous une veste de très grande qualité. Au lieu de cela, elle se retrouva à dévisager une manche bouffante. Plus furtive du tout, Amy se tordit le cou pour regarder à côté d'elle, à l'endroit où Lord Richard s'était tenu avant que n'éclate tout le raffut avec mademoiselle Gwen.

Lord Richard Selwick s'était évaporé.

Amy tenta d'inspecter la pièce du regard, mais le cercle de gens captivés qui s'était formé autour de Bonaparte et mademoiselle Gwen comptait plusieurs rangées de personnes, et il semblait que Bonaparte avait tendance à embaucher des gendarmes vraiment grands ; Amy se retrouva à fixer plusieurs vestes d'uniformes décorées d'or droit devant elle. Il lui faudrait un escabeau pour voir derrière eux ! En se faufilant hors de la foule, Amy marcha sur sept pieds différents, sentit de près quinze différents parfums, s'empêtra dans une épée d'apparat et faillit tomber à la renverse à l'instant où elle réussit finalement à se dégager.

Derrière le mur humain, le reste de la pièce semblait désert. À la droite d'Amy, une femme tenait un homme acculé dans un coin et glissait un doigt le long de sa joue de manière suggestive. Certaines personnes n'ont aucun scrupule, se dit Amy. À l'autre bout de la pièce... Un instant ! Les yeux d'Amy revinrent rapidement au premier coin.

Ce n'était pas... ? Était-ce lui ? Si !

Dans le salon de madame Bonaparte, au vu et au su de tous ceux qui voulaient bien regarder, nul autre que l'infâme renégat, Lord Richard Selwick, se faisait caresser.

Chapitre 14

❀

Juste ciel! Cette femme était-elle vraiment en train de lécher l'oreille de Lord Richard?

Subjuguée, Amy fit quelques pas en arrière dans ses chaussons mous. Un candélabre était placé juste au-dessus de leurs têtes; elle pouvait donc voir la scène et ses acteurs avec une horrible clarté. La femme portait une robe en linon blanc si diaphane que la lumière passait directement au travers de façon à révéler l'absence volontaire de toute combinaison, mouillée ou non. Ses cheveux bruns tombaient en boucles souples d'un bandeau de perles perché au sommet de son crâne. L'une des boucles, particulièrement longue, attirait l'attention sur le fait que la robe de la femme ne comportait pratiquement aucun corsage, à moins que l'on veuille considérer comme tel un petit bout de lacet en bataille cinq centimètres au-dessus de sa taille haute. Elle était incroyablement et indéniablement magnifique.

Amy la détesta d'emblée.

Édouard lui avait montré la femme plus tôt. Amy se creusait la cervelle, lorsque la femme glissa une main dans les brillants cheveux dorés et ondulés de Richard. Pauline! C'était cela. La sœur cadette de Napoléon, Pauline Leclerc. Ses aventures étaient aussi légendaires que sa beauté, et on disait qu'elle avait couché avec la moitié des hommes de Paris. Évidemment, Amy n'était pas censée savoir cela, mais il y avait des années qu'elle lisait assidûment les feuilles à sensation. Lorsqu'il était question des Français, les gazettes anglaises étaient peu scrupuleuses au moment de rapporter, sans même user du voile protecteur de l'euphémisme, le scandale le plus scandaleux.

Regardant Pauline s'entortiller sensuellement autour de Lord Richard tels les serpents autour de Laocoon, Amy lissa l'étoffe opaque de sa jupe et prit pour la première fois conscience du fait que sa propre tenue avait été créée par un modiste rural du Shropshire, qui s'était inspiré de revues de mode vieilles de plusieurs mois. Elle porta la main à sa propre encolure dégagée pour jouer avec la breloque qui pendait au creux de sa gorge. Comparé aux diamants de Pauline, le petit médaillon en or passé sur un ruban de soie autour de son cou devait avoir l'air d'un bijou de pacotille, d'une babiole d'enfant. Amy se sentit soudain très jeune et très maladroite, comme une petite fille qui espionnerait lors d'une fête pour adultes.

«Bon, de toute manière, je ne voudrais pas être comme *elle*», se dit Amy avec fermeté. Et ce n'était pas étonnant du tout que Lord Richard badine avec une telle catin grossière! Deux individus sans aucune morale. Ils étaient bien assortis.

Mais comment pouvait-il faire cela?

— Amy.

Quelqu'un la tirait par la manche.

— *Amy*.

— Oh, Jane! Je te cherchais. Tu as vu *ça*?

Tout en pointant le couple pris dans la lueur des bougies, Amy s'efforça de chuchoter sur un ton aussi outré que possible. Même son doigt tremblait d'indignation.

Le regard de Jane passa de Richard à Pauline, puis à Amy. Sa cousine se mordillait les lèvres si fort que c'était un miracle qu'elle ne saigne pas, et ses bras étaient fermement croisés sur sa poitrine, comme si elle s'étreignait pour se réconforter.

— Ses attentions n'ont pas l'air de lui plaire, commenta Jane. Amy, Édouard...

— Dans ce cas, pourquoi ne s'en va-t-il pas tout simplement ? siffla Amy.

— Parce qu'elle le bloque contre le mur, peut-être ? Amy, tu dois...

— Ce n'est pas une raison !

— Amy, Édouard est engagé dans une conversation extrêmement suspecte, et je crois que tu devrais aller l'écouter *tout de suite* ! chuchota Jane d'un seul souffle avant que sa cousine puisse l'interrompre à nouveau.

— S'il ne voulait vraiment pas... Quoi ? demanda Amy en se tournant brusquement pour faire face à Jane, son regard noir disparu. Un instant, que dis-tu ?

— Édouard et Marston, chuchota rapidement Jane. Ils se sont faufilés dehors pendant que tout le monde était distrait par mademoiselle Gwen.

Tout le corps d'Amy se mit en état d'alerte.

— Eh bien, qu'attends-tu ? Pourquoi perdons-nous notre temps à parler de... beurk ! Jane, conduis-moi à eux. Il n'y a pas une seconde à perdre ! s'exclama Amy en se précipitant vers la porte.

Jane se permit de lever un tout petit peu les yeux au ciel avant de suivre sa cousine.

Si Amy avait attendu quelques secondes de plus, elle aurait vu Richard tendre la main pour retirer celle que la femme avait entortillée dans ses cheveux.

— Tu perds ton temps avec moi, Pauline. Je ne suis pas intéressé.

La sœur du Premier Consul fit la moue et attrapa Richard par la taille.

— Tu dis toujours cela. Puis-je... te *persuader* de changer d'idée?

Elle glissa une main sous la taille de son pantalon.

— Non, répondit franchement Richard en prenant Pauline par la taille pour la pousser sur le côté afin de s'extirper adroitement du coin dans lequel elle l'avait acculé. Trouve un homme plus réceptif à tes petits jeux, lui conseilla-t-il gentiment.

Pauline n'était pas si mal, et c'était toujours plutôt flatteur de voir quelqu'un à ce point déterminé à l'avoir dans son lit. Mais Richard n'était tout simplement pas intéressé. Pauline avait fait le tour de la cour beaucoup trop souvent pour lui plaire. Il se dirigea à grands pas résolus vers la porte — il avait vu Balcourt et Marston sortir par là. Ces deux-là mijotaient certainement quelque chose, et Richard voulait savoir de quoi il s'agissait.

— Mais tu fais un si beau *défi*! cria Pauline derrière lui.

— Et toi, tu es diablement trop insistante, marmonna Richard en souriant et en remuant les doigts.

Pauline, déjà en quête de compagnie plus obligeante, ne l'entendit pas. Ce qui était probablement pour le mieux, puisque Richard ne voulait surtout pas énerver assez sérieusement la sœur favorite de Bonaparte pour créer un froid avec lui. Bon sang! Même si Pauline l'intéressait, le risque de déplaire à Bonaparte l'emporterait indubitablement sur le pouvoir de séduction de sa sœur.

Depuis combien de temps Balcourt avait-il quitté le salon? Cinq minutes? Dix? Il était difficile de ne pas perdre la notion du temps quand on était adossé contre un mur et caressé contre son gré. Malheureusement, suffisamment pour que Balcourt et Marston aient tout à fait disparu. Le problème aux Tuileries, c'était que toutes les damnées pièces étaient encore disposées *en enfilade**; chaque pièce s'ouvrait sur la suivante. Les corridors, conclut Richard, étaient un cadeau que les architectes avaient fait aux espions. En effet, on pouvait errer tout en écoutant à une porte puis à l'autre, plutôt que de devoir traverser des pièces en espérant avoir pris la bonne direction et ne pas surprendre accidentellement la conversation que l'on espérait justement espionner.

Après avoir arpenté un salon désert d'un pas agacé, Richard ralentit en s'approchant de la porte suivante. Il l'entrouvrit délicatement pour jeter un œil par la fente étroite. Il n'entendit aucune voix, mais cela ne voulait pas forcément dire qu'il n'y avait personne. Il ne sentit pas l'odeur de cette eau de Cologne odieusement puissante que Balcourt aimait tant. Richard considéra cela comme un indice plus fiable et ouvrit grand la porte d'un coup.

Ah, la porte à l'autre bout de la pièce était entrouverte! Évidemment, elle aurait pu avoir été laissée ainsi par un domestique, par un invité qui cherchait les toilettes ou encore par n'importe quelle autre personne innocente qui n'avait aucun lien avec Balcourt ou Marston, mais Richard n'avait rien d'autre qui se rapprochât plus d'une piste. Il traversa la longue galerie sur la pointe des pieds sans faire de bruit, passa devant une rangée de divinités inoffensives et jeta un œil par l'entrebâillement…

Pour n'y trouver qu'un joli postérieur féminin rebondi drapé de satin blanc.

Une fois le regard de Richard fixé sur cet objet, il aurait été difficile, pour un observateur impartial — s'il y en avait eu un —, de déterminer s'il jetait un œil ou s'il lorgnait plutôt par l'ouverture de la porte. Il n'y avait aucun doute quant à savoir à qui appartenaient les parties inférieures en question. La fine étoffe épousait obligeamment les courbes d'Amy tandis que celle-ci était penchée, l'oreille collée contre le trou de la serrure de la porte à l'autre bout de l'étroite pièce.

L'oreille collée contre le trou de la serrure?

Que faisait Amy l'oreille collée contre le trou de la serrure? Peu importe si cette activité mettait en valeur certaines parties de son anatomie à son avantage... Richard s'arracha à son fantasme et força ses pensées à reprendre un cours logique.

Non seulement son arrière-train le distrayait-il, mais en plus elle lui avait volé sa place. *Il* aurait dû être dans cette antichambre. *Il* aurait dû avoir l'oreille pressée contre la porte. Bon sang! Que faisait une simple gamine de la campagne à lui usurper son trou de serrure?

Richard pinça les lèvres, l'air sinistre.

Absolument inconsciente du désarroi qu'elle causait, Amy pressa l'oreille sur l'ouverture pratique que constituait le trou de la serrure. Dieu merci, ces serrures avaient été conçues pour de grandes clés! Amy pouvait entendre chacun des mots prononcés sans qu'ils soient assourdis par le bois de la porte. Malheureusement, peu de choses avaient été dites jusque-là. Édouard n'avait pas cessé de babiller — il n'y avait vraiment aucun autre mot pour décrire cela — à propos de la grande estime dont il jouissait de la part de la famille du consul. Amy regarda Jane en levant les yeux au ciel et en faisant des grimaces qui attestaient de l'ennui et du dégoût.

Édouard avait-il attiré Marston à l'écart seulement pour pouvoir se vanter à lui? Pourtant, Jane était convaincue que leur conversation était suspecte, et Jane n'était pas du genre à se laisser emporter par son imagination… Amy commençait à avoir mal au cou à force de se tenir la tête inclinée selon un angle peu naturel et les ornements cuivrés du trou de serrure lui irritaient l'oreille. S'il n'y avait pas eu ce blessé dans la salle de bal, Amy aurait été convaincue que son frère n'était rien de plus qu'un autre de ces hommes ennuyeux que la Terre portait et en serait restée là. Mais il y avait ce blessé… Peut-être Édouard parlait-il en codes ? Non. Le bruit de pieds bottés qui faisaient impatiemment les cent pas sur le parquet dans la pièce suivante semblait indiquer que Marston était tout aussi agacé qu'elle par le soliloque d'Édouard. Cela, conclut Amy, indiquait que Marston était doté d'un certain bon sens.

De tous les hommes qu'elle avait rencontrés ce soir-là, Marston *était* le candidat qui avait le plus de chances d'être la Gentiane pourpre.

Le rythme régulier des pas de Marston s'arrêta subitement. Il en fut de même pour le monologue d'Édouard.

— Ça suffit, les civilités. Balcourt, avez-vous mouchardé ?

— Non ! s'exclama Édouard d'une voix étrangement étranglée. Comment avez-vous pu croire que… Non, jamais !

— Bien.

Le mot fut presque couvert par un bruit sourd, comme si quelqu'un avait laissé tomber quelque chose de lourd.

La Gentiane pourpre. Il *fallait* qu'il soit la Gentiane pourpre. Amy était trop excitée pour penser en phrases complètes ; les idées fusaient en fragments décousus.

— Ce soir, alors ? demanda Édouard à bout de souffle.

Ce soir ! Ce soir ! articula silencieusement Amy, excitée, à l'intention de Jane. Mais où ? Elle pressa l'oreille encore plus fort contre le trou dans la porte.

— Aussi bien, répondit Marston. Il n'y a aucune raison d'attendre.

— Vous pourriez rentrer avec nous, et nous pourrions dire que nous nous retirons dans mon bureau pour boire un peu de porto et jouer aux cartes et...

— Je sais où vous trouver, Balcourt.

— Oh, d'accord, dit Édouard, dont l'enthousiasme venait de diminuer d'un cran.

— Je dois cependant avouer — Amy entendit les bottes se remettre à claquer — que je n'aurais rien contre l'idée de partager un carrosse avec votre sœur.

Pardon ?

Oh, zut ! Les pas s'approchaient rapidement de la porte. Elle n'avait pas le temps de s'attarder sur ce dernier commentaire extrêmement intéressant ni d'en attendre la suite. Amy abandonna son trou de serrure et fit de grands gestes anxieux en direction de Jane. Toutes deux se hâtèrent de trouver refuge derrière une paire de fauteuils dorés bancals. Amy se sentait un peu comme un enfant qui essaierait de se cacher derrière ses propres mains. Si les deux hommes avaient une bougie avec eux, les fauteuils ne leur seraient d'aucune utilité pour se cacher. Amy se fit encore plus petite dans son coin. Si elles se faisaient prendre, elles n'auraient pas d'autre choix que d'essayer de s'en tirer par fanfaronnade. Elles pourraient dire qu'elles s'étaient mises à la recherche d'Édouard parce que mademoiselle Gwen faisait une scène — ainsi, Édouard serait vite distrait ! —, et s'il demandait ce qu'elles faisaient à quatre pattes sur le sol, eh bien, Amy pourrait toujours prétendre qu'elle avait perdu une épingle à cheveux. Il ne passerait jamais par la tête d'Édouard qu'elle ne portait pas ses cheveux remontés. Et si cela ne fonctionnait pas, comme plan B...

La porte s'ouvrit à la volée et faillit entrer en collision avec la chaise d'Amy, qui réussit tout juste à se retenir de tressaillir.

— Monsieur! proclama Édouard de son ton le plus pompeux. C'est de ma sœur que vous parlez!

Même dans l'obscurité, il ressemblait à un flétan.

Marston traversa l'antichambre en trois grandes enjambées, suivi par Édouard à bout de souffle.

— Et alors?

Et la porte se ferma en claquant derrière les deux hommes. Clac, clac, froucht froucht... Les bruits des pas résolus de Marston et des pieds traînants d'Édouard s'éloignèrent dans la galerie en marbre.

À la manière d'une tortue, Jane sortit la tête de derrière son fauteuil.

— Amy, chuchota-t-elle, je n'aime pas cet homme.

— Chut! siffla Amy. Attends d'être certaine qu'ils sont partis!

— À moins qu'ils soient revenus sur la pointe des pieds, je crois que nous sommes hors de danger.

Amy se leva d'un bond et, simplement pour faire bonne mesure, exécuta un petit saut de joie supplémentaire.

— N'est-ce pas formidable, Jane? Quelle chance inouïe! Dire que si tu n'avais pas suivi Édouard, nous n'aurions jamais...

— Ce monsieur Marston n'est pas un gentilhomme, l'interrompit Jane qui ne l'écoutait manifestement pas.

Amy leva les yeux des taches sombres de poussière qu'elle était en train d'épousseter sur le satin de sa robe. Le blanc n'était pas une couleur appropriée pour l'espionnage.

— Mais Jane, il *faut* qu'il soit la Gentiane pourpre! Sinon, qui d'autre pourrait bien l'être?

— Cela ne fait pas de lui un gentilhomme. D'ailleurs, Amy, nous ne savons pas s'il est la Gentiane pourpre.

Amy n'avait pas besoin de voir le visage de sa cousine pour savoir de quel genre de regard elle la gratifiait.

— Oh, *Jane.*

Avant de se laisser aller au dépit, Amy se souvint que sa cousine n'avait pas eu l'avantage du trou de serrure. Haussant rapidement le ton au-dessus du chuchotement, elle répéta avec empressement la conversation qu'elle avait entendue. Après qu'Édouard eut claqué la porte de la galerie de marbre derrière lui, ni Jane ni Amy ne s'étaient rendu compte qu'une oreille s'était pressée contre le trou de la serrure. Ni l'une ni l'autre ne vit la paire d'yeux verts briller comme ceux d'une panthère en chasse aux mots « bureau » et « ce soir ».

Ni l'une ni l'autre n'entendirent le bruit étouffé de pas qui faiblissait le long de la galerie de marbre tandis que Richard filait en douce pour aller préparer une visite nocturne dans le bureau de Balcourt.

— Tu vois, Jane, termina Amy dont les boucles rebondissaient au rythme des pirouettes qu'elle faisait dans la petite pièce, je n'ai qu'à me cacher dans le bureau d'Édouard pour écouter discrètement leur conversation. Ils ne pouvaient évidemment pas parler ici, avec tous ces révolutionnaires dans les parages, mais ce soir…

Elle devrait s'assurer d'arriver dans le bureau d'Édouard avant lui.

— Nous y sommes presque, Jane ! exulta-t-elle. Je n'arrive pas à croire que nous ayons déjà trouvé la Gentiane pourpre !

— Moi non plus, répondit Jane d'une voix mal assurée.

Chapitre 15

❀

Richard s'arrêta devant la fenêtre du bureau d'Édouard de Balcourt pour tirer davantage la capuche de sa cape noire sur son visage. Il se sentait toujours diantrement idiot dans cet accoutrement. Pantalon noir, chemise noire, cape noire, masque noir... C'était le genre de tenue que revêtaient les bandits de grand chemin prétentieux qui portaient des noms comme « l'Ombre » ou « le Vengeur de minuit », en espérant qu'on parlerait d'eux dans les gazettes illustrées avec des phrases comme « son cœur est aussi noir que ses vêtements... » Beurk. N'eût été le fait que le noir était vraiment très pratique pour passer inaperçu en pleine nuit, Richard aurait de loin préféré accomplir ses missions en pantalon en cuir chamoisé. De plus, le masque lui piquait l'arête du nez. Qui avait déjà entendu parler d'un espion qui éternuait ?

Richard se frotta le nez une bonne fois pour toutes avant de replacer son masque, puis d'ouvrir doucement la fenêtre du bureau. Les rideaux avaient été laissés ouverts et, à moins que Balcourt ne fût allongé sur le sol dans l'obscurité — cette idée laissait perplexe l'excellente imagination de Richard —, le bureau était visiblement désert. Bien. Il aurait le temps d'explorer un peu et de se cacher convenablement avant que

Balcourt et Marston se rejoignent pour leur rendez-vous. Si Richard avait bien calculé, il devait être environ minuit moins le quart. Selon ce qu'il savait de Balcourt, il était exactement le genre de personnage stéréotypé à tenir une réunion clandestine précisément sur le coup de minuit. Bon sang, si Balcourt était un espion, il lui *plairait* probablement de se vêtir tout en noir.

Voilà une chose que Balcourt avait en commun avec sa sœur : un don pour la théâtralité.

Agrippé à deux mains au rebord de la fenêtre, Richard se hissa dans la pièce, réussissant tout juste à ne pas se prendre les pieds dans sa cape. Il chancela légèrement en atterrissant sur les coussins moelleux du siège sous la fenêtre et dut donc sauter sur le sol un peu plus vite qu'il ne l'avait prévu.

Richard balaya la pièce du regard. Les fenêtres en saillie, avec leurs épais rideaux, lui serviraient de ligne de retraite si jamais il entendait des pas dans le couloir. Un bureau, une carafe de brandy posée sur une petite table, un globe terrestre sur pied... Bien qu'onéreux, le mobilier de la pièce était clairsemé. Comment un homme pouvait-il avoir un bureau dépourvu de bibliothèques ? Le bibliophile en Richard était consterné. L'unique source de lecture apparente dans le bureau d'Édouard Balcourt était une pile de revues de mode amplement feuilletées qui présentaient des gilets dernier cri.

Le premier endroit où chercher serait le secrétaire. Mais ce secrétaire était un menu objet, guère plus élaboré qu'une simple table, avec tout juste la place pour un seul tiroir étroit. D'ailleurs, Balcourt n'était peut-être pas le plus intelligent des hommes, mais même lui ne pouvait être assez idiot pour ranger des preuves d'activités illicites dans son secrétaire.

Évidemment, Delaroche rangeait ses dossiers les plus importants dans son secrétaire — ou plutôt, *avait* rangé ses dossiers les plus importants dans son secrétaire, se reprit Richard avec un sourire suffisant —, mais, pour lui rendre justice, il ne l'avait pas fait par pure stupidité, mais bien parce qu'il supposait que le ministère de la Police était impénétrable.

Sinon dans le secrétaire, où alors ?

Balcourt avait suspendu des tableaux au-dessus de son secrétaire et de la table à l'autre bout de la pièce. Tous deux étincelaient tellement ils étaient neufs. La poussière n'avait pas eu le temps de s'accumuler dans les enjolivures des cadres dorés, et les surfaces des peintures elles-mêmes n'étaient pas ternies par le soleil ni par la crasse. Dans la plupart de ses enquêtes, Richard tenait pour acquis que toute chose visiblement neuve était nécessairement suspecte. On pouvait se fier à Balcourt pour compliquer les choses ; tout, dans son bureau, était visiblement neuf. Le secrétaire, dont le bois des pieds était incrusté de têtes de sphinx, ne pouvait avoir plus d'un an, et la petite table sur laquelle était posée la carafe, en plus d'être trop mince pour avoir un double fond, venait manifestement du même atelier. Même le manteau de la cheminée était un ajout récent.

En fait, dans toute la pièce, le seul objet qui n'était pas neuf, à la mode et, selon Richard, intolérablement affreux était le globe terrestre sur pied dans le coin entre la table et la fenêtre. Il y avait eu un globe terrestre exactement comme celui-ci dans la bibliothèque d'Uppington Hall quand Richard était petit. Parce qu'il avait l'habitude, en tant qu'enfant turbulent de huit ans, de faire tourner le globe le plus vite possible pour le simple plaisir de voir les pays se brouiller et se transformer en taches multicolores, le globe terrestre de la bibliothèque d'Uppington Hall n'existait plus ; il avait quitté ses ancrages et fracassé la fenêtre pour mettre fin à ses jours en rebondissant dans une fontaine décorative sous le regard stupéfait d'une statue de marbre qui représentait une jeune fille. Richard en avait été réduit aux cartes en papier pendant des années.

C'est avec une certaine joie d'enfant de huit ans que Richard s'approcha du globe terrestre de Balcourt.

Plaçant ses doigts de chaque côté du globe, Richard le leva de son support et le secoua. Puis le secoua encore, ravi d'entendre le froissement caractéristique du papier. De beaucoup de papier, en fait, s'il ne s'abusait. Hourra !

Ses doigts cherchèrent le loquet, et ils venaient tout juste de se heurter à une bosse suspecte quelque part le long de l'équateur lorsque Richard entendit un heurt d'une tout autre nature. Ainsi qu'un bruit qui ressemblait étrangement au mot « aïe ».

Sacrebleu ! Balcourt n'était quand même pas étendu sur le sol dans le noir, n'est-ce pas ?

Richard écarta immédiatement cette idée ridicule. Balcourt avait peut-être une voix aiguë, mais il n'était pas un eunuque. Richard resta complètement immobile, évaluant ses options. Peut-être n'avait-ce pas été un « aïe » du tout. Ç'aurait pu être le parquet qui avait grincé, ou encore une souris. Toutefois, s'il y avait ne serait-ce que la moindre chance qu'il se soit agi d'une voix humaine, la chose la plus intelligente à faire était de se jeter par la fenêtre et de s'enfuir avant d'être vu.

Puisqu'il était un homme intelligent, c'était exactement ce qu'il avait l'intention de faire.

— Qui est-ce ? fut-il plutôt surpris de s'entendre chuchoter en français.

— Ne vous inquiétez pas, fut-il encore plus surpris de s'entendre répondre dans la même langue. Ce n'est que moi. Aïe !

— Que moi ? répéta bêtement Richard.

Un petit visage beaucoup trop familier était en train de se tortiller pour sortir de sous le secrétaire.

— Satané mobilier ! entendit-il murmurer en anglais lorsqu'une tête brune pour commencer, puis une paire d'épaules se glissèrent partiellement hors du meuble. Ah, zut ! Mon ourlet est coincé.

La tête disparut à nouveau sous le secrétaire.

Trop abasourdi pour être en colère, Richard se dirigea vers le secrétaire d'un pas raide, attrapa deux maigres avant-bras et tira. Il y eut un petit bruit de déchirure, puis une mademoiselle Amy Balcourt plutôt échevelée sortit.

Amy ne cria pas lorsque la Gentiane pourpre l'arracha de sous le secrétaire de son frère. Elle ne grimaça même pas lorsqu'elle s'écorcha le genou sur le tapis. Elle était trop occupée à fixer sans vergogne la Gentiane pourpre.

La Gentiane pourpre était là, en chair et en os, dans le bureau de son frère. Il était vrai que les longs gants noirs, le masque noir, le pantalon noir, la cape noire et la capuche noire ne révélaient pas beaucoup de chair, mais deux yeux très vifs étincelaient par les trous de son masque, et son torse vêtu de noir se soulevait et s'affaissait au rythme de sa respiration quelque peu irrégulière.

Malgré le discours confiant qu'elle avait tenu plus tôt devant Jane — il fallait se montrer confiant devant Jane, car sinon elle vous raisonnait jusqu'au désespoir —, Amy avait craint que son séjour sous le secrétaire du bureau ne soit pas récompensé, si ce n'est d'une fine couche de poussière. La Gentiane pourpre, le sauveur des royalistes, le fléau des

Français, hantait ses fantasmes depuis si longtemps qu'il semblait peu probable qu'il puisse apparaître sous quelque forme plus matérielle que celle d'un fantôme.

Mais il était là, réel et bien vivant, de ses bottes usées jusqu'à l'expression d'indignation choquée sur son visage obscur. Amy n'avait même pas besoin de se pincer pour être certaine qu'elle ne rêvait pas parce que la Gentiane, sans le vouloir, avait entrepris cette tâche à sa place. Ses doigts gantés étaient douloureusement serrés autour de son bras. Amy remua un peu sous l'emprise de la Gentiane lorsqu'elle commença à ne plus sentir ses doigts.

— Euh... croyez-vous que vous pourriez me poser à terre ? demanda Amy en français.

— Hein ? Oh !

Il semblait qu'il ait tiré juste un peu trop ; bien qu'il tînt toujours Amy par les bras, elle se balançait maintenant à une quinzaine de centimètres au-dessus du sol.

— Désolé, dit Richard en la déposant prestement.

— Tout va bien, lui assura Amy en secouant ses jupes et en le gratifiant d'un sourire éblouissant malgré l'obscurité du bureau éclairé uniquement par la lune.

— Puis-je vous demander ce que vous faisiez sous ce secrétaire ?

— Je vous attendais, répondit gaiement Amy comme si cette explication suffisait. Vous *êtes* la Gentiane pourpre, n'est-ce pas ?

— Ne croyez-vous pas qu'il serait plutôt idiot de ma part de répondre à cette question ? lui demanda sèchement Richard.

— Seulement si vous craigniez que j'aie planqué la police secrète derrière les rideaux.

Amy attrapa impulsivement l'une de ses mains gantées pour l'entraîner vers les rideaux fermés de l'autre fenêtre, puis les ouvrit d'un coup. Elle virevolta pour lui faire face.

— Vous voyez? Pas de Fouché ni de Delaroche. Vous êtes en parfaite sécurité.

Se tenant beaucoup plus près d'Amy que la bienséance ne l'eût jamais autorisé dans le bureau sombre et désert du frère de celle-ci, Richard nourrissait quelques doutes à propos de cette affirmation. Il serait si facile de se pencher un tout petit peu en avant, d'écarter cette boucle indisciplinée de devant ses yeux, de prendre son visage entre ses mains... Richard recula et s'éloigna d'Amy; s'il ne pouvait pas l'inciter à partir, il feindrait de s'en aller et se cacherait sous le rebord de la fenêtre.

— Vous n'avez pas l'intention de partir! J'ai passé des heures à attendre sous ce secrétaire pour vous parler.

Amy espérait ardemment qu'il n'envisageait pas de sauter prestement par la fenêtre. Bien qu'elle puisse toujours s'agripper à la base de sa cape et refuser de le lâcher, ce n'était pas tout à fait ainsi qu'elle avait imaginé le déroulement de sa première rencontre avec la Gentiane. Il était déjà assez moche qu'il ait dû la tirer de sous le secrétaire — maudit ourlet! — alors qu'elle avait si désespérément besoin de l'impressionner avec ses habiletés d'espionne intrépide.

— Je veux vous aider, s'empressa-t-elle de lui dire.

— M'aider?

Amy décida d'ignorer le scepticisme dans la voix de la Gentiane.

— Oui! Je pourrais vous être d'une grande utilité! J'ai mes entrées au palais étant donné que je vais donner des cours d'anglais à la fille de Bonaparte. Personne d'autre que vous ne sait que je parle français ; ils parleront donc librement devant moi, et je pourrai entendre toutes sortes de choses utiles. Je ne suis pas une trouillarde, je suis très douée pour me déguiser et…

— Non, répondit la Gentiane en se dirigeant rapidement vers la fenêtre d'un pas raide. Il n'en est pas question.

— Pourquoi ? demanda Amy en se précipitant derrière lui. Ne me faites-vous pas confiance ? Donnez-moi au moins une chance ! Laissez-moi faire quelque chose pour vous prouver ma bonne foi ! Si j'échoue, je partirai, je vous le promets, et vous n'entendrez plus jamais parler de moi.

Richard s'arrêta, retenu par des échos de sa propre voix une dizaine d'années auparavant. Il s'était tenu là, dans le bureau de Percy, plaidant devant lui, le suppliant, promettant absolument n'importe quoi en échange de la chance de l'accompagner en mission ne serait-ce qu'une seule fois.

Le visage de Richard se durcit. Ce n'était pas du tout la même chose, conclut-il. Il était vrai qu'il n'avait que quelques années de plus qu'Amy à l'époque, mais il montait à cheval, boxait, faisait de l'escrime et, bon sang, il n'était pas un petit bout de femme que le premier rustre venu pouvait jeter par-dessus son épaule.

Comment pourrait-il laisser Amy partir seule en mission ? Elle avait dit qu'elle était excellente pour se déguiser. Imaginer Amy en train d'errer dans les rues de Paris costumée de façon très peu convaincante en garçon suffisait à glacer le sang dans les veines de Richard. Amy avait beau être délicate, il avait attentivement étudié ses formes — dans le seul intérêt de sa sécurité, bien entendu — et il était parfaitement évident que les courbes si gracieusement révélées par son encolure dégagée ne pouvaient être facilement comprimées pour lui donner une silhouette masculine.

— Ne seriez-vous pas plus heureuse à pratiquer la broderie ? demanda Richard, irrité.

— La *broderie* ?

— Ou vous pourriez apprendre à jouer d'un instrument, suggéra Richard en essayant de pousser Amy vers la porte. Pourquoi n'iriez-vous pas voir s'il y a une harpe dans la salle de musique ?

— Essayez-vous de vous débarrasser de moi ?

Il ne voyait aucune raison de le nier.

— Oui.

Amy planta les mains sur ses hanches et regarda la Gentiane dans les yeux — ou plutôt, dans le masque — d'un air résolu.

— Vous n'avez pas l'air de comprendre. Je suis venue en France dans l'unique objectif d'intégrer votre Ligue. Il ne s'agit pas d'un petit caprice quelconque. Contrairement à *certaines* personnes qui papillonnent sur le continent pour fréquenter l'ennemi...

«Comme Lord Richard Selwick», termina mentalement Amy.

«Comme moi», précisa Richard avec un petit sourire interne. Elle lui en voulait donc encore pour cela, n'est-ce pas ?

— ... je prends très au sérieux la situation critique de la France, poursuivit-elle, et j'ai bien l'intention de faire quelque chose à ce sujet.

— Un intérêt peu commun chez les débutantes anglaises.

— La plupart des débutantes anglaises, expliqua Amy avec un petit sourire narquois, n'ont pas vu leur père mourir sous la guillotine. Moi, si. Et j'ai l'intention de m'assurer que sa mort ne restera pas impunie.

Quelque chose dans son attitude tua la réplique désinvolte que Richard avait eue sur le bout des lèvres.

— Votre père, répondit-il à la place, pourrait considérer comme un plus grand hommage le fait que sa fille ait une vie longue et heureuse. Un espion ne peut espérer ni l'un ni l'autre.

— Mes parents se sont vus dépossédés d'une vie longue et heureuse par la Révolution.

— Une raison de plus, pour vous, d'aspirer aux deux.

— Comment pourrais-je jouir d'une vie longue et heureuse tout en sachant que leurs meurtriers prospèrent ? s'enquit Amy en serrant passionnément les poings. J'ai passé toute ma vie à m'entraîner pour cet instant ! Vous ne pouvez pas simplement me renvoyer avec des platitudes telles que jouer de la harpe et vivre une vie heureuse.

Fichtre, se dit Richard, qui avait ardemment espéré faire exactement cela.

Amy inspira profondément pour tenter de maîtriser sa voix et de prendre un ton plus calme.

— Tout ce que je vous demande, c'est une chance. Est-ce si déraisonnable ?

— Oui, ça l'est.

La Gentiane pourpre saisit Amy par les épaules et la conduisit devant le miroir au-dessus de la cheminée.

— Vous, dit-il en pointant son reflet dans la glace, êtes une fille.

— Ce n'est pas très original comme observation, répondit Amy en se tortillant pour se libérer. D'ailleurs, je ne vois vraiment pas ce que ç'a à voir avec la question qui nous préoccupe. Je...

— Ç'a tout à voir avec la question qui nous préoccupe, l'interrompit la Gentiane. Ne vous rendez-vous pas compte du type de risques auxquels vous vous exposeriez ?

— Pas plus que vous chaque fois que vous entreprenez une mission. Je comprends le danger. Et je ne suis pas inquiète. Vraiment.

La Gentiane fléchit ses mains gantées dans un geste d'impatience.

— Eh bien, vous devriez l'être. Vous ne devriez même pas être ici en ce moment ! On ne peut que qualifier de criminellement idiot de votre part le fait que vous soyez seule dans l'obscurité avec un homme dont l'identité vous est totalement inconnue. Avec n'importe quel homme, en fait, la gronda-t-il.

— Mais votre identité m'est connue. Vous êtes la Gentiane pourpre ! Et si ce sont les convenances qui vous inquiètent, qui est là pour nous voir ? Tant que personne ne sait que vous êtes ici, ma réputation est parfaitement sauve. Et ce n'est certainement pas *moi* qui parlerai.

Richard résista à l'envie de frapper le mur d'un coup de poing.

— Mon Dieu, Amy, votre naïveté est terrifiante.

Ni l'un ni l'autre ne se rendirent compte qu'il venait de l'appeler par son prénom.

— Je ne suis pas naïve, dit-elle avec sévérité. À moins qu'il soit naïf d'analyser tous les faits pour arriver à une conclusion logique. J'ai lu tout ce que vous avez fait. Tout ! Vous avez toujours fait preuve d'un honneur sans faille. Pourquoi feriez-vous tant de bien à tant de gens pour ensuite mal vous conduire envers moi ? Ce raisonnement est-il naïf ?

— Oui, répondit sèchement la Gentiane. Et puis, qu'est-ce qui vous prouve que je suis bien la Gentiane pourpre ? Pour autant que vous le sachiez, je pourrais aussi bien être un fichu bandit de grand chemin.

— J'ai senti votre bague.

— Vous avez quoi ?

— J'ai senti votre bague. Quand je vous ai pris par la main, juste après que vous êtes entré. J'ai pu sentir la forme de la fleur gravée sur la chevalière de votre bague à travers votre gant. Après tout, ajouta-t-elle d'un air suffisant, je n'avais aucun autre moyen d'être certaine qu'il s'agissait bien de vous. Je ne suis pas tout à fait aussi naïve que vous le croyez.

— Gredine! s'exclama la Gentiane avec une admiration accordée à contrecœur. Subtile, en plus. Je ne me suis rendu compte de rien.

— C'était l'objectif, répondit Amy en se délectant de son approbation. Cela signifie-t-il… que j'ai réussi le test?

Richard ferma les yeux. Zut, zut, zut. S'il était intelligent, il s'en irait immédiatement avant que cette conversation ridicule n'aille plus loin. Seulement, s'il se fiait à la posture déterminée de la mâchoire d'Amy, elle tenterait probablement de le suivre. Il n'avait vraiment pas besoin qu'Amy le suive maladroitement en pleine nuit dans les ruelles de Paris.

Il pouvait toujours régler le problème en l'amenant à le mépriser. Il pourrait rire de ses ambitions, dénigrer ses habiletés ou s'attarder vulgairement sur son apparence physique. En moins de dix minutes, plutôt que de le prier de rester, Amy pousserait la Gentiane pourpre tête première par la fenêtre en lui mettant un pied dans le dos pour faire bonne mesure. Tout ce qu'il avait à faire, c'était de l'amener à le détester.

Il ne pouvait pas faire cela.

— Je perds la tête, marmonna Richard.

— Qu'avez-vous dit? demanda Amy, pleine d'espoir.

Ding! Ding! Ding! L'horloge en porcelaine sur le manteau de la cheminée branla dangereusement sur son socle lorsque ses carillons aigus sonnèrent l'heure.

Amy se figea.

— Minuit, dit Richard, l'air grave.

Bon sang! Si ses doutes étaient fondés, Balcourt pouvait arriver d'une minute à l'autre.

Le dernier carillon de l'horloge résonnait encore à travers la pièce quand le son fut remplacé par un autre, complètement différent. Une série de bruits sourds filtrèrent doucement par les portes-fenêtres fermées. Pile à l'heure, se dit Richard, l'air sombre, en écoutant les pas sur le dallage de la cour. Non seulement Édouard Balcourt, à en juger par le bruit, mais aussi toute une série de pieds bottés.

Bon sang. Il ne pouvait pas se permettre de se faire prendre ici. Même si Balcourt n'était pas un agent de Bonaparte, la présence de Richard dans son bureau à minuit en compagnie de sa jeune sœur nubile serait fichtrement difficile à expliquer.

Il fallait agir vite. Richard agit donc. Vite.

Il attrapa Amy par le bras et la tira avec lui derrière les rideaux du siège sous la fenêtre.

Chapitre 16

❀

*B*oum! Amy tomba en arrière et atterrit avec un bruit sourd sur le torse de la Gentiane pourpre.

Ravalant une exclamation de surprise venue par réflexe, elle s'efforça de reprendre son souffle et son équilibre. Elle avait complètement perdu pied lorsque la Gentiane pourpre l'avait tirée derrière le rideau et elle était maintenant étendue sur ses genoux de manière très troublante. Sous sa joue, elle pouvait sentir le cœur de la Gentiane battre au rythme d'un rapide staccato à travers la fine étoffe de sa chemise. Cela en faisait deux — son propre pouls était accéléré, bien qu'elle ne sût pas si c'était en raison du mouvement soudain, de la peur d'être découverte, ou encore pour imiter celui qui battait dans le torse masculin contre le sien.

La chaude étoffe de sa chemise, légèrement parfumée par l'odeur de propreté du zeste épicé d'une orange, était pressée contre sa joue. Amy s'appuya sur un coussin trop dur pour être confortable afin de s'extraire des genoux de la Gentiane pourpre. Le coussin bougea sous sa main d'une manière on ne peut plus indigne d'un coussin, mettant en évidence une musculature impressionnante. Oh juste ciel ! Venait-elle de mettre la main sur la cuisse de la Gentiane pourpre ? Amy retira sa main à une vitesse dont mademoiselle Gwen aurait été fière.

Perdant l'équilibre, Amy retomba contre la Gentiane.

— Ouf ! grogna-t-il.

Pardon, pardon, pardon, articula Amy en silence, ce qui était inutile puisqu'elle n'était pas face à la Gentiane pourpre, mais elle se sentit quand même mieux.

On aurait pu croire qu'il lui donnerait un coup de main, plutôt que de rester couché là à se faire passer pour un coussin. Oh, un instant… sa main était prise sous son coude.

Amy se tortilla pour libérer la main de la Gentiane et se retrouva le nez enfoncé dans une manche au parfum d'agrumes.

Dans la cour, les voix d'hommes étaient devenues plus fortes malgré la barrière supplémentaire que formait l'épais tissu du rideau. Il n'y avait pas une seule voix, mais bien plusieurs. S'agrippant au rebord du siège pour reprendre son équilibre, Amy s'extirpa des genoux de la Gentiane, qui émit une espèce de grognement étouffé. Amy grimaça et articula silencieusement une autre excuse qui passa inaperçue. Elle devrait vraiment arrêter de lui faire mal si elle espérait le convaincre de l'accepter dans la Ligue. À force de contorsions, elle se mit face aux draperies et replia ses genoux sous elle afin d'éviter que ses jambes ne dépassent du siège et risquent de gêner la manière dont le tissu tombait.

Dehors, quelqu'un laissa tomber quelque chose — était-ce un bruit de bois qui vole en éclats ? —, et une voix rauque jura haut et fort. Cela ressemblait, se dit Amy en s'efforçant d'écouter, à l'homme qui s'était disputé avec le cocher de Richard dans la cour plusieurs jours auparavant. Juste ciel ! Était-il en train de dévaliser la maison ?

Ou cela pouvait-il avoir un lien avec les plans de la Gentiane pourpre ? Amy jeta un rapide regard en coin à l'homme qui était à côté d'elle sur le siège sous la fenêtre. Son visage était impassible. Ce qui, se dit Amy avec un certain agacement, pouvait être dû au fait que, à la base, seule une très petite partie de son visage était visible entre son masque et la capuche de sa cape. Essayer de déchiffrer les sentiments de quelqu'un en se basant sur la posture de son nez était futile, ce qui irrita Amy.

Si la Gentiane pourpre devait rencontrer Édouard, pourquoi se cachait-il derrière les rideaux avec elle ? Pourquoi ne l'avait-il pas simplement poussée, *elle*, derrière les rideaux avant de se rendre, seul, à son rendez-vous avec Édouard ? Peut-être, songea Amy, était-ce parce qu'il avait eu la sagesse de comprendre qu'il y avait peu de chances qu'elle reste là où il l'aurait laissée.

Amy fixa une fois de plus son attention sur ce qui se passait dans la cour. Comme c'était frustrant de ne rien voir ! Fermant les yeux — non que cela fît une grande différence puisque tout ce qu'elle pouvait voir lorsqu'ils étaient ouverts, c'était le voile sombre des rideaux devant elle —, Amy tenta de se concentrer sur les bruits qui provenaient du jardin. Des voix fragmentées se déplaçaient et se mêlaient les unes aux autres. Par-dessus le pot-pourri de voix, un autre bruit sourd résonna dans la nuit.

Une nouvelle voix se joignit aux autres.

— Attention avec ça, espèces d'idiots !

Amy ouvrit grand les yeux.

— C'est Édouard, chuchota-t-elle à la Gentiane pourpre.

— Chut…

La Gentiane pourpre lui mit un doigt ganté sur les lèvres.

Il avait simplement l'intention de la faire taire. Mais une fois que son doigt toucha les lèvres d'Amy, Richard se trouva incapable de l'enlever. Sa lèvre inférieure était pleine et souple sous son doigt et, même à travers le cuir de son gant, il pouvait sentir la douce exhalaison de son souffle entre ses lèvres légèrement entrouvertes. Ses lèvres roses, souples et parfaites.

Amy leva les yeux sur le visage de la Gentiane pourpre. Elle retint son souffle lorsqu'elle s'aperçut que, derrière les fentes de son masque, ses yeux étaient rivés sur sa bouche. Pendant un instant, le temps sembla s'arrêter. L'univers d'Amy rétrécit jusqu'à ce qu'il ne comprenne plus que les yeux résolus de la Gentiane et la pression de son doigt sur ses lèvres.

Sans s'en rendre compte, sans réfléchir, Richard caressa du doigt le contour charnu de la lèvre inférieure d'Amy, mémorisant l'empreinte de chaque pli, de chaque ride, et s'attarda sur l'adorable fente au milieu. Puisqu'Amy ne protestait pas, il suivit les délicieuses courbes de sa bouche jusqu'à sa lèvre supérieure.

Amy serra les doigts de sa main gauche autour du rebord du siège afin d'essayer de maîtriser les tremblements que faisaient naître les caresses de la Gentiane. De petits frissons d'émotion descendaient le long de ses bras à partir de ses lèvres ; un souvenir éclair des sentiments que Lord Richard avait provoqués sur le bateau lui revint brièvement en tête, mais les mains de la Gentiane, qui se déplaçaient de ses lèvres à ses cheveux, occultèrent toute pensée de qui ou quoi que ce soit d'autre. Ses doigts glissèrent dans ses boucles, attirant doucement son visage vers le sien alors qu'ils étaient agenouillés l'un en face de l'autre sur le large siège de velours sous la fenêtre.

Fermant les yeux, Amy se délectait de pures sensations. La sensation des doigts de la Gentiane pourpre emmêlés dans ses cheveux, la sensation de son autre main chaude et ferme qui descendait dans son dos, la sensation de son souffle qui caressait ses lèvres alors qu'elle s'approchait de plus en plus, jusqu'à ce que ses lèvres soient sur celles d'Amy et qu'elle n'arrive plus du tout à se concentrer ; elle n'arrivait même plus à penser à ce qu'elle ressentait tellement les sensations étaient vives.

Les bras de la Gentiane pourpre se resserrèrent autour d'elle, la serrant intimement contre lui, pressant sa poitrine contre son torse. La robe d'Amy, qui était prise sous ses genoux, tirait dangereusement sur son corsage pendant que la Gentiane l'attirait vers lui. L'étoffe de sa chemise frôla la peau découverte de ses seins, tandis que ses lèvres caressaient doucement les siennes. Amy, qui en voulait davantage, qui en exigeait davantage, se laissa emporter par le baiser et délogea ses mains de leur position hésitante le long de son corps pour les remonter le long des avant-bras de la Gentiane. Comme c'était merveilleux de le sentir frémir tandis qu'elle laissait traîner ses doigts de ses poignets à ses coudes, de sentir ses muscles se raidir sous ses mains tandis qu'elle les glissait des coudes aux épaules, aux...

Les mains d'Amy s'agrippèrent aux épaules de la Gentiane lorsqu'il taquina sa langue avec la sienne.

Ni l'un ni l'autre ne se rendirent compte que les bruits dans la cour faiblissaient, une voix à la fois et un pas après l'autre, jusqu'à ce qu'il n'en reste rien. Ni l'un ni l'autre ne se rendirent compte qu'une porte à l'autre bout de la cour se fermait avec un déclic.

Ni l'un ni l'autre ne se rendirent compte qu'une silhouette vêtue de noir de l'autre côté du carreau de la fenêtre levait les yeux au ciel avant de disparaître à nouveau dans le massif d'arbustes.

Inquiet pour sa raison ou la vertu d'Amy — puisque l'un ou l'autre devrait inévitablement en souffrir si les choses continuaient ainsi —, Richard mit fin au baiser en arrachant ses lèvres à celles d'Amy. Leurs lèvres se séparèrent avec un pop sonore qui le fit grimacer et la fit glousser devant l'absurdité du bruit et le pur plaisir du moment.

Richard, qui doutait fort d'arriver à survivre à un autre baiser comme celui-là sans l'application immédiate de gros cubes de glace, évita de courir le risque en calant fermement la tête d'Amy sous son menton.

— Vous aviez tort, murmura-t-il d'un air contrit en appuyant sa joue sur la tête d'Amy. Vous n'étiez pas en sécurité avec moi.

— J'ai l'impression d'être Psyché qui embrasse Cupidon dans l'obscurité, répondit Amy d'une voix rêveuse.

Richard prit les mains d'Amy et les guida dans son dos, sous sa cape.

— Touchez. Pas d'ailes.

Amy entendit le sourire dans la voix de la Gentiane.

— Cela signifie-t-il que vous ne vous envolerez pas si je vous démasque ?

— N'y songez même pas, répliqua Richard en resserrant son emprise sur les bras d'Amy.

— Vous pourriez me donner trois chances, comme pour Psyché.

— Et quel serait le prix à la fin ? Moi ou votre adhésion à la Ligue ?

Amy accomplit le remarquable exploit de le regarder de travers malgré le fait que leurs nez n'étaient qu'à quelques centimètres l'un de l'autre.

— Il serait beaucoup plus facile pour moi de répondre à cette question si je savais qui vous êtes.

— Qu'est-ce qu'un nom ? Ce que nous appelons une gentiane sous un autre nom...

— ... serait une tout autre fleur, l'interrompit Amy en lui frappant le bras. Je refuse qu'on se débarrasse de moi avec de pauvres imitations de Shakespeare.

— Si vous n'aimez pas *Roméo et Juliette*, que pensez-vous d'un sonnet ? proposa Richard. « Te comparerai-je à un jour d'été ? Tu es... »

— Très difficile à décourager.

Amy s'extirpa des bras de Richard — ainsi que de sa cape, qui s'était emmêlée autour de ses genoux, — et sauta en bas du siège.

— Enfer et damnation, marmonna Richard.

— Je vais ignorer cela, offrit généreusement Amy. Nous pouvons donc passer directement à la question cruciale de savoir comment je vais vous aider à restaurer la monarchie.

— Quand ce sujet est-il passé de *jamais* à *comment* ? s'indigna Richard en repoussant les rideaux de velours. Je n'ai même jamais dit *si*.

— Mais vous l'avez pensé, n'est-ce pas ? argumenta Amy avec une logique irréfutable. Je ne fais que faciliter les choses en les verbalisant pour vous.

— Les faciliter pour qui ? grommela Richard.

— Alors, pendant que je fouille le...

— Qu'est-ce qui vous fait seulement croire que j'ai l'intention de restaurer la monarchie ? l'interrompit Richard, désespéré.

Il devait dire quelque chose avant qu'Amy ne s'assigne une quelconque tâche ridicule et dangereuse avec l'excuse qu'il finirait bien par la lui assigner un de ces jours et qu'elle pouvait tout aussi bien lui épargner cette peine en le faisant à sa place.

— Ce n'est pas du tout prévu pour ce mois-ci! poursuivit-il. En fait, la seule chose que j'ai en tête pour l'instant est d'empêcher l'invasion de l'Angleterre. Pas de restaurer la monarchie. Alors il est inutile que vous perdiez votre temps. Amy...

Amy ouvrit d'un coup ses grands yeux bleus d'une manière qui annonçait des ennuis pour Richard.

— Vous savez qui je suis. Vous m'avez appelée Amy.

La Gentiane pourpre lança un regard paniqué par-dessus son épaule vers la fenêtre dont le loquet était ouvert.

— Oublions cela, voulez-vous?

— Attendez! s'exclama Amy en attrapant sa cape à deux mains. Vous ai-je connu à la réception aux Tuileries? En Angleterre?

— Je n'ai pas le temps de discuter avec vous.

La Gentiane pourpre l'attira vers lui et lui plaqua un baiser rapide et ferme sur les lèvres avant de la relâcher si brusquement qu'elle faillit perdre l'équilibre, tomber à la renverse sur le siège et se retrouver dans le bureau. D'un geste élégant, il sauta par-dessus le rebord de la fenêtre jusqu'au sol.

— À notre prochaine rencontre, Amy.

— Mais quand? Où? demanda Amy en se penchant à la fenêtre derrière lui après avoir retrouvé l'équilibre. Vous ne pouvez pas simplement... ah, zut!

La Gentiane pourpre pouvait. Il disparut derrière le coin de la maison en un bruissement de cape dramatique.

Comment pouvait-il simplement s'enfuir ainsi après... Oh! Amy rassembla ses jupes déjà déchirées et les retroussa jusqu'au-dessus de ses genoux. Mademoiselle Gwen n'approuverait pas, mais tout ce qu'elle avait fait ce soir dépassait amplement les limites des convenances, alors à quoi bon s'arrêter maintenant?

Amy aurait aimé essayer de sauter par-dessus le rebord de la fenêtre comme l'avait fait la Gentiane, mais un rapide coup d'œil vers le bas révéla qu'il s'agissait d'une chute d'au moins trois mètres, tout à fait gérable pour la taille de la Gentiane, mais bien trop longue au goût d'Amy. Peut-être pourrait-elle passer une jambe à la fois à l'extérieur, puis se descendre à la force de ses bras?

Oh, pour l'amour du ciel! Le temps qu'elle réfléchisse à la façon de sortir par cette satanée fenêtre, la Gentiane serait à mi-chemin de l'Angleterre! Amy s'installa bravement sur le rebord de la fenêtre et se permit de s'agripper une dernière fois au cadre avant de fermer les yeux pour sauter.

Elle atterrit avec un bruit sourd discordant, trébucha, puis courut jusqu'à l'extrémité du bâtiment. Amy ne savait pas très bien ce qu'elle ferait une fois qu'elle aurait rattrapé la Gentiane pourpre, mais elle aurait amplement le temps d'y réfléchir quand elle l'aurait attrapé par le bout de la cape et forcé à s'arrêter. Comme elle tournait le coin de l'aile est, elle pensa avoir à peine aperçu le flottement d'un bout de tissu avant qu'il disparaisse devant de la maison. À moins que ce ne soit qu'une illusion de mouvement causée par sa vision embrouillée? Si seulement elle avait une lanterne!

Ignorant le point de côté qu'elle sentait, Amy accéléra à nouveau. Elle glissa sur quelque chose de nauséabond et exécuta involontairement une arabesque avant de se redresser pour continuer d'avancer en chancelant. Oh, seigneur! Était-ce dans le caniveau qu'elle était en train de courir? Tout bien réfléchi, Amy conclut qu'elle préférait ne pas le savoir. L'obscurité enveloppante qui l'empêchait de voir plus loin que le vague contour des pierres du mur et l'ébauche de la silhouette des arbustes et des arbres avait peut-être ses avantages. Heureusement, Amy était si essoufflée que les respirations brèves et saccadées qui passaient entre ses lèvres entrouvertes lui permettaient de sentir très peu de choses de toute façon.

Lorsqu'elle atteignit finalement l'extrémité du bâtiment — tout en houspillant mentalement l'ancêtre quelconque qui avait décidé qu'il avait *absolument* besoin d'une maison de ville dont la longueur faisait la moitié de celle de Versailles —, Amy s'agrippa au mur en tournant le coin et dérapa avant de réussir à s'arrêter pour éviter de justesse de foncer tête première dans l'une des immenses grilles ouvertes du portail de la cour pavée.

Les grilles avaient été fermées après leur retour des Tuileries, Amy en était pratiquement convaincue. Que faisaient-elles grand ouvert si tard après minuit? Les grilles devaient bien mesurer presque quatre mètres de hauteur et étaient, comme Amy l'avait appris en regardant les garçons d'écurie se battre avec elles plus tôt ce jour-là, assez lourdes pour qu'il faille deux hommes pour les déplacer. Ce n'était pas tout à fait le type de porte qu'on pouvait accidentellement laisser entrouverte. Édouard les avait-il ouvertes pour permettre à la Gentiane pourpre de sortir? Si tel était le cas, pourquoi donc cette entrée et cette sortie dramatiques par la fenêtre du bureau?

Amy avança prudemment vers la cour sur la pointe des pieds.

Ce n'était vraiment pas la même chose de s'approcher du portail à pied que de le passer confortablement installée sur le siège surélevé d'un carrosse. La grille devant Amy s'élevait vers le ciel de façon menaçante. Les *fleurs de lys** décoratives qui ornaient si joliment la courbe supérieure de la grille en plein jour semblaient aussi hérissées que les lances de tout un régiment de gardes.

Amy se plaqua contre le mur et se tourna pour regarder entre les barreaux. La ferronnerie élaborée du portail — des feuilles, des fleurs et des enjolivures tressées si serrées qu'elles formaient une barrière presque opaque — soustrayait sa silhouette à la vue de quiconque se trouvait à l'intérieur ; c'est du moins ce qu'elle espérait. Amy se tordit le cou à un angle inconfortable afin de pouvoir regarder dans l'espace de cinq centimètres entre une fleur et une feuille.

Une voiture noire attachée à des chevaux qui piaffaient d'impatience se préparait à quitter la cour. Amy n'arrivait pas à discerner les traits du cocher perché sur le banc avant ; il portait un chapeau informe et une longue écharpe avait été enroulée autour de sa tête. Juste à côté de la voiture, en train de parler doucement à son frère, se tenait nul autre que Georges Marston. Il portait une longue cape noire.

Faisant un signe à Édouard d'une main gantée de noir, il sauta dans la voiture. Gants noirs, cape noire… La tête d'Amy lui tournait tandis qu'elle se pressait dans la fente entre la grille et le mur. Pouvait-il y avoir le moindre doute ?

Sa Gentiane pourpre devait être Georges Marston.

Chapitre 17

❀

Mes lentilles de contact étaient collées à mes globes oculaires.

Je laissai tomber sur mes genoux les papiers que je tenais pour me frotter les yeux. Je n'avais pas passé de nuit blanche depuis mes premières années d'université, et mes yeux avaient manifestement décidé que j'étais trop vieille pour ce genre de choses. Me redressant contre l'oreiller, je jetai un coup d'œil à l'horloge en porcelaine sur la table de chevet. Deux heures trente. Pas étonnant que mes lentilles me tuent.

La lampe de chevet projetait des ombres fascinantes sur le papier peint floqué de la chambre d'amis de madame Selwick-Alderly. Comme toutes les chambres d'amis, elle avait cette odeur de renfermé, d'air stagnant que prennent les pièces trop longtemps inhabitées. Des photos dans des cadres argentés partageaient le dessus d'une commode avec un nécessaire de toilette démodé, sur lequel étaient gravées les initiales de mon hôtesse, ainsi qu'une statue accroupie qui, à mes yeux de non-initiée, aurait pu être africaine. D'autres bibelots exotiques occupaient divers recoins de la pièce; une lance ornée de plumes était appuyée contre une armoire, et une déesse à plusieurs jambes était aimablement assise sur le bureau à côté d'une bergère en porcelaine de Dresde.

J'essayai une fois de plus de fixer mon regard trouble sur la feuille qui occupait mes genoux, mais les boucles d'encre décolorée ondulèrent devant moi. L'écriture d'Amy était loin d'être aussi soignée que celle de Jane; son journal regorgeait de phrases biffées, de taches d'encre et, lorsqu'elle était agitée, ses lettres étaient ornées de boucles supplémentaires. La dernière entrée avait été très, très agitée. Un seul « m » avait été bonifié de trois frisettes supplémentaires.

Évidemment, j'aurais été agitée moi aussi si mon héros masqué favori m'avait embrassée passionnément avant de sauter allègrement par la fenêtre. Il était peut-être vrai que je ne connaissais pas le nom de famille de tous les garçons que j'avais embrassés durant mes premières années d'université, mais j'avais au moins pu voir leurs visages. Quand on parle d'ajouter une toute nouvelle dimension au dilemme « Mais m'aime-t-il vraiment ? ». Pauvre Amy !

J'avais une longueur d'avance sur Amy en ce qui concernait l'identité de la Gentiane pourpre, mais, jusqu'à maintenant, il n'y avait pas la moindre trace d'un Œillet rose. Je méditai sur les possibilités. Je ne pouvais qu'être d'accord avec Amy sur le fait que Georges Marston était plutôt suspect. Était-il vraiment possible d'être à ce point grossier sans chercher à cacher quelque chose ? Et toute cette histoire d'être à moitié anglais et à moitié français... Je m'interrompis; j'aimais bien cette idée. J'avais lancé « L'Œillet rose pourrait être français ! » à Colin Selwick dans un accès de colère, mais ne serait-ce pas amusant que ce soit vrai ?

Je souris béatement dans le vide. J'adorerais réellement voir l'air de monsieur Colin Selwick lorsque je divulguerais à l'Institut de recherches historiques que non seulement l'Œillet rose était à moitié français, mais qu'il avait en outre assumé un poste de commandement dans l'armée de Napoléon.

Compte tenu de mon propre attachement de longue date à l'Œillet rose, j'étais loin d'être certaine de vouloir qu'il se révèle être Georges Marston simplement pour contrarier Colin Selwick. Quelque chose au sujet de Georges Marston me faisait penser à ces types arrogants qui jettent leur dévolu sur vous dans un bar et qui refusent de croire que vous êtes réellement là uniquement pour danser avec vos amis. Ceux qui n'acceptent pas un refus et vous traitent de tous les noms lorsque vous vous éloignez en vous déhanchant.

Je misais sur Augustus Whittlesby. J'avais lu les effusions qu'il avait envoyées à Jane ; quinze poèmes sous le titre collectif *Odes à la mirifique princesse aux orteils azur*. Ils clopinaient peut-être d'une rime à l'autre, mais on ne pouvait pas vraiment appeler cela de la poésie. Du moins, pas sans offrir des excuses à Keats et à Milton. Personne ne pouvait écrire des vers aussi mauvais, à moins que ce ne soit délibéré. Il fallait qu'il ait une identité secrète. Et tant « odes » qu'« orteils » commençaient par O, tout comme « œillet »…

Je laissai tomber ma tête douloureuse dans mes mains avec un grognement bien senti. Oh, mon Dieu, je ne venais pas réellement de faire ce raisonnement, n'est-ce pas ? « Œillet rose, Œillet rose commence par O… » chantait mon cerveau en manque de repos sur le ton de Macaron le glouton.

Il y avait vraiment trop longtemps que je n'avais pas dormi.

Ce dont j'avais besoin, c'était d'une tasse de thé. Je me serais même contentée d'un bon vieux verre d'eau. Quelque chose à siroter pour me garder éveillée afin de continuer à lire, jusqu'à ce que Colin Selwick réussisse à convaincre sa tante de ne plus jamais me laisser frapper à leur porte.

Posant soigneusement les pages non reliées du journal intime d'Amy sur la table de chevet, je repoussai les couvertures et descendis du lit surélevé en relevant, pour ne pas m'y prendre les pieds, ma longue chemise de nuit empruntée.

Après m'être faufilée par la porte entrouverte, je m'arrêtai pour laisser le temps à mes yeux de s'habituer à l'obscurité du couloir et essayer de m'orienter. Ainsi que mon amie Pammy se plaît à le dire, j'ai une contre-boussole interne. Dites-moi de trouver mon chemin pour aller quelque part et j'irai inévitablement dans la direction opposée.

Le tic-tac régulier d'une horloge de parquet formait un contretemps aux autres bruits de la nuit : le murmure des tuyaux, les craquements du parquet, le sifflement du vent entre les branches des arbres sur la place. Je me dandinai le long du mur en espérant que je marchais dans la bonne direction pour trouver la cuisine. Aïe. Mon coude venait de rencontrer l'encadrement d'une porte. En frottant mon extrémité blessée, je jetai un coup d'œil par la porte. De l'argenterie brillait dans la faible lueur des lampadaires à l'extérieur. C'était la salle à manger ; une longue table de bois poli trônait au centre de la pièce, et il y avait un buffet plein d'argenterie sous les rideaux à demi fermés des fenêtres.

Où il y avait une salle à manger, il devait bien y avoir une cuisine, non ? J'essayerais la prochaine porte, décidai-je en faisant demi-tour, et si cela ne fonctionnait pas...

Boum !

Je fonçai droit sur quelque chose de chaud et d'inflexible. Une paire de grandes mains m'attrapa par les coudes. J'eus le réflexe d'essayer de me libérer.

— Mais qu'est-ce que... ? s'exclama une voix éraillée.

Colin Selwick. Qui d'autre serait aussi grossier envers une invitée au beau milieu de la nuit ? Je le repoussai à deux mains, ne touchant que des muscles sous une fine couche de tissu. Le gros empoté ne bougea pas d'un poil.

— Lâche-moi ! chuchotai-je d'un ton indigné. C'est moi, Éloïse.

Il desserra légèrement l'étau qui me tenait les coudes, mais ne me lâcha pas. Je pouvais sentir la chaleur de ses mains à travers la mince étoffe de la chemise de nuit de madame Selwick-Alderly.

— Mais qu'est-ce que tu fais à rôder ainsi dans la maison au milieu de la nuit ?

— Je volais l'argenterie, qu'est-ce que tu crois ? répondis-je sèchement.

— Oh, pour l'amour du ciel !

Il me lâcha et recula d'un pas. Dans l'obscurité, j'arrivais à peine à discerner les contours de son visage et je pouvais encore moins en lire l'expression.

— Et si on recommençait depuis le début ? proposa-t-il.

— Je cherchais la cuisine, admis-je à la hâte. Je voulais boire un verre d'eau.

— Tu vas dans la mauvaise direction.

— Typique, marmonnai-je.

— Suis-moi, avant de réveiller tante Arabella, ordonna-t-il avant de partir dans la direction opposée.

Il n'attendit pas de voir si je le suivais.

Il se déplaçait dans l'obscurité totale du couloir avec l'assurance d'un homme qui était chez lui, évitant habilement les obstacles tels qu'une table basse (que je localisai à mes dépens), une chaise (*idem*) et un parapluie abandonné. Pour ce que j'en savais, il *était* chez lui. Après tout, que savais-je des Selwick ? Boitant derrière la forme massive du dos de

Colin Selwick, je dus me rappeler que je les avais connus seulement la veille. Madame Selwick-Alderly, aussi aimable se soit-elle montrée avec moi, était toujours une étrangère. Même si je portais sa chemise de nuit. Puisque je me prenais les pieds dans l'ourlet de celle-ci, je la relevai avant de suivre Colin Selwick le long d'une courbe dans le couloir, à travers une porte battante, puis dans la cuisine.

Je me couvris les yeux de la main lorsque Colin actionna l'interrupteur pour inonder la pièce carrée de la lumière d'un plafonnier. Il se tenait là, une main toujours posée sur l'interrupteur, et me regardait.

Je répondis à son inspection en le scrutant à mon tour. La lumière allumée, il était beaucoup moins intimidant qu'il ne l'avait été en tant qu'ombre dans l'obscurité du couloir. Il y a un je-ne-sais-quoi de fondamentalement peu menaçant dans un pantalon de pyjama à carreaux et un vieux t-shirt miteux.

Malgré cela, le bouclier protecteur de mes talons de sept centimètres et demi me manquait. Je me sentais petite et instable sur mes pieds nus, qui dépassaient sous ma chemise de nuit. Je dus pencher la tête en arrière pour croiser le regard interrogateur de Colin Selwick. Cela ne me plut pas.

— Tu as quelque chose à dire? m'enquis-je. Ou est-ce simplement que ça te plaît d'être appuyé contre le mur?

Colin me dévisagea pendant quelques secondes encore.

— Tante Arabella t'aime bien, dit-il d'un ton perplexe très peu flatteur.

— C'est le cas d'une faible mais bruyante minorité.

Colin eut la bonne grâce d'avoir l'air déconcerté.

— Écoute, je n'ai jamais voulu…

— Me traiter comme si j'avais une maladie honteuse répugnante?

Ses lèvres se retroussèrent sous l'effet de quelque chose qui aurait pu ressembler à de l'amusement.

— Tu en as une ?

— Aucune dont j'oserais parler en présence masculine.

Après tout, une dépendance malsaine aux barres chocolatées Cadbury aux fruits et aux noix n'est pas le genre de faiblesse qu'une fille confie à n'importe qui.

Il sourit, d'un vrai sourire. Zut. Il était plus facile de traiter avec lui quand il était tout simplement méchant.

— Écoute, je suis désolé d'avoir été si impoli plus tôt aujourd'hui. Ta présence ici a été un peu comme un choc pour moi, et j'ai mal réagi.

— Oh.

Comme j'étais prête pour la guerre, ses excuses me prirent complètement au dépourvu. Je restai bouche bée.

— Tante Arabella m'a dit beaucoup de bien de toi, ajouta-t-il comme pour entasser des charbons ardents sur ma tête. Elle a été impressionnée par ton travail sur la Gentiane pourpre.

— Pourquoi cette amabilité soudaine ? lui demandai-je avec méfiance en croisant les bras sur ma poitrine.

— Es-tu toujours aussi directe ?

— Je suis trop fatiguée pour la diplomatie, répondis-je honnêtement.

— Très bien, répliqua Colin en s'étirant pour se décoller du mur. Puis-je t'offrir une tasse de chocolat en gage de paix ? J'allais justement m'en faire une, ajouta-t-il.

Passant de la parole aux actes, il marcha à grands pas jusqu'au comptoir près de l'évier pour vérifier le niveau d'eau dans une vieille bouilloire électrique en plastique marron. Satisfait, il la brancha au mur et actionna l'interrupteur rouge sur le côté.

Je le suivis jusqu'au comptoir, l'étoffe de la chemise de nuit traînant sur le linoléum derrière moi.

— Uniquement si tu promets de ne pas mettre subtilement de l'arsenic dedans.

Colin farfouilla dans un placard au-dessus de l'évier à la recherche de la boîte de cacao et me la tendit pour que je la sente.

— Tu vois ? Pas d'arsenic.

J'appuyai les coudes sur la surface de travail en marbre du comptoir derrière moi.

— Je ne crois pas que l'arsenic soit censé sentir quelque chose, pas vrai ?

— Zut ! Je me suis encore fait prendre.

Colin mit de la poudre de chocolat instantané Cadbury dans deux tasses, l'une ornée de grandes fleurs pourpres, et l'autre, d'une citation que je pensais pouvoir être de Jane Austen, mais le nom de l'auteur se cachait de l'autre côté de la tasse.

— Écoute, poursuivit-il, si ça peut te rassurer, je promets de très mal cacher ton cadavre.

— Dans ce cas, je t'écoute, dis-je en bâillant.

L'interrupteur rouge sur le côté de la bouilloire passa en position éteinte lorsque l'eau commença à bouillir. Émerveillée par le surréalisme de toute la scène, je regardai Colin débrancher efficacement le cordon avant de verser de l'eau bouillante dans les deux tasses. J'étais là, au milieu de la nuit, dans la cuisine de quelqu'un d'autre, pendant que l'homme qui m'avait dit de garder mes sales pattes loin de ses archives familiales me préparait une tasse de chocolat. Je devais halluciner. Ou rêver. D'un instant à l'autre, Colin se transformerait en un tamanoir dansant, et je me retrouverais nue au beau milieu d'un examen de chimie.

Colin me tendit l'une des tasses fumantes.

— Les fleurs, ça te va?

Dans l'intérêt de notre trêve, je tus les remarques sarcastiques au sujet d'œillets.

— Habites-tu ici? demandai-je en plaçant prudemment mes doigts tout en bas de la poignée de la tasse pour ne pas toucher les siens.

Il secoua la tête avant d'emporter sa propre tasse jusqu'à la table de la cuisine.

— Je dors chez tante Arabella quand je suis en ville.

— Ta copine dort-elle ici aussi?

J'aperçus un éclair de je ne sais quoi dans ses yeux — probablement parce qu'il n'aimait pas que je me mêle de sa vie privée.

— Séréna a son propre appartement, répondit-il d'un ton neutre.

Je brûlais d'envie de lui demander pourquoi il restait chez une vieille tante plutôt qu'avec sa magnifique amoureuse, mais je laissai mourir la question sur mes lèvres. Cela ne me concernait pas du tout. Pour ce que j'en savais, il aurait très bien pu avoir été banni du lit de sa copine après une énorme dispute qu'ils auraient eue au dîner. Peut-être qu'il monopolisait toutes les couvertures et qu'elle l'avait envoyé en exil. Peut-être qu'elle ronflait. J'aimais bien cette théorie. La séduisante Séréna reniflait et ronflait, tandis que Colin, rendu à moitié fou par le bruit, s'enfuyait jusqu'à Onslow Square dans son pyjama à carreaux.

Je cessai de m'amuser quand une autre option, plus réaliste, me passa par la tête. Son retour chez sa tante avait peut-être plutôt quelque chose à voir avec l'inquiétude qu'une certaine invitée indésirable puisse essayer de prendre la fuite au milieu de la nuit avec l'argenterie familiale.

— Pardon?

J'étais tellement absorbée par mes spéculations que j'avais raté ce que leur objet était en train de me dire.

— Pourquoi ne t'assieds-tu pas? répéta-t-il patiemment en donnant un petit coup de son grand pied nu sur une chaise pour la pousser vers moi. Je ne te mordrai pas.

— On ne s'en serait jamais douté en lisant cette lettre que tu m'as envoyée, dis-je en manœuvrant pour m'installer, avec mes volants, dans la chaise au dossier droit et en posant ma tasse de chocolat toujours fumant devant moi sur la table. Je m'attendais presque à ce qu'on lâche les mastiffs sur moi si j'osais mettre les pieds sur les terres sacrées de Selwick Hall.

Une lueur d'amusement dansa dans les yeux noisette de Colin Selwick.

— J'ai seulement promis que *je* ne mordrais pas. C'est pour ça qu'on a des chiens, ajouta-t-il d'un ton faussement sérieux.

— Pourquoi as-tu été si méchant?

Colin haussa les épaules, et une partie de l'amusement disparut de son visage. Pendant une seconde, je regrettai presque d'avoir abordé le sujet.

— Dans le passé, nous avons eu quelques difficultés avec des universitaires qui voulaient consulter les archives familiales. Certains d'entre eux étaient loin d'être polis.

Personnellement, je pensai que s'il s'était comporté avec eux de la même manière qu'avec moi, ils avaient de très bonnes raisons de râler comme des harpies démentes.

— Il y a deux ans, poursuivit-il, une femme nous a tourné autour pour essayer de prouver que l'Œillet rose était un travesti. Elle disait que c'était pour ça qu'il avait choisi un nom qui faisait aussi gonzesse.

— Mais c'est faux! m'exclamai-je, indignée.

Non que j'aie quoi que ce soit contre cette splendide fraction de l'espèce humaine au sens de la mode très développé, mais mon... euh, je veux dire, l'Œillet rose était tout à fait masculin. Il était Zorro, Lancelot et Robin des Bois tout-en-un. Et, oui, je savais que Robin des Bois portait un collant, mais c'était un collant masculin.

— Au moins, nous sommes d'accord sur ce point, répondit sèchement Colin.

— Et de toute façon, quelle importance? répliquai-je en prenant une gorgée de mon chocolat, qui me brûla la moitié de la langue, mais puisque j'étais lancée sur une de mes rengaines favorites, je ne me laissai pas décourager. Qu'est-ce que ça changerait pour les milliers de soldats britanniques qu'il a secourus et les centaines d'espions français qu'il a démasqués? Quelle importance de savoir qui était l'Œillet rose, quand il a *effectivement*... oups!

J'avais gesticulé avec un peu trop de véhémence avec ma tasse fleurie, ce qui avait fait couler une cascade de chocolat brûlant sur ma main.

— Tu tiens tant à voir ces papiers parce que...? s'enquit Colin Selwick avec délicatesse.

Je lui fis la grimace et dis une grossièreté.

Il leva un sourcil d'un air suffisant.

Je posai brusquement ma tasse sur la table en pin et me penchai en avant.

— Pourquoi ta famille a-t-elle caché l'identité de l'Œillet rose?

Colin baissa le sourcil. Il développa un vif intérêt pour les restes de cacao gluant accumulés au fond de sa tasse avec lesquels il se mit à jouer.

— Peut-être que ça n'intéressait personne.

— Ne dis pas de conneries!

— Surveillez votre langage, mademoiselle Kelly.

— Navrée de choquer vos oreilles sensibles. Mais, honnêtement, pourquoi personne n'a-t-il jamais rien dit?

Colin s'enfonça dans sa chaise, les lèvres étirées par un sourire ironique.

— Mon Dieu, tu es vraiment tenace.

— Les compliments n'y changeront rien.

— Les compliments? demanda-t-il.

— L'Œillet rose? répliquai-je.

— Eh bien, dit-il en baissant la voix sur un ton de conspiration. Si tu veux vraiment savoir...

— Oui!

— Peut-être l'Œillet rose avait-il une maladie honteuse répugnante, dit-il en souriant de toutes ses dents.

— Ignoble! criai-je en giflant la table d'un air dégoûté. Aïïïïe..., me lamentai-je en prenant ma main blessée comme s'il s'agissait d'un bébé.

— Bien fait pour toi. Cette idée aussi d'attaquer une pauvre table innocente.

Colin ramassa sa tasse pour la porter dans l'évier.

— C'est toi qui m'y as poussée, lui lançai-je en retour. Ouille...

— Oh, donne-moi ça, dit Colin en soupirant. Non, pas ça.

Je lui avais tendu ma tasse de cacao à moitié pleine. Il me la prit des mains, la posa sur la table et attrapa ma main à la place.

Il s'approcha tellement près de moi que la jambe de son pyjama bruissa contre ma chemise de nuit, et il se pencha sur ma main pour l'observer attentivement.

— Où as-tu mal ? demanda-t-il.

À côté de la sienne, ma main semblait fragile et presque transparente tant elle était pâle. Une blague née de la nervosité au sujet de chiromancie et de diseurs de bonne aventure mourut sur mes lèvres lorsque Colin tourna ma paume vers le haut pour masser les doigts victimes de mauvais traitement. Il fit glisser son gros pouce bronzé et calleux le long de la bosse charnue à la base de ma paume à la recherche d'une blessure. Je fus parcourue d'un frisson qui n'avait rien à voir avec le courant d'air qui entrait par la fenêtre.

— Ça va. Vraiment, dis-je d'une voix rauque en retirant brusquement ma main.

— Bien, répondit-il en faisant grincer les pieds de sa chaise sur le linoléum. Nous ne voudrions pas que tu nous poursuives, ajouta vivement Colin en laissant tomber ma tasse dans l'évier avec fracas.

Je restai bouche bée.

— Je n'aurais jamais…

Colin se dirigea vers la porte de la cuisine.

— Bien entendu, dit-il comme si cela lui importait peu d'une manière ou d'une autre. Écoute, tout ce dont nous venons de parler, et tout ce que tu as lu, ça reste entre nous.

Je tournai brusquement ma chaise pour lui faire face.

— Que veux-tu dire ? lui demandai-je, toujours abasourdie par ce commentaire à propos de poursuites.

— L'Œillet rose. Tout ce que tu pourrais lire ou découvrir ne doit pas sortir de cet appartement. J'en ai parlé avec tante Arabella ce soir, et nous nous sommes mis d'accord : tu peux lire tout ce qu'elle croira pertinent de te montrer, mais uniquement à cette condition.

Je me levai d'un bond.

— Mais ma thèse !

— Contiendra sans aucun doute de brillantes théories sur la Gentiane pourpre et le Mouron rouge, répondit-il sur un ton apaisant. Tu pourras utiliser à cette fin tout ce que tu trouveras ici. Mais pas sur l'Œillet rose.

— Tu es ridicule !

Du regard, il balaya de haut en bas ma silhouette vêtue de lin. Puis il sourit de toutes ses dents. Le salaud avait le culot de sourire de toutes ses dents.

— Au moins, je ne me prends pas pour Jane Eyre. Bonne nuit, Éloïse.

— Eh bien, tu n'es pas monsieur Rochester ! répliquai-je sèchement.

Quelque part dans le couloir, une porte se ferma avec un déclic qui m'informa que même ma piètre sortie était arrivée trop tard.

Grrr !

Je me laissai retomber sur ma chaise, furieuse. Ce vil et perfide… Je devais vraiment avoir lu trop de lettres du XIXe siècle pour que mon premier réflexe soit de le traiter de goujat. Voyou et malotru pourraient aussi s'appliquer. Peu importe le terme utilisé — je pouvais aussi en trouver plusieurs plus modernes qui lui iraient bien —, le résultat était le même. Cette masse visqueuse sur pattes m'avait plongée dans un faux sentiment de sécurité en me gavant d'excuses et de chocolat avec l'intention, depuis le début, de m'annoncer cette petite clause de confidentialité.

Croyait-il que j'allais devenir toute mielleuse et glousser à ses pieds simplement parce qu'il m'avait préparé un chocolat instantané et parlé comme à un être humain pendant une demi-heure ?

Eh bien, je n'étais pas dupe. Et je ne me laisserais pas avoir si facilement. Ainsi, sa tante Arabella m'aimait bien, n'est-ce pas ? Nous verrions bien ce qu'elle aurait à dire au sujet de cet ultimatum selon lequel « rien de ce que tu liras ne doit sortir de cet appartement ».

En attendant, de la lecture m'attendait. Beaucoup, beaucoup de lecture, et il ne me restait que quelques heures avant que le lever du jour me force à partir.

Après avoir délibérément marché à pas lourds dans le couloir jusqu'à ma chambre temporaire, je me jetai sur le lit et repris avec détermination le journal d'Amy là où je l'avais laissé. Je me fichais bien que mes lentilles se mettent à danser le tango ; rien ne m'empêcherait d'en découvrir autant que possible. Colin Selwick pouvait bien aller en enfer !

Chapitre 18

✿

Georges. Amy répéta le nom dans sa tête et fronça les sourcils. Elle tenta de l'angliciser. George. George ! George... Peu importe comment elle le prononçait ou le ponctuait, George ne sonnait tout simplement pas comme le genre de nom que la Gentiane pourpre devrait porter. Épelé Georges, il était beaucoup trop français et fuyant. Épelé George, le nom évoquait des images du vieux roi George corpulent en train de flâner dans les jardins de Kew. Ce n'était pas une perspective des plus attrayantes.

Mais après ce qui s'était passé la veille, comment pouvait-elle encore douter de l'identité de la Gentiane ? Les preuves étaient accablantes. Si la conversation que Marston avait eue avec son frère ne suffisait pas à prouver son identité, le voir monter dans un carrosse vêtu d'une longue cape noire du même style que celle avec laquelle Amy avait été si intimement en contact — son estomac fit des pirouettes en y repensant — devrait la convaincre. Il fallait beaucoup d'imagination pour envisager que *deux* hommes en cape noire aient traîné autour de la maison de son frère au beau milieu de la nuit. Et le fait que Marston ait quitté la demeure par devant juste après que la Gentiane pourpre eut décampé dans cette direction était une coïncidence suffisante pour défier la raison.

Amy se tortilla avec irritation sur les coussins de velours gris rembourrés, tandis que la voiture de son frère sortait de la cour, cette même cour dans laquelle elle avait si nerveusement espionné la veille. Sous le soleil de midi, la lumière se reflétait sur les fenêtres de la maison et étincelait sur le fini noir brillant du portail. Il était difficile de croire qu'il s'agissait du même endroit. En fait, si Amy ne s'était pas réveillée sur sa méridienne et n'avait pas trouvé une paire de chaussons horriblement sales à moitié dans l'âtre (elle se souvenait vaguement avoir voulu les brûler, mais son plan avait échoué parce que les charbons étaient déjà couverts), elle aurait été portée à croire qu'elle avait rêvé tout ce qui s'était passé.

Trouver comment rentrer dans la maison la veille avait été une expérience qu'Amy préférait oublier rapidement. Tenter de grimper par-dessus le portail n'avait pas été son plan le plus brillant. Découvrir qu'Édouard était retourné dans son bureau et qu'il avait verrouillé la fenêtre — après qu'Amy eut passé quinze désagréables minutes à se battre avec le mur pour arriver à se hisser jusque sur le rebord — avait été le genre de revers qui aurait réduit aux larmes n'importe quelle femme moins fougueuse. Finalement, lorsqu'elle s'était résolue à l'idée de réveiller la maisonnée et qu'elle essayait de concocter une histoire crédible pour expliquer la raison de sa présence à l'extérieur bien après minuit, vêtue d'une robe déchirée et de chaussons dégoûtants, elle était tombée sur une fenêtre non verrouillée dans la salle à manger et s'était propulsée par-dessus le rebord avec la force du désespoir.

Au moins, la périlleuse aventure d'Amy pour rentrer dans la maison avait gardé son esprit occupé. Revenue dans sa chambre, elle avait allumé une chandelle près du lit et, à la lueur vacillante, avait enlevé ses vêtements souillés. Elle avait enfoui ses chaussures dans l'âtre, enfilé un peignoir de lin blanc propre, donné cinquante coups de brosse à ses cheveux, défait le lit et soufflé la chandelle, mais elle n'avait pu dormir.

Elle ne pouvait pas dormir sur le côté, elle ne pouvait pas dormir sur le dos, elle ne pouvait pas dormir roulée en boule avec les genoux serrés sur sa poitrine.

— Bonté divine ! J'ai embrassé la Gentiane pourpre, avait chuchoté Amy à sa chambre obscure.

Elle s'était laissée glisser sur son oreiller avec un sourire idiot sur le visage. Ce baiser avait vraiment été incroyablement bon.

Mais elle n'avait toujours aucune preuve de qui il *était* réellement. Ni de comment le trouver.

Qui était-il ? Pourquoi l'avait-il embrassée ? Voulait-il la revoir ? Argh !

À deux heures, Amy était à plat ventre, la tête au pied du lit, et donnait des coups de pied à l'oreiller en se repassant une version légèrement modifiée de sa conversation avec la Gentiane pourpre.

À trois heures, Amy avait roulé les couvertures en une petite boule au pied du lit et se demandait si la Gentiane pourpre l'avait embrassée uniquement pour qu'elle cesse de l'embêter.

À quatre heures, Amy en était réduite à arracher de petites boules de peluche sur le couvre-lit en chantant « il m'aime, il ne m'aime pas ».

Il avait fallu les efforts combinés de Jane et de mademoiselle Gwen pour tirer Amy hors du lit à temps pour son premier cours d'anglais avec Hortense Bonaparte. Franchement, cette carafe d'eau s'était avérée totalement superflue, décida-t-elle avec humeur.

Amy bâilla bruyamment au moment où le carrosse s'arrêta devant les Tuileries pour les déposer, Édouard et elle, dans la cour. Un garde qui avait l'air de s'ennuyer leur fit signe d'entrer au palais. Amy grimaça, tandis qu'Édouard, anxieux, lui rappelait de se conduire de son mieux. Elle lui promit de le retrouver à l'entrée deux heures plus tard et soupira de soulagement lorsqu'il se précipita dans un corridor pour vaquer à ses propres occupations. Amy ne devait pas rencontrer Hortense avant — elle consulta la petite montre en émail qui pendait à une chaîne en or autour de son cou — vingt minutes encore, ce qui, maintenant qu'elle était débarrassée de son frère, lui laissait le temps d'explorer.

Le jour, les Tuileries offraient un spectacle très différent de celui des Tuileries la nuit. La veille, les pièces par lesquelles ils étaient passés avaient été décorées de fleurs d'orangers et d'arrangements de roses, dont l'odeur jurait avec les parfums capiteux portés par les invités. Il n'en restait pas même un seul pétale flétri ; d'efficaces domestiques avaient tout fait disparaître, laissant à la place des relents moins agréables d'ammoniaque et de soude.

La veille, des grenadiers au garde-à-vous qui se tenaient bien droits (au moins, Bonaparte ne tentait pas de dissimuler la raison de sa puissance) avaient bordé l'escalier, tels des poteaux indicateurs humains. À l'étage supérieur, ils avaient suivi la musique d'une marche militaire à travers une série d'antichambres éclairées par des appliques recouvertes de gaze. Arrivés à trois pièces du salon jaune, le brouhaha facilement reconnaissable leur avait servi de guide.

Ce n'était pas comme si le palais était désert. Tandis qu'Amy se promenait dans les corridors en quête d'activités suspectes, elle croisa des domestiques qui transportaient des seaux d'eau, des soldats qui terminaient leurs quarts de travail, ainsi qu'un jeune homme pâle aux doigts tachés d'encre vêtu d'une redingote qui ne lui allait pas ; Amy présuma qu'il était très certainement le secrétaire de quelqu'un.

Elle envisageait de suivre le secrétaire (après tout, il aurait pu se rendre à une réunion hautement confidentielle), lorsque son attention fut retenue par une redingote de couleur puce familière dans la pièce suivante. C'était indéniablement son frère — personne d'autre ne porterait autant de dentelle dorée au cou et aux poignets —, mais sa voix avait un ton autoritaire tout à fait atypique alors qu'il discourait rapidement à voix basse.

Amy s'étira pour apercevoir son compagnon. Son pouls s'accéléra à l'idée de rencontrer à nouveau la Gentiane pourpre, et elle se pencha un peu plus en avant dans l'embrasure de la porte. Pourquoi fallait-il qu'Édouard porte des vestes avec des épaules rembourrées si ridicules ? Tout ce qu'elle put distinguer, ce fut une main avec un petit bout de manche noire. Amy doutait que même l'espion le plus dévoué soit capable de reconnaître quelqu'un à une main entrevue à plusieurs mètres de distance. Même cet inutile appendice fut bientôt caché derrière une cascade de dentelle dorée lorsqu'Édouard mit quelque chose dans la main de l'étranger. Les poignets voyants d'Édouard bloquaient la vue d'Amy, mais cela ressemblait à du papier. Une note quelconque ?

Amy se rapprocha et fonça droit sur la poignée de porte.

Elle se mordit les lèvres pour étouffer le hoquet de douleur et d'agacement qui lui avait échappé par inadvertance, mais la douce expiration avait suffi à alerter le compagnon d'Édouard, qui l'attrapa par le bras et lui chuchota rapidement quelque chose avant de s'élancer vers la porte à l'autre bout de la pièce. Édouard se précipita dehors sans même regarder derrière lui.

Mais son compagnon le fit.

Lorsque le compagnon d'Édouard fit un écart pour fermer la porte derrière lui, son visage apparut brièvement avant que claque le panneau en bois de chêne. Amy ne vit le visage qu'un instant, mais cela suffit. C'était un visage qu'elle connaissait, mais ce n'était pas celui de Georges Marston. C'était un visage étroit, foncé, banal sous tous les aspects — excepté la longue cicatrice fraîche qui lui entaillait la tempe gauche.

— Zut!

Amy traversa la pièce en courant et jeta un œil par la porte, mais ce fut inutile ; son frère et son compagnon avaient déjà disparu.

Comment pourrait-elle bien expliquer à Jane qu'elle avait perdu son blessé une deuxième fois ?

Chapitre 19

❀

Amy n'avait pas tellement le moral lorsqu'elle reprit l'exploration des Tuileries. Elle commença par regarder sous les tables et derrière les chaises à la recherche d'un éclat familier de puce et d'or, mais Édouard et son compagnon avaient disparu à une vitesse dont Amy n'aurait jamais cru son frère capable. Il avait écarté de son chemin ses épaules rembourrées et ses ruches de dentelle plus vite que la Gentiane pourpre ne sautait par la fenêtre d'un bureau.

Amy se demanda si elle devait aborder le sujet avec Édouard en rentrant à la maison. Devait-elle tout simplement lui dire qu'elle savait qu'il était de mèche avec la Gentiane pourpre et lui demander de la laisser s'impliquer ? Cela lui éviterait certainement de passer beaucoup de temps à rôder partout et donnerait à Édouard l'occasion de se défaire de sa couverture de précieux quand il était à la maison. En revanche, Édouard pourrait lui répondre, comme il l'avait fait si souvent lorsqu'ils étaient enfants, de se mêler de ce qui la regardait. En fait, il semblait plus que probable qu'Édouard fasse exactement cela. Il n'avait jamais été très disposé à partager.

Tout bien réfléchi, Amy conclut qu'elle s'en tirerait certainement à meilleur compte si elle continuait à jouer les innocentes — et qu'elle espionnait son frère chaque fois qu'elle en aurait l'occasion. Elle allait devoir en discuter avec Jane...

— Une honte! hurla quelqu'un.

Amy s'arrêta brusquement, subitement tirée de sa rêverie. Juste ciel! Cela ne s'adressait pas à elle, n'est-ce pas? Elle regarda rapidement autour d'elle. Non. Elle était seule dans une autre des petites antichambres qui séparaient les salles plus grandioses du palais. Le bruit lui était parvenu de la porte vers laquelle elle se dirigeait inconsciemment, une porte légèrement entrouverte, comme si quelqu'un venait d'y entrer.

— TU ES UNE HONTE! répéta le hurleur en haussant, si cela était possible, encore plus le ton.

Amy envisageait de revenir subtilement sur ses pas pour sortir de l'antichambre lorsqu'une autre voix, beaucoup plus douce, se fit entendre.

— Mais, Napoléon, je...

Amy retint son souffle. Bien que ce ne fût pas tout à fait un entretien avec Fouché, la conversation s'annonçait prometteuse pour les oreilles indiscrètes. Un scandale qu'elle pourrait rapporter aux gazettes anglaises, peut-être? Relevant ses jupes de mousseline à deux mains, elle s'approcha sur la pointe des pieds de la fente entre la porte et le mur.

— Leclerc est mort depuis un an seulement!

Leclerc... Le nom était peut-être insignifiant en matière d'espionnage international, mais Amy pressa tout de même l'oreille contre les gonds de la porte avec assez de force pour laisser une marque permanente. La dernière fois qu'elle avait aperçu Pauline Bonaparte Leclerc, l'impudente avait la langue dans l'oreille de Lord Richard Selwick. Son intérêt, se rassura Amy, était purement professionnel et non personnel. Elle n'avait rien à faire des maîtresses de Lord Richard, absolument rien. C'était simplement que... que... n'importe quel scandale pouvant être dommageable à la famille Bonaparte pourrait aider sa cause, raisonna-t-elle, triomphante.

Par la fente de la porte, Amy pouvait entendre de lourds pas bottés sur le parquet tandis que Bonaparte tempêtait dans la pièce.

— Tu as déjà cessé de porter son deuil !

— Mais, Napoléon, je me suis coupé les cheveux et les ai mis dans son cercueil.

— Des cheveux, ha !

On entendit une paume claquer sur le bois.

— Les cheveux repoussent ! poursuivit-il. Ils l'ont déjà fait ! Et toi ! Tu cours après tout ce qui porte un pantalon !

Amy attendit impatiemment une référence à Lord Richard et à la scène scandaleuse dans le salon.

— Mon adjoint au ministre de la Police s'est plaint que tu l'as touché dans un endroit inconvenant ! Encore !

— Oh, mais, Napoléon, ce n'était pas un endroit inconvenant, le rassura Pauline avec empressement. C'était dans mon petit salon.

Amy dévisagea le bois de la porte d'un air d'incrédulité dégoûtée. Soit Pauline Leclerc était l'une des personnes les plus écervelées qu'Amy avait rencontrées (et la compétition était forte pour ce titre, avec Derek sur la liste, sans oublier sa cousine Agnès), soit elle était diaboliquement brillante. Amy préférait la première option.

— Que faisait-il là ? demanda Bonaparte en employant des mots courts et simples, à la manière de quelqu'un qui a aussi choisi la première option.

— Il fallait bien que quelqu'un vérifie s'il y avait des espions, répondit Pauline, l'air innocente.

Bang! Bonaparte lança violemment quelque chose contre le mur. Amy plissa les yeux pour regarder entre les gonds. Ah, un encrier, à en juger par la tache noire qui ornait le papier peint.

— Ne te mets pas en colère contre moi, Napoléon, dit Pauline d'un ton doucereux. C'est seulement que je m'ennuie tellement...

— Tu t'ennuies? Tu t'ennuies? Trouve-toi un passe-temps! Va faire les boutiques!

— Tu ne peux pas m'en vouloir à cause de mes petits jeux innocents...

— Tes jeux innocents sont un scandale international! Que dois-je faire? T'envoyer au couvent?

Une excellente solution! Si elle avait pris part à la conversation de façon légitime plutôt que d'être une oreille indiscrète, Amy aurait appuyé la motion.

— Comment peux-tu — *sniff* — être si méchant? Tout ce que je veux — *sniff* —, c'est un peu de bonheur.

— Tout ce que *je* veux, c'est que ma famille ne me mette pas dans l'embarras!

— C'est l'idée de Joséphine, n'est-ce pas? Elle t'a monté contre moi!

Amy avait décidément eu raison d'aimer la femme du Premier Consul. Joséphine était manifestement une femme de bon goût et de jugement sage — sauf pour ce qui était d'avoir épousé Bonaparte.

À son corps défendant, le Premier Consul se porta à la défense de sa femme, ou plutôt, hurla à la défense de sa femme.

— Silence!

— Si c'est ce que tu veux, je vais partir. Tu ne me verras plus jamais.

Un grincement de pieds de chaises sur le bois précéda Pauline, qui sortit de la pièce en pleurant. Amy se recroquevilla contre le mur, craignant d'être découverte autant que frappée par la porte, mais Pauline se faufila aisément par la fente — aucun individu souffrant des affres de la détresse ne devrait avoir tant de grâce, se dit sévèrement Amy — tout en braillant dans son mouchoir.

— Pauline! Ne pleure pas, maudite sois-tu! Pauline!

Bonaparte se précipita hors du bureau derrière sa sœur.

La porte s'ouvrit à la volée. Heureusement, les cris de Bonaparte couvrirent le *ouf* involontaire d'Amy à l'instant où le bois massif soufflait tout l'air de ses poumons.

Lorsque les petites taches noires eurent disparu de la vision d'Amy — excepté les petits grains de poussière légitimes qui dansaient dans un rayon de soleil —, elle sortit prudemment de derrière la porte.

— J'ai l'impression d'être une robe qui a été mise dans une presse à vêtements, murmura Amy pour elle-même.

Une fois qu'elle eut fléchi les épaules, agité les bras et qu'elle se sentit plus elle-même et moins comme un morceau de tissu récemment empesé, Amy fit le tour de la porte sur la pointe des pieds pour jeter un œil dans la pièce que Bonaparte et sa sœur venaient de quitter. Après tout, il y avait des limites à ce que l'on pouvait voir par la fente de deux ou trois centimètres entre une porte et un mur.

L'œil d'Amy capta, tour à tour, un mur avec une grosse tache d'encre, un escalier en fer qui ressemblait lui-même un peu à une tache d'encre par rapport au mur pâle, ainsi qu'un tapis maculé d'encore plus de taches d'encre.

Un secrétaire, sur lequel étaient empilés des tas de papiers et qui était encerclé de plumes brisées en quantité suffisante pour remplumer une oie dodue, constituait de loin le plus grand attrait de la pièce.

Bonaparte avait laissé son bureau désert.

Amy ne se permit qu'un instant pour se réjouir de cette chance. Jetant un rapide coup d'œil de chaque côté d'elle pour s'assurer que personne d'autre n'était en vue, elle s'engouffra dans le bureau de Bonaparte.

Amy se fraya un chemin entre les plumes brisées et les papiers chiffonnés sur le sol. Elle ne devait absolument pas déplacer quoi que ce soit ; elle ne devait rien faire qui puisse éveiller les soupçons. Et s'il revenait, elle pourrait légitimement affirmer s'être perdue en cherchant Hortense. Qui oserait soupçonner un petit bout de femme vêtue d'une robe en mousseline jaune ? Amy s'exerça à prendre un air innocent et légèrement niais tout en se dirigeant vers le secrétaire. Écarquiller les yeux, laisser pendre la lèvre inférieure... puis, dans le pire des cas, pleurer. Amy avait glané une information cruciale lors de cette dernière conversation : Bonaparte était sensible aux pleurs des femmes.

Ah, le secrétaire ! Amy joignit brièvement les mains pour les empêcher de trembler, puis se pencha au-dessus avec sérieux. Au milieu du secrétaire reposait un bout de papier soigneusement recouvert d'écriture, ainsi qu'un dessin accidentellement composé des éclaboussures d'encre laissées par la plume abandonnée à côté. De toute évidence, Bonaparte devait travailler là-dessus lorsque sa sœur l'avait interrompu.

Amy s'en empara avec empressement et commença à lire.

«Article 818. Le mari peut, sans le consentement de sa femme, demander la répartition de biens meubles ou immeubles qui lui reviennent et qui deviennent communs...»

Oh, pour l'amour du ciel, qu'est-ce que c'était que ces balivernes? Non seulement Amy était en parfait désaccord avec le principe — elle mettait au défi un futur mari d'essayer de demander la répartition de ses biens meubles ou autres sans son consentement —, mais c'était complètement inutile à son enquête. À moins que le plan secret de Bonaparte pour conquérir l'Angleterre fût de contracter un mariage entre les deux pays et d'affirmer ensuite qu'en tant que mari, la France avait droit à tous les biens, meubles ou immeubles de l'Angleterre.

Puisqu'elle n'était pas un bien immeuble, Amy se mut pour replacer le document offensant au centre du sous-main et la plume dessus, comme si la main de Napoléon venait tout juste de la lâcher.

Une liasse de papiers était coincée sous un morceau de poterie classique qui servait de presse-papiers. En tout autre temps, Amy aurait été intriguée par l'objet ancien; concentrée sur sa mission, elle passa directement aux documents qui étaient pliés et grossièrement attachés ensemble à l'aide d'un bout de ficelle. Amy libéra prudemment la lettre qui était sur le dessus de la pile. Dix mille francs. Amy plissa les yeux devant l'écriture en pattes de mouche. Avait-elle mal lu? Non. C'était une facture du couturier de Joséphine pour une robe en linon blanc brodée de fils d'or. Amy arracha brusquement la feuille suivante du paquet, qui se révéla sans surprise être une facture pour les chaussons assortis. Sans précaution, Amy sortit tous les papiers et se mit à les feuilleter. Elle parcourut des factures pour des écharpes en cachemire, des bracelets de diamants, des cargaisons de boutures de rosiers, ainsi que pour plus de paires de chaussons, de gants et d'éventails qu'Amy aurait pu imaginer utiliser pendant toute une décennie de fêtes continuelles. Dans le lot, il n'y avait pas une seule note clandestine ni un seul achat suspect.

Un instant! À moins que... Les documents pourraient-ils être codés? Peut-être le mot chausson signifiait-il en réalité fusil — différentes couleurs pourraient faire référence à différents types! Et les boutures de rosiers pourraient faire référence à des boulets de canon ou quelque chose comme cela. Fière de sa propre perspicacité, Amy ramassa brusquement les documents qu'elle avait laissé tomber avec dégoût quelques secondes plus tôt. Peut-être qu'en les regardant de plus près, elle trouverait la solution du code.

À deuxième vue, il devint plutôt évident que les factures étaient bel et bien des factures. La seule chose mise en évidence par l'examen approfondi fut que l'imagination d'Amy était plus fertile que son espionnage. Et que Joséphine, en dépit de son grand charme, était prodigieusement dépensière, mais ça, tout le monde le savait déjà. Les gazettes anglaises adoraient relater les extravagances de Joséphine et les réactions colériques de Bonaparte. Une rumeur — dans le *Spectateur*, pas dans *L'Informateur du Shropshire* — disait que les acquisitions compulsives de Joséphine avaient déjà mis le Trésor de la France en faillite.

Prenant un air renfrogné, Amy remit les papiers pliés en paquet pour les rattacher avec leur ficelle. Magnifique. Elle était tombée sur le bureau désert de Bonaparte, une occasion qui n'arrivait qu'une fois dans une vie d'espion, et qu'avait-elle découvert? Une pile de factures.

Amy appuya les mains sur ses hanches et lança un regard noir au secrétaire. Il devait bien y avoir quelque chose de plus intéressant dans ce fouillis. Un oiseau se posa sur le rebord de la fenêtre, bomba le torse et émit une série de trilles d'opéra.

— Chut! siffla Amy en le chassant distraitement de la main.

Offusqué, l'oiseau fit quelques bonds d'un air indigné et se soulagea sur le rebord de la fenêtre avant de s'envoler vers le jardin en poussant des cris perçants pour aller se plaindre à ses semblables.

Sans enthousiasme, Amy recommença à fouiller le secrétaire de Bonaparte. Peut-être la Gentiane pourpre avait-elle eu raison la veille lorsqu'elle l'avait traitée de naïve. Il avait certainement été naïf de sa part de croire qu'un homme assez intelligent pour s'emparer du pouvoir dans un pays tumultueux, tout en éliminant plusieurs adversaires chez lui et en conquérant un tas d'autres pays en cours de route, soit assez sot pour laisser ses plans d'invasion de l'Angleterre à la vue de tous sur son secrétaire.

Très bien, dans ce cas. Si les documents secrets de Bonaparte *n'étaient pas* à la vue de tous sur son secrétaire, Amy devrait tout simplement trouver où ils étaient. Quand elle sortirait de cette pièce, elle aurait quelque chose à rapporter à la Gentiane; quelque chose qui ferait que ses yeux s'écarquilleraient d'admiration et qu'il resterait bouche bée. «Amy, je suis stupéfait», dirait-il, puis elle lèverait un sourcil — d'accord, *les* sourcils, puisqu'elle n'arrivait pas à le faire avec un seul — et murmurerait : «Vous doutiez de moi?»

Amy laissa son regard errer sur les murs à la recherche de cachettes secrètes. Cette peinture sur le mur à l'autre bout pourrait dissimuler une espèce de coffre-fort. Et là-bas, près de la fenêtre, cette longue ligne foncée pourrait être le vestige d'un autre encrier qui avait péri pour sa patrie, ou alors elle pourrait indiquer une sorte d'ouverture dans le papier peint. Amy planta ses deux mains sur le secrétaire et se pencha en avant pour mieux voir.

— Aïe !

Première leçon d'espionnage : ne jamais planter vos mains quelque part avant de vous être visuellement assuré que vous ne vous mutileriez pas. Amy suça distraitement une coupure sur son index en cherchant l'arme de destruction. Elle n'aurait pas été étonnée que le tyran ait éparpillé des punaises empoisonnées sur son secrétaire ou qu'il... Oh, elle s'était coupée sur du papier.

La feuille tranchante qui lui avait lacéré le doigt dépassait de sous le sous-main. Amy attrapa le coin de la feuille de sa main gauche intacte et tira d'un coup pour la libérer. Probablement une autre facture, se dit-elle, furieuse. Les séries de chiffres qui défilaient le long de la page prêtaient foi à cette théorie, mais la signature tout en bas était celle de Joseph Fouché. Fouché avait envoyé à Bonaparte le calcul des frais de l'armée pour l'invasion de l'Angleterre.

Le premier réflexe d'Amy fut d'enfouir le papier dans son corsage et de s'enfuir. Elle alla jusqu'à placer le papier au-dessus de son décolleté, mais le bon sens l'emporta. Non seulement le papier ferait une bosse sous la fine étoffe de sa robe, mais Bonaparte remarquerait certainement son absence. Elle devrait en mémoriser le contenu. Deux mille quatre cents bateaux, se répéta Amy, et cent soixante-quinze mille hommes. Amy sentit monter en elle une vague d'indignation, qui n'avait rien à voir avec le fait de montrer à la Gentiane pourpre ce dont elle était capable ni avec les torts faits à la monarchie. Son imagination plus que fertile lui avait fourni une image de cent soixante-quinze mille Français en train de marcher d'un air menaçant à travers les prairies paisibles de l'oncle Bertrand en piétinant ses champs et en donnant des coups de pied à ses moutons.

— Pas tant que je serai là pour les arrêter, murmura Amy avant de continuer à lire.

Fouché avait écrit que le trésor ne pourrait pas financer une telle dépense. Pas étonnant, pensa Amy en jetant un coup d'œil à la pile de factures qu'elle avait balancée sur le secrétaire dans un geste d'agacement quelques instants auparavant. La prochaine fois qu'Amy rencontrerait madame Bonaparte, elle s'assurerait de lui faire remarquer la nécessité de posséder au moins trois tiares de diamants.

Malheureusement, Fouché avait obtenu des fonds de la Suisse. Amy jeta un regard noir à la lettre. Obtenu, vraiment! Extorqué serait certainement plus près de la réalité. L'argent serait transporté, sous forme d'or, en voiture de la Suisse à Paris dans la soirée du 30 avril, jusqu'à ce que Fouché appelait «un endroit sûr».

— Ça, c'est ce qu'il croit.

Amy regarda le bout de papier avec le même genre de sourire suffisant que les chats réservent habituellement aux canaris.

Le dernier jour d'avril. Cela lui laissait une semaine et demie pour trouver comment intercepter cet argent. Bien assez de temps, se dit gaiement Amy. Pour commencer, elle aviserait la Gentiane pourpre qui, naturellement, serait si impressionné qu'il l'inviterait dorénavant à toutes ses réunions. Ensemble, ils pourraient concocter un plan audacieux pour se sauver avec l'argent. Sans argent, les plans de Bonaparte pour envahir l'Angleterre tomberaient à l'eau. Les foules mécontentes se révolteraient contre lui. Et la monarchie serait restaurée. Amy sourit de toutes ses dents en replaçant soigneusement la lettre sous le sous-main. Pas mal pour une fille fraîchement débarquée du Shropshire.

Amy sortit du bureau à la hâte. Avant de se rendre chez Hortense, il faudrait qu'elle envoie un message à la Gentiane pour lui dire de la rejoindre… où ? Au jardin du Luxembourg, peut-être ? Elle pourrait trouver un page pour…

Ouf! Amy entra en collision à grande vitesse avec quelqu'un qui arrivait en sens inverse dans l'antichambre. La tête lui tournait encore lorsqu'une paire de mains agiles la redressa et qu'un gloussement chaleureux résonna quelque part au-dessus de son oreille.

— Quelle façon originale de vous faire remarquer !

Chapitre 20

✳

— Milord ! Amy recula en hâte, heurtant cette fois un buste de Brutus, qui oscilla de façon inquiétante sur son piédestal en marbre. Elle le rattrapa avant qu'il puisse faire un saut suicidaire en bas de son socle.

— Je n'ai pas... C'est...

— Si vous aviez su que c'était moi, vous auriez pris soin de foncer dans le pauvre Brutus à la place ? proposa Lord Richard, avec un sourire tellement rempli de bonne volonté conspiratrice qu'Amy chancela par-derrière et faillit tomber une fois de plus sur le pauvre Brutus.

— Quelque chose comme cela, avoua-t-elle faiblement.

Elle était manifestement toujours un peu étourdie de ses deux collisions.

Amy tendit la main derrière elle pour s'assurer qu'elle ne reculerait sur rien d'autre. Depuis que Lord Richard était à l'intérieur, l'antichambre était réduite à néant. La grande silhouette vêtue d'un pantalon en cuir chamoisé ajusté et d'une veste bleu pâle emplissait le champ de vision d'Amy. Un rayon de soleil poussiéreux provenant de la seule fenêtre de la pièce lui caressait la tête, l'entourant d'une espèce d'auréole. Une auréole ? Amy se ressaisit en vitesse avant de sombrer plus profondément dans la folie. Un homme qui abandonnait sa patrie ? Qui caressait des femmes légèrement vêtues au milieu d'une fête ? Lord Richard était le dernier homme au monde à mériter une auréole.

— Vous venez de rater madame Leclerc, lâcha Amy.

— Pauline ? demanda Lord Richard en fronçant les sourcils d'une manière qui aurait pu indiquer tant la confusion que le mécontentement. Me cherchait-elle ?

— Euh...

Mais pourquoi donc avait-elle dit cela ? Zut. Maintenant, si Lord Richard allait rejoindre madame Leclerc, elle lui dirait certainement qu'elle n'avait même jamais parlé à Amy, et il saurait qu'elle avait tout inventé. Il pourrait même en venir à la conclusion, la conclusion *erronée*, qu'Amy ne se moquait pas complètement de sa relation avec madame Leclerc.

— Elle est partie par là, l'informa Amy en pointant la porte afin d'éviter le risque d'être prise en flagrant délit de mensonge.

— Oh.

Ce fut la réponse longue de Lord Richard.

Amy attendit qu'il passe avec empressement devant la statue de Brutus pour se précipiter à travers les portes dorées à la poursuite de celle-à-la-robe-diaphane-sans-corsage. Et attendit.

Lord Richard était paresseusement adossé au mur lambrissé avec l'air de quelqu'un qui n'avait absolument rien d'autre à faire que de rester dans une petite antichambre avec Amy.

— Ne désirez-vous pas aller par là ? demanda Amy, incertaine.

— Pas vraiment, répondit Richard en secouant la tête après y avoir réfléchi un instant.

Les yeux d'Amy scrutèrent le beau visage de Lord Richard. Elle aurait cru qu'il serait plus pressé de courir derrière sa maîtresse. Tout bien réfléchi, peut-être n'était-ce pas si étonnant. Il n'y avait qu'à penser à la rapidité avec laquelle il s'était mis à folâtrer avec madame Leclerc après avoir dragué Amy. Exactement comme il avait voleté pour rejoindre les Français en Égypte, alors que son propre pays était en guerre contre eux. Goujat sans scrupules !

Les sentiments qu'éprouvait Amy pour Pauline Leclerc évoluèrent rapidement de l'animosité à la pitié. Cette pauvre femme naïve avait manifestement été tout aussi bernée qu'Amy elle-même par le charme désinvolte du perfide Lord Richard. La femme portait peut-être des robes faites d'autant de matière qu'une toile d'araignée, et ses capacités intellectuelles étaient peut-être plus ténues encore, mais elle méritait tout de même mieux que d'être traitée ainsi.

— Eh bien, vous le *devriez* vraiment, répliqua Amy avec véhémence.

— Que devrais-je donc faire ?

— Aller rejoindre madame Leclerc, dit Amy en lançant à Richard un regard noir.

— Est-ce une tentative pour vous libérer de ma présence ? demanda Richard en observant Amy avec un air narquois. Vous auriez pu le dire tout de suite.

— Non !

— Non, vous ne voulez pas vous débarrasser de moi ?

— Grrr !

Amy émit un son inarticulé qui ressemblait quelque peu à un ébrouement.

— Me débarrasser de vous, clarifia-t-elle après avoir pris une profonde inspiration, n'était pas mon intention...

— Heureux de l'entendre.

— *En revanche*, cracha Amy, j'espérais vous inciter à vous conduire avec un peu de considération...

— En vous laissant seule le plus rapidement possible ?

— Non !

Amy sautilla d'une manière qui aurait constitué le prélude d'un accès de colère si elle avait eu dix ans de moins.

Puisqu'elle avait vingt ans, et non dix, le résultat ne fut pas tout à fait le même. Les lèvres de Richard se tordirent en un sourire médusé tandis qu'il regardait ses seins rebondir doucement dans le décolleté de son corsage.

— Voudriez-vous répéter cela ? demanda-t-il, plein d'espoir.

Amy le fusilla du regard.

— Qu'y a-t-il de difficile à comprendre dans le mot *non* ?

— Ce que vous pouvez bien vouloir dire par là, parbleu ! admit honnêtement Richard. Revenons juste un peu en arrière, d'accord ? Vous voulez que je parte...

— Non.

Malheureusement, cette fois Amy ne rebondit pas. À la place, elle leva les deux mains dans les airs.

— Non, poursuivit-elle. Là n'est pas la question. Vous détournez encore le sens de mes paroles. Ne m'interrompez pas ! Ce que j'essaie de vous dire, c'est que la seule chose décente à faire serait de suivre madame Leclerc pour mettre les choses au clair avec elle.

Richard regarda Amy en clignant des yeux.

— Je ne m'étais pas rendu compte que les choses n'étaient pas claires avec elle.

Puisqu'il semblait qu'Amy ne sautillerait plus, Richard prit le temps d'essayer de réellement comprendre de quoi diable elle pouvait bien parler. Cette obsession soudaine pour Pauline n'avait aucun sens. À moins que Pauline ne fût tombée sur Amy et lui eût rebattu les oreilles avec des histoires de lettres d'amour restées sans réponse ? Ce n'était pas tellement le style de Pauline de faire ce genre de chose. L'attitude de Pauline envers les aventures amoureuses, pensa Richard d'un air approbateur, ne pouvait qu'être qualifiée de *sportive*. Elle se donnait tout entière à la chasse, acceptait la défaite de bonne grâce et se plaignait rarement.

— Comment pouvez-vous être si insensible ?

Richard, baissant les yeux sur le visage rouge de colère d'Amy, fut frappé d'une illumination.

— Vous ne voulez pas dire que vous pensiez que Pauline et moi… Mon Dieu, non !

— Que voulez-vous dire par « mon Dieu, non » ? Je vous ai vus ensemble hier soir dans le salon de madame Bonaparte. Le niez-vous ?

Richard mit un certain temps pour se rappeler de quoi Amy pouvait bien parler. Sa rencontre avec elle dans le bureau de son frère plus tard ce soir-là avait contribué en grande partie à effacer la plupart des autres souvenirs de sa mémoire, et il avait assisté à tant de réceptions aux Tuileries au fil des années qu'il avait tendance à les confondre les unes avec les autres. Que pouvait-il bien avoir fait avec Pauline ?

Oh. Pauline l'avait acculé dans un coin. Elle s'était aussi, si sa mémoire était bonne, aventurée à des endroits qu'on réservait habituellement pour derrière des portes closes. Richard espérait qu'Amy n'avait pas été témoin de cela. À en juger par la sévérité du regard d'Amy, Richard craignit que ce fût le cas. Évidemment, tout cela soulevait la question à savoir comment elle en était venue, à la base, à être témoin de ce malencontreux événement. Ce n'était pas tout à fait comme s'il s'était retrouvé enlacé avec Pauline au beau milieu de la pièce; ils étaient dans un coin reculé, bien loin de la masse des spectateurs rassemblés autour de Bonaparte et de mademoiselle Gwen. Un groupe duquel, Richard en était presque certain, Amy avait fait partie. Dans ce cas, Amy devait l'avoir suivi.

Richard gratifia d'un grand sourire le visage renfrogné d'Amy.

— Vous voyez? Vous ne pouvez pas le nier, dit Amy d'une voix étouffée.

— Le nier? demanda Richard en haussant les épaules. Quel homme ne voudrait pas être vu avec Pauline? Après tout, c'est une femme d'une extraordinaire beauté, ne trouvez-vous pas?

Amy hocha la tête avec raideur.

— Avec des yeux exceptionnellement magnifiques, ajouta-t-il diaboliquement. Des yeux dans lesquels un homme peut facilement se perdre.

Amy releva et baissa subitement la tête de quelques millimètres.

Richard baissa le ton et se pencha en avant d'un air conspirateur.

— Et exceptionnellement peu de conversation.

Amy hoqueta.

Reculant d'un pas, Richard fit un geste nonchalant de la main.

— Elle n'a que très peu de choses à dire sur la pierre de Rosette et n'éprouve absolument aucun intérêt pour Homère.

Amy s'adossa au mur, se sentant complètement désarçonnée. Même si sa vie en dépendait, elle serait incapable de se rappeler pourquoi elle avait, à la base, abordé le sujet de madame Leclerc, et souhaitait ardemment que ce ne fût pas le cas.

— Amy, dit doucement Richard, il n'y a rien et il n'y a jamais rien eu entre Pauline et moi.

— À part sa robe, murmura Amy.

Elle n'avait pas eu l'intention que ce commentaire soit entendu, mais Lord Richard avait l'ouïe injustement fine. Il s'étouffa de rire. Comme il riait, les coins de ses yeux verts se plissèrent, et des taches dorées se mirent à briller comme des feuilles au soleil.

— Bien que je doive avouer que Bonaparte est la seule personne que je cherchais...

— Il est aussi parti par là, l'interrompit Amy.

— Je suis ravi d'être tombé sur vous, poursuivit Richard avec un grand sourire.

— Je ne vois pas pourquoi.

— Ah non? murmura Richard.

— Vous cherchiez quelqu'un avec qui discuter d'Homère? suggéra Amy avec amertume, lui lançant la première image prosaïque qui lui passa par la tête.

Seulement, malheureusement, après l'avoir dit, elle ne put s'empêcher de s'imaginer lovée auprès de Lord Richard dans un grand fauteuil en cuir devant un feu ardent, par une froide journée d'hiver, tandis qu'ils liraient tour à tour et à voix haute de retentissants passages en grec de *L'Odyssée*.

Amy mit mentalement le livre de côté et éteignit le feu.

— Vous y êtes presque, dit-il à cet instant. J'avais l'intention de vous envoyer un message pour vous inviter à venir voir mes antiquités demain.

Quelque chose dans la manière dont Richard avait dit «mes antiquités», aussi fièrement qu'un écolier qui a un crapaud particulièrement épatant à montrer, donna à Amy envie de sourire malgré elle. Seulement, il ne s'agissait pas réellement de ses antiquités, n'est-ce pas? Elles appartenaient à Bonaparte, qui les avait recueillies en menant les armées de la Révolution. Aucun Anglais sensé n'admettrait avoir quoi que ce soit à voir avec ces antiquités. Et aucune Anglaise sensée n'admettrait avoir quoi que ce soit à voir avec Lord Richard Selwick, se rappela sévèrement Amy. Avec ou sans yeux verts moqueurs.

— Ce ne sera pas possible, répondit-elle froidement.

Les yeux de Lord Richard s'attardèrent d'un air entendu sur son visage.

— Vos mains ne seront pas tachées de sang à cause de quelques objets inoffensifs.

Amy leva le nez comme si elle n'avait pas la moindre idée de ce dont il parlait.

— Pensez-y, poursuivit-il doucement. Ces statues, ces bijoux et ces fragiles fragments de l'humanité ont été enterrés profondément des siècles avant que la Terre n'ait même entendu parler de Bonaparte. Pensez-y. Les reliques d'une civilisation qui était déjà vieille quand la France était encore couverte de forêts et que Londres n'était qu'un piètre rassemblement de huttes en terre.

En ce milieu d'après-midi, ses mots eurent l'effet d'un sortilège sur la pièce tranquille, évoquant des images de sables chatoyants, d'hommes pressés vêtus de robes blanches et de femmes aux cheveux noirs qui chantaient leur chagrin dans des chambres funéraires élaborées.

— Demain après-midi, alors. L'invitation s'adresse évidemment à votre cousine et à votre chaperon aussi, dit-il en souriant. Mademoiselle Gwen pourrait avoir envie d'utiliser un sarcophage dans son horrible roman.

— Je n'ai même pas accepté!

— Mais vous en avez envie.

Zut. Cet homme insupportable avait entièrement raison; peu importe les sentiments qu'elle éprouvait envers lui, elle mourait d'envie de voir des hiéroglyphes gravés dans la pierre et des ornements qui avaient peut-être déjà ébloui Marc Antoine. Mademoiselle Gwen n'était pas la seule à s'intéresser aux sarcophages.

— Pourquoi hésiter? s'enquit Richard pour profiter de son avantage. Vous n'avez pas peur, n'est-ce pas?

— De quoi?

— D'anciennes malédictions? De vous plaire en ma compagnie?

— Bien sûr que non! s'indigna Amy, puisque c'était exactement ce qu'elle redoutait. Demain après-midi, avez-vous dit?

— Vers quatorze heures? Les reliques sont entreposées dans une aile des Tuileries jusqu'à ce que nous les transportions au Louvre. Demandez à n'importe quel garde de vous montrer le chemin, expliqua Richard à Amy avec un sourire qui la mit mal à l'aise tellement il lui paraissait presque suffisant.

Amy se rendit compte trop tard de la facilité avec laquelle elle avait été séduite et poussée à accepter.

— Vous n'avez pas de pomme à m'offrir, pendant que vous y êtes? demanda-t-elle d'un ton acerbe.

— Satan qui soumet Ève à la tentation dans le jardin d'Éden? Ce n'est pas un rôle très flatteur pour moi, n'est-ce pas? Et vous êtes trop habillée pour jouer Ève.

Amy rougit suffisamment pour que son teint puisse rivaliser avec la couleur du fruit défendu dont ils venaient de parler. D'une certaine façon, le regard franchement admirateur de Lord Richard lui donna l'impression que la mousseline jaune de sa robe était aussi peu substantielle qu'une série de feuilles de figuier.

— Puis-je vous demander une faveur, milord? demanda rapidement Amy pour cacher son trouble.

— Une plume de phénix provenant du désert le plus éloigné d'Arabie? La tête d'un dragon sur un plateau serti de pierres précieuses?

— Rien de si compliqué, répondit Amy, émerveillée une fois de plus par les habiletés de caméléon de l'homme à côté d'elle.

Comment quelqu'un pouvait-il être si exaspérant un instant et tout aussi charmant l'instant suivant? Indigne de confiance, se rappela-t-elle. D'humeur changeante. Versatile.

— Une tête de dragon ne me serait d'aucune utilité en ce moment, poursuivit-elle, à moins qu'elle puisse m'indiquer le chemin.

Richard lui tendit son bras.

— Dites-moi où vous devez vous rendre et je vous escorterai.

Amy posa timidement la main sur la douce étoffe bleue de sa veste.

— C'est une offre plutôt généreuse pour quelqu'un qui ne sait pas où je vais.

— Dix lieues au-delà la fin du vaste monde? suggéra Richard avec un sourire paresseux.

— Il me semble que ce n'est pas un voyage[3]? répliqua Amy d'un air triomphant pour continuer la citation, ce pour

---

3. N.d.T.: Traduction libre de deux vers tirés du poème anonyme *Tom O'Bedlam*.

quoi elle fut récompensée par une lueur d'admiration qui brilla dans les yeux de Lord Richard. Non, pas si loin... du moins, je l'espère. Ce palais semble effectivement assez grand pour abriter plus d'un continent. Je cherchais les appartements d'Hortense Bonaparte.

Cette déclaration était assez proche de la réalité, et Lord Richard l'accepta sans un murmure d'incrédulité.

— Vous êtes au bon endroit, l'informa-t-il en la conduisant à nouveau dans le bureau de Bonaparte. Vous n'êtes qu'un étage au-dessous. Ce petit escalier vous mènera directement aux appartements de Joséphine, et ceux d'Hortense sont juste à côté.

— Merci, dit Amy en mettant le pied sur la première marche.

— Il n'y a pas de quoi, répondit Richard en appuyant un bras sur le noyau de l'escalier.

Même si Amy était une marche plus haut, il dut baisser les yeux pour lui sourire.

— Ce n'était pas un bien long voyage, poursuivit-il. Je vous dois au moins neuf lieues.

— Apportez-moi une plume de phénix, et j'annulerai votre dette. Bonne journée, milord, et merci pour les indications.

Amy releva sa jupe et monta une autre marche.

— Vous devrez accepter un sarcophage à la place.

En entendant la voix de Lord Richard, Amy s'arrêta à mi-chemin d'une autre marche. Lâchant sa jupe, elle se tourna, seulement pour découvrir que son sourire était encore plus dévastateur lorsqu'on le regardait les yeux dans les yeux. Ou les lèvres dans les lèvres, selon le cas. Amy déglutit avec peine.

— Pourquoi tenez-vous tant à ce que je vous rende visite ? s'enquit-elle, méfiante.

— Parce que, répondit simplement Richard, vous me plaisez.

Puis il sourit et fit la révérence, comme si cette affirmation n'avait pas fait tomber la mâchoire d'Amy pratiquement jusqu'en bas de l'escalier.

— Bonne journée, mademoiselle Balcourt, fit-il platement.

Puis il prit congé avant qu'Amy ait pu récupérer sa mâchoire ou l'usage de la parole.

— Et bonne journée à vous, marmonna-t-elle en montant l'escalier avec humeur. « Parce que vous me plaisez. » Qu'était-ce donc censé vouloir dire ? Et pourquoi cela m'importe-t-il ? Cela m'importe peu. Évidemment que cela m'importe peu. Quelle différence cela fait-il que je plaise à Lord Richard ou pas ? Aucune. Absolument aucune. Évidemment que cela ne fait aucune différence.

Amy s'arrêta brusquement à l'étage et leva le menton.

— J'ai des choses plus importantes à faire.

Amy attrapa un des jeunes pages qui semblait n'avoir rien d'autre à faire que de flâner dans les corridors en attendant de porter des messages, clandestins ou non. Ce qui était la raison pour laquelle le page la regarda avec l'air de mettre en doute ses facultés mentales lorsqu'elle lui souffla :

— Pouvez-vous transmettre un message pour moi ?

— Oui, mademoiselle.

— Pouvez-vous garder le secret ?

Il lui lança un autre regard, cette fois composé d'orgueil blessé. Amy baissait de plus en plus dans l'estime du page.

— Bien entendu, mademoiselle.

— Ah, très bien ! Dites-lui, chuchota Amy en se penchant en avant, que je dois le voir de toute urgence. N'oubliez pas ! *De toute urgence.* Parce que j'ai quelque chose de terriblement important à lui dire et, vu notre conversation d'hier soir, il saura de quoi il s'agit. Je le rejoindrai à minuit au jardin du Luxembourg. Et n'oubliez pas : *de toute urgence !*

Le page eut l'air perplexe, ce qui était compréhensible.

— Le dire à qui, mademoiselle ?

Amy se retint de se frapper la tête avec sa main dans un geste d'extrême dégoût de soi. Simplement parce qu'elle avait laissé Lord Richard la troubler...

— Georges Marston, dit-elle en plaçant une pièce de monnaie de son réticule dans la main du garçon. Assurez-vous de livrer le message uniquement aux oreilles de Georges Marston. Et n'oubliez pas...

— Je sais, dit le garçon avec l'air las de ce monde de quelqu'un qui a déjà tout entendu. De toute urgence.

Richard s'accorda un moment pour regarder le ravissant balancement des hanches d'Amy tandis qu'elle montait l'escalier vers les appartements d'Hortense. C'était, se rassura-t-il, un luxe autorisé. Bondir derrière elle dans l'escalier pour la jeter sur son épaule et la porter jusqu'à la chambre déserte la plus proche ne l'était pas. Dommage.

Secouant la tête, Richard ressortit du bureau de Bonaparte pour traverser l'antichambre, qui lui parut soudain beaucoup plus sombre sans la gaieté de la robe jaune d'Amy. Il se demanda si le souvenir de leur baiser de la veille la hantait autant que lui.

C'était ridicule ! Il avait embrassé des centaines de femmes au cours de sa vie. En fait... Richard fit un calcul rapide en se reportant à la carrière de dépravé de sa jeunesse.

Bon, peut-être seulement des dizaines. De toute façon, aucune d'entre elles ne l'avait tourmenté de près ou de loin autant qu'Amy. Aucune d'entre elles ne l'avait tenu éveillé le reste de la nuit dans un état de désir inconfortable à se demander si une telle occasion se présenterait à nouveau.

Habituellement, Richard créait ses propres occasions.

Dans sa période de dépravé, tout ce dont il avait besoin, c'était d'un sourire de l'autre bout d'une salle de bal, d'un signe de tête en direction d'un jardin ou d'un mot passé subrepticement d'une main gantée à une autre. Si simple. Mais après, il y avait eu la trahison de Deirdre, et Richard était passé maître dans l'art de tourner le dos aux occasions. Et maintenant… Richard jeta un regard noir à un oiseau qui gazouillait avec une force excessive sur la fenêtre ouverte d'un salon désert.

Il pourrait facilement arranger un autre rendez-vous avec Amy. Ah, mais seulement s'il voulait le faire en tant que Gentiane pourpre. Là était le problème. La Gentiane pourpre et Lord Richard Selwick étaient unanimement d'accord sur le fait qu'Amy ne devait plus avoir quoi que ce soit à voir avec le premier. Il n'y avait qu'à penser à la veille. Elle avait interrompu son inspection du bureau de Balcourt à l'instant même où il arrivait à la partie la plus intéressante, soit la mystérieuse cachette de papiers dans le globe terrestre. Il était vrai que, pour ce qu'il en savait, le globe pouvait très bien ne rien contenir de plus excitant que les billets doux de Balcourt. Ou il pouvait contenir des documents essentiels à la défense de l'Angleterre. Comme si cela n'était pas suffisant, il avait complètement raté ce qui s'était passé dans la cour. Il était arrivé juste à temps pour voir des vauriens qui semblaient sans scrupules disparaître dans la nuit et pour entendre Balcourt faire à Marston des adieux sans intérêt. Il aurait probablement dû suivre Marston jusque chez lui. Richard ôta le *probablement*. Indubitablement, la chose intelligente à faire, la seule chose à faire pour la Gentiane pourpre, était de suivre Marston. À la place, la Gentiane pourpre s'était tapie dans les buissons à l'extérieur de l'hôtel Balcourt pour s'assurer qu'une certaine demoiselle Amy Balcourt réussisse à rentrer saine et sauve.

Ce souvenir fit sourire Richard. Bon sang, le simple fait de regarder Amy tenter désespérément de se hisser par-dessus le rebord de cette fenêtre avait valu les renseignements ratés. Elle avait planté les coudes sur le bord, s'était contorsionné le visage et tortillée d'une manière extrêmement attrayante avant de retomber. Richard avait admiré tant sa ténacité que son arrière-train.

Une nuit de travail — Richard réorienta sévèrement ses pensées vers les affaires courantes — pouvait volontiers être considérée comme perdue. Perdre une deuxième nuit de travail frôlait l'irresponsabilité. En outre, Amy ne serait pas Amy si elle cessait de le harceler pour connaître son identité et pour avoir sa place dans la Ligue. Tôt ou tard, sous l'influence de ses lèvres, de ses bras et de… Peu importe. Tôt ou tard, il céderait forcément sur l'un ou sur l'autre, ce qui serait un désastre dans les deux cas. D'où la résolution prise la veille, en rentrant chez lui à travers les rues sales et malodorantes de Paris, que la Gentiane pourpre devrait éviter mademoiselle Amy Balcourt autant que si elle était Delaroche en personne.

Lord Richard Selwick, en revanche, était tout à fait libre de rendre visite à mademoiselle Balcourt.

Après tout, raisonna Richard pour lui-même, tant qu'il maintenait ses visites en dehors des heures d'espionnage, sa relation avec Amy pouvait rester séparée de son travail. Il n'avait qu'à amener Amy à l'aimer. Cela ne devrait pas être trop difficile. Peut-être avait-elle embrassé la Gentiane pourpre la veille, mais il était évident qu'elle pensait à Richard. Bien entendu, ce serait encore mieux si c'était Richard qui occupait ses pensées *et* ses baisers.

Tout ce qu'il avait à faire, c'était dissiper ses inquiétudes persistantes à propos de son personnage. Hum. Richard fit une pause à côté d'une peinture de David. Cela risquait d'être trop compliqué sans révéler son identité secrète. Trop d'efforts. Non, conclut-il. Il serait beaucoup plus facile de séduire Amy de sorte qu'elle oublie ses scrupules.

Ah, voilà un plan digne du maître stratège qui avait sauvé de la guillotine des masses de membres de la noblesse française.

Cette affaire réglée, Richard put à nouveau penser à sortir pour contribuer à défendre l'Angleterre contre ce bon vieux Boney en buvant du brandy français et en gagnant aux cartes.

Entre vingt et vingt-trois heures, Richard passa par un nombre record de quatre salons et soirées de cartes. Dans l'un, il écouta discrètement des conversations sous le couvert de la musique. Dans un autre, il soutira des informations en jouant aux cartes. Dans un autre encore, il fouilla le secrétaire de son hôte pendant qu'un poète déclamait ses vers dans une pièce à l'autre bout du hall. Ç'aurait fait cinq fêtes s'il n'avait pas repéré Pauline Leclerc en entrant dans le cinquième salon. Reprenant son chapeau et ses gants des mains de la domestique stupéfaite, il réussit de justesse à s'échapper sans perdre son pantalon.

Robbins laissa Richard sous le portique de la maison de ville de madame Rochefort, l'ultime destination de Richard, peu après vingt-trois heures.

— Ne vous donnez pas la peine de revenir me chercher, dit Richard à son cocher en sautant du cabriolet. Je rentrerai par mes propres moyens.

— Vous en êtes bien certain, milord?

Robbins était convaincu que la totalité de la population de Paris était constituée de malandrins et d'assassins prêts à surgir de ruelles sombres pour bondir sur son jeune maître.

— Tout à fait. Reposez-vous.

— Bien, milord.

Tandis que sa voiture partait, Richard enfonça son chapeau plus solidement sur sa tête, tira un dernier coup sur ses gants, afficha un sourire de convenance et monta les marches jusqu'à la porte d'entrée. Il fut accueilli par une domestique qui prit son chapeau et sa cape et le dirigea à l'étage. En montant l'escalier de marbre, Richard contourna un jeune dandy visiblement déjà ivre agrippé à la rampe. Richard craignit le pire pour le prochain invité qui passerait sous l'escalier.

Arrivé sur le palier, Richard examina ses options. À sa droite, de la nourriture avait déjà été disposée dans la salle à manger, et un certain nombre de gentilshommes dévoués préparaient des assiettes pour leurs bien-aimées du moment.

Richard aperçut son hôtesse dans la cohue et la salua d'un signe de tête. Madame Rochefort lui répondit en agitant son éventail avec plus d'enthousiasme que de décorum, une description qui représentait plutôt bien la majorité des invités. Les fêtes de madame Rochefort grouillaient de jeunes aventuriers, de dragueurs vieillissants et de débauchés endurcis, qui se cramponnaient avec peine aux marges de la société. Madame Rochefort elle-même se classait dans la deuxième catégorie ; autrefois copine avec Joséphine, elle avait été bannie des Tuileries quand Bonaparte avait décidé de devenir respectable.

Plus loin dans le couloir, la foule dans la salle de cartes était plus restreinte qu'à l'habitude. Thérèse Tallien, une autre ancienne amie de la femme du Premier Consul, jouait une partie de whist avec un dandy brillamment vêtu, un jeune officier aux paupières lourdes et Désirée Hamelin, qui était surtout connue pour avoir marché les seins nus de la place Royale au palais du Luxembourg, à l'époque débridée du Directoire.

Richard erra dans la salle, murmurant des banalités polies à des connaissances et refusant l'offre de madame Tallien de faire une partie de whist. Sous le couvert de paupières élégamment indolentes, les yeux verts de Richard lancèrent un regard furtif devant lui à l'autre bout de la pièce. Paul Barras, un ancien dirigeant (et, selon la rumeur, un ancien amant de Joséphine), était assis en solitaire à une table près de la porte. Il ne serait d'aucune utilité. Richard rejeta pour la même raison un groupe de femmes qui gloussaient sous de hideux turbans rayés. Ah, mais là, près de la cheminée…

— Marston, mon vieux, appela Richard d'une voix traînante. Je vois que tu n'as pas beaucoup de chance aux cartes ce soir ! Murat.

Richard fit un signe de tête au beau-frère du Premier Consul. Vu la façon dont celui-ci était affalé sur sa chaise, le verre de brandy devant lui était loin d'être son premier.

Marston envoya d'un coup de pied une chaise vers Richard.

— Tu veux tenter ta chance, Selwick ?

— Trop aimable de ta part, répondit Richard en se laissant tomber paresseusement sur la petite chaise dorée.

Marston se leva pour s'étirer, ne vacillant que légèrement.

— Ce n'est rien. Aussitôt que j'aurai regagné une partie de ce que j'ai perdu ce soir contre Murat, je m'en vais. J'ai rendez-vous avec un beau morceau.

Richard approcha sa chaise de la table.

— Combien coûte-t-elle?

Marston s'esclaffa, montrant de grosses dents blanches.

— Celle-ci est gratuite, pour changer. Pas mal, hein?

Richard répondit en montrant poliment les dents à son tour, mais puisque son intérêt pour les histoires d'amour de Marston était à peu près équivalent à son désir de connaître les subtilités de la taxonomie, il détourna rapidement la conversation vers une piste plus prometteuse.

— Y a-t-il une quelconque possibilité que tu penses à vendre ton cabriolet?

— Quoi! Vendre le Chariot de l'amour? Les dames de Paris seraient en deuil.

— Et leurs maris cocus feraient la fête.

Marston sourit d'un air suffisant.

— La chanceuse de ce soir n'a pas de mari. Seulement un...

— Je demandais, l'interrompit Richard avant que Marston n'eût le temps de s'engager à nouveau dans ses histoires ennuyeuses de séduction et de satisfaction, parce qu'un ami à moi cherche une voiture, et je sais que la tienne lui plaît.

— À qui ne plairait-elle pas? répondit Marston en étirant les jambes.

Richard se demanda comment elles arrivaient à supporter quotidiennement le poids d'un si gros ego.

— J'ai dit à Geoff qu'une voiture fermée serait beaucoup plus pratique, répondit Richard en dissimulant son dégoût. Qu'en penses-tu?

Marston renâcla.

— Pour les vieilles dames, oui! Les femmes sont folles des beaux petits cabriolets. Je peux te raconter la fois où...

— Les cabriolets sont très bien pour faire un tour au parc, mais qu'en est-il des voyages plus longs ou du transport de paquets? Ils n'offrent tout simplement pas assez d'intimité ni d'espace. Murat, tu distribues les cartes?

— Je vais le faire.

Marston attrapa le paquet de cartes avant que son ami ait pu répondre et commença à les battre avec l'adresse d'un joueur expérimenté.

— À quoi joues-tu, Selwick? Commerce, euchre ou *vingt et un**?

— Ce à quoi vous jouiez, peu importe. Donc, tu recommanderais le cabriolet, n'est-ce pas? Et pour les rendez-vous de minuit et ce genre de choses?

Marston lança trois cartes vers Richard.

— C'est assez facile de louer un carrosse.

— Tu peux me recommander quelqu'un?

— Il y a un petit homme rue Saint-Jacques, dit Marston d'un air détendu en s'adossant pour regarder ses cartes. Il a un carrosse quelconque et ne pose pas trop de questions, si tu vois ce que je veux dire.

— Je m'en souviendrai, répondit Richard avec un sourire amusé.

Un petit homme rue Saint-Jacques... Il enverrait Geoff se renseigner le lendemain. Richard cocha mentalement un des points sur sa liste.

— Jusqu'où te laisse-t-il aller?

— J'ai déjà fait un aller-retour jusqu'à Calais, répliqua Marston en fronçant les sourcils et en se distribuant une autre carte.

— De la famille d'Angleterre t'a rendu visite? s'enquit poliment Richard.

— Non, je...

Marston se tut subitement.

Richard éclata du rire entendu du citadin raffiné.

— N'en dis pas plus! N'en dis pas plus! protesta-t-il en levant une main devant lui. La réputation de la demoiselle doit être protégée. Je comprends. Passe-moi la carafe, tu veux?

Se détendant visiblement, Marston poussa la carafe de cristal sur le tapis de carte en feutrine verte. Richard la brandit en un geste de camaraderie avant d'enlever le bouchon pour verser un peu du liquide ambré dans un verre. Fichtre! Marston n'était pas tout à fait assez ivre; si Richard continuait à lui poser des questions sur le sujet, il deviendrait méfiant.

— Aux femmes sans nom! déclara Richard en levant son verre de brandy.

— Bien dit!

Marston vida son verre et tendit le bras en direction de Richard et de la carafe.

— Aux chemmes fans nom, marmonna Murat dans son coin.

Voilà un homme qui était assez ivre pour être utile.

— La paix dure depuis trop longtemps, Murat, dit gaiement Richard. Tu ne supportes plus l'alcool! Tu ferais mieux de travailler là-dessus, sinon ils t'enlèveront ton poste de commandement.

— Lui ? demanda Marston en pointant du doigt son ami qui tanguait autant qu'une frégate après un gros orage. Il y a certains avantages à être le beau-frère du Premier Consul, hein, Murat ? Même si tu dois supporter Caroline !

— Ch'est bvrai, acquiesça Murat. Faut supporter Caroline. Encore du brandy ?

Richard se pencha gentiment par-dessus la table pour remplir le verre de Murat.

— Caroline te fait la vie dure ?

— Cha va, répondit Murat avec de grands gestes, envoyant la moitié du contenu de son verre dégouliner le long des murs en soie moirée rose de madame Rochefort. M'en vais b'tôt.

Deux verres de brandy et plusieurs bredouillements sifflants plus tard, Richard avait réussi à déterminer que, à en croire Murat, celui-ci s'était vu promettre un poste de haut rang dans l'armée lors de l'invasion de l'Angleterre. Caroline, avait dit Murat, avait forcé la main de son frère, ce que Richard n'avait pas de mal à croire. Caroline avait le visage d'un ange et l'implacable détermination de, eh bien, de son frère Napoléon. Et dans ses mauvais jours, celle de son frère Napoléon croisé avec Lucrèce Borgia. Richard plaignait quelque peu ce pauvre Murat.

Cependant, sa sympathie diminua à mesure que Murat s'étendit sur le sujet. Il lui fallut presque une demi-heure pour s'assurer que Murat ne savait pas exactement quand partirait la campagne d'Angleterre, seulement que ce serait bientôt. Bientôt signifiant entre deux mois et un an. Pas très utile, tout ça. Napoléon attendait quelque chose. Caroline s'était énervée contre Napoléon, qui lui avait répondu qu'il ne pouvait rien faire avant qu'arrive…

Richard recula rapidement en raclant sa chaise au sol lorsque Murat fut malade sur le précieux tapis persan de madame Rochefort.

C'était dans ces moments-là, se dit amèrement Richard pendant que Marston tendait un mouchoir à son ami et qu'un domestique accourait avec des chiffons et de l'eau, qu'il enviait le petit boulot tranquille de Miles au ministère de la Guerre. Son petit boulot tranquille et inodore au ministère de la Guerre.

— Reviens de chuite, informa Murat en titubant vers la sortie.

Avec un peu de chance, il trouverait de quoi se changer.

— Un autre verre de brandy, et tu seras en pleine forme! cria Marston derrière lui.

— Peut-être pourrions-nous changer de table? proposa Richard en fronçant les narines.

— Je n'ai rien contre, répondit Marston en haussant les épaules. Je pars dans dix minutes. La fille m'attend à minuit. Je pourrais la faire patienter quelques minutes... Le suspense les rend toujours plus ardentes...

— Que penses-tu de cette table?

Richard n'avait aucune envie d'entendre d'autres conseils romantiques de la part de Marston. Avant qu'il ait pu revenir à ses plans pour la soirée, Richard lui fit un compliment sur sa veste.

— Je te donnerai le nom de mon tailleur, offrit généreusement Marston.

Richard préférerait affronter un peloton d'exécution plutôt que de porter une veste bleu canard avec des revers or et des boutons en camées, mais l'offre lui donna exactement l'occasion qu'il attendait.

— Tu es plutôt copain avec Balcourt, n'est-ce pas ? Pourrais-tu le convaincre de fréquenter un autre tailleur ? Un qui n'est pas daltonien ? C'est diantrement difficile pour les yeux de tout le monde.

— Il n'a pas été très choyé par la nature.

Marston attrapa la bouteille de brandy et les verres sur leur ancienne table à l'instant où Murat revenait en titubant sans son foulard et son gilet souillés.

Richard fit mine d'être confus.

— Je croyais que vous étiez amis.

Marston haussa les épaules, évitant ainsi de répondre à la question.

— Qui aurait cru qu'il avait une sœur aussi attirante ?

Richard lutta contre l'envie de faire taire Marston à coups de poing. Il était vrai que Richard avait lui-même partagé cette impression, mais la lueur dans les yeux de Marston faisait ressortir chez lui une inclination à la violence insoupçonnée jusque-là. Richard jeta Jane dans la gueule du loup sans hésiter :

— Sa cousine a la réputation d'être la beauté de la famille.

— Pas mon genre. Je les préfère petites et pulpeuses plutôt que froides et sculpturales. Peut-être que vous, les intellectuels, préférez les statues, mais pas moi, non.

Il fantasmait donc sur Amy, n'est-ce pas ? Richard espérait vraiment que Marston était impliqué dans des affaires louches pour le compte de Bonaparte, simplement pour avoir une bonne raison de l'étriller.

Entre-temps, Marston s'était mis à énumérer les attributs d'Amy que Richard avait lui-même remarqués la veille, dont aucun ne se situait au-dessus du cou. Richard envisagea de jeter accidentellement la carafe en cristal à la tête de Marston.

Le bon sens prit le dessus ; il n'avait toujours aucune idée des liens que Marston entretenait en réalité avec Balcourt et il aurait certainement moins de chances de le découvrir s'il le matraquait jusqu'à ce qu'il perde connaissance.

— Ça suffit ! protesta Richard en levant une main devant lui. Tu ne voudrais quand même pas rendre jalouse la demoiselle que tu rejoins ce soir.

— Aucun danger !

Posant brusquement son verre de brandy sur la table, Marston se tordit de rire en réponse à une blague qu'il était le seul à comprendre.

— La rendre jalouse ! Ha ! Absolument aucun danger !

— Pourquoi ça ?

Marston sourit à Richard d'un air vorace.

— Parce que la chanceuse de ce soir *est* Amy Balcourt.

Chapitre 21

✷

Richard vit rouge.

Il vit toutes les teintes de rouge imaginables, de cramoisi à écarlate, mais se vit surtout en train d'enfoncer à répétition son poing dans le visage de Marston. Il lui fallut user de toute son impressionnante volonté pour ne pas transformer ce rêve en réalité.

Seuls les poings de Richard, serrés sous la table, laissaient deviner la lutte qui faisait rage en son for intérieur lorsqu'il s'enfonça dans sa chaise.

— Vraiment? demanda-t-il d'une voix traînante.

— Y'en a qu'ont de la veine, hoqueta Murat, quelque part juste au-dessous du rebord de la table.

— Ce n'est pas de la chance, c'est mon joli minois, répliqua Marston en attrapant son ami par le collet pour le remettre sur sa chaise. J'ai rencontré la fille cinq minutes hier soir, et elle ne peut déjà plus tenir ses mains loin de moi.

Cela ne correspondait pas tout à fait aux souvenirs de Richard. Il y avait certainement une erreur. Marston devait avoir inventé le rendez-vous pour impressionner ses amis. Ou il allait rejoindre une autre femme qu'il avait confondue avec Amy. Il devait y avoir une explication très simple.

— Qu'a-t-elle fait? réussit à articuler Richard entre des lèvres douloureusement pincées. Elle t'a accosté dans tes appartements après la fête?

— Nan, répondit Marston en retournant une carte sur la pile des écarts. Elle m'a envoyé un message urgent. Comme ça, peux-tu le croire? Un *message urgent*! s'esclaffa encore une fois Marston. Elle me veut à tout prix.

— Perchonne ne m'enbvoie plus de mechages comme cha, déplora Murat.

Marston lui envoya une claque amicale sur l'épaule, qui faillit le projeter par-dessus le bras de sa chaise.

— Ça, c'est parce que Caroline les fait toutes fuir!

— Caroline, grogna Murat en tendant la main vers la carafe de brandy.

— Un message *urgent*, dis-tu? s'enquit Richard.

— Ainsi sont les femmes, répondit Marston en s'enfilant un autre verre de brandy. Elle a dit qu'elle devait me voir *de toute urgence* parce qu'elle a quelque chose de *terriblement important* à me dire. Elle a dit que je saurais de quoi il s'agit vu notre conversation d'hier soir. Ha! Même un fou aurait compris ce que la fille veut, hein, les gars?

— Et son frère? lâcha Richard.

— Qu'est-ce qu'il a, son frère?

— Ne s'opposera-t-il pas au fait que sa sœur te donne rendez-vous?

— Balcourt?

Marston rejeta la tête en arrière et éclata de rire. Richard espéra que le poids de sa tête allait le déséquilibrer et qu'il s'assommerait peut-être sur un meuble bien placé — il y avait un beau coin de table à cartes bien pointu juste là —, mais contrairement à Richard, Marston avait la chance de son côté. La tête de Marston reprit sa place sans qu'il ait même chancelé.

— Balcourt? poursuivit-il. Il n'est pas assez stupide pour se montrer vieux jeu là-dessus.

C'était pousser trop loin la nonchalance française, conclut Richard. Sans compter que Balcourt était à moitié anglais et devrait donc être diablement plus avisé que cela.

— Mais c'est sa *sœur*, laissa échapper Richard entre ses dents en se levant. C'est plutôt un mauvais tour à jouer à un ami, de séduire sa sœur.

Marston haussa les épaules.

— Balcourt m'en doit une. Bonne nuit, messieurs.

— Tu veux que je te conduise? demanda avec empressement Richard tandis que Marston se dirigeait vers la porte. Si tu veux bien attendre un instant, je vais envoyer chercher ma voiture. Je peux te déposer en rentrant chez moi.

«Et m'assurer que tu ne te rendras jamais à ton rendez-vous», ajouta Richard pour lui-même d'un air grave. Tant de choses peuvent se produire en chemin. Son cocher anglais, ne connaissant pas très bien les rues de Paris, pourrait se perdre et tourner en rond pendant des heures. Assez long-temps du moins pour qu'Amy se croie abandonnée et s'en aille en colère. Ou bien le carrosse pourrait croiser un nid-de-poule fatal. Ou alors Marston pourrait avoir trop bu et sombrer dans l'inconscience, avec un peu d'aide de la part de son nouvel ami. Ou...

— Très chic de ta part, Selwick, répondit Marston qui s'était arrêté pour un instant de gloire avant de mettre un pied devant l'autre, puis devant l'autre. Mais il ne s'agit que d'une courte marche.

— En es-tu certain? Où la rejoins-tu?

— Au jardin du Luxembourg, répondit Marston en s'arrêtant à nouveau. Les femmes et leurs idées romantiques. J'aurais préféré un lit.

Richard aurait préféré étamper son poing dans le sourire suffisant de Marston. À la place, il s'efforça de lui souhaiter poliment une agréable soirée. Il envisagea l'idée de lui donner une petite poussée — un tout petit coup de coude — dans l'escalier de marbre, mais trop de témoins potentiels traînaient dans les environs. Bon sang, comment pouvait-il disposer de Marston sans attirer l'attention ? Une attention que la Gentiane pourpre ne pouvait pas se permettre.

En reprenant ses gants et son chapeau à la domestique au bas de l'escalier, Richard songea à courir devant Marston, puis se cacher pour l'attendre et l'attaquer par-derrière. Les rues de Paris grouillaient de malandrins. Cette chaîne de montre en or que Marston portait criait « Prends-moi ! Prends-moi ! » à tous les voleurs qui se trouvaient dans un rayon de dix kilomètres. Marston serait inconscient, Amy serait hors de danger, et personne n'en saurait rien.

Il n'y avait qu'un seul petit problème, s'aperçut Richard en écrasant violemment son chapeau entre ses mains. Il n'avait aucune idée du chemin que Marston avait l'intention d'emprunter. Splendide ! Il serait tapi dans une ruelle devant laquelle Marston pourrait ne jamais passer, pendant que ce dernier s'imposerait à Amy dans le jardin du Luxembourg.

Mais à quoi diable avait bien pu penser Amy ?

Bondissant en bas de l'escalier devant la maison de ville des Rochefort, Richard vit Marston se diriger nonchalamment vers la Seine, vers le pont qui les séparait du jardin et d'Amy. Richard réfléchit un instant à la possibilité de mettre Balcourt au courant du danger qui guettait sa sœur, mais rejeta aussitôt cette idée. Même s'il trouvait Balcourt chez lui, et même si Marston avait tort à propos de l'indifférence de Balcourt, il n'aimait pas penser à ce qui pourrait arriver à Amy en attendant qu'il arrache Balcourt à un fauteuil pour le pousser dans sa voiture.

D'ailleurs, il n'avait pas envie de renoncer au plaisir de frapper Marston.

Il n'y avait qu'une seule chose à faire. Zut, zut, zut! Richard changea rapidement de direction pour se rendre chez lui. Il traversa le hall d'entrée en coup de vent, renversa une petite table et heurta un cadre qui resta de travers. Il se précipita dans son bureau, se jeta sur les genoux et se mit à lancer les livres qui occupaient l'étagère inférieure de sa bibliothèque.

À quoi diantre avait bien pu penser Amy pour donner rendez-vous à un étranger en pleine nuit? Personne ne lui avait donc inculqué le moindre bon sens? Se croyait-elle invincible? Lorsqu'il la trouverait, il la secouerait jusqu'à ce qu'elle ne puisse plus se tenir debout. Puis il la cloîtrerait dans une pièce fermée par une dizaine de cadenas — disons une vingtaine — de sorte qu'elle ne puisse plus envoyer de mots ridicules à des hommes ridicules pour arranger des rendez-vous ridicules à des heures ridicules de la nuit. Bon sang!

Il attrapa un bout de tissu noir et tira brusquement sur sa cape pour la sortir de sa cachette. Pas le temps de changer de pantalon; il faudrait que la cape cache le tissu marron clair. Au moins, ses bottes noires montaient jusqu'aux genoux. Le masque suivit la cape, puis Richard se releva et courut, le masque à la main.

— Grand Dieu, mon ami! Que se passe-t-il? demanda Geoff alors qu'il passait à toute allure devant lui.

— Pas le temps ! Te raconterai plus tard ! répondit pour la forme Lord Richard Selwick en bondissant en bas de l'escalier de sa maison de ville.

Quelques instants plus tard, la Gentiane pourpre courait à toute vitesse en direction du jardin du Luxembourg et de sa damoiselle en détresse. Sa résolution d'éviter Amy Balcourt n'avait même pas tenu une journée.

Amy repoussa sa capuche. Malheureusement, le fait d'enlever le tissu drapé n'améliora pas beaucoup sa vision.

— Je savais que j'oubliais quelque chose, murmura-t-elle.

Une lanterne. Elle avait la cape à capuche, les bottes robustes et l'information urgente, mais elle avait oublié la lanterne. Sans lanterne, Amy n'avait qu'une très vague idée d'où elle se trouvait. Elle savait bien qu'elle était au jardin du Luxembourg, mais outre cela, elle était perdue. Dans l'obscurité, tous les arbustes se ressemblaient beaucoup.

— Ah, te voilà !

La voix grave de Marston porta jusqu'à l'autre bout de l'allée d'arbres lorsqu'il surgit d'un virage. Sa voix, déformée par le vaste espace et rendue empâtée, sonna si différemment de la veille que c'en était déconcertant. Amy se rendit compte qu'il parlait anglais. Évidemment ! Tout le monde avait une voix différente dans une autre langue.

— Je te cherchais.

Tandis que Marston s'approchait d'Amy, ses pieds bottés résonnèrent sur les dalles du sentier. Les broderies or de sa veste étincelaient au clair de lune. Il avait revêtu la même redingote richement décorée qu'elle avait vue aux Tuileries la veille, et sa tête bouclée ne portait pas de chapeau. Amy lutta contre le malaise qui montait en elle au même rythme que le brouillard autour. Pourquoi se déguiserait-il avec une cape et un masque maintenant qu'elle savait qui il était? C'était certainement une preuve de bon sens de sa part de ne pas parader partout avec son costume.

— Je suis désolée, dit Amy d'une voix qui lui parut métallique. Je me suis légèrement égarée.

— Je connais un moyen de te faire pardonner, répondit Marston en la prenant par les épaules. Comme ça.

Se rappelant qu'il était la Gentiane, qu'elle l'avait embrassé la veille et que cela lui avait beaucoup, beaucoup plu, Amy étouffa ses derniers scrupules et se blottit volontairement dans ses bras. Laissant ses yeux se fermer, elle appuya la tête sur son torse et prit une profonde inspiration de satisfaction... Puis ses paupières se rouvrirent subitement.

Il n'avait pas la bonne odeur.

Amy recula en hâte, les yeux écarquillés par l'inquiétude. Pendant le bref instant où elle s'était pressée contre sa veste, elle avait senti le tabac, le brandy et le cuir, mais pas de parfum d'agrumes.

— Ne joue pas les allumeuses ainsi, grogna Marston en tendant le bras pour l'attraper.

Amy l'évita de justesse. Oh, bonté divine! Il n'était pas la Gentiane pourpre. Et apparemment, il croyait qu'il... qu'elle...

— Allez! Tu sais bien que tu me veux!

Marston s'empara de l'une de ses mains et l'attira vers lui.

Des lèvres humides fondirent sur les siennes. Les protestations d'Amy furent écartées par une grosse langue qui se fraya un chemin entre ses dents. Prise d'un haut-le-cœur causé par l'intrusion, Amy poussa fort contre le torse de

Marston. Le métal dur de sa chaîne de montre lui érafla les paumes, mais Amy sentit à peine la douleur alors qu'elle se débattait dans ses bras. Surpris, Marston recula en titubant. Leurs lèvres se séparèrent avec un bruit de succion dégoûtant.

Amy s'essuya la bouche du revers de la main. Les yeux de Marston se plissèrent de façon menaçante.

— Vous semblez m'avoir mal interprétée! Je veux dire... c'est que... Je ne vous ai pas donné rendez-vous ici pour... pour vous embrasser. Je voulais vous *parler*! Pour... pour l'anniversaire d'Édouard!

— Pour l'anniversaire d'Édouard.

La voix de Marston transpirait le scepticisme. Amy ne pouvait pas lui en vouloir; elle avait elle-même du mal à croire à ses propos.

— Oui! J'ai été absente si longtemps que je ne connais pratiquement plus rien de ses goûts, et je voulais lui organiser une fête d'anniversaire splendide pour le remercier de m'avoir invitée ici, débita Amy en reculant vers la rangée d'arbres.

Idiote, idiote, idiote, se réprimanda-t-elle en silence. D'accord Amy, c'est toi qui t'es mise dans cette situation. Maintenant, tire-toi de là!

— Je suis désolée que vous ayez cru que... hum.

Amy s'interrompit.

— Pardonnez-moi pour la confusion, essaya-t-elle encore après s'être mordu les lèvres. Vous avez tous les droits d'être en colère. Je n'avais pas l'intention de vous faire venir ici sous de faux prétextes. Vraiment! Je suis tellement, tellement désolée.

Ses excuses semblaient avoir touché une corde sensible chez Marston.

— Merci de vous montrer si compréhensif, termina Amy avec un soupir de soulagement.

Marston s'approcha furtivement d'Amy, et un bras se faufila autour de sa taille pour l'attraper. Ce qu'elle avait dit n'avait rien à voir avec ce que Marston avait compris. Si seulement elle pouvait enlever ce pied-de-biche qui lui servait de bras d'autour de sa taille, peut-être pourrait-elle lui expliquer.

— Inutile de faire la timide, dit-il d'une voix douce. Allez. Tu peux me dire ce que tu veux réellement.

— Vous. Ne. Semblez. Pas. Comprendre, dit Amy d'une voix entrecoupée en tentant de repousser Marston.

Il resserra son étreinte autour d'elle et sa bouche humide se déplaça vers son oreille.

— Oh, je comprends très bien. Tu as simplement peur de le demander.

Marston donna un petit coup de langue près de son oreille. Il la tenait si fermement que ses bras étaient coincés entre eux et que les broderies de sa veste éraflaient la peau de ses avant-bras. Pourquoi ne la lâchait-il pas ? se demanda Amy, alors qu'un début de panique se propageait de son cerveau vers ses mains tremblantes. Et la bouche de Marston — elle continuait de bouger, de suivre la sienne pour essayer d'envahir ses lèvres.

Amy tourna la tête sur le côté en se débattant désespérément pour dégager ses bras de l'étreinte de Marston. Le paisible gazouillis des oiseaux et le murmure de l'eau qu'elle entendait formaient un ironique contretemps aux râles de la respiration de Marston dans son oreille.

— Vous ne comprenez pas, dit-elle encore, essoufflée. Nous pouvons certainement discuter…

La tête de Marston suivit la sienne. Les efforts d'Amy pour s'éloigner lui faisaient mal au cou. Si seulement elle pouvait le repousser assez longtemps pour lui faire entendre raison et comprendre qu'il y avait une erreur ! Des lèvres mouillées traînèrent sur la joue d'Amy. Tirant brusquement pour dégager un de ses bras, Amy repoussa le visage de Marston de toutes ses forces.

Crac !

Cela fonctionna beaucoup mieux qu'elle ne l'avait espéré.

— Petite garce ! hurla Marston en lâchant Amy. Tu m'as cassé le nez !

Amy fixa avec une fascination horrifiée le liquide sombre qui coulait entre les doigts de Marston. De sa main gauche, il tira frénétiquement sur son foulard jusqu'à ce que le nœud se défasse et pressa la boule d'étoffe contre son nez.

— Je suis désolée, dit Amy, le souffle coupé, je ne voulais pas…

Les yeux pâles de Marston croisèrent les siens au-dessus du tissu chiffonné. Son regard ne pouvait être qualifié autrement que de meurtrier. Avec un faible grognement, il jeta le tissu et se mit à s'approcher d'Amy.

Les excuses ne seraient manifestement pas très efficaces.

Un mètre, cinquante centimètres. Marston réduisait de plus en plus la distance qui les séparait.

— Tu vas me le payer, grogna-t-il.

Amy eut l'intuition qu'il ne parlait pas de paiement en argent.

Elle plaça ses bras dans la même position que prenait son cousin Ned lorsqu'il boxait avec le garçon d'écurie.

— Si vous ne vous arrêtez pas immédiatement, je vous jure que je vais vous casser autre chose ! Je suis sérieuse !

— Ça va te coûter cher, l'avertit Marston.

Ses mains avalèrent celles d'Amy. Sans vraiment arriver à croire à la réalité de ce qui se passait, Amy sentit que ses bras étaient amenés de force derrière elle. Au cours des vingt années de sa vie, personne ne l'avait jamais traitée avec rudesse ni ne s'était saisi d'elle sous le coup de la colère ; le fait que cet homme, cet ami de son frère, use de violence pour s'en prendre à elle était totalement inconcevable.

Elle fut brusquement ramenée à la réalité par la douleur dans ses épaules. Amy usa de toutes ses forces pour résister, s'efforçant d'empêcher les bras de Marston de se refermer autour d'elle, mais les années passées à soulever des livres dans la bibliothèque de son oncle ne l'avaient pas très bien préparée à un concours de force ; en quelques secondes, ses bras avaient parcouru les trois quarts du chemin vers son dos. L'anxiété lui serrait la gorge, rendant sa respiration sifflante. Elle supposa qu'elle devrait crier, mais qui répondrait à son appel ? Du sang coula du nez de Marston sur la joue d'Amy, ce qui la fit sursauter et tordre le cou pour s'éloigner de lui. Le geste donna à Marston ce dont il avait besoin pour consolider sa victoire : dans un dernier effort, il tordit les bras d'Amy derrière son dos et les immobilisa d'une seule de ses grandes mains. Amy se contorsionna dans ses bras, arquant le dos pour s'en éloigner le plus possible, mais il l'attira brusquement vers lui. Ses doigts se refermèrent aussi solidement sur les poignets d'Amy que s'ils avaient été ligotés avec une dizaine de nœuds marins.

Non ! cria mentalement Amy. Les bras de Marston autour d'elle immobilisaient tout le haut de son corps. De sa main libre, il attrapa une poignée de ses cheveux et tira sa tête en arrière. Amy écarquilla les yeux sous l'effet inattendu de la douleur.

— Maintenant, grogna-t-il, nous pouvons discuter de ce que tu peux faire pour te racheter.

— Mon frère ne vous laissera pas vous en tirer ainsi! cracha Amy.

Marston ricana d'une manière désagréable en tirant à nouveau sur ses boucles, plus fort.

— Ton frère serait incapable de s'en prendre à une limace.

Les narines d'Amy se dilatèrent.

— Vous avez une haute estime de vous-même, n'est-ce pas?

— Qu'est-ce que… petite… aaaargh!

La botte robuste d'Amy écrasa le petit orteil de Marston. Le solide talon carré s'enfonça profondément dans le cuir, produisant un merveilleux craquement, qui fut rapidement couvert par un hurlement de douleur digne d'un stentor. Tordant les poignets, Amy se libéra de l'étreinte que Marston avait relâchée. Fichtre! Marston tendait déjà les mains pour la rattraper, tirant sur sa robe tandis qu'elle essayait de courir. Elle aurait dû lui casser les doigts plutôt que les orteils. Elle entendit le son désagréable de l'étoffe qui se déchire, mais Marston la tenait toujours fermement. D'un instant à l'autre, l'autre main de Marston apparaîtrait, et tout serait à recommencer.

Non! Elle ne se laisserait pas faire! Amy se tourna et balança son poing droit au visage de Marston. Ses jointures effleurèrent le dessous du menton de Marston pour plonger dans le vide.

Marston tomba à la renverse sur le sol à ses pieds, produisant un fracas digne de la chute de Goliath.

Chapitre 22

❀

Ayant toujours du mal à reprendre son souffle, Amy, l'air confuse, fixait le corps de Marston par terre. Elle n'aurait vraiment pas cru avoir frappé si fort. Puis elle l'entendit. Le bruit de la respiration de quelqu'un d'autre, qui provenait de l'endroit où Marston s'était tenu. Amy leva subitement les yeux, à l'instant où un visage obscur bondissait par-dessus le corps de Marston pour s'arrêter devant elle.

— Vous a-t-il fait mal ?

Amy cligna des yeux, regardant tour à tour le visage meurtri de Marston au sol et le fantôme encapuchonné devant elle.

— Si vous n'êtes pas Marston, alors qui êtes-vous ? lâcha Amy.

— Vous pensiez que j'étais *Marston* ? C'est pour ça que vous… Oubliez ça. Nous réglerons ça plus tard.

S'il était possible qu'un visage masqué dans l'obscurité réussisse à avoir l'air sévère, c'était le cas du sien.

— Vous a-t-il fait mal ? répéta-t-il.

— Non.

Amy secoua la tête. Son cœur battait toujours trois fois plus vite qu'à l'habitude, mais ses pensées défilaient plus rapidement encore. Comment avait-elle pu penser que

Marston était la Gentiane ? À les regarder l'un à côté de l'autre — il fallait admettre que Marston formait un tas sur le sol, ce qui faussait quelque peu la comparaison —, les différences étaient si évidentes qu'Amy se sentit comme une parfaite idiote de ne pas les avoir remarquées, et de ne pas avoir couru, à l'instant où elle avait vu Marston avancer à grands pas dans l'allée bordée d'arbres. Où Marston était corpulent, la Gentiane avait une force gracieuse, élancée. Par terre à côté du pied d'Amy reposait une main aux gros doigts, dont les jointures étaient parsemées de poils foncés. Tellement différente des mains aux longs doigts gantées de noir que la Gentiane pourpre tenait de chaque côté de lui. Même les dents de Marston semblaient plus larges et plus grossières que celles de la Gentiane. Juste ciel ! Était-il seulement possible d'avoir des dents élégantes ?

Amy pressa ses paumes sur son visage et les frotta de haut en bas pour contenir un éclat de rire démentiel.

— À quoi avez-vous donc pensé ? grommela la Gentiane pourpre. Alors ? cracha-t-il en voyant qu'Amy ne répondait pas tout de suite. Comment diable avez-vous pu imaginer que lui et moi étions la même personne ?

La Gentiane lança un regard furieux vers le corps par terre.

— Vous ne voyez pas la ressemblance ?

Amy était secouée de tremblements à force de contenir son rire. *Hic ! Hic !* Ce n'était pas la peine d'essayer de se retenir ; tout son corps frémissait de rire.

— Bon sang, Amy ! Ce n'est pas marrant !

Amy était pliée en deux et se tenait les côtes à deux mains.

— Vous avez l'air s-s-si indigné ! hoqueta-t-elle.

— Vous avez parfaitement raison, je suis fichtrement indigné ! hurla la Gentiane en tirant Amy pour la relever, jusqu'à ce que ses yeux larmoyants soient exactement au même niveau que les siens. Savez-vous ce que Marston s'apprêtait à faire ? Le savez-vous ? Il s'apprêtait à vous violer, sacrebleu !

— Je ne… je n'arrive… Lâchez-moi !

Les yeux intensément fixés sur les siens, il ouvrit les mains. Amy s'assit lourdement sur la terre piétinée du sentier. Ses jambes ne semblaient plus vouloir la porter, et pour dire vrai, Amy était bien d'accord avec elles.

— Est-ce cela que vous avez dit à Marston ? Vous a-t-il écoutée ?

En entendant son nom, la silhouette allongée sur le sol remua et gémit. La Gentiane s'approcha de lui d'un pas rapide et lui administra un vif coup de pied brutal sur la mâchoire. Amy tressaillit à l'instant où la tête de Marston fut projetée en arrière.

— N'était-ce pas un peu… inutile ?

— Absolument pas. Voulez-vous qu'il se réveille ?

Amy frissonna, ce à quoi la Gentiane répondit par un sourire mauvais.

— C'est bien ce que je pensais, poursuivit-il. Vous feriez mieux d'espérer qu'il ait les idées assez embrouillées pour ne pas se souvenir des événements de ce soir. Nous allons nous en assurer, d'accord ?

La botte de la Gentiane pourpre heurta à nouveau la tête de Marston, le retournant complètement. La Gentiane examina son œuvre.

— Beaucoup mieux.

Amy s'éloigna de Marston à la manière d'un crabe. Elle sentait des élancements dans les bras aux endroits où il l'avait tenue et avait toujours le goût de ses lèvres baveuses et répugnantes sur les siennes. Amy serra ses bras autour d'elle en se demandant ce que la Gentiane dirait si elle était malade sur ses bottes noires cirées.

— Je crois que j'aimerais rentrer à la maison maintenant.

— Je n'en ai pas encore terminé avec vous.

La Gentiane pourpre croisa les bras sur son torse et observa Amy avec sévérité.

Un bain. C'était ce dont elle avait besoin. Elle se brosserait les dents avec de la poudre dentifrice pendant que les domestiques lui feraient couler un grand bain douloureusement chaud.

— S'il vous plaît, ne recommencez pas à hurler après moi.

— Je ne hurle pas. Les hommes ne hurlent pas. Fichtre! Cessez de me regarder ainsi!

— Comment?

— Comme si…

Richard s'interrompit avant que ses paroles ne se transforment en une variété de véritables cris du même type que ceux qu'il venait tout juste de nier s'autoriser.

— N'avez-vous aucune idée du danger que vous couriez? demanda Richard d'une voix détendue et mesurée.

Ha! Qu'elle essaie donc de qualifier cela de hurlement!

Amy lui lança un regard noir en se relevant péniblement.

— Rien de cela ne serait arrivé si vous m'aviez dit qui vous êtes.

— Qui vous a dit de vous lancer à ma recherche?

— J'avais quelque chose à vous dire! Et je ne savais pas si vous daigneriez communiquer avec moi un jour. Après la façon dont vous vous êtes enfui hier soir…

— Alors maintenant, c'est ma faute ? Je cours comme un fou à votre secours...

— Je vous ai déjà dit que je n'avais pas besoin d'être secourue !

— Alors, vous aviez une petite conversation tranquille avec Marston quand je suis arrivé ? C'est ça ? Et ce n'est pas le pire ! Vous avez quitté la maison seule, sans chaperon, sans escorte et au milieu de la nuit par-dessus le marché ! Vous avez eu de la chance que Marston ait été le seul à s'attaquer à vous ! Malandrins, détrousseurs...

Assailli par des images d'Amy en danger — Amy traînée dans une allée sombre, Amy jetée au sol, Amy frappée à la tête par-derrière et, pire encore, parce que cela s'était vraiment produit, parce qu'il l'avait vu, parce qu'il semblait incapable d'arrêter de se repasser la scène à divers niveaux de panique, Amy impuissante contre l'étreinte brutale de Marston —, Richard réagit sans réfléchir. Il tendit les bras au-dessus de la barrière que formait le corps de Marston, attrapa Amy par les épaules et l'attira vers lui par-dessus l'homme à terre. Trop surprise pour résister, Amy ne se débattit pas. Elle ne cria même pas. Elle laissa bien échapper un petit *pfff* d'air lorsqu'elle s'écrasa contre le torse de Richard, mais c'était manifestement involontaire.

Richard ne lui donna pas l'occasion d'émettre d'autres sons.

Ses lèvres couvrirent les siennes avec un empressement qui s'apparentait à de la brutalité. Toute la colère et le stress que Richard avait ressentis depuis l'instant où Marston avait prononcé pour la première fois le nom d'Amy furent évacués dans ce baiser. Sa bouche épousa les contours de la sienne et s'y plaqua avec force, comme si la chair de leurs deux lèvres pouvait s'unir pour n'en former qu'une. Plutôt que de reculer devant la force brute de son baiser, Amy lui enlaça les épaules de ses bras, le serrant par le cou tandis qu'elle s'élevait sur la pointe des pieds pour arrimer encore plus parfaitement sa bouche à la sienne. Richard ronronna et la serra encore plus fort contre lui, se délectant de la façon dont son corps se moulait au sien. La respiration de Richard s'accéléra, et ses poumons lui firent aussi mal que s'il avait couru pendant des kilomètres, mais il ne voulait pas s'arrêter, jamais. Il continuerait à courir et à courir encore, la main d'Amy dans ses cheveux et chaque muscle de son corps plein de vie là où elle se pressait contre lui. Ses cuisses, son torse et ses épaules palpitaient là où il sentait Amy contre lui.

Amy s'agrippa à la Gentiane pourpre, alors que ses lèvres brûlaient l'immonde tache qu'avait laissée le baiser non désiré de Marston. Le feu purifie, lui rappela une partie lointaine de son cerveau. Amy s'embrasa, attisée par la chaleur qui irradiait des bras de la Gentiane, par ses lèvres sur les siennes, par la manière dont sa cape l'enveloppait en s'enroulant autour d'elle. Elle était le phénix, renaissant par le feu et se relevant, régénérée, des flammes qui l'avait consumée. Cela expliquait le crépitement dans ses oreilles et les flammes derrière ses paupières.

Les lèvres de la Gentiane pourpre lâchèrent les siennes, et ses bras libérèrent sa taille. Avec un hoquet de détresse inarticulé, Amy leva vers lui un regard aveugle et serra ses propres bras encore plus fort autour de lui.

— Ne me lâchez pas. Pas tout de suite…

— Oh, Amy, grogna la Gentiane pourpre.

Elle sentit contre sa peau la douceur du cuir de chevreau de ses gants lorsqu'il prit son visage entre ses mains pour couvrir de baisers son front, ses paupières, ses joues, le bout de son nez et ses lèvres.

— Mon Dieu, Amy, j'étais si inquiet. La pensée qu'il vous touche...

— Ne me plaisait pas tellement non plus, riposta Amy en s'appuyant de tout son poids contre lui, juste au cas où il aurait eu l'idée de s'éloigner à nouveau.

Amy frotta sa joue contre le gilet de la Gentiane — contrairement à celui de Marston, il n'y avait pas de rugueuse chaîne de montre métallique sur laquelle se blesser — et se détendit, soulagée, lorsqu'elle sentit ses bras se faufiler à nouveau autour de sa taille et ses lèvres effleurer doucement le sommet de son crâne.

— Nous devrions faire quelque chose avec Marston, marmonna Richard dans les cheveux d'Amy, sa voix à peine plus forte que le bruissement étouffé du vent dans les feuilles.

— Ne pourrions-nous pas simplement le laisser là?

À contrecœur, Richard se redressa et mit gentiment un bras de distance entre Amy et lui.

— Ce ne serait pas prudent.

— Devrions-nous le ramener chez lui?

— Non. Il y aurait assurément un valet ou un domestique dans les parages et nous ne voulons pas provoquer trop de bavardages.

L'air grave, Richard fit le tour de la silhouette étendue de Georges Marston en pensant à tous les soucis que l'homme lui avait causés. S'il gardait quelque souvenir de ses activités de la soirée, s'il faisait le lien entre Richard et l'homme masqué qui lui avait assené un grand coup sur la tête, certaines des meilleures sources de renseignement de Richard s'évaporeraient aussi vite que de l'eau renversée sous le soleil d'Égypte. Et, évidemment, il y avait la question plus pressante à savoir ce que diable on allait faire du rustre. Et pourquoi n'aurait-il pas simplement trop bu et perdu connaissance en chemin ?

— Trop bu ! C'est ça ! s'exclama la Gentiane aussi gaiement que s'il venait de percer le secret de la pierre de Rosette.

— Vous voulez boire un verre ? Maintenant ?

Amy, rendue perplexe par le fonctionnement du cerveau masculin, s'ôta du chemin à l'instant où la Gentiane se précipitait sur le corps inerte de Marston.

— Mais que faites-vous ? s'enquit-elle lorsque la Gentiane se mit à renifler — renifler ! — le gilet de Marston.

La Gentiane pourpre se releva avec agilité et se frotta les mains.

— Marston empeste le brandy. Nous pouvons le traîner jusqu'au Quartier latin et le laisser derrière une taverne. Il cadrera parfaitement avec les autres ivrognes inconscients dans le caniveau.

— Ça devrait fonctionner.

La voix d'Amy était inhabituellement feutrée lorsqu'elle s'approcha de la Gentiane pourpre pour baisser les yeux sur la silhouette évanouie de Marston. Même étendu ainsi dans la poussière, les bras mous et les mains encore plus molles, l'homme dans son ensemble lui donnait la chair de poule. Amy fut un peu réconfortée par l'angle crochu que formait son nez, une preuve qu'elle avait été capable de se défendre, du moins quelque peu.

La Gentiane avait contourné la tête de Marston et, ses bras protégés par de longues manches contre les éraflures que pourrait lui causer le fil d'or sur la veste de Marston, soulevait son torse mou. Tout en surveillant anxieusement les yeux de Marston pour s'assurer qu'ils ne s'ouvraient pas, Amy l'attrapa prudemment par les bottes.

En silence, ils se mirent en route en suivant le sentier entre les rangées d'arbres silencieux. La Gentiane pourpre reculait à grands pas, ce qui forçait Amy à faire deux de ses pas plus courts pour chacun des siens.

Amy admirait avec envie la grande silhouette sombre qui marchait à reculons avec assurance. Si elle le lui demandait, il s'arrêterait. Puis elle pourrait enfouir son visage sur son torse, enlacer ses bras autour de sa taille et le laisser porter son poids. C'était si tentant. Tout ce qu'elle avait à faire, c'était de le demander.

Tout ce qu'elle avait à faire, c'était de ravaler sa fierté.

Déterminée, Amy orienta ses pensées vers le défi de chiper l'or suisse sous le nez des agents de Bonaparte. Et si elle sursauta nerveusement quand un homme avec une cape brodée d'or et une démarche arrogante passa à côté d'eux dans le jardin, eh bien, la Gentiane pourpre ne fit aucun commentaire. Amy jeta un rapide coup d'œil au fardeau qui pendait entre eux, simplement pour s'assurer que Marston était toujours là, inconscient, mou et inoffensif. Temporairement rassurée, elle retourna à sa comparaison des avantages et des inconvénients de la poudre à canon, mais elle continua de sursauter chaque fois que le passage d'un corps humain faisait bruisser les feuilles autour d'eux.

Au grand soulagement d'Amy, le jardin laissa finalement la place aux rues animées du Quartier latin. Des cris et des rires s'échappaient des fenêtres bien éclairées des tavernes ; l'apparition soudaine de lumière éblouissante fit cligner Amy des yeux, et la puanteur aigre de la liqueur renversée lui fit froncer le nez.

À l'une des fenêtres, un groupe d'étudiants scandait une balade grivoise en latin, ponctuant les vers de grandes gorgées d'une immense cruche de Bordeaux. Le groupe de marins de l'auberge d'en face faisait de son mieux pour couvrir le chant des étudiants par un chant de marins tout aussi grivois. Juste devant eux, un homme sortit par une porte et tituba jusque dans la rue, fonçant presque dans la Gentiane pourpre avant de s'effondrer dans le caniveau. Dans l'encadrement de la porte ouverte, une femme massive vêtue d'un tablier souillé se frotta les mains dans le geste universel pour dire « bon débarras ».

Personne ne porta attention à Richard et à Amy.

Amy ne put qu'en conclure que des hommes encapuchonnés et des femmes échevelées qui portaient des corps inertes n'étaient pas un événement aussi rare qu'on aurait pu le croire.

— Une fois que nous nous serons convenablement débarrassés de notre cargaison, je te ramènerai à la maison, murmura la Gentiane pourpre à voix basse sous le couvert de toutes les réjouissances autour d'eux en se penchant au-dessus du corps inerte de Marston.

— Cargaison, répéta Amy. Il y a quelque chose que je dois…, siffla Amy sans relâcher sa poigne ferme sur les pieds de Marston.

— Ç'a l'air d'une allée prometteuse, qu'en penses-tu ? l'interrompit la Gentiane en regardant dans une impasse entre deux tavernes bruyantes.

Un homme occupait déjà une partie du caniveau, les bras en croix et une botte en moins.

— Laissons-le juste ici, d'accord ? Nous lui avons même trouvé une compagnie digne de lui, ajouta la Gentiane en riant.

D'accord. Ce n'était probablement pas le meilleur moment pour transmettre les plans d'invasion de l'Angleterre de Bonaparte, se consola Amy. Certainement pas au-dessus du corps d'un membre de l'armée de Bonaparte, aussi inconscient qu'il puisse paraître. Marston pourrait-il faire uniquement semblant d'avoir perdu connaissance et attendre qu'ils le lâchent pour se venger? Amy tressaillit en se rappelant le son qu'avait fait la botte de la Gentiane en rencontrant le menton de Marston et écarta rapidement la possibilité que Marston feigne l'inconscience. Il lui aurait fallu un crâne en métal pour ne pas perdre connaissance. Néanmoins, cela ne ferait probablement pas de mal d'attendre qu'ils soient dans un endroit moins fréquenté pour transmettre sa formidable information à la Gentiane.

Amy s'empressa de lâcher les pieds de Marston lorsque la Gentiane pourpre le laissa tomber sans cérémonie dans une flaque de liquide qu'Amy espérait être du vin. L'atterrissage du corps de Marston produisit un bruit sourd satisfaisant.

Se frottant les mains avec l'air d'un homme qui considère un travail bien fait, Richard jeta un dernier coup d'œil à la silhouette recroquevillée dans le caniveau. Marston s'était mis à ronfler bruyamment la bouche grande ouverte. Sa veste voyante était tachée de terre et maculée de sang. Entre l'état de sa tenue et son allure grossière, il avait tout simplement l'air d'un domestique qui était sorti se bagarrer habillé des vêtements de son maître. Tout ce qu'il lui manquait pour compléter le portrait, c'était une bouteille vide dans sa main molle.

Richard lança un regard noir au corps sur le sol.

— Comment avez-vous pu penser que j'étais Marston?

— Orgueil, tu es homme?

— Refuser d'être comparé à *cela*, dit la Gentiane en pointant Marston du doigt par-dessus son épaule en même temps qu'il prenait Amy par le bras pour la conduire vers la rivière, n'est pas une question d'orgueil. C'est une simple question de respect de soi.

— Sur le coup, la comparaison paraissait logique, dit Amy, l'air songeuse. Non ! Non, ce n'est pas ce que j'ai voulu dire, rectifia-t-elle en voyant que la Gentiane pourpre montrait les mêmes signes avant-coureurs d'éruption qu'un volcan offensé.

Prenant bien soin de souligner le fait qu'elle trouvait que Marston ne lui ressemblait pas du tout, Amy lui expliqua la suite de déductions qui l'avait menée à croire qu'il devait être Marston.

— Après tout, il était là, dans la cour, vêtu d'une cape noire comme la vôtre. Comment aurais-je pu penser autrement ? termina-t-elle.

— Cela a effectivement un certain sens, admit à contre-cœur la Gentiane tandis qu'ils descendaient lentement un escalier de pierre vers une jetée pour attendre un des petits bateaux qui transportaient, moyennant certains frais, des passagers sur la Seine. Toutefois, comment vous n'avez pas su faire la différence…

— Je ne l'avais rencontré qu'une fois et brièvement en plus. Alors quand je suis tombée sur l'information…

La Gentiane pourpre plissa les yeux.

— L'information dont l'importance était si capitale que vous avez dû organiser un rendez-vous au beau milieu de la nuit ?

Amy lui lança un regard en coin.

— Faut-il vraiment que nous revenions encore là-dessus ?

— Oui, répondit la Gentiane en croisant les bras sur son torse.

— Vous pourriez changer d'idée en entendant ce que j'ai à vous dire.

Même caché derrière sa cape et son masque, la Gentiane pourpre respirait le scepticisme.

— Très bien, dans ce cas, poursuivit Amy. Si vous ne voulez vraiment pas entendre parler des plans de Bonaparte pour envahir l'Angleterre...

Chapitre 23

※

— De quoi?

La Gentiane pourpre tira brusquement Amy sur le côté du quai avec tant de force que sa cape claqua derrière elle tel un fanion par une journée venteuse.

— Les plans de Bonaparte! Ils étaient sur son secrétaire, cachés par le sous-main.

La mémoire de Richard le ramena temporairement à cet après-midi et à Amy qui, agitée, lui avait foncé dessus en sortant en courant du… du bureau de Bonaparte. Il avait été si ravi de l'occasion qu'elle lui avait offerte en fonçant sur lui, si absorbé par la tâche de la draguer, qu'il ne lui était même jamais passé par l'esprit de se demander pourquoi elle traversait au pas de course cette antichambre en particulier.

— Il prévoit de débarquer une force de cent soixante-dix mille hommes à l'aide de deux mille quatre cents bateaux, chuchota Amy à la hâte. Mais madame Bonaparte a vidé le Trésor, alors il ne peut pas le faire avant que n'arrive une quantité d'or suffisamment importante pour financer la campagne.

— C'est donc ça!

C'était cela que Murat s'apprêtait à dire. Rien ne pouvait être fait avant que l'or arrive. Richard eut envie de se donner un coup de pied. Au bout de six ans à côtoyer la famille Bonaparte, de six ans passés à écouter Bonaparte fulminer contre les extravagances de sa femme, on aurait cru qu'il serait capable d'additionner deux et deux.

— A-t-il trouvé les fonds?

— C'est ça qui est splendide! répondit Amy en étreignant le bras de la Gentiane dans un élan de joie. Il a obtenu un prêt, comme s'il avait l'intention de le rembourser, de banquiers suisses. L'or doit être transporté en carrosse jusqu'à un entrepôt parisien dans la nuit du trente. Ne voyez-vous pas? C'est parfait! Si nous pouvions simplement...

— Intercepter l'or avant qu'il ne se rende jusqu'à Bonaparte..., continua la Gentiane à sa place en souriant de toutes ses dents.

— Nous pourrons empêcher l'invasion de l'Angleterre et renverser le gouvernement!

— Chuuut!

— Oups, désolée, dit Amy en se mordant les lèvres. Je me suis un peu laissé emporter. Mais ne voyez-vous pas? Si l'or n'arrive pas...

— Mais comment pouvons-nous l'empêcher d'arriver?

La Gentiane faisait les cent pas en traçant un petit cercle autour du quai. Amy le regardait avec admiration, prenant plaisir à voir la façon dont sa cape bruissait autour de ses jambes bottées tandis qu'il marchait et la manière dont il remuait la mâchoire tandis qu'il réfléchissait à un plan. Par-dessus tout, elle se délectait de ce «nous» spontané.

La Gentiane se tourna brusquement avec un bruissement particulièrement satisfaisant.

— Combien d'hommes le garderont?

— La lettre ne le disait pas, avoua Amy. Fouché a seulement écrit qu'il serait bien gardé ; allez savoir ce que cela veut dire.

— De la discrétion plutôt que de la force, murmura la Gentiane en recommençant à tourner en rond.

— Que diriez-vous d'une version miniature du cheval de Troie ?

— Une version miniature de quoi ?

— Dans la mythologie grecque, expliqua Amy en grimpant sur un pilot, le cheval de Troie était un...

La Gentiane fit claquer sa cape devant elle.

— Assez ! Je connais l'histoire. Vous voulez intercepter l'or suisse avec un cheval de bois miniature ?

— Pas tout à fait. Mais vous pourriez envoyer une livraison de tonneaux ou d'autre chose à l'entrepôt, des tonneaux de quelque chose qui pourrait les intéresser, et quand ils les auraient transportés à l'intérieur, nous pourrions en sortir pour nous emparer de l'or, exposa Amy en balançant ses pieds d'avant en arrière, de sorte que ses talons produisaient un petit bruit sourd chaque fois qu'ils frappaient le bloc de bois.

Richard aimait bien l'idée de bondir hors d'un tonneau de brandy, la rapière à la main. « Ce n'est pas la cuvée que vous attendiez, messieurs ? » demanderait-il d'une voix traînante en sortant de la barrique, brandissant sa lame en acier brillant devant leurs visages stupéfaits. Frappant de taille à gauche et d'estoc à droite, il se fraierait un chemin à travers la pièce et se débarrasserait personnellement du chef en lançant son épée en arc de cercle jusqu'à l'autre bout de la salle. Il assommerait ensuite d'un coup de poing l'homme chargé de garder l'or avant de tourbillonner sur lui-même pour se battre contre les trois hommes qui auraient bondi sur lui par-derrière. Il donnerait un coup de pied dans le ventre du premier, ferait trébucher le deuxième et foncerait sur le troisième. Et puis il lancerait une remarque amusante. « Vive la Gentiane pourpre ! » crieraient ses hommes.

Si seulement cela pouvait se dérouler ainsi.

Richard secoua la tête avec regret, se forçant à délaisser ses beaux rêves de capes et d'épées au profit d'une réalité moins palpitante.

— Et s'ils ne s'arrêtaient pas pour ramasser les tonneaux ? Si ce sont des hommes de Fouché, ils auront reçu des ordres très stricts. Nous pourrions probablement flotter dans les airs à côté d'eux dans une malle avec l'inscription IMMENSE TRÉSOR À L'INTÉRIEUR peinte en grandes lettres sur le couvercle qu'ils ne porteraient même pas attention à nous.

— Zut. Cela ruine aussi le plan B, dit Amy en donnant distraitement un coup de talon sur le pilot.

— Le plan B ?

— Oui. J'avais pensé que si l'idée du cheval de Troie ne fonctionnait pas, Jane et moi pourrions faire semblant d'être des danseuses cherchant du travail et…

— Passons directement au plan C, voulez-vous ?

— Vous n'aimez pas le plan B ?

Aimer ? Quel terme incroyablement inadéquat ! Dire qu'il aimait l'idée de voir Amy habillée en danseuse serait comme dire que Midas aimait l'or, qu'Épicure aimait la nourriture ou que mademoiselle Gwen aimait donner des coups d'ombrelle aux gens. Cela était loin d'une description appropriée. Mais, en même temps, l'expression *ne pas aimer* ne décrivait pas le moindrement la répulsion qui submergeait Richard lorsqu'il pensait à Amy en train de s'exposer devant un entrepôt rempli d'agents français endurcis. Comparée à cela, toute cette histoire avec Marston semblait à peu près aussi dangereuse qu'une paisible balade à Hyde Park à dix-sept heures au plus fort de la saison. Avec un chaperon.

— J'abhorre, j'exècre et je hais le plan B, répliqua Richard d'une voix égale. Suivant?

— Mettre le feu à l'entrepôt, proposa promptement Amy.

La Gentiane pourpre cessa de faire les cent pas pour s'agenouiller devant le piédestal improvisé d'Amy.

— Suggérez-vous d'essayer de réduire en cendres l'entrepôt autour de l'or?

Amy décida qu'il n'avait vraiment pas besoin de savoir que réduire l'entrepôt en cendres autour de l'or avait commencé la course en tant que plan F pour être ensuite relégué au plan M avant d'être purement et simplement rejeté parce qu'irréaliste.

— Nous pourrions allumer un petit feu qui laisserait s'échapper beaucoup de fumée, il doit bien y avoir une façon de faire ça, puis quelqu'un pourrait se mettre à crier «au feu». Avec un peu de chance, les gardiens paniqueraient et sortiraient du bâtiment. Même si ce n'était pas le cas, ils seraient si occupés à éteindre l'incendie que nous pourrions profiter du désordre pour nous glisser à l'intérieur et filer avec l'or.

— L'or sera lourd, fit remarquer la Gentiane pourpre.

Cependant, son ton n'était pas méprisant; il avait plutôt l'air songeur.

— Nous allumons le feu, profitons du désordre pour les assommer et *ensuite* nous filons avec l'or?

— Vous tenez peut-être quelque chose ici. Il faudrait savoir comment seront vêtus les hommes dans l'entrepôt. Je parie qu'ils ne seront pas en uniforme. Il est plus probable qu'ils soient déguisés en ouvriers. Si mes hommes pouvaient se glisser à l'intérieur et se mêler aux gardes...

La Gentiane bondit sur ses pieds et faillit entrer en collision avec le menton d'Amy.

— Un instant! Comment saurons-nous de quel entrepôt il s'agit? Nous ne pouvons pas faire les rues une à une et mettre le feu à tous les entrepôts que nous voyons.

Amy sautilla sur son perchoir.

— Ce ne sera pas nécessaire! C'est un entrepôt en bois qui se trouve rue Claudius. Un peu présomptueux, ne trouvez-vous pas?

Les lèvres de la Gentiane s'étirèrent en un sourire ironique.

— Ils ont choisi la rue nommée en l'honneur de l'empereur romain qui a conquis la Grande-Bretagne? Brillant. Très brillant.

— Mais pas assez brillant pour nous!

Les mains tendues d'Amy et son sourire enthousiaste invitaient irrésistiblement la Gentiane pourpre à se joindre à son exultation.

Elle rit avec allégresse lorsqu'il contourna ses mains tendues et l'attrapa par la taille pour la faire tournoyer triomphalement dans les airs. Amy sentit les muscles de ses épaules bouger sous ses mains et les rebords de sa cape voler autour de ses propres jambes. Emportée par la joie enivrante du moment, elle bascula la tête en arrière. C'était mieux qu'une foire, mieux que le théâtre, mieux que toutes les rêveries auxquelles elle s'était jamais livrée.

Les bras de la Gentiane pourpre se resserrèrent autour d'elle tandis qu'il faisait un dernier tour sur lui-même. Le corps d'Amy effleura doucement le sien lorsqu'il la déposa au sol. Amy avait l'impression d'avoir perdu la tête pendant que la Gentiane pourpre la faisait tourner dans les airs. Après tout, elle devrait penser à vaincre Bonaparte et non à la troublante intimité causée par le fait que la cape de la Gentiane pourpre était emmêlée dans ses jupes. Amy supposa qu'un commentaire amusant s'imposait, mais la chaleur du corps de la Gentiane contre le sien, la chaleur de la peau cherchant la peau à travers de minces couches d'étoffes, rendait toute plaisanterie pratiquement impossible.

Ayant la désagréable impression d'en quelque sorte perdre complètement le fil de la conversation, Amy s'efforça de revenir aux choses sérieuses.

— Où devrions-nous nous rejoindre pour attaquer l'entrepôt ?

Le Gentiane pourpre cligna des yeux une fois. Puis deux.

— Nous ?

L'embêtant pronom mit un terme à l'agréable contemplation des lèvres d'Amy à laquelle Richard s'adonnait. Nous. Ce petit mot était entouré d'une aura de mauvais augure.

Amy hocha vigoureusement la tête.

— Bien sûr ! Je pourrais me déguiser en ouvrier. Qu'en pensez-vous ?

Le clapotement, puis le bruit sourd d'un bateau qui accostait épargnèrent à Richard l'ennui de répondre. Il se promit silencieusement de donner un très gros pourboire au batelier pour lui avoir évité une discussion qui aurait sans doute été extrêmement désagréable. Il était vrai qu'Amy et lui devraient forcément s'attaquer à la question — sinon l'un à l'autre — avant la fin de la nuit, mais il valait beaucoup mieux, décida unilatéralement Richard, qu'ils s'y attaquent devant la porte de chez Amy lorsqu'il la déposerait. Il pourrait ainsi disparaître dans la nuit à l'instant où elle serait en désaccord avec lui. Oui, ce serait assurément mieux pour tout le monde. Shakespeare savait de quoi il parlait quand il disait que prudence est mère de sûreté.

Richard ne permettrait sous aucun prétexte que le sujet soit abordé pendant qu'ils étaient sur le bateau. Peu lui importait de quelles ruses ou distractions il devrait user ; l'eau de la Seine était froide et sale — sans oublier mouillée —, et il n'avait aucune envie d'y goûter.

— Je vous emmène ? cria le batelier, qui ponctua ses paroles en crachant dans l'eau.

— Oui, répondit Richard en indiquant leur destination au batelier et en bousculant Amy pour la faire monter à bord en vitesse avant qu'elle n'ait le temps de s'opposer.

Une des bottes d'Amy se prit dans l'ourlet de sa robe à l'instant où Richard l'aidait à enjamber le bord du bateau. Elle tomba en avant, ce qui fit tanguer l'embarcation et jurer le batelier en des termes qu'il était préférable qu'Amy ne comprenne pas. Sautant à bord avec légèreté, Richard la rattrapa avant qu'elle n'ait fait plus qu'un faux pas.

— Ah, ces touristes ! marmonna le batelier en s'éloignant du quai.

Richard aida Amy à retrouver l'équilibre et à s'asseoir sur le banc.

— Tout va bien ? s'enquit-il en s'asseyant à ses côtés et en passant une main autour de ses épaules... pour la réchauffer, bien entendu.

— Au moins, je ne suis pas tombée *du* bateau, plaisanta Amy.

En trébuchant, Amy avait relâché la poigne de fer avec laquelle elle tenait sa cape. Le sourire de Richard se changea en froncement de sourcils.

— Votre robe est déchirée, dit-il sèchement en resserrant son bras autour de ses épaules.

— Oh.

Amy baissa les yeux pour jeter un coup d'œil à la longue déchirure qui commençait au centre de son corsage et descendait jusqu'au ruban qui marquait la taille haute de sa robe. Le tissu pendait, ouvert, révélant l'étoffe vaporeuse de sa chemise ainsi que les courbes en dessous. Amy remit rapidement les deux coins ensemble, et son visage s'assombrit.

— Ç'a dû arriver quand je m'écartais de Marston. J'ai cru entendre...

La main posée sur son épaule droite se ferma à la manière d'un étau.

— J'aurais dû le frapper plus fort.

Quelque chose dans le ton de la Gentiane pourpre, une intense colère sous une apparence de calme, fit qu'Amy leva soudainement les yeux sur son visage. Il *était* en colère ; cela irradiait de chaque trait de son visage, de la ligne sévère de ses lèvres jusqu'à ses yeux plissés. Mais il y avait autre chose, quelque chose de plus profond que cela, quelque chose qui réchauffait Amy jusque dans les profondeurs de son corsage déchiré et se répandait en elle de la même manière qu'une eau-de-vie.

— Je crois que vous l'avez frappé bien assez fort, le rassura-t-elle en lâchant les coins de son corsage pour se tourner sur le banc et regarder la Gentiane droit dans les yeux. Ce n'est qu'une robe déchirée. Et je lui ai cassé le nez, ce qui, je crois, est plus qu'équitable contre un bout de tissu déchiré. Ne trouvez-vous pas ?

La Gentiane pourpre ne répondit pas. Pendant un instant, Amy craignit qu'il soit frappé d'un malaise. Ses yeux étaient légèrement vitreux et, bon Dieu, il louchait. Inquiète, Amy chercha les symptômes caractéristiques de la fièvre.

Son front n'avait pas l'air particulièrement rouge, mais sa respiration s'accélérait indéniablement.

— Vous allez bien ?

La Gentiane pourpre remua la tête d'une façon indistincte qui aurait tout aussi bien pu vouloir dire oui que non. « Tu ne devrais pas », se disait Richard, la main droite au-dessus de la déchirure dans le corsage d'Amy. « Tu ne devrais vraiment pas. » Il savait qu'il n'aurait pas dû l'embrasser là-bas, dans le jardin. L'embrasser ne faisait que lui rendre encore plus difficile la tâche de tenir sa résolution de ne pas la voir — d'accord, de ne pas la voir en tant que Gentiane pourpre, en tout cas. Il doutait fort que Lord Richard Selwick réussisse à embrasser Amy avant, disons, une semaine ou même deux. C'était l'agonie.

Il n'aurait pas dû l'embrasser au jardin du Luxembourg, mais il l'avait fait. Et si le baiser dans le bureau de son frère avait été une erreur, le dernier baiser n'était rien de moins qu'une catastrophe ; le baiser dans le bureau avait été agréable, mais celui dans le jardin l'avait embrasé. S'il cédait encore une fois à l'envie de la toucher, le résultat aurait forcément l'intensité de Pompéi : rien de moins qu'une destruction massive. Aucune raison logique au monde ne justifiait qu'il cède à l'envie de glisser la main dans le corsage déchiré d'Amy, et toutes les raisons logiques au monde justifiaient de ne pas le faire.

Le manque de logique n'avait jamais été aussi attrayant.

En fait, le manque de logique ressemblait remarquablement à une paire de seins bien ronds, d'aréoles roses plus révélées que dissimulées par la garniture de dentelle d'une chemise.

— Je vais seulement vérifier que vous n'avez pas de contusions, dit la Gentiane d'une voix pâteuse tandis que ses doigts plongeaient dans la vallée entre les seins d'Amy.

— Oh, mais je ne suis pas du tout…

Amy hoqueta lorsque la Gentiane glissa sa main plus profondément sous sa chemise et effleura son mamelon

— … blessée, termina-t-elle faiblement.

— En êtes-vous certaine ?

La Gentiane pourpre prit son sein à pleine main, et le cuir de son gant fit frémir Amy sans que cela ait quoi que ce soit à voir avec la fraîcheur de l'air nocturne qui montait de la Seine.

Elle revint sur sa décision.

— Non, dit-elle d'une voix inégale. Pas tout à fait.

Peut-être avait-elle des contusions qu'elle n'avait pas senties auparavant. Peut-être cela expliquait-il ce qu'elle ressentit lorsque la main de Richard l'effleura à nouveau alors qu'il la retirait prestement de son corsage.

Amy observa la Gentiane porter sa main gantée à ses lèvres et utiliser ses dents pour libérer chacun de ses doigts jusqu'à ce que le gant vide lui tombe sur les genoux.

Une toute petite caresse, se promit Richard tandis que ses doigts maintenant nus écartaient doucement les coins déchirés du corsage d'Amy. Il ne se permettrait que la plus brève des caresses — après tout, il pourrait y avoir là des contusions dont elle devrait être au courant —, puis il remettrait la robe d'Amy en place, l'envelopperait dans sa cape et se conduirait aussi décemment que si mademoiselle Gwen était assise de l'autre côté du bateau pour les chaperonner.

À l'instant où Richard toucha du bout des doigts la peau soyeuse du sein d'Amy, toutes ses résolutions s'envolèrent. Le spectre de mademoiselle Gwen plongea dans l'eau, oublié, suivi de tous ses prétextes de chercher des contusions. Il traça un demi-cercle sensuel sur le dessus de son sein gauche et plongea dans la zone sombre sous sa chemise. La peau de l'autre côté de son sein ne pouvait certainement pas être aussi douce... Mais si. Tout comme la peau pâle tout autour de son autre sein. Richard fit un tour complet de chacun, juste pour en être sûr, puis encore une fois pour faire bonne mesure.

Il retira à contrecœur sa main du corsage déchiré d'Amy, se délectant des derniers effleurements de peau soyeuse sur le bout de ses doigts.

— Je ne crois pas que vous ayez de contusions.

— Alors pourquoi ai-je mal ? demanda Amy d'un ton indigné tellement emblématique d'Amy que Richard ne put s'empêcher de l'embrasser.

Le baiser commença comme une démonstration spontanée d'affection. Mais ne se termina pas ainsi. À l'instant où les lèvres de Richard se posèrent sur celles d'Amy, elle ouvrit avidement la bouche et passa les bras autour de son cou. Et d'une façon quelconque — Richard ne savait pas très bien comment c'était arrivé et, honnêtement, il n'y pensait pas trop —, plutôt que d'être assis l'un à côté de l'autre sur le banc, Amy avait glissé sur le côté, et il se retrouva à moitié par-dessus elle, un coude appuyé sur le bois du banc et l'autre en train d'écarter sa satanée cape du chemin.

— Je crois que ce que vous ressentez, murmura Richard en reprenant son souffle, est — *baiser* — du désir. Pas — *baiser* — des contusions.

Après avoir communiqué cette importante information, sa bouche fondit à nouveau sur celle d'Amy.

Amy hoqueta lorsque, effleurant ses seins nus, l'étoffe de la chemise de la Gentiane provoqua des picotements dans une zone déjà excitée à tel point que c'en était insoutenable. Elle resserra ses bras autour de lui. Se pressant contre lui, elle l'embrassa comme il l'avait embrassée, taquinant le bout de sa langue et lui mordillant les lèvres.

Richard tenta une dernière fois de penser logiquement.

— Nous sommes dehors, dit-il à bout de souffle en arrachant sa bouche à celle d'Amy.

Puisqu'environ les trois quarts des réflexions de Richard étaient faites par d'autres organes que son cerveau, il ne s'agissait pas de la protestation la plus convaincante. Elle eut à peu près autant d'effet que l'espérait la majeure partie de son être : aucun.

Amy leva les yeux vers lui en souriant d'un air rêveur et tendit la main pour suivre le contour de sa joue jusqu'à ses lèvres.

— Je sais. Avez-vous déjà vu autant d'étoiles ?

Richard ne se donna pas la peine de regarder vers le haut. Ce n'était pas nécessaire. Toutes les étoiles du ciel étaient reflétées au fond des yeux bleus d'Amy.

— Devrais-je aller vous en cueillir un collier ? demanda-t-il tendrement.

La main d'Amy se figea sur la joue de la Gentiane. Elle eut un hoquet de surprise.

— Un collier d'étoiles, répéta-t-elle d'une voix mal assurée.

Le cerveau engorgé de désir de Richard décela des signaux d'alarme. Oh mon Dieu, qu'avait-il dit ? Il se redressa sur ses deux coudes sans porter attention aux échardes plantées dans ses manches.

— Ça ne va pas ?

Sous lui, les cheveux foncés d'Amy étaient étalés en éventail. Ils ondulèrent autour de son visage pâle tandis qu'elle secouait lentement la tête.

— Si...

Ses yeux vitreux se fixèrent à nouveau sur lui, brillants de joie.

— *Si.* Tout est *absolument* parfait.

— Euh, très bien, commença Richard.

Cependant, il fut interrompu quelque part aux environs de «bie» par Amy, qui l'attrapa subitement par le cou et se mit à le couvrir de baisers maladroits mais exubérants. Elle l'embrassa sur le front, les joues, le contour de l'oreille, le bord du masque (c'était manifestement un accident), le coin des lèvres, la courbe du menton (encore un accident) et le bout du nez (Richard crut que c'était intentionnel, mais il ne pouvait en être certain).

Qu'avait-il dit? Si telle était sa réaction, Richard aurait aimé s'en souvenir pour pouvoir le dire à nouveau. Mais il était trop occupé à se réjouir du résultat — en l'occurrence, Amy qui longeait son oreille et son cou en le couvrant de baisers un tant soit peu mieux ciblés — pour y penser très sérieusement. Richard grogna de plaisir et enfouit ses doigts dans la masse de cheveux à l'odeur de lavande d'Amy.

Il enleva les cheveux d'Amy de son visage et se pencha au-dessus d'elle pour lui rendre la pareille, plantant son coude droit sur le banc à côté d'elle. Du moins, il avait l'intention de planter son coude sur le banc à côté d'elle. Richard battit l'air un instant, alors que son corps tenait en équilibre précaire au bord du banc, stabilisé par les bras d'Amy autour de son cou qui lui servaient de contrepoids. Cela dit, jusqu'à ce qu'Amy se redresse pour lui plaquer un baiser particulièrement ardent sur l'oreille.

Badaboum!

Ils atterrirent avec un bruit sourd sur le sol à côté du banc, Amy étendue sur Richard. Le bateau tangua comme s'ils étaient en haute mer en pleine tempête hivernale plutôt que sur la Seine par une belle soirée de printemps. Puisqu'Amy était perchée sur sa cage thoracique, Richard avait un peu plus de mal qu'elle à respirer. Toutefois, compte tenu de la vue que lui offrait son corsage béant, Richard n'avait pas l'intention de s'en plaindre.

De petits filets d'eau écumante s'infiltrèrent dans le bateau, ce qui fit jurer le batelier.

— *Amants**! cracha-t-il comme s'il s'agissait de la pire insulte.

— Amy, *amas, amants**..., gloussa Richard en retenant par la taille une Amy qui gigotait pour tenter de se relever.

— Voulez-vous dire *amo, amas, amat*? récita Amy en riant.

C'était la conjugaison du verbe « aimer » en latin.

— Je préfère ma version, murmura Richard en lui mordillant l'oreille.

Amy repoussa le torse de la Gentiane pourpre à deux mains pour essayer de se redresser. Le bateau roula dangereusement.

— Je crois que vous feriez mieux de rester ici, chuchota-t-il en passant une main sous ses jupes emmêlées pour l'attraper par une cheville. C'est plus sûr.

— Pour qui? demanda Amy d'un souffle tandis que la main de la Gentiane pourpre remontait le long de sa jambe, glissant du haut de sa botte pour suivre ses bas de soie le long de son mollet jusqu'à son genou avant de s'arrêter pour jouer avec les rubans de sa jarretière.

Amy sursauta lorsque son doigt effleura la peau nue de sa cuisse.

— Pour le batelier, bien entendu, répondit la Gentiane en souriant. Il y a moins de risque que nous chavirions.

— Oh, je ne sais pas si c'est..., commença Amy.

Seulement, cela sonna comme « We we iwa wi », parce que la Gentiane pourpre compensa la faiblesse de son argumentation en emmêlant les doigts de sa main libre dans les cheveux d'Amy pour s'assurer qu'elle ne puisse pas argumenter.

De longues secondes plus tard, il gratifia Amy d'un grand sourire.

— Je me disais bien que vous finiriez par partager mon point de vue.

Tout ce qu'Amy voyait, c'étaient des étoiles, des centaines d'étoiles, des milliers d'étoiles qui dansaient derrière ses paupières closes, tandis que la Gentiane attirait à nouveau sa bouche vers la sienne et que ses lèvres remuaient contre les siennes avec une douceur aussi veloutée que la nuit noire. Leurs langues chaudes et douces s'enlacèrent. Amy nageait dans une mer sombre comme le vin de sensations enivrantes, tandis que la Gentiane pourpre remuait les lèvres contre les siennes et que ses doigts agiles taquinaient la peau douce de sa cuisse. Était-ce le bateau qui tanguait ou elle ? Elle glissa aveuglément les mains sous la chemise de la Gentiane ; les muscles saillants de son torse formaient l'unique repère solide et sûr dans un univers qui tanguait abondamment. Un fin duvet lui chatouilla le bout des doigts.

Les sensations assaillirent Amy l'une à la suite de l'autre. Le poil qui lui effleurait les paumes et la langue humide de la Gentiane qui s'enfonçait dans sa bouche. Les doigts de la Gentiane qui caressaient le tissu de sa culotte en lin, provoquant une curieuse tension qui incita Amy à se tortiller et à se cambrer vers lui. La Gentiane qui libérait sa bouche et levait la tête pour capturer entre ses lèvres un mamelon rose et bien mûr. Amy, surprise, eut un mouvement de recul, mais la Gentiane refusa de se laisser déloger ; il suça, lécha et mordilla jusqu'à ce que la main qu'elle avait portée à sa tête pour le repousser s'emmêle dans ses cheveux sous sa capuche et l'attire vers elle.

— Oh, gémit-elle.

La Gentiane ne répondit pas ; il avait la bouche pleine.

Un « oh » encore plus fort lui échappa lorsque les doigts de la Gentiane découvrirent la fente dans sa culotte et se glissèrent dans sa chaleur humide, caressant, cherchant... Amy cria à l'instant où elle fut parcourue d'un frisson de plaisir. Sans relâcher son intime étreinte, la Gentiane les retourna tous les deux de sorte qu'elle soit étendue sous lui. Elle cligna des yeux en levant vers lui un regard obscurci par le désir.

— Je me disais bien que ça vous plairait, murmura la Gentiane en effleurant les lèvres consentantes d'Amy avant de glisser sa langue entre elles.

En répondant à ses doigts par d'énergiques rotations des hanches, Amy lui exprima clairement, mais sans un mot, à quel point cela lui plaisait. Elle s'agrippa à ses épaules tandis qu'elle était parcourue de frissons qui n'étaient pas des frissons du tout, sinon de petites décharges de plaisir intense. Puis l'orage lui-même éclata, et toutes les tensions de son corps furent dissipées par un déluge de sensations indescriptibles qui déferla en elle, la traversant comme une pluie d'étoiles filantes, allumant chacun des nerfs de son corps d'un feu céleste.

Amy vivait la plus merveilleuse nuit de sa vie.

Richard vivait ce qui deviendrait bientôt la plus affreuse nuit de la sienne.

Chapitre 24

❀

La raison revint à Richard avec autant de force qu'un coup.

Il fallut quelques instants à Richard, qui avait la main sur les boutons de son pantalon, pour se rendre compte qu'il s'agissait bel et bien d'un coup. De pagaie du batelier. Par accident, ou non, le batelier lui avait assené une gifle cinglante derrière la tête.

Mais la bosse sur sa tête n'était rien comparée à celle dans son pantalon. Grrr. Ça, ça faisait mal. Des parties plutôt proéminentes de son anatomie lui hurlaient leur furieuse indignation. Amy était étendue sous lui, ses lèvres rouges et enflées légèrement entrouvertes, ses yeux voilés de désir, humides, prêts, consentants. Il serait si facile — si naturel — de relever ces jupes en pagaille...

Richard se hissa sur le banc et passa les mains par-dessus bord pour les plonger dans l'eau froide afin de les débarrasser de l'excitante odeur d'Amy. Il aurait aussi passé la tête par-dessus bord, mais il avait peur de ce qui pouvait se cacher sous la surface et croyait le batelier tout à fait capable d'utiliser cette satanée pagaie pour aider le reste de son corps à plonger dans la rivière. Quoiqu'il devrait réellement remercier le batelier plutôt que de le maudire, supposa

Richard. Sans ce coup fortuit... Richard blêmit, mais cela n'avait rien à voir avec la température glaciale de l'eau. Était-il vraiment sur le point de prendre Amy sur le plancher sale d'un bateau au milieu de la Seine ? Oh mon Dieu ! À quoi avait-il bien pu penser ?

Il n'avait pas pensé. Là était le problème.

À mesure que l'eau froide et des pensées tout aussi saisissantes commençaient à disperser le brouillard de désir dans le cerveau de Richard, il se rendit compte que le murmure qu'il entendait vaguement depuis un certain temps n'était pas le bruit des vagues, mais plutôt le monologue du batelier qui marmonnait :

— Allez-y. Faites comme si je n'étais pas là. Prenez mon bateau pour un bordel. Ce que je pense n'a pas d'importance, n'est-ce pas ?

La dernière fois que Richard avait rougi, ç'avait été pendant l'été 1788 quand, en tant que garçon boutonneux de douze ans, il s'était fait prendre à regarder d'un air ébahi dans le corsage de la duchesse du Devonshire. L'équivalent de quinze ans de rougissements de honte lui brûlait les joues, dissimulées, Dieu merci, sous la capuche et le masque. Il se pencha pour aider Amy à se lever, essayant de ne pas trop regarder ses joues roses et ses yeux pétillants.

— C'était merveilleux, dit Amy en soupirant de joie.

Remplaçons *merveilleux* par *désastreux*, se dit Richard, l'air grave, tandis qu'Amy se lovait en toute confiance contre lui. Imbécile ! Lui, pas elle. Il ne pouvait que remercier les forces de l'au-delà, quelles qu'elles soient, de toujours le garder à l'œil pour l'arrêter avant que les choses n'atteignent un point de non-retour.

— Voulez-vous que je fasse un aller-retour... encore ? demanda le batelier d'un ton acerbe en lançant d'une main experte sa corde autour d'un pilot.

— Non, répondit simplement Richard.

Il laissa tomber quelques pièces de monnaie dans la main calleuse de l'homme. Il était tellement occupé à se haïr qu'il lui fallut un moment pour se rendre compte qu'Amy essayait de débarquer du bateau par elle-même. Comme elle vacillait d'avant en arrière avec un pied sur le rebord, le danger qu'elle tombe à l'eau d'un instant à l'autre semblait imminent.

Un autre point contre lui au tableau.

Richard aida Amy à débarquer et tenta de ne pas remarquer la façon dont ses doigts s'attardèrent sur son bras ni le sourire radieux dont elle le gratifia de sous sa capuche trop grande. Compte tenu de ce qui venait de se produire, elle avait tout à fait droit tant à l'étreinte possessive qu'au sourire chargé d'affection et de s'attendre au même en retour. Damnation ! Elle avait tout à fait droit à une demande en mariage immédiate, genou à terre et tout. Ou du moins à la révélation de sa véritable identité.

Mais il ne pouvait lui offrir rien de cela. Pas pour l'instant.

Le spectre de Tony apparut devant les yeux de Richard et cacha le visage souriant d'Amy. Pas le Tony qu'il avait connu vivant — ce Tony-là, un dandy en gilet brodé qui dansait d'un pas léger et regardait les formes féminines d'un œil admiratif, aurait applaudi un peu de badinage —, mais plutôt cet autre affreux Tony. Le Tony qui gisait dans son sang, abandonné sur le plancher de terre d'une hutte française parce que lui, Richard, avait laissé une femme le distraire de ses obligations.

Autre chose trottait dans la tête de Richard, quelque chose concernant l'or suisse. Quelque chose dont il se serait aperçu plus tôt si son cerveau n'avait pas été embrouillé par le désir. Comment diable Amy avait-elle su pour l'or suisse ?

Il était vrai qu'il l'avait vue sortir en trombe du bureau de Bonaparte, comme possédée par une douzaine de Furies, mais il avait fouillé la même pièce une demi-heure plus tard et n'avait rien trouvé de tel. Si ç'avait été le cas, il n'aurait pas eu besoin de passer la soirée à tenter de soutirer les mêmes renseignements au beau-frère imbibé de brandy du Premier Consul. Si Amy n'avait pas découvert l'histoire de l'or suisse en fouillant le bureau de Bonaparte, comment alors ?

Richard fut parcouru d'un frisson qui n'avait rien à voir avec l'air nocturne. Selon les rapports de Geoff, et la preuve qu'il avait vue de ses propres yeux, Balcourt manigançait quelque chose qui impliquait de transporter de mystérieux paquets. La partie de sa journée pendant laquelle il n'était pas occupé avec son tailleur, il l'avait passée à rôder dans les Tuileries. Il ne fallait pas beaucoup d'imagination pour sauter à la conclusion que Balcourt était enfoncé jusqu'au cou dans l'affaire de l'or suisse. Et Amy était sa sœur, mystérieusement rappelée en France à l'instant précis où Napoléon commençait à se préparer à envahir l'Angleterre. Existait-il une meilleure manière de piéger la Gentiane pourpre ? Lui fournir quelques renseignements, découvrir ce qu'il préparait… et appeler Delaroche. Ce serait un moyen efficace pour Balcourt et sa sœur de s'attirer les bonnes grâces de Bonaparte.

Du coin de l'œil, Richard glissa un regard vers Amy, jusqu'à la petite main qui reposait avec tant de confiance sur son bras, puis jura en silence.

Personne ne pouvait être si bon acteur. Sa réaction à la mort de ses parents aurait pu être feinte, mais si c'était le cas, elle devrait être au Drury Lane à donner la réplique à Kean. Tous les instincts de Richard, bien aiguisés au bout de dix ans à se montrer plus malin que les Français, lui hurlaient qu'elle était innocente.

Mais il ne pouvait pas prendre le risque. Combien de ses hommes seraient impliqués dans l'assaut contre la voiture qui transporterait l'or suisse ? Au moins une demi-douzaine. Geoff insisterait pour y aller aussi ; Geoff, l'un des deux seuls hommes que Richard pouvait sans réserve appeler un ami.

Il devait mettre un terme à sa relation avec elle. Et plus tard, lorsque tout serait terminé, lorsque la mission aurait été accomplie sans encombre, lorsque l'invasion de l'Angleterre aurait été déjouée, il pourrait se racheter auprès d'elle. Il n'avait pas d'autre choix.

À côté de la Gentiane pourpre, avec sa main chaude et solide sous son bras, Amy nageait dans un monde baigné par la magie. Comment avait-elle pu trouver les rues de Paris miteuses ? Les pavés luisaient au clair de lune, et des étoiles — de très, très belles étoiles — scintillaient dans les fenêtres sombres. Rejetant la tête en arrière, Amy traça dans le ciel des motifs familiers.

Un collier d'étoiles. Amy serra la phrase contre elle comme s'il s'était agi d'un paquet de lettres d'amour. À l'instant où il avait prononcé ces mots, la stupeur l'avait rendue muette ; de toute sa vie, elle n'avait jamais été aussi stupéfaite. Que cet homme qu'elle connaissait depuis deux jours à peine — bien qu'il ait pris part à ses fantasmes depuis toujours ou presque — fût capable de s'immiscer dans son esprit pour y puiser l'un de ses souvenirs les plus précieux... c'était inconcevable. Mais ensuite, quelque part entre les étoiles et la tendresse qu'elle avait lues sur le visage de la Gentiane quand il avait baissé les yeux sur elle dans le pauvre petit bateau, cela avait pris tout son sens. C'était le signe —

pratiquement un certificat d'approbation de la part de ses parents — qu'il était l'homme de sa vie. Quelle autre explication pourrait-il y avoir ?

Amy aurait pu jurer que très loin, dans les profondeurs de l'obscurité, une étoile lui avait fait un clin d'œil.

Elle fut brusquement tirée de ses spéculations lorsqu'ils tournèrent pour suivre le flanc de l'hôtel Balcourt. La Gentiane lui tournait le dos tandis qu'il cherchait une fenêtre ouverte, et sa capuche cachait à la vue d'Amy tout sauf le bout de son nez. Elle sentait encore sur ses mains les picotements suscités par les cheveux courts et crépus cachés sous sa capuche. Et des souvenirs bien différents faisaient frémir le reste de son corps.

Comme ils s'arrêtaient devant une fenêtre déverrouillée du rez-de-chaussée, Amy se tourna pour voir la Gentiane en face, levant les yeux sur le visage masqué sous la capuche.

— Merci, chuchota-t-elle. Merci de m'avoir secourue et encore plus pour tout le reste.

Se hissant sur la pointe des pieds, Amy s'inclina vers la Gentiane pourpre et leva la tête en vue d'un tendre baiser d'adieu. Elle faillit tomber lorsqu'il recula subitement d'un pas.

— Je suis navré, dit sèchement la Gentiane. Rien de cela n'aurait dû arriver.

Il était redevenu sombre et impénétrable. Dans l'ombre de l'édifice, le visage encapuchonné de la Gentiane était aussi inexpressif que celui d'un moine sans visage dans un roman gothique. C'était uniquement l'ombre de l'édifice, qui cachait la lumière, qui faisait paraître la Gentiane si distant, se rassura Amy. Après tout, il s'agissait bien du même homme qui avait ri avec elle, l'avait embrassée et lui avait promis un collier d'étoiles. Contrairement à plus tôt dans la soirée, où il y avait eu une certaine confusion au sujet de son identité, il ne pouvait y avoir aucun doute sur le fait que cette Gentiane pourpre était bien la même qu'une heure ou une demi-heure auparavant, bien qu'il soit anonymement enveloppé dans une cape et une capuche noires. Amy avait en tout temps gardé une main sur son bras.

Jusqu'à maintenant.

Puisqu'il s'agissait manifestement d'une situation à laquelle il fallait remédier, Amy avança d'un pas et posa une main sur le torse de la Gentiane pourpre.

— *Ne soyez pas* navré, dit Amy avec émotion. Je suis navrée de vous avoir entraîné dans une bagarre avec Marston, mais je ne peux regretter rien d'autre de ce qui est arrivé. Ce fut la nuit la plus parfaitement merveilleuse de ma vie. Vous êtes le plus parfaitement merveilleux...

La Gentiane pourpre secoua la tête sous sa capuche.

— Amy, ne faites pas ça.

Sous ses doigts, le torse de la Gentiane était dur, inerte, comme s'il ne respirait même pas. Amy rejeta la tête en arrière jusqu'à en être étourdie afin de regarder par les fentes de son masque.

— Avez-vous peur que les compliments vous montent à la tête? le taquina-t-elle. Et qu'elle enfle jusqu'à ce que vos déguisements ne vous aillent plus?

La Gentiane pourpre détourna les yeux pour regarder quelque chose à la gauche de l'épaule d'Amy. Amy dut résister à l'envie de se tourner pour voir ce qu'il pouvait y avoir de si captivant.

— Je suis sérieux, Amy, dit-il impassiblement.

— Moi aussi, répliqua-t-elle gaiement. Je pense vraiment que vous êtes merveilleux. Comment puis-je vous le prouver ? Je pourrais vous suivre jusque dans les Enfers, comme Orphée avec Eurydice. Je pourrais...

— Amy, nous ne pouvons plus nous voir.

Les paroles exubérantes qu'Amy était sur le point de prononcer s'évanouirent sur ses lèvres et moururent sans être dites. Elle recula et fixa la Gentiane.

— Que voulez-vous dire ?

Ses paroles devaient certainement avoir un autre sens. Peut-être voulait-il dire qu'ils ne pouvaient pas continuer à se voir ainsi en pleine nuit. Elle pourrait être d'accord avec cela. Ce serait beaucoup plus agréable de se rencontrer à la lumière du jour, de voir son visage quand il lui parlerait. Ou peut-être voulait-il dire exactement ce qu'il avait dit : dans l'obscurité, elle ne pouvait vraiment plus le voir non plus, raisonna naïvement Amy.

— Je veux dire exactement ce que j'ai dit.

Ses paroles pouvaient sembler fournir peu d'information, mais le ton de sa voix, aussi glacial que son corps inerte, ne laissait aucune place au malentendu. Le moral d'Amy dégringola des étoiles jusqu'aux pavés crasseux à ses pieds.

— Vous ne voulez plus me voir ?

Amy détesta le faible trémolo qu'elle entendit dans sa propre voix.

La Gentiane pourpre hocha lentement la tête.

C'était insensé. C'était complètement insensé. Insensé comme c'était, ç'aurait tout aussi bien pu être une série de grognements plutôt que des mots. Amy se mordit les lèvres pour retenir le «pourquoi ?» anxieux qui tentait de s'échapper de sa bouche et baissa les yeux pour fixer les bottes usées de la Gentiane. Elle lui plaisait. Elle savait qu'elle lui plaisait. N'est-ce pas ? Après tout, il l'avait secourue, l'avait embrassée et — oh mon Dieu, il y avait eu le collier d'étoiles. Si elle ne lui plaisait pas, il n'aurait certainement rien fait de tout cela. N'est-ce pas ?

Amy serra les poings tandis qu'elle mettait de l'ordre dans ses idées angoissées. Il devait y avoir une autre raison.

— Êtes-vous inquiet pour ma réputation ? lâcha-t-elle. Parce que tant que nous nous voyons discrètement, il n'y a vraiment aucune raison de s'inquiéter.

— Ce n'est pas ça.

Une glaciale nuance de regret filtra à travers les paroles de la Gentiane pourpre, aussi froide et sans vie qu'un jardin en décembre. Il prit la main oubliée d'Amy qui reposait toujours sur son cœur et la lui rendit doucement.

Amy, qui cherchait désespérément un signe d'émotion, se surprit à espérer qu'il retourne à son imitation de statue. L'impénétrabilité était infiniment préférable aux regrets. Et à la pitié.

— Amy, je suis navré, disait la Gentiane avec cette même gentillesse accablante. J'aurais aimé qu'il puisse en être autrement.

La platitude vide écorcha les nerfs à vif d'Amy à la manière d'un caillou qu'il faut enlever de sa chaussure.

— *Comment* autrement ? s'enquit-elle. Vous parlez en énigmes ! Pourquoi ne pouvez-vous plus me voir ? Je ne comprends pas.

La Gentiane pourpre serra la mâchoire et fixa son regard dans le vide au-dessus de l'épaule d'Amy comme si la réponse pouvait se cacher quelque part dans ces mêmes étoiles qu'il lui avait promises plus tôt.

Amy observa anxieusement son visage détourné.

— C'est la mission, vous voyez ? finit-il par dire, embarrassé.

— Ah! s'exclama Amy. Non, je ne vois pas. Mes informations ont été utiles à la mission, n'est-ce pas?

— Oui.

— Alors? Avez-vous peur que je sois en danger? Je vous promets que je serai plus prudente. Même que je...

— Je ne peux pas laisser une idylle interférer avec la mission.

— Une idylle, répéta Amy, dont les yeux le priaient, le suppliaient, de retirer ses paroles. Est-ce tout ce que je suis pour vous? Une idylle?

Un affreux silence glacial suivit. Les rossignols cessèrent de gazouiller. Le vent cessa de souffler. Les étoiles n'osèrent plus scintiller. La lune paraissait tout aussi crispée et fragile qu'Amy.

Et puis, la Gentiane pourpre haussa les épaules.

— C'est une façon de voir les choses.

La lune se décomposa en mille miettes. Une idylle. Pas même un cousin éloigné de l'amour. Tous les souvenirs qu'elle avait soigneusement emmagasinés lui revinrent en rafale, sous un tout nouvel éclairage désagréable. Au lieu du baiser de la Gentiane dans le bureau, elle vit son empressement à sauter par la fenêtre. À s'éloigner d'elle. Elle était un obstacle. Elle entravait la mission.

Tout ce qu'ils avaient partagé n'avait-il été rien de plus qu'une distraction pour lui?

Ç'aurait pu être pire, supposa-t-elle. Il aurait pu la quitter en lui laissant croire qu'elle comptait pour lui, l'embrasser pour lui dire au revoir, puis s'en aller pour ne plus jamais revenir. Au moins, il avait été honnête. Au moins, il lui avait montré assez de respect pour cela. Elle supposa qu'elle devrait lui en être reconnaissante. Sa reconnaissance avait un goût de cendres qui lui resta collé sur la langue.

— Merci de ne pas m'avoir menti, dit-elle, les lèvres pincées.

— Ce n'est pas... Je ne veux pas que vous pensiez que... Bon sang! jura la Gentiane avec véhémence.

Pourquoi ne partait-il pas, tout simplement? Le fait de le voir se tenir là, vêtu de sa fichue cape noire, si élégant, avenant et — oh, insupportablement puéril, faisait aussi mal que du sel sur une blessure au doigt.

— Bonne nuit.

Amy hocha la tête avec raideur dans la direction qu'elle espérait être la bonne. Il était difficile de le savoir en détournant le regard. Mais si elle regardait encore, elle pourrait se mettre à pleurer et, ça, elle le supporterait encore moins que n'importe quoi d'autre.

— Merci de m'avoir ramenée à la maison. Vous pouvez partir maintenant, ajouta-t-elle.

Seulement, il ne partit pas.

La Gentiane fit un pas vers elle, tout son corps tellement crispé par la tension que sa cape bruissa. Il se pencha en avant sur la pointe des pieds, et les muscles de son cou se contractèrent comme s'il rassemblait son courage pour parler. Malgré elle, Amy sentit qu'elle se penchait en avant pour écouter, voulant entendre ses explications, ses raisons, ses excuses. «Ce n'est pas une idylle», dirait-il. Je me suis mal exprimé. Je suis navré.»

— Amy, je..., commença-t-il, puis il s'arrêta.

Oui? Amy, qui souhaitait ardemment qu'il continue, tenta de ne pas montrer son impatience.

Quelque chose qui ressemblait à de l'amertume passa sur le visage de la Gentiane. Il bascula sur ses talons tandis que son corps et son visage s'immobilisaient, à nouveau impénétrables.

— Je vais vous aider à entrer par la fenêtre, dit-il.

Amy réussit d'une manière quelconque à empêcher que son visage ne se décompose. Elle avait cru que rien ne pourrait lui faire plus mal que ce mot, « idylle ». Elle avait cru qu'elle avait déjà atteint le summum de la souffrance amoureuse, quel qu'il soit. « Je vais vous aider à entrer par la fenêtre. » Comment une simple affirmation pouvait-elle véhiculer tant de douleur ? Évidemment, ce n'était pas tant ces mots que ceux qu'il n'avait pas dits. Elle aurait dû savoir qu'il valait mieux ne pas espérer.

La Gentiane pourpre attendait là, une main tendue devant Amy. Elle recula comme s'il s'était agi d'une vipère.

Elle planta les coudes sur le rebord de la fenêtre.

— J'y arriverai très bien toute seule, merci.

— Non, vous n'y arriverez pas, dit la Gentiane avec une pointe d'amusement dans la voix. Je vous ai vue essayer de rentrer hier soir.

Amy fut parcourue d'un frisson d'horreur. Il avait *vu* cela ? Paralysée par l'embarras et le désespoir, elle se remémora ses tentatives maladroites de la veille. Chaque fois, ses coudes avaient glissé et, chaque fois, elle s'était donné beaucoup de mal pour monter une jambe sur le rebord, pour retomber ensuite. Oh mon Dieu ! L'homme la prenait probablement pour un bouffon. Pire qu'un bouffon. Pas étonnant qu'il ne veuille plus rien avoir à faire avec elle ! À quoi pourrait-elle bien servir si elle n'était même pas capable d'entrer dans sa propre fichue maison par la fenêtre sans se donner en spectacle de façon ridicule ?

— On y va.

La Gentiane pourpre plaça une main sous ses fesses et la hissa par-dessus le rebord de la fenêtre, avec aussi peu de ménagement que s'il avait soulevé un sac de grains pour le monter dans un chariot. Une poussée brusque, puis il retira ses mains. Il ne voulait même pas la toucher. Amy se remémora la myriade de caresses dont elle s'était délectée moins d'une heure plus tôt, une abondance de caresses dont elle avait joui de façon libertine et qui avait rapidement disparu. Sans regarder en arrière, elle glissa ses jambes sous elle, puis dans la salle à manger. Derrière elle, il y eut un bruissement d'étoffe. La cape de la Gentiane, agitée par la brise. Amy tenta de ne pas se l'imaginer, mais elle ne put faire autrement.

— Bonne nuit, Amy, dit doucement la Gentiane de l'autre côté de la fenêtre.

Amy ne se retourna pas. Elle mit un pied devant l'autre, puis encore une fois, se dirigeant avec raideur vers la porte de la salle à manger. Elle était tellement concentrée sur le mouvement, un mouvement simple, qu'elle ne savait même pas si elle avait imaginé cet unique dernier murmure :

— Je me rachèterai bientôt. Promis.

Tandis qu'il faisait furtivement le tour de l'édifice, Richard se rappela que ce serait de la pure folie que d'y retourner en courant pour s'excuser. Tout était pour le mieux. S'il continuait à se le répéter encore et encore, peut-être serait-il capable d'effacer de sa mémoire la troublante image du visage figé d'Amy. Il valait beaucoup mieux qu'Amy soit malheureuse que de perdre d'honnêtes hommes, raisonna noblement Richard. Seulement, cette fois, les bonnes intentions tombèrent plutôt à plat. Richard était aux prises avec un désagréable mélange de culpabilité et de désir inassouvi.

Bon sang ! Ils feraient mieux de mettre la main sur cet or au plus vite, parce qu'il n'était pas certain de pouvoir tolérer cette situation très longtemps. À moins, se dit-il rempli d'espoir, que la désillusion d'Amy envers la Gentiane pourpre ne la rende plus réceptive aux grandes qualités de Lord Richard Selwick.

Avant de se mettre en route vers le bain froid le plus proche, Richard avait un dernier arrêt à faire. Il compta les fenêtres jusqu'à ce qu'il trouve celle qu'il cherchait. Aucune lumière ne brillait derrière les épais rideaux. Souriant silencieusement pour lui-même de ce petit sourire de panthère en chasse, Richard se hissa par-dessus le rebord de la fenêtre et pénétra dans la pièce déserte. Déjà vu, pensa-t-il en sautant avec légèreté du siège capitonné recouvert de velours rouge sous la fenêtre. Seulement, cette fois, Amy ne l'attendait pas sous le secrétaire.

Du moins, c'est ce qu'il espérait.

Simplement pour en être certain — parce qu'on ne pouvait jamais vraiment savoir avec Amy —, Richard jeta un coup d'œil rapide sous le secrétaire. Non, pas d'Amy. Richard se rappela qu'il devrait être soulagé et non déçu.

Se dirigeant vers le globe terrestre, Richard reprit là où il s'était arrêté la veille. Il chercha à tâtons la fente révélatrice le long de l'équateur et glissa doucement les doigts jusqu'à la petite bosse qui devait être... Ah! Richard eut un sourire satisfait lorsque le globe s'ouvrit brusquement. Le loquet.

Le sourire de Richard disparut quand la surprise le laissa bouche bée. Mais que diantre? Il plongea la main dans la base arrondie, la glissa d'avant en arrière et en fit le tour. Il tâta l'intérieur du haut du globe pour vérifier que rien n'y était collé. Il y enfonça la tête si profondément qu'il se cogna le nez au fond. La main sur son appendice endolori, Richard chancela en arrière et ferma brusquement le globe vide.

Quelqu'un d'autre était passé avant lui.

Chapitre 25

✿

Après le confort chaleureux de l'appartement de madame Selwick-Alderly, ma propre petite caverne de gnome m'apparut encore plus désolée qu'à l'habitude.

La lumière de l'entrée était encore une fois brûlée, ce qui assombrissait le corridor aux murs bleus et encore plus l'escalier recouvert de tapis également bleu. Jonglant avec le latté au caramel acheté à Starbucks à côté de la station de métro Bayswater et le colis sous mon bras, je me frayai un chemin jusqu'au bas de l'escalier, tout en prenant mentalement note d'appeler le propriétaire pour qu'il remplace l'ampoule avant que quelqu'un (c'est-à-dire moi) se casse le cou dans l'escalier. Je réussis à insérer la clé dans la serrure au troisième essai, puis déboulai dans mon petit vestibule obscur en tâtonnant pour trouver l'interrupteur.

Pour un appartement meublé, il n'était pas si mal. Il n'avait rien d'extraordinaire ; c'était seulement un couloir avec des appareils électroménagers compacts entassés le long d'un mur, une salle de bain microscopique et une pièce rectangulaire qui servait à la fois de salon, de chambre et de bureau. Le propriétaire consciencieux avait essayé de le rendre plus clair à l'aide de peinture couleur crème, de rideaux fleuris et de grands tableaux qui montraient des paysages de la campagne toscane. Malheureusement, ces derniers ne faisaient qu'accentuer la différence entre le soleil d'Italie et le semblant de lumière grise qui filtrait à travers mon petit bout de fenêtre.

Après avoir laissé mon café sur la petite table ronde et posé tendrement le colis emballé dans du plastique sur le lit, je m'effondrai sur une chaise pour m'attaquer à mes bottes. La fermeture à glissière de ma botte gauche était devenue rigide, probablement pour protester contre la pluie éternelle. Je donnai un autre coup, puis elle céda avec l'horrible bruit de déchirure que toute personne qui a déjà porté des bas connaît trop bien.

D'ordinaire, j'aurais probablement été légèrement énervée par la fin précipitée de ma dernière paire de bas. Mais je n'avais pas la tête à ma garde-robe. Énergisée par la caféine et le caramel, je repassai mentalement, et avec tant de détails que c'en était insupportable, la scène de la nuit précédente dans la cuisine de madame Selwick-Alderly — exactement comme je le faisais depuis trois heures ce matin.

J'avais essayé de me perdre dans les lettres d'Amy, mais les feuilles glissaient sans cesse vers le couvre-lit tandis que, les yeux dans le vide, je trouvais la cinq centième réplique pleine d'esprit que j'aurais pu lancer à Colin Selwick. Il était universellement reconnu qu'on ne trouvait de fines répliques cinglantes qu'une fois l'autre partie gaiement et paisiblement endormie. D'une manière quelconque, j'en étais venue à la conclusion qu'entrer en trombe dans la chambre de Colin et le réveiller pour lui livrer ma brillante remarque m'aurait seulement fait paraître encore plus pathétique.

En plus, ç'aurait pu être mal interprété. Pour l'esprit masculin, femme plus chambre n'égale qu'une seule chose.

Colin n'était pas dans les parages lorsque je m'étais traînée, à moitié endormie, hors de la chambre d'invités, à sept heures ce matin-là, pour tituber jusqu'à la cuisine. À la place, j'avais trouvé madame Selwick-Alderly assise à la table en pin en train de boire une tasse de thé et de lire le *Daily Telegraph*.

J'avais hésité entre déception et soulagement. Déception, parce que je perdais ainsi toute occasion de livrer ces ripostes élaborées avec tant de soin. Et soulagement, parce que je sais de quoi j'ai l'air à sept heures du matin.

Madame Selwick-Alderly avait laissé tomber son journal avec un empressement flatteur, m'avait demandé en souriant si j'avais bien dormi et avait insisté pour me servir du thé et des tranches de pain grillé. J'avais accepté le thé, refusé le pain et m'étais retenue de mentionner quoi que ce soit au sujet d'une rencontre nocturne avec son neveu. Je m'étais demandé si elle aborderait la question des deux tasses tachées de chocolat dans l'évier, mais soit elle ne les avait pas remarquées, soit elle croyait que ce n'était pas la peine d'en parler. Peut-être Colin avait-il régulièrement des tête-à-tête nocturnes autour d'une tasse de chocolat.

Peut-être étais-je complètement ridicule.

J'avais avalé ma tasse de thé en un temps record.

— Comment trouvez-vous nos petites archives ? s'était enquis madame Selwick-Alderly en me laissant le temps de récupérer après m'être brûlé la langue.

— C'est incroyable, avais-je répondu honnêtement. Je ne pourrai jamais vous remercier assez de m'avoir laissée les consulter. Mais...

— Oui ?

— Colin, je veux dire votre neveu...

Mince. Madame Selwick-Alderly savait très bien que Colin était son neveu sans que j'aie besoin de le lui dire.

J'avais recommencé depuis le début :

— Pourquoi ne veut-il pas que j'accède à vos documents ?

Madame Selwick-Alderly avait regardé la une du *Telegraph* d'un air songeur.

— Colin prend très au sérieux son rôle de gardien de l'héritage familial. Que pensez-vous de notre Œillet rose ?

— Je ne l'ai pas encore trouvé. Je n'en suis qu'environ à la moitié des documents que vous m'avez donnés. Il m'a fallu m'habituer à l'écriture.

— L'écriture d'Amy est *atroce*, n'est-ce pas ? Qui est l'Œillet rose, d'après vous ?

— Miles Dorrington semble le meilleur candidat.

J'avais regardé attentivement madame Selwick-Alderly dans l'espoir d'obtenir une réaction ; quelque chose qui confirmerait ou infirmerait mon hypothèse.

Je n'en avais eu aucune.

— Pourquoi Miles ? m'avait demandé madame Selwick-Alderly en continuant d'étendre calmement de la confiture sur un morceau de pain.

— Il n'y a aucune documentation sur les frasques de l'Œillet rose avant la fin d'avril 1803. Miles est constamment en contact avec la Gentiane pourpre ; il est donc au courant de tout ce qui se passe à Paris. De plus, il reçoit l'appui de toutes les ressources du ministère de la Guerre à Londres *et* — j'avais sorti la plus importante des pièces à conviction que j'avais jusque-là — il était à Paris fin avril.

— Comment avez-vous découvert ça, si vous n'en êtes qu'à la moitié ?

— J'ai feuilleté un peu plus loin, avais-je admis. J'ai vu sa signature sur une lettre de Paris datée du 30 avril. Alors je sais qu'il était au bon endroit au bon moment.

— Qu'en est-il de Georges Marston?

— Malgré ce qu'il a fait à Amy? m'étais-je exclamée, incrédule.

— La noblesse d'action n'est pas toujours garante de noblesse de caractère, avait dit calmement madame Selwick-Alderly. De grands hommes étaient reconnus pour être de vraies brutes dans leur vie privée.

J'avais fait la grimace, résistant à l'envie de taper du pied pour protester comme une enfant de cinq ans.

— Pas l'Œillet rose, avais-je dit avec fermeté en essayant d'ignorer le mince filet de malaise qui descendait le long de ma colonne vertébrale tel le serpent sur l'arbre de la connaissance.

Cela expliquerait la réticence de Colin... L'Œillet rose, un aspirant violeur. J'avais banni l'idée pour cause d'invraisemblance. Marston ne pouvait pas être l'Œillet rose. Si ç'avait été le cas, nous aurions entendu parler de lui avant avril 1803 puisque Marston était à Paris depuis des mois, depuis qu'il avait fait défection de l'armée anglaise. Miles. Il fallait que ce soit Miles.

— ... avec vous, avait dit madame Selwick-Alderly.

— Pardon?

Madame Selwick-Alderly avait répété ce qu'elle venait de dire. J'étais restée muette d'incompréhension.

— Vous ne pouvez pas être sérieuse.

Elle venait de m'offrir d'emporter les lettres chez moi, n'est-ce pas? J'avais tendance à être un peu décalée le matin, mais je ne délirais pas complètement. Je devais avoir mal entendu.

— Vous devez terminer l'histoire, avait-elle dit en pliant son journal et en le mettant de côté. Ensuite, nous pourrons discuter du fait de savoir si l'Œillet rose est à la hauteur de toutes vos attentes.

— Mais si je les perdais ? avais-je protesté. Je pourrais les faire tomber dans le métro, elles pourraient être endommagées par la pluie ou...

— C'est exactement ce genre de réflexions qui font que je n'ai aucune réticence à les confier à vos bons soins, avait répondu avec grande satisfaction madame Selwick-Alderly.

Après cela, comment pouvais-je argumenter ? D'autant plus que je voulais terminer la lecture de ces documents plus que n'importe quoi d'autre. Elle était allée les récupérer dans la chambre d'amis, les avait rangés d'abord dans leur boîte sans acide spécialement conçue, avait enveloppé la boîte dans un drap propre sorti tout droit du séchoir, puis avait emballé le tout dans pas moins de sept sachets en plastique épais avant de placer l'encombrant paquet dans un sac de chez Fortnum. Ils étaient en prêt à court terme — je devais les ramener le jour suivant, vraisemblablement avant que Colin découvre leur disparition.

La sécurité des documents était une chose, mais l'obsession de Colin pour la confidentialité en était une autre. Je n'avais toujours pas digéré sa directive cavalière de la veille. Rien ne sortira de cet appartement, en effet !

Je pouvais comprendre qu'il ne veuille pas que le nom de sa famille soit traîné dans la boue par les tabloïdes — mais quel type de scandale pouvait bien être assez gros pour attirer l'attention du public deux cents ans plus tard ? Peut-être que son arrière-arrière-arrière-grand-père, la Gentiane pourpre, avait vendu son âme aux Français et qu'il avait été démasqué par l'Œillet rose, et que c'était pour cela que Colin

Selwick tenait à garder le secret, supposai-je. Même si c'était le cas, je ne pouvais imaginer que cela génère autre chose que l'intérêt de quelques universitaires ou, dans le pire des cas, deux ou trois paragraphes dans les pages centrales du *Mirror* par une journée particulièrement pauvre en actualité. Ce n'était pas exactement le genre de nouvelle pour laquelle on arrête les presses.

En outre, pour autant que je sache d'après la documentation que j'avais lue, la Gentiane pourpre était inconditionnellement dévouée à sa cause. Les pires choses que j'avais pu découvrir à son sujet, c'était qu'il avait joué de sales tours au cœur de mademoiselle Amy Balcourt. Pauvre Amy. En lisant cette dernière entrée de son journal au petit matin — juste avant que mes paupières ne s'abandonnent à la gravité et mon corps, au sommeil —, j'avais eu envie de frapper Lord Richard pour elle. Il avait semblé si charmant. Mais, bon, ils étaient tous ainsi. Même Grant avait été charmant au début.

Bon, que faisait-il encore dans mes pensées, celui-là ? Allez, oust, foutu ex !

Prenant un air renfrogné, j'avalai le reste de mon café et allai jeter le gobelet en carton vide aux ordures. Je mis inutilement trop de force dans le geste pour le lancer à la poubelle.

Ce n'était pas comme si je me languissais de Grant, râlai-je en retournant d'un pas lourd vers le lit. Les choses avaient commencé à mal tourner bien avant l'arrivée d'Alicia l'historienne de l'art. Si nous étions restés ensemble ces derniers mois, c'était plus par commodité qu'autre chose, simplement parce que ç'aurait été trop compliqué de trouver quelqu'un d'autre pour occuper ces vendredis soirs libres.

Je me laissai tomber sur le couvre-lit fleuri et tendis le bras pour attraper le colis emballé de plastique.

Malheureusement, je savais exactement ce dont je souffrais. Le syndrome du dernier GRAS (Garçon Retardé Avec qui je suis Sortie) : une maladie souvent non diagnostiquée, mais largement répandue, qui affecte les femmes célibataires.

Mes colocataires et moi, lors de nos premières années d'université, avions inventé ce terme pour expliquer le phénomène déconcertant de la nostalgie du dernier ex. Peu importe que cette personne ait été absolument horrible pendant la relation, quelques semaines plus tard, celle-ci se teintait de rose et de petites phrases mélancoliques comme « Je sais qu'il m'a trompée avec trois autres filles en même temps, mais il était si bon danseur » ou « Bon, d'accord, c'était un alcoolique fini, mais il était tellement adorable quand il n'était pas ivre ! Tu te souviens des fleurs qu'il m'avait offertes cette fois-là ? » se faufilaient dans la conversation. Inexplicable, mais inévitable. Quelques semaines de célibat avaient le pouvoir de rendre charmant, avec le recul, le plus inexcusable des ex.

D'où le syndrome du dernier GRAS. Comme chacun le sait, le gras est mauvais pour la santé. Par conséquent, il faut à tout prix se tenir loin de ses ex-copains.

Voilà ce qui arrive quand on habite pendant quatre ans avec un étudiant en bio.

Le seul moyen sûr de combattre le syndrome du dernier GRAS, c'est de se distraire. Il est vrai qu'une nouvelle relation, qui relègue le dernier GRAS au maillon suivant de la chaîne des fréquentations, où il devient inoffensif, constitue le seul remède à toute épreuve. Toutefois, il existe d'autres diversions temporaires, telles que lire un roman, regarder un film ou fouiller dans la vie privée de personnages historiques.

Avec un grand sourire d'anticipation, je sortis doucement le paquet sur mes genoux de sa première couche
d'emballage, un sac vert de chez Harrods, et commençai
tranquillement à défaire la couche suivante, un sac turquoise
de chez Fortnum & Mason Food Hall. Je venais tout juste
d'atteindre la troisième couche — un autre sac de chez
Harrods, relique des soldes de janvier de l'année dernière —
lorsque mon imperméable se mit à brailler une sonate de
Mozart.

Mettant mon paquet de côté, je sautai sur la poche de
mon imperméable qui vibrait pour en sortir mon cellulaire,
à l'instant où il entamait la troisième mesure.

Il n'était toujours que huit heures du matin. Qui pouvait
bien m'appeler à une heure aussi indue ? Madame Selwick-
Alderly qui me demanderait de lui rapporter les documents ?
Un Colin Selwick furieux qui m'accuserait de vol qualifié de
manuscrits et me menacerait de lancer Scotland Yard à mes
trousses ?

PAMMY, proclamait l'écran en majuscules.

J'aurais dû y penser.

Pammy et moi étions allées à la même école pour filles
de Manhattan jusqu'à la première année de lycée, quand ses
parents s'étaient séparés et que sa mère anglaise était partie
pour Londres, emmenant Pammy avec elle. Mais nous étions
restées en contact, au début au moyen de lettres d'écolières
griffonnées sur du papier à lettres beaucoup trop mignon,
puis ensuite par des séances marathon de courriels. Je l'aimais. Vraiment. Mais Pammy était... Pammy. Excessive.
Unique. À peu près aussi sensible qu'une équipe d'ouvriers
du bâtiment. *Pas* la personne à qui parler de la saga avec la
famille Selwick.

L'espace d'un instant, j'envisageai d'appuyer sur le petit bouton rouge pour refuser l'appel. Mais Pammy est une force de la nature qui n'accepte pas d'être rejetée. Elle aurait simplement continué à appeler jusqu'à ce que je cède. J'appuyai sur répondre.

— Salut, Pammy.

— Que vas-tu porter ce soir ? me demanda-t-elle sans préambule.

Oh mon Dieu. Ce soir. J'avais complètement oublié. Mince. Je savais que je n'aurais jamais dû répondre.

Pammy, comme elle l'expliquait joyeusement aux gens rencontrés dans les cocktails, s'occupait de relations publiques, ce qui, pour autant que je sache, voulait dire organiser des fêtes très dispendieuses aux frais d'autres personnes. Le somptueux événement de ce soir célébrait l'ouverture de la boutique d'un nouveau designer à la mode de Covent Garden. Nouveau et à la mode signifiant que les vêtements étaient tous soit abîmés à de drôles d'endroits, soit fabriqués en matériaux exotiques tels que la véritable peau de yak tibétain (nettoyage à sec seulement). Pammy, qui avait tendance à connaître ces choses-là, jurait qu'il serait le prochain Marc Jacobs. Comme pour toutes les fêtes que Pammy organisait, il ferait chaud, ce serait blindé, et il y aurait beaucoup de gens incroyablement beaux dont les os des hanches étaient tellement pointus qu'ils pourraient passer pour des armes dissimulées.

— Pammy, non, je ne peux pas, me lamentai-je.

— Ne *pense* même pas à te défiler, m'ordonna-t-elle. Si tu ne te montres pas ce soir, je me rendrai moi-même jusqu'à Bayswater pour te faire sortir de force.

Le pire, c'était qu'elle le ferait. Il s'agissait, après tout, de la même fille qui avait emmené de force Andy Hochstetter jusqu'à moi à la soirée dansante organisée par la Goddard Gaieties quand nous étions en sixième année et l'avait menacé de l'étrangler avec sa propre cravate s'il refusait de danser.

— Je suis vraiment fatiguée..., répondis-je évasivement.

Pammy renâcla.

— Alors, fais une sieste ! Ce n'est pas comme si tu avais quelque chose à faire.

Pammy n'avait jamais compris le concept qu'il fallait travailler pour préparer un doctorat.

— J'ai une tonne de manuscrits à lire...

— Ellie, ces gens sont morts depuis cinq cents ans. Un jour de plus ou de moins, qu'est-ce que ça change ?

Pammy n'avait jamais compris le concept des époques non plus. J'avais abandonné l'idée d'essayer de lui expliquer que 1803 n'était qu'il y a deux cents ans et que, non, l'Œillet rose ne portait pas une armure comme celle des personnages du film *Chevalier*.

— Ce n'est pas comme si ç'allait faire une différence pour eux que tu... mais putain, qu'est-ce que tu crois que tu fais là ?

Puisque ces derniers mots furent suivis d'un grincement de pneus, ils ne m'étaient manifestement pas destinés.

— Tout va bien ? criai-je par-dessus le vacarme d'automobilistes vociférants.

— Stupides conducteurs, marmonna Pammy, qui avait failli faucher trois piétons en me reconduisant à la maison après une soirée chez elle deux jours plus tôt. Allez, Ellie, dit-elle d'un ton devenu flatteur. Si tu n'y vas pas, tu vas passer la soirée assise toute seule chez toi à t'apitoyer sur ton sort. Ne préférerais-tu pas sortir, faire quelque chose ? Ce sera amusant.

— Amusant, répétai-je, impassible.

Des mannequins minces comme des brindilles paradant dans des vêtements qu'on dirait tout droit sortis des rêves troublés de peintres surréalistes pendant que des starlettes autoproclamées hurlent entre elles par-dessus des coupes de champagne tiède. Hmm, champagne. Pammy avait l'habitude de commander d'excellentes boissons alcoolisées.

Elle sentit que je faiblissais.

— Génial! Ce n'est qu'à quelques pâtés de maisons de la station de métro Covent Garden…, dit-elle avant de débiter l'adresse sans même s'arrêter le temps de respirer. L'as-tu notée?

— Non.

— Ellie!

J'allai chercher un crayon et du papier. Aussi bien argumenter avec un ouragan.

— Répète, lui intimai-je.

Avant qu'elle ait terminé, j'avais couvert les deux côtés d'une feuille de bloc-notes. Connaissant ma propension à me perdre, Pammy m'avait donné ce qu'elle appelait les «instructions Ellie»: une liste compliquée de chacun des points de repère dans un rayon de dix pâtés de maisons autour de l'endroit où je devais me rendre.

— Si tu vois un Starbucks, c'est que tu es allée trop loin, termina-t-elle. Et mon cellulaire sera allumé. Je ne l'entendrai probablement pas, ajouta-t-elle de façon pragmatique, mais si tu te perds, appelle-moi, j'essaierai de sortir pour venir te chercher.

— Pas de Starbucks…, répétai-je en gribouillant frénétiquement. Y aura-t-il des gens que je connais?

Pammy débita une liste de noms, parmi lesquels j'en reconnus quelques-uns qui étaient à ses fêtes précédentes, dont son béguin actuel, un mec dans les services bancaires d'investissement, qui se distinguait uniquement par ses cravates aux couleurs étonnamment vives.

— Et j'ai invité quelques personnes de Saint-Paul, termina-t-elle en faisant référence à l'école privée de Londres qu'elle avait fréquentée après avoir quitté Chapin, mais je ne crois pas que tu les connaisses. Alors, dit-elle vivement, une fois débarrassée des préliminaires, que vas-tu porter?

— Je n'y ai pas encore réfléchi, admis-je.

C'était toujours un casse-tête de s'habiller pour les fêtes de Pammy.

Le téléphone pressé sur l'oreille, je me dirigeai vers ma penderie pour examiner ma garde-robe londonienne limitée. La vue qui m'accueillit n'était pas très inspirante. Du tweed et encore du tweed à perte de vue. D'accord, j'avais pris un peu trop à cœur toute cette histoire de « se vêtir en universitaire ».

— Je peux te prêter quelque chose, offrit Pammy avec un peu trop d'empressement. Il y a justement ce petit ensemble trop mignon que j'ai acheté l'autre jour...

— Et si je portais ma petite robe noire? répliquai-je en écartant des rangées de chevrons et de tissu à carreaux.

— Beurk, s'exclama Pammy avec éloquence. Tu as l'air de la mère d'une élève de Chapin avec ça.

Ça, c'était injuste. Il était vrai qu'il s'agissait d'une petite robe fourreau noire classique, mais elle était faite d'un tissu souple et moulant qui me drapait d'une façon tout à fait inappropriée pour une rencontre parents-enseignants. Je l'avais achetée lorsqu'elle était miraculeusement en solde à Bergdorf, l'hiver précédent, et elle était devenue ma robe de cocktail de secours. Absolument pas le style de Pammy, en revanche.

Pour ce qui était du style de Pammy...

— Écoute, je descends dans le métro maintenant, alors il se pourrait qu'on soit coupées. Mais que penses-tu de ceci : tout ce dont tu as besoin, c'est deux foulards. Tu n'as qu'à en nouer un autour de ta poitrine pour faire un haut et un autre...

Dieu merci, l'absence de réseau dans le métro interrompit brusquement Pammy avant qu'elle arrive au bout de sa pensée. Même Schéhérazade avait eu droit à quelques épaisseurs de plus que ça.

Je claquai la porte de la penderie et retournai à mon lit. Je m'occuperais du problème de la tenue plus tard. Avec un peu de chance, Pammy ne changerait pas d'idée et ne déciderait pas de se pointer à vingt heures avec une tenue dont elle était persuadée qu'elle m'irait à merveille. La dernière fois qu'elle avait essayé de m'habiller pour une fête, cela avait impliqué un bustier en cuir rouge. Ça veut tout dire.

Après avoir retapé les oreillers, je me laissai tomber sur le lit avec reconnaissance et regardai le paquet de plastique d'un point de vue horizontal. Sieste ? Ou manuscrits ? Mon corps me conseillait vivement la sieste... Mais je me surpris à tendre la main vers les manuscrits de toute façon.

Seulement une ou deux pages du journal d'Amy, promis-je à mon corps épuisé. Juste assez pour découvrir ce qui était arrivé lorsqu'elle était allée voir les antiquités de Lord Richard.

Chapitre 26

✿

L'aube pointait à peine derrière les flèches de Notre-Dame. Dans les rues sinueuses de la ville, les feux étaient toujours éteints, et les citoyens respectables dormaient profondément dans leurs lits. Mais au ministère de la Police, Gaston Delaroche était déjà assis derrière son secrétaire.

À la porte de son bureau, quatre personnes attendaient. Un homme portait les vêtements, ainsi que les relents, d'un vendeur d'oignons. Il jonglait avec trois oignons pendant qu'il attendait. Un autre était en tenue de voyage, portant les éperons, la cape et le chapeau. Il faisait mine de s'intéresser au motif des dalles du plancher et évitait l'oignon qui volait à l'occasion. La troisième personne était une femme robuste vêtue de laine brune, dont les cheveux étaient remontés en chignon sur le sommet de son crâne et qui examinait ses ongles dans la lumière vacillante des torches fixées au mur. Le dernier membre du quatuor était le genre de gamin des rues qu'on pouvait rencontrer n'importe quand dans n'importe quelle rue de n'importe quelle grande ville; un être maigrichon qui tenait en un morceau grâce à la saleté et aux haillons qu'il portait. Il se tenait debout et grattait les petites taches sur ses bras.

Les occupants silencieux du hall avaient deux choses en commun. La première était un air plutôt banal. Malgré leurs costumes variés, quiconque aurait traversé le hall aurait eu beaucoup de mal, si on le lui avait demandé, à décrire les particularités de n'importe lequel d'entre eux.

Leur second point commun était Delaroche.

Chacun attendait d'être reçu dans le sanctuaire interne, comme ils l'avaient fait chaque matin depuis qu'il les avait convoqués. Comme ils continueraient de le faire chaque matin jusqu'à ce qu'il leur donne congé.

Ils étaient ses... Ah, mais «espion» était un mot si affreux. Ils étaient ses collecteurs de renseignements, ses yeux et ses oreilles, ses armes pour poursuivre les insaisissables et les dangereux. Chacun était venu à lui par des chemins si tortueux qu'il n'était même pas fait mention de leur existence dans ses vastes archives. Chacun était lié à lui par une dette aussi profonde que la vie ou la mort.

Par courtoisie, la dame, aussi douteuse que fût sa prétention à ce titre, fut convoquée en premier par un garde aux yeux rougis qui, à la demande de Delaroche, ouvrit la porte et la referma derrière elle. Cela l'amusait de changer d'accent pendant qu'elle parlait : un instant, elle avait l'intonation chantante d'une courtisane raffinée, l'instant suivant, le cri perçant de la femme d'un poissonnier. Dans cette espèce de pot-pourri, elle rapporta qu'Augustus Whittlesby avait passé la journée de la veille prostré aux pieds d'une statue mineure de Pan et la soirée de la veille à pourchasser sa muse dans les bras de l'une des filles de la maison de débauche de madame Pinpin.

— Insuffisant. Insuffisant, marmonna Delaroche en lui donnant congé d'un signe de la main.

Le vendeur d'oignons entra ensuite. Il informa l'adjoint au ministre de la Police que Sir Percy Blakeney avait passé la journée de la veille à lire dans sa bibliothèque, à jouer au piquet avec sa femme et à divertir son frère et sa belle-sœur. Aucun inconnu n'était entré dans la maison, et Sir Percy n'en était pas sorti.

En troisième vint le voyageur, dont les éperons cliquetaient avec autorité sur les tuiles du plancher. Sa voix, quand il parla, ne concordait pas avec sa démarche. Hésitant et contrit, il avoua avoir perdu Georges Marston à la soirée chez madame Rochefort et l'avoir retrouvé inconscient dans une impasse du Quartier latin.

— Imbécile! siffla Delaroche en frappant sur son secrétaire. Imbécile insouciant!

Du bureau sortit furtivement le voyageur, dont les éperons grinçaient sur la pierre tandis qu'il traînait les pieds. Les autres s'écartèrent devant lui comme devant un pestiféré. On ne savait jamais comment pouvait se propager le fléau du mécontentement.

Le gamin de la rue entra en dernier, se glissant par la porte avec la grâce épuisée du mendiant. À la clarté crue des chandelles — qui servaient à la fois de lumière et d'armes — sur le secrétaire de Delaroche, le visage sale du gamin oscillait avec incertitude entre jeunesse et vieillesse.

D'une voix douce, qui aurait aussi bien pu être celle d'un soprano que celle d'un ténor, il rapporta que Lord Richard Selwick n'avait apparemment rien fait d'autre que se livrer à des ébats amoureux. Deux nuits plus tôt, Selwick avait donné rendez-vous à une jeune femme chez Balcourt.

— Et la nuit dernière? s'enquit Delaroche en plissant les yeux.

La nuit dernière, expliqua le gamin, Selwick s'était battu avec Georges Marston dans le jardin du Luxembourg à cause d'une fille — le visage crasseux du gamin s'égaya un peu à la mention des effusions de sang —, mais une fois Marston sans connaissance, pas une chaude lutte du tout, Selwick était parti avec la fille pour s'adonner à des activités qui conviennent mieux derrière des volets clos.

— Marston a donc été assommé par Selwick.

Deux suspects disqualifiés par une gamine ! Le corps inerte de Marston dans le parc avait semblé très prometteur, mais apprendre que la cause n'était rien de plus significatif qu'une altercation à propos d'une femme… Les narines de Delaroche se dilatèrent sous l'effet de la colère. Une fois de plus, il ne lui restait plus que Sir Percy et Whittlesby. Delaroche se repassa fébrilement les témoignages de ses agents. Il devait y avoir quelque chose là-dedans. Un indice quelconque.

Les lèvres du gamin s'étirèrent en un sourire angélique.

— Lord Richard Selwick, ajouta-t-il doucement, portait une capuche et un masque.

Delaroche était sur le point de renvoyer le dernier et le plus jeune de ses agents ; les paroles du garçon arrêtèrent son geste.

— Un masque.

— Lord Richard est retourné chez lui avant chacun des deux rendez-vous. Il en est ressorti vêtu d'une cape noire, d'une capuche noire et d'un masque noir. Une cape, une capuche et un masque comme ceux que porte la Gentiane pourpre.

— Ce n'est pas suffisant, marmonna Delaroche pour lui-même. N'importe qui peut porter une cape noire. Il pourrait même y avoir une explication pour le masque. Il nous faut plus que ça. Il nous faut...

Delaroche fixa son agent de son regard féroce.

— Deux femmes, dis-tu? Une chaque soir?

— Oui.

L'agent avait appris qu'il valait mieux donner des réponses courtes.

— Ah! s'exclama Delaroche en s'enfonçant dans son fauteuil avec un sourire mauvais, un sourire semblable à celui dont une araignée gratifiait une mouche. Là réside la réponse à notre énigme.

— Monsieur?

— Mais n'est-ce pas évident? aboya Delaroche avec un rire dépourvu d'humour. Allez! Même vous, vous devez bien voir la faille fatale dans son alibi! Selwick est... un Anglais!

— Un Anglais.

Les yeux de l'agent s'illuminèrent tandis qu'il commençait à comprendre.

Delaroche se frotta les mains dans une orgie d'autosatisfaction.

— Si Selwick était français, l'histoire serait plausible. Nous pourrions l'éliminer tout de suite. Mais il est anglais! Et tout le monde sait que les Anglais sont des gens froids, sans passion, incapables de vivre de grandes émotions. Qu'un Anglais ait séduit deux femmes en si peu de temps est inconcevable.

Se levant de sa chaise, Delaroche s'approcha lentement, posément, de la fenêtre.

— Vous, dit-il d'une voix si douce qu'il fit tressaillir l'homme-garçon, qui avait plus d'une fois affronté la pointe d'un couteau sans broncher. Vous allez surveiller Lord Richard Selwick jour et nuit. Gardez un détachement de soldats à portée de voix. Ne le perdez pas de vue.

— Oui, monsieur.

— Ne m'avez-vous pas entendu ? demanda Delaroche en faisant brusquement demi-tour. Je vous ai dit de le surveiller ! Allez-y, sacrebleu !

Sans un autre mot, le garçon sortit de la pièce.

Delaroche remua les narines à la manière d'un chien qui renifle l'odeur du sang. La Gentiane pourpre devenait imprudente. On pouvait le deviner à l'erreur bête qu'il avait faite en essayant de faire passer ses rencontres avec ses agents pour des affaires de cœur.

Lord Richard Selwick avait des amis puissants au gouvernement, des amis non moins importants que les beaux-enfants du Premier Consul. On racontait que le Premier Consul en personne était inexplicablement attaché à lui. Mais à quel point le Premier Consul resterait-il attaché à son directeur des antiquités égyptiennes une fois que ses activités moins intellectuelles seraient dévoilées ?

Les lèvres de Delaroche s'étirèrent pour prendre la forme d'un cimeterre.

— Une erreur de plus, Selwick. Tout ce qu'il faudra, c'est une erreur de plus.

Chapitre 27

❀

— **B**onjour, fainéante!

La voix de Jane lui parvint d'un endroit à proximité. Amy se tourna sur elle-même, les couvertures toujours enroulées autour des épaules.

— Il est plus de onze heures déjà, continua Jane avec le ton de reproche qu'ont inconsciemment tous les lève-tôt de nature. Tu as perdu la moitié de la journée.

— Ce n'est pas une grosse perte, marmonna Amy.

Malgré la facilité de la conversation familière, Amy était écrasée par une sensation de malaise. Elle avait l'impression que ses yeux brûlaient sous ses paupières et elle avait mal au fond de la gorge comme au début d'une angine. Des souvenirs de la nuit lui revinrent lentement, en pièces détachées. Marston au sol. Toutes les étoiles qui brillaient au-dessus d'elle. La Gentiane pourpre qui lui disait... Oh. Amy ferma les yeux encore plus fort, comme si cela pouvait bloquer le souvenir de la Gentiane qui lui disait «Nous ne pouvons plus nous voir».

— Je t'ai apporté du chocolat, ajouta Jane, dont la voix familière se fit enjôleuse. Et j'ai quelque chose à te dire.

Amy repoussa doucement les couvertures sous son menton et regarda Jane en clignant des yeux, à moitié endormie. Vêtue de sa robe de style grec, les cheveux en chignon derrière la tête, une pile de papiers dans une main et un pot cannelé de chocolat dans l'autre, Jane ressemblait un peu à une déesse classique mineure. Amy enviait la sérénité de sa cousine.

— Je me disais bien que ça te réveillerait, dit Jane, satisfaite.

Mais elle changea de ton en voyant les yeux rougis d'Amy.

— Tu vas bien? s'enquit-elle, préoccupée.

Voir l'amour, l'inquiétude et le chocolat chaud émaner de sa cousine — puisque Jane, totalement concentrée sur Amy, n'avait pas remarqué que le pot de chocolat dans sa main était incliné ni qu'un filet de chocolat dégouttait sur le couvre-lit bleu pâle — fit monter les larmes aux yeux d'Amy.

— Pas si tu me réveilles si tôt le matin, grogna Amy en tirant l'oreiller sur sa tête.

— Je ne suis même pas certaine qu'on puisse encore parler de matin.

Jane déposa les papiers qu'elle tenait, arracha l'oreiller et tendit une tasse en porcelaine pleine de chocolat tiède à une Amy aux yeux relativement secs.

— Qu'est-il arrivé hier soir? demanda Jane en s'asseyant sur le lit dans le creux près de la hanche d'Amy.

Le blanc de ses jupes disparaissait dans le blanc des draps.

— Je suis venue quand j'ai entendu ta porte se fermer, poursuivit-elle, mais tu étais si tranquille que je n'ai pas osé te déranger. As-tu parlé à la Gentiane pourpre?

— Je crois que nous allons devoir nous passer de la Gentiane pourpre pour restaurer la monarchie, répondit Amy en fixant sa tasse de chocolat avant de lever les yeux sur Jane avec un petit sourire forcé sur les lèvres. Ça nous laissera beaucoup plus de liberté de mouvement, tu ne crois pas ?

Jane observa avec inquiétude les contorsions des lèvres d'Amy.

— Amy, qu'est-ce qui ne va pas ?

— Rien. La Gentiane pourpre et moi nous sommes simplement rendu compte que...

La profondeur de nos sentiments était différente ? Nos conceptions de la valeur d'un baiser étaient différentes ? Amy pinça les lèvres.

— ... nos objectifs ne sont pas les mêmes, termina-t-elle gaiement. Il veut empêcher l'invasion de l'Angleterre, alors que je veux restaurer la Couronne. C'est tout.

— Les deux ne sont pas nécessairement incompatibles.

La Gentiane pourpre semblait penser que oui. Il considérait qu'elle était une idylle distrayante, incompatible avec le fait d'empêcher l'invasion de l'Angleterre. Incompatible avec lui.

Le chocolat avait un goût aigre dans la bouche d'Amy.

— Qui a besoin de la Gentiane pourpre ? déclara Amy en se redressant sur ses coudes. Le simple fait qu'il soit — *avenant, charmant, amusant et tendre*, lui soufflait son esprit déloyal — plus expérimenté ne signifie pas qu'il est indispensable. Nous nous débrouillerons tout aussi bien sans lui.

À ce dernier mot, Amy fut envahie par la douleur d'un grand vide. Peut-être pourrait-elle prétendre qu'elle ne l'avait jamais trouvé, n'avait jamais cru être amoureuse de lui, n'avait rien perdu de plus que quelques fantasmes.

— Il s'est passé quelque chose hier soir avec la Gentiane pourpre. A-t-il été grossier ? demanda amèrement Jane. T'a-t-il fait du mal ?

— Non! Non, rien de ça. Il a simplement...

— Simplement quoi? l'encouragea Jane, dont les yeux gris brillaient d'une meurtrière lueur d'acier.

— C'est compliqué.

Jane remplit la tasse de chocolat d'Amy et la lui rendit.

— Ça ne peut pas être si compliqué, répondit-elle.

Alors Amy lui expliqua. Elle lui raconta la rencontre dans le bureau, l'altercation dans le jardin — comme le visage de Jane s'assombrissait d'une manière qui présageait la venue d'un sermon, Amy passa rapidement cette partie de l'histoire — et l'épouvantable retour à la maison. Amy omit ce qui s'était passé sur le bateau, à l'exception d'un ou deux chastes baisers. Et elle tut toute mention d'étoiles, particulièrement sous forme de collier.

Jane écouta, l'air songeuse.

— Je ne suis pas certaine que ça signifie ce que tu crois que ça signifie.

Amy tirait nonchalamment sur un lys brodé sur la bordure de sa couette.

— Je ne le verrai plus jamais, et c'est tout ce qui compte.

— Amy, tu ne peux pas te contenter de...

— De toute façon, l'amour nuirait à ma mission. C'est déjà le cas.

— Qui se ressemble, murmura Jane. C'est très semblable à ce que...

— Quand tu m'as réveillée, tu as dit que tu avais quelque chose à me dire? l'interrompit Amy.

Jane récupéra sa pile de papiers bien ordonnés.

— Gardons ça pour plus tard. Nous devons être aux Tuileries à seize heures et il y a quelques trucs que j'aimerais terminer avant de partir.

Amy enfouit à nouveau la tête dans son oreiller.

— J'avais oublié. Les antiquités de Lord Richard.

Elle avait toujours le moral au plus bas, plusieurs heures plus tard, lorsque mademoiselle Gwen les conduisit aux Tuileries pour honorer leur rendez-vous avec Lord Richard.

Amy retira moins de plaisir qu'à l'habitude à regarder mademoiselle Gwen poser à voix très haute des questions en anglais et enfoncer le bout de son ombrelle dans les côtes des gardes déconcertés. Finalement, elles furent accompagnées jusqu'au bureau de Lord Richard par une escorte de trois valets, qui se tenaient douloureusement les côtes.

La pièce était plus petite que ce à quoi Amy s'attendait. Ou peut-être avait-elle seulement l'air petite en raison de tout le bazar d'objets qui l'encombrait. Contre les murs de chaque côté de la pièce, ainsi qu'en son centre, de longues tables étaient couvertes de vases, de poteries et de fragments de bijoux. Des caisses, alignées les unes à côté des autres, formaient une masse uniforme sous les tables et s'élevaient en piles instables dans les coins de la pièce. Lord Richard était assis à l'autre extrémité de la pièce, presque caché derrière des tas d'immenses livres aux reliures en cuir. Alors qu'elles avançaient dans la pièce, Amy vit qu'il observait attentivement un tesson de poterie, la plume dans son autre main posée sur une page déjà à moitié remplie d'une écriture soignée.

Et il n'était pas entièrement vêtu.

Amy ne voulait pas le fixer du regard, mais sa veste pendait sur le dossier de sa chaise, son gilet était ouvert, et sa chemise en lin était vraiment très fine. L'éclat sain de sa peau paraissait à travers l'étoffe blanche. Amy observa avec fascination la manche se retrousser et s'étirer sur le muscle élancé de son bras tandis qu'il le tendait pour tremper sa plume dans l'encrier. Les yeux d'Amy remontèrent le long de son bras, jusqu'au nœud desserré de son foulard et au pouls qui battait au creux de sa gorge dénudée.

— He-hem!

Mademoiselle Gwen s'éclaircit la gorge avec assez de force pour générer un ouragan à trois pays de là.

— Je vous demande pardon, dit Lord Richard en attrapant sa veste. Je ne vous attendais pas avant un bon quart d'heure. Bienvenue.

Il les fit entrer et adressa à Amy un sourire dévastateur en signe de bienvenue personnalisée.

— Quand êtes-vous allé en Égypte? s'enquit mademoiselle Gwen de son ton péremptoire, évitant ainsi à Amy d'avoir à dire quoi que ce soit.

— Je suis parti en 1798 avec la campagne de Bonaparte et suis rentré un an plus tard, répondit Richard sans croiser le regard d'Amy.

Sacrebleu! On pouvait compter sur mademoiselle Gwen pour aborder un sujet délicat, alors que le but de la visite était de séduire Amy afin qu'elle l'aime pour ce qu'il était vraiment. Si on continuait à parler de la campagne d'Égypte, elle recommencerait à le fusiller du regard comme s'il avait guillotiné la moitié de l'aristocratie française de ses propres mains. Mais pouvait-il réellement en vouloir à mademoiselle Gwen de parler de l'Égypte alors qu'il les avait invitées à admirer des antiquités égyptiennes? Hum. Richard réfléchit à la question. De jolies antiquités romaines ou grecques seraient inoffensives, mais il n'en avait malheureusement pas sous la main et il ne pouvait pas vraiment leur demander de partir pour revenir dans quelques heures, le temps qu'il s'en procure.

— Vous étiez en Égypte quand Nelson a détruit la flotte française?

— Oui.

Le regard d'acier de mademoiselle Gwen était un peu trop perçant au goût de Richard. Il attrapa vite un collier sur l'une des longues tables alignées contre le mur de la pièce.

— Ceci est un collier fabriqué en faïence qui a...

— Où étiez-vous ?

Le collier aux teintes poudreuses de rouge et de bleu pendait dans les airs devant Amy tandis que Lord Richard se tournait pour hausser un sourcil perplexe en direction de mademoiselle Gwen.

— Où étais-je quand ?

— Laissez tomber, répliqua mademoiselle Gwen en balayant l'air d'une main impérieuse. C'est sans importance.

Jane vint à sa rescousse.

— Qu'est-ce que c'est, milord ? demanda-t-elle en pointant un morceau de pierre posé contre le mur, sur lequel était gravé quelque chose qui ressemblait à de petits gribouillis et dessins.

— Nous croyons qu'il pourrait s'agir d'une stèle funéraire, expliqua Lord Richard en laissant tendrement courir son doigt sur les gravures. Vous voyez les dessins en haut ? Au centre, c'est le pharaon qui présente des offrandes à un dieu ; c'est le type avec des cornes à sa droite. Sa reine, celle au grand chapeau, se tient à sa gauche.

— Qui était-elle ? demanda Amy, s'avançant malgré elle pour se tenir à côté de lui.

— Nous ne le savons pas, admit Lord Richard en baissant les yeux sur elle pour la gratifier d'un grand sourire enfantin. Aimeriez-vous hasarder une hypothèse ? Peut-être une princesse venant d'une contrée lointaine, amenée d'outre-mer.

— Qui a fait naufrage sur la côte égyptienne, comme l'héroïne d'une pièce de Shakespeare, proposa Amy. Forcée de se déguiser en garçon jusqu'à ce que sa noblesse innée rayonne à travers ses humbles vêtements. Elle croisa le regard du pharaon...

— Et ils vécurent heureux et eurent beaucoup d'enfants, termina Lord Richard.

— Je me demande ce qui lui est réellement arrivé, dit Amy, dont les yeux scrutaient les symboles indéchiffrables devant elle.

Cela lui rappela la première fois qu'elle avait observé les lettres grecques sur la page d'un des livres de son père ; il lui avait semblé impossible que les traits d'encre étrangement configurés puissent avoir pour résultat l'amour d'Ariane et la traîtrise de Thésée. C'était stupéfiant de voir la quantité d'histoires qui traitaient d'hommes qui répudiaient les femmes qui les aimaient. Thésée et Ariane, Jason et Médée, Énée et Didon. Dommage qu'elle n'ait pas suffisamment appris sa leçon de ses livres d'histoire.

— Vous ne croyez pas qu'ils vécurent heureux et eurent beaucoup d'enfants ? demanda doucement Lord Richard, dont les doigts effleurèrent ceux d'Amy alors qu'elle suivait le contour d'un petit oiseau.

— Cette fin est bonne pour les livres, pas pour les gens.

— De quoi parlent les livres, sinon des gens ?

Richard succomba à la tentation de se pencher juste un peu plus près d'Amy. L'odeur de lavande de ses cheveux lui emplit les narines. Son regard erra sur les boucles brunes de ses cheveux, la douce courbe de sa joue, le petit creux à la base de son cou qui donnait envie de l'embrasser.

Amy recula sous l'insistance du regard de Richard.

— Pourquoi ne demandez-vous pas à mademoiselle Gwen ? suggéra-t-elle. Je suis certaine qu'elle pourra tout vous raconter sur les personnages de son horrible roman.

Lord Richard ne jeta même pas un coup d'œil à mademoiselle Gwen. Ses yeux verts se fixèrent encore plus attentivement sur Amy. Était-ce sa voix, sa présence ou ses belles paroles à propos d'heureux dénouements qui la rendaient si nerveuse ? Amy se sentit rougir légèrement en voyant les doigts effilés de Lord Richard frôler la pierre et caresser les contours des gravures. Elle riva son regard sur le visage de Lord Richard. Elle pouvait voir les petits plis aux coins de ses yeux, la pointe dorée de ses cils, le léger duvet de poils pâles qui croisaient l'arête de son nez.

— Uppington, s'exclama soudain mademoiselle Gwen.

Lord Richard sursauta et se frappa la tête contre la stèle. Amy relâcha en un gloussement le souffle qu'elle retenait.

— Les Selwick, les marquis d'Uppington, d'Uppington Hall. Dans le Kent, si je ne m'abuse, continua mademoiselle Gwen.

Frottant la bosse sur sa tête — vu la force de l'impact, Richard se demanda s'il trouverait des hiéroglyphes imprimés sur son crâne —, il fit un petit sourire à mademoiselle Gwen.

— Vous connaissez bien votre *Debrett's*.

Mademoiselle Gwen renifla.

— Jeune homme, je vis à la campagne, pas dans les contrées sauvages de l'Amérique. Nous ne sommes pas entièrement coupés de la civilisation.

— Mes excuses.

— Lorsque j'étais débutante, je connaissais la noblesse mieux que n'importe quelle fille de Londres. Je pouvais reconnaître les armoiries sur un carrosse, à cinq pâtés de maisons de là. Les terres des Uppington sont adjacentes à celles des Blakeney, n'est-ce pas?

— Cela signifie-t-il que vous connaissez le Mouron rouge? demanda Amy en retenant son souffle.

Le visage de Lord Richard s'immobilisa en un masque aussi imperturbable que la gravure du pharaon sur la stèle. Amy cligna des yeux. Elle devait l'avoir imaginé.

— Oui, répondit Lord Richard en souriant à mademoiselle Gwen d'un air parfaitement affable. J'ai passé une grande partie de mon enfance à faire des descentes dans les cuisines des Blakeney. Aimeriez-vous voir une momie? ajouta-t-il. Cela pourrait s'avérer un objet utile dans votre roman.

Richard prit mademoiselle Gwen par un bras osseux et la conduisit vers le centre de la pièce, loin d'Amy.

Elle courut derrière eux.

— Comment est-il, le Mouron rouge?

— Percy est un type formidable, répondit sincèrement Richard. Il ne m'a même jamais grondé pour avoir volé tous les fruits de son gâteau aux fruits.

Amy sourit. Richard lui sourit en retour. Ils se sourirent. Ils venaient très certainement de partager un *moment*.

Ce ne fut, hélas, qu'un bref moment. Mademoiselle Gwen le gâcha en tapant sur les dalles du plancher avec son ombrelle. Richard supposa qu'il devrait lui être reconnaissant d'avoir frappé le sol plutôt que ses orteils.

— Nous avons assez abusé de votre hospitalité, dit mademoiselle Gwen en se libérant du bras de Richard pour attraper celui d'Amy. J'ai appris tout ce que je voulais savoir sur… les antiquités égyptiennes. Jane, Amy, venez. Ne traînez pas. Je suis persuadée que Lord Richard a beaucoup de travail.

— Je vais vous accompagner jusqu'à votre voiture, offrit Richard tandis que mademoiselle Gwen poussait ses protégées devant elle de la pointe de son ombrelle.

Mademoiselle Gwen eut l'amabilité de le lui permettre. Pendant tout le temps qu'ils traversèrent le palais, Richard régala Amy de récits sur les exploits de son enfance et la bienveillance de Percy. Amy, captivée, ne sembla pas se rendre compte que toutes ses histoires prenaient fin au moins un an avant que Sir Percy devienne le Mouron rouge. Elle répliqua en racontant ses propres séances d'entraînement en vue de se joindre à la Ligue du Mouron : toutes ses évasions nocturnes de leur chambre d'enfant, ainsi que les costumes piqués dans l'arrière-cuisine ou dans la garderobe de son oncle.

— N'oublie pas la fois où tu as voulu dresser les moutons à charger au coup de sifflet, intervint Jane.

Lord Richard arqua un sourcil perplexe en direction d'Amy.

— J'ai pensé qu'ils pourraient être utiles en cas d'attaque, justifia Amy, dont les lèvres étaient tordues par un fou rire refoulé. Après tout, nous n'avions pas de cavalerie sous la main, alors il fallait bien que je me débrouille avec ce que nous avions.

— Dites-moi, dit-il en baissant la voix sur un ton de fausse confidence, avez-vous vraiment tenté de *monter* un mouton ?

Amy rougit d'un air qu'on aurait pu décrire comme penaud.

— En brandissant une épée en bois et en lançant des cris de bataille, confirma Jane.

— Je n'avais que huit ans, se défendit Amy.

— Oui, mais tu en avais douze lorsque tu as mis le feu à tes cheveux.

— Laissez-moi deviner, hasarda Lord Richard en souriant à Amy. Vous faisiez des expériences avec de la poudre à canon dans le but de faire exploser la Bastille.

— En fait, le corrigea Amy d'un air hautain, je mettais des cendres dans mes cheveux pour voir si cela me ferait paraître suffisamment âgée et grisonnante pour être crédible. Le seul problème, c'est que je n'avais pas été tout à fait assez minutieuse quand j'avais éteint les braises. L'oncle Bertrand ne me permettait pas de jouer avec de la poudre à canon, ajouta-t-elle avec mélancolie alors qu'ils mettaient les pieds à l'extérieur.

Lord Richard rejeta la tête en arrière et s'esclaffa. Son rire résonna dans la cour des Tuileries tandis qu'il accompagnait les trois dames jusqu'au carrosse d'Édouard. Il fit la révérence devant mesdemoiselles Gwen et Jane en les aidant à monter dans le carrosse. À la fin, Amy se tenait seule devant la porte ouverte.

Il baissa la voix jusqu'à ce qu'il n'en reste qu'un chuchotement intime, qui donna la chair de poule à Amy et aurait dû inciter son chaperon à l'éloigner sur le champ.

— Tenez-vous loin de la poudre à canon, la prévint-il en se penchant sur la main d'Amy.

Après avoir jeté un rapide coup d'œil espiègle dans le carrosse pour s'assurer que mademoiselle Gwen était occupée à converser avec Jane, Lord Richard retourna la main d'Amy et pressa longuement ses lèvres sur la peau sensible de sa paume.

Le regard stupéfait d'Amy passa brusquement de sa paume aux yeux rieurs de Lord Richard. Elle le fixait, d'un air visiblement troublé. Dans l'instant tendu qui précéda le moment où elle se tourna pour monter dans le carrosse, il caressa discrètement sa paume de son pouce. Puis il lui fit un clin d'œil.

Il *lui* avait dit de se tenir loin de la poudre à canon ?

Chapitre 28

❀

Amy monta dans le carrosse en titubant, dans un état de profonde confusion. La confusion semblait être son état normal, ces temps-ci. Amy tenta de se rappeler comment c'était de se sentir sûre d'elle, de ses plans, de ses opinions et des gens autour d'elle, mais échoua lamentablement. D'abord, il y avait eu la Gentiane pourpre qui l'avait confondue en faisant mine de s'intéresser à elle pour la répudier ensuite. Et maintenant, Lord Richard ! Lord Richard qui, chaque fois qu'elle pensait l'avoir catalogué — comme étant un charmant antiquaire, un diabolique complice des Français ou l'amant de Pauline Leclerc —, arrivait à la déconcerter. Comment pouvait-il parler si chaleureusement de Sir Percy, alors qu'il avait lui-même aidé les Français ? Comment réussissait-il à se faire détester d'elle un instant et à la séduire l'instant suivant ?

Peut-être, se dit Amy en serrant très fort ses mains jointes sur ses cuisses, se laissait-elle séduire trop facilement. Le fait qu'elle puisse s'imaginer amoureuse de la Gentiane pourpre un jour et se laisser envoûter par Lord Richard le lendemain était une preuve assez déplaisante du caractère superficiel de sa personnalité. Ah, mais elle avait été si certaine des sentiments qu'elle éprouvait pour la Gentiane pourpre ! Et de ceux qu'il éprouvait pour elle. Sa promesse d'un collier d'étoiles lui avait semblé comme une espèce de sceau de l'approbation divine, qui l'avait officiellement identifié comme son seul et unique grand amour.

La phrase tournoya dans sa tête. Quelque chose à ce sujet lui titillait la mémoire. Un collier d'étoiles... Un collier d'étoiles. Mais elle n'avait jamais parlé de la promesse de son père à la Gentiane ; elle ne lui avait même pas parlé de la mort de ses parents. Une seule personne en France connaissait ses souvenirs d'enfance. Quelqu'un qui avait grandi à côté de chez Percy Blakeney et qui était en Égypte lorsque la flotte de Bonaparte avait été détruite. Quelqu'un qui portait un pantalon marron clair ajusté l'après-midi précédent. Quelqu'un qui portait toujours un parfum d'agrumes.

— Le goujat ! murmura Amy.

Jane interrompit au beau milieu d'une phrase la conversation qu'elle avait avec mademoiselle Gwen pour poser la main sur celle d'Amy.

— Tu te sens bien ?

Sans se soucier de Jane, ni de mademoiselle Gwen, ni de la discrétion, Amy libéra brusquement sa main pour taper brutalement sur le siège.

— L'espèce de vil menteur de *goujat* !

— Euh, Amy ? Veux-tu me dire ce qui ne va pas ? demanda Jane, qui gardait une distance sécuritaire entre elle et sa cousine au cas où Amy attaquerait une fois de plus.

Amy aurait pu lui dire qu'elle n'avait rien à craindre — la seule personne qu'elle avait envie de frapper, encore et encore et encore, était plusieurs mètres derrière elles aux Tuileries —, mais pour l'instant, Amy était incapable de formuler quoi que ce soit d'aussi cohérent.

— Goujat... ignoble... grrr! murmura-t-elle.

Amy agita les bras dans tous les sens. Jane recula encore un peu plus sur le banc en jetant un regard anxieux à mademoiselle Gwen.

— Devrions-nous...?

Cependant, mademoiselle Gwen souriait à Amy avec insouciance, sinon d'un air légèrement narquois.

— Vous en avez certes mis du temps pour comprendre.

— Vous le saviez? s'exclama Amy en levant les sourcils tellement haut qu'ils touchèrent presque à ses cheveux. Pendant tout ce temps, vous le saviez? Et vous ne m'avez rien *dit*?

Le regard de Jane passa joyeusement du visage agité d'Amy à celui, suffisant, de mademoiselle Gwen.

— Oh, parlez-vous du fait que Lord Richard est la Gentiane pourpre?

— Grrrrrrrr!

Amy se jeta la tête la première dans les coussins du banc.

— Si ça peut te consoler, je l'ai compris seulement ce matin, s'excusa Jane en tirant sur un coin de sa jupe pour le dégager de sous la tête d'Amy.

— Merveilleux, bredouilla Amy en relevant un visage rougi de sur le banc. Absolument merveilleux. *Tout le monde* le savait, sauf moi.

— Le Premier Consul ne le sait pas encore, avança Jane. Ni le ministère de la Sécurité.

— Peut-être, mais ils ne l'ont pas embrassé! s'écria Amy sans réfléchir.

— Dois-je comprendre que vous, si? s'enquit mademoiselle Gwen, dont les yeux perçants se fixèrent sur Amy comme ceux d'un vautour sur sa proie.

— Euh…

— Je m'abstiendrai de commenter votre imprudent manque de considération pour votre réputation, dit mademoiselle Gwen, dont la voix écorcha les nerfs à vif d'Amy telles des serres qui labourent la chair. Je laisse votre moralité au soin de votre conscience. Puisque ce qui est fait ne peut être défait, il ne nous reste plus qu'à utiliser le peu de bon qui ressort de ce malencontreux épisode.

— Vous voulez dire que j'ai maintenant appris ma leçon et que je n'embrasserai jamais plus personne ?

Amy fut transpercée par le regard parfaitement méprisant de mademoiselle Gwen.

— Une leçon, en effet ! Essayez de ne pas être encore plus absurde que vous l'avez été avec le bon Lord. Non. J'exige une description détaillée du ou des baisers afin de m'en servir dans mon roman.

L'univers et tous ceux qui le peuplaient étaient devenus fous. C'était la seule explication qu'Amy put trouver. Lord Richard Selwick, l'antiquaire de Bonaparte, était la Gentiane pourpre. Mademoiselle Gwen, plutôt que de la réprimander parce qu'elle s'était conduite de façon inconvenante, voulait utiliser cela dans son roman. Et quoi encore ?

La stupeur détourna momentanément son attention de l'imposture de Lord Richard. Mais seulement pour un instant.

— Comment a-t-il pu être si *cruel* ? chuchota-t-elle, les larmes aux yeux.

— Pourquoi n'irais-tu pas le voir pour lui dire que tu sais qui il est ? suggéra Jane.

Amy secoua la tête avec tant de véhémence que ses boucles lâches fouettèrent le bout du nez de Jane.

— Tu ne comprends pas, Jane. Je veux qu'il *souffre*.

Mademoiselle Gwen émit un craquement qui aurait pu être un rire.

— Ah! Les amours de jeunesse!

Amy la fusilla du regard.

— Au nom du ciel, de quoi parlez-vous?

— Vous ne devriez pas prononcer ce mot en vain, jeune femme. Vous pourriez vouloir y aller un jour, répondit mademoiselle Gwen avec un petit sourire suffisant.

Amy bouillait. Lorsque mademoiselle Gwen eut l'impression qu'Amy bouillait depuis assez longtemps, elle continua :

— C'est plutôt simple. Vous ne le haïriez pas autant si vous ne l'aimiez pas. Hum, j'aime bien cette idée. Je l'utiliserai peut-être dans mon livre.

— Ça fait au moins *une personne* à qui cette farce profite, cracha Amy.

— Ne me parlez pas sur ce ton, jeune dame. Je prends votre parti dans cette histoire. Inutile de me regarder avec des yeux ronds. Le jeune homme a joué avec l'affection que vous aviez pour lui d'une manière tout à fait inappropriée et, quelle que soit la punition que vous déciderez de lui infliger, il la mérite. À l'exception des blessures corporelles, ajouta-t-elle après réflexion. Il faut respecter les limites de la décence.

Amy eut un rire qui sonnait étrangement comme un sanglot.

— Comment avez-vous l'intention d'assouvir votre vengeance? demanda vivement mademoiselle Gwen.

Amy fut soulagée de se plonger dans son passe-temps favori : la planification. Planifier presque n'importe quoi constituait un remède fiable contre l'envie de pleurer. Planifier des manières de se venger de Lord Richard Selwick tout en semant la dévastation et le chaos autour de sa coupable tête blonde, c'était encore mieux. Amy se frotta les yeux pour voir plus clair et se mit au travail.

La vengeance idéale serait de lui faire goûter un peu de sa propre médecine. Peut-être pourrait-elle apparaître dans ses appartements, déguisée et lourdement voilée de noir, et le convaincre qu'elle était une agente secrète du ministère de la Guerre. Ou, encore mieux, elle pourrait être une agente française qui passerait du côté des Anglais. Il ne verrait pas son visage, et elle parlerait avec un fort accent — peut-être un dialecte provençal, méridional et exotique, avec des échos de troubadours et de l'amour courtois ; il ne reconnaîtrait donc pas sa voix. Puis, une fois qu'il serait terriblement, douloureusement amoureux d'elle, elle pourrait le répudier au beau milieu de la nuit noire et le laisser en plan à côté de chez lui. Œil pour œil, dent pour dent et imposture pour imposture. La justice dans sa forme la plus pure.

Le plan était parfait.

Et totalement irréaliste. Rien ne garantissait qu'elle puisse l'amener à être amoureux d'elle. En outre, un petit coup sur ses voiles, et tout son plan tomberait à l'eau. Amy se replongea dans ses pensées.

Qu'est-ce qui lui tenait le plus à cœur ? Que pourrait-elle lui enlever pour le faire souffrir le plus possible ?

— Je vais mettre la main sur l'or suisse avant lui. Je vais lui montrer que la Gentiane pourpre n'est pas le seul à pouvoir contrarier Bonaparte.

— Je me disais bien que vous deviez avoir un peu de courage, dit mademoiselle Gwen en levant un regard calculateur sur Amy.

Jane et Amy, bouche bée, fixèrent toutes deux mademoiselle Gwen.

— Était-ce un compliment ? chuchota Amy à Jane.

— C'en avait tout l'air, convint Jane, les yeux écarquillés.

— Ne le laissez pas vous monter à la tête, interrompit sèchement mademoiselle Gwen. Je n'ai parlé que de potentiel. Vous pouvez encore faire la preuve du contraire.

— Merci, répondit Amy.

— Je préfère de loin ce plan à celui de tourmenter Lord Richard, intervint Jane en se penchant en avant sur son siège.

— Oh, j'ai toujours l'intention de le faire aussi, répondit Amy, entêtée. Mademoiselle Gwen a raison. Il a violé l'éthique de réciprocité et il n'aura désormais que ce qu'il mérite. C'est bien dommage que *je* ne puisse pas faire semblant d'être deux personnes, histoire de lui montrer l'effet que ça fait.

— Allons, ne revenons pas là-dessus, coupa Jane à la hâte. Comment allons-nous intercepter l'or ?

— Nous avions déjà un plan.

Les lèvres d'Amy se tordirent en une triste grimace tandis qu'elle leur communiquait le plan que la Gentiane pourpre et elle avaient imaginé ensemble la nuit précédente. Mademoiselle Gwen écouta attentivement.

— Si tel est le plan que la Gentiane pourpre envisage d'employer, nous devons en trouver un autre.

— Nous ne sommes pas assez nombreuses, remarqua Jane, toujours pragmatique. La Gentiane pourpre a une ligue ; nous n'avons que nous-mêmes. Non que nous ne soyons pas formidables, ajouta-t-elle rapidement en jetant un coup d'œil à mademoiselle Gwen.

— Pourquoi ne formerions-nous pas une ligue ? demanda cette dernière.

— C'est ça! Amy...

Sous le coup de l'excitation, la bouche de Jane s'arrondit en forme d'O. Muette d'hilarité, elle s'enfonça dans son siège, une main sur la poitrine et l'autre tendue vers sa cousine.

— Mais dites-le! s'exclama sèchement mademoiselle Gwen.

— L'Œillet rose! dit Jane d'un souffle.

Mademoiselle Gwen regarda Jane comme si elle envisageait la possibilité de la transporter immédiatement à l'asile.

— Tu dois t'en souvenir, Amy! Avant que la Gentiane pourpre apparaisse, quand nous nous préparions à fonder notre propre ligue et à l'appeler...

— L'Œillet rose, termina Amy dont le visage mécontent s'illumina d'un début de sourire. Nous préférions cela à l'Orchidée invincible, ajouta Amy, la voix légèrement brisée.

— Le ferons-nous? demanda à bout de souffle Jane, dont les joues pâles avaient pris une légère teinte rosée. Deviendrons-nous l'Œillet rose?

— Oh, Jane! s'exclama Amy en se précipitant à l'autre bout du banc pour serrer sa cousine dans ses bras. Rien ne me ferait plus plaisir! Bonaparte tremblera à la simple vue d'un œillet!

— *Je* préfère l'Orchidée invincible, déclara mademoiselle Gwen.

Aucune de ses protégées ne l'écoutait. Elles étaient trop occupées à planifier la carrière de l'Œillet rose.

Chapitre 29

❀

Je me suis perdue seulement trois fois en route vers la fête de Pammy.

Le fait que je ne me sois pas plus égarée que cela était uniquement dû aux excellentes indications de Pammy, d'une simplicité digne d'un livre pour enfants. Dans mes meilleurs jours, je ne suis pas exactement ce qu'on pourrait appeler une bonne navigatrice ; dans ma torpeur actuelle, c'était un miracle que je ne me sois pas accidentellement retrouvée en Écosse. Le temps que je refasse tout le chemin de High Holborn (ne me demandez pas comment je me suis retrouvée là) jusqu'à Covent Garden, j'étais pratiquement prête à sauter de nouveau dans le métro pour rentrer chez moi. Seule la perspective de me retrouver seule avec mes pensées m'a poussée à sortir les indications de Pammy de la poche de mon imperméable et à essayer encore une fois.

J'avais besoin d'un verre de champagne. Absolument.

— Ellie ! cria Pammy, lorsqu'elle me vit à la porte, en agitant un minuscule sac à main rose au-dessus de sa tête comme s'il s'agissait d'un lasso.

Poussant des mannequins hors de son chemin, elle courut vers moi et passa devant le videur pour me rejoindre sur mon petit bout de trottoir glacé. Nous échangeâmes le genre de salutations exagérées habituellement réservées aux détenus libérés plutôt qu'à des amies qui ont dîné ensemble pas plus tard que mardi dernier.

Même à travers le brouillard de mes préoccupations, je ne pus faire autrement qu'être ébahie par la nouvelle tenue de Pammy. Elle portait un pantalon rose vif à imprimé peau de serpent. De l'espèce *Christianus Lacroixus*, cet insaisissable spécimen de la jungle de la mode. Elle avait agencé la peau de serpent fuchsia flamboyant avec un haut Pucci coloré de tourbillons de bleu, de rose et d'orange vifs, qui jurait terriblement avec le pantalon, et encore plus avec les fausses mèches rouges dans ses courts cheveux blonds. Ç'aurait dû être atroce. Pourtant, elle avait l'air de sortir tout droit de la couverture de *Cosmo*.

J'avais choisi une de mes robes favorites, une petite robe fourreau beige en daim BCBG. De face, elle semblait tout à fait sobre, mais le dos était ouvert de la taille jusqu'en haut, à l'exception d'un bout de tissu asymétrique qui reliait les deux côtés au milieu du dos et qui en soulignait l'ouverture plus qu'il ne la couvrait. C'était ma robe «mon ego a besoin d'un coup de fouet». La couleur crémeuse faisait paraître mes cheveux plus auburn que roux, et le dos spectaculaire me donnait l'impression d'être une vedette à la manière hollywoodienne d'antan.

Pammy observa ma tenue d'un œil critique.

— Eh bien, au moins tu ne portes pas tes perles.

Me mettant un bâton lumineux vert dans les mains (elle en avait un rose, probablement pour aller avec son pantalon), elle me tira de l'autre côté des cordons rouges, jusque dans une salle déjà tellement pleine que des gens étaient perchés sur le rebord de la cabine du DJ uniquement pour libérer le passage. À l'autre bout de la pièce, un podium temporaire avait été érigé. Deux femmes avec des expressions gracieusement ennuyées posaient, les épaules rejetées en arrière et les hanches saillantes, ignorant la fille ivre qui tentait de grimper sur la plateforme. Puisqu'il n'y avait manifestement pas de vestiaire ou, s'il y en avait eu un, qu'il avait été envahi depuis longtemps par les hordes de fêtards, j'enlevai mon imperméable en me tortillant et le posai sur mon bras.

— Oooh ! Des bulles ! s'exclama Pammy en voyant un serveur se dandiner à plusieurs mètres de nous. Hééé-oooh ! chanta-t-elle. Par ici !

Un verre atterrit dans ma main, Pammy me présenta quelqu'un, nous criâmes des politesses par-dessus la musique assourdissante, puis nous continuâmes notre route.

Je jouai des coudes dans la foule en suivant Pammy, hochant distraitement la tête en réponse aux commentaires qu'elle me chuchotait en aparté (« Ce salaud de Roderick ! Peux-tu croire qu'il... »), mais je n'en captais que le tiers. Je ne pouvais pas assimiler la musique, la foule et la lumière stroboscopique qui semblait exister spécialement pour m'aveugler. Mon cerveau était complètement ailleurs, quelque part en 1803.

Mon héros élégant, mon parangon de masculinité, l'amoureux de mes fantasmes au clair de lune, était une femme.

L'Œillet rose était une femme.

J'avais lu le passage du journal d'Amy dans lequel elle décrivait la création de l'Œillet rose juste avant de partir pour la fête de Pammy. J'étais déjà habillée, perchée au bord du lit, mon sac et mon manteau prêts à côté de moi, et j'avais lu juste une dernière page avant qu'il soit vraiment l'heure de partir. Je mourais d'envie de savoir si Lord Richard céderait et avouerait son identité à Amy ; je croisais les doigts et j'espérais, pour le bien d'Amy, qu'il le fasse.

Peut-être est-ce pour cette raison que la révélation m'avait tant prise au dépourvu. Je ne m'y attendais pas. Il ne m'était jamais passé par la tête que l'Œillet rose puisse être quelqu'un d'autre qu'un homme — très probablement Miles Dorrington, mais peut-être Geoffrey Pinchingdale-Snipe ou même Augustus Whittlesby. J'avais abandonné l'idée d'apprendre quoi que ce soit sur lui dans le journal d'Amy, qui était bourré de ses soucis personnels. Je m'attendais à — peut-être — tomber sur l'Œillet rose dans l'une des lettres de Miles à Richard : « Salut, vieux. Le ministère de la Guerre m'envoie pour te remplacer. Mis à part le nom de fleur débile, on devrait drôlement bien s'amuser. » Ou quelque chose comme ça. Jamais, au grand jamais je n'aurais imaginé... ça.

J'étais restée assise là, hébétée, des pages de manuscrit étendues en éventail sur mes genoux couverts de daim beige, à réfléchir à tous les indices que j'avais ratés. Les récits d'Amy des exploits de son enfance, sa détermination à détrôner Napoléon, son immense désir de faire partie d'une ligue. J'aurais dû le savoir. J'aurais dû m'y attendre.

Mais qui aurait pu imaginer que l'Œillet rose pût être une femme ?

Je me raccrochais désespérément à ce que je pouvais. Je n'étais pas absolument certaine que l'Œillet rose fût Amy. Après tout, elle venait tout juste d'en avoir l'idée. Peut-être avait-elle eu l'idée, puis l'avait-elle mentionnée à... à qui ? Geoff ? Pas très plausible. Geoff était l'ami de Richard, pas celui d'Amy. Whittlesby ? Amy le prenait pour un parfait idiot. Et pourquoi Amy confierait-elle sa ligue à quelqu'un d'autre ?

C'était logiquement incontournable. L'Œillet rose était une femme.

Assise dans le métro, j'étais en transe. Une autre passagère, une femme âgée avec un chapeau en laine et de vilaines dents, m'avait demandé si j'étais malade. J'avais secoué la tête en la remerciant poliment, percevant à peine les paroles échangées à travers la tourmente qui faisait rage dans ma tête.

Comment avais-je pu rater cela ? En tant qu'intellectuelle, comment avais-je pu être si négligente ? C'était blessant de voir que mes idées préconçues m'avaient rendue à ce point aveugle à la réalité de ce que je lisais. Quel genre d'historienne étais-je pour trébucher ainsi, aveuglée par ma propre imagination ?

D'accord, ça faisait mal, mais ce n'était pas ce qui faisait le plus mal. Ce qui faisait le plus mal, c'était la perte du fantasme. Je m'étais demandé si c'était ainsi qu'Amy s'était sentie lorsqu'elle s'était rendu compte que sa Gentiane pourpre, le prince de ses fantasmes, était Lord Richard Selwick et qu'elle devait soudain réévaluer tout ce qu'elle avait cru vrai.

L'image — je venais malheureusement d'apprendre qu'il s'agissait d'illusions — que j'avais de l'Œillet rose était si réelle, si robuste. Dans ma tête, il était quelque chose qui ressemblait à un croisement entre Zorro et Anthony Andrews dans le rôle du Mouron rouge : un sourire canaille, la tête inclinée avec arrogance, une main ferme sur le pommeau de son épée. Je pouvais fermer les yeux et le faire apparaître, même en ce moment. Mais rien de cela n'avait jamais existé.

Pouf! Disparu! Et à la place de mon merveilleux hybride entre Zorro et Anthony Andrews se tenait une dynamique petite Anglaise de vingt ans vêtue d'une robe à ramages en mousseline.

Et Colin Selwick le savait. J'avais les joues en feu en me rappelant la vivacité avec laquelle j'avais défendu la masculinité de l'Œillet rose. Comme il avait dû se moquer de moi!

«Au moins, nous sommes d'accord sur ce point», avait-il dit au sujet du fait que l'Œillet rose n'était pas un travesti. Ce ton de pure moquerie dans sa voix — sur le coup, j'avais cru qu'il était ironiquement amusé à l'idée que nous soyons d'accord sur quelque chose, mais je savais maintenant que j'avais été le dindon de la farce. Amy portait des robes et avait pris le nom d'une fleur rose parce qu'elle était une femme. Pas un homme travesti avec une obsession pour les œillets ni un dandy de la régence avec un penchant pour le rose. Et Colin Selwick le savait depuis le début.

Tout en hochant la tête et en souriant à une autre des nombreuses connaissances de Pammy, je posai mon verre de champagne et tendis le bras pour en prendre un autre.

— Pardon?

Un des amis de Pammy essayait réellement de me faire la conversation. Déjà à mon troisième — ou était-ce le quatrième? — verre de champagne, il me fallut un certain temps pour arriver à me concentrer. Je levai les yeux sur un grand homme aux cheveux bruns ondulés comme ceux de Colin Firth. Il ne paraissait pas mal du tout dans le genre ténébreux et ardent à la Rufus Sewell.

— Arrr rrrrr rrrrr rrrr, répéta-t-il.

— Oh, absolument! répondis-je avec désinvolture. Je ne pourrais être plus d'accord.

Le mec aux cheveux bouclés me regarda de travers et fit demi-tour.

— Euh, Éloïse ? me souffla Pammy à l'oreille. Il t'a demandé comment tu t'appelais.

— Eh bien, j'ai trouvé sa question très pertinente ! lui soufflai-je en retour.

C'est l'avantage du champagne ; après quelques verres, on perd la capacité de se sentir idiot.

— Oh ! Regarde qui est là !

Pammy regardait toujours dans la direction du type aux cheveux bouclés, mais son attention s'était portée sur quelqu'un juste derrière lui. Le mec aux cheveux bouclés nous ignorait ostensiblement. Puisque Pammy s'était exclamée de la même manière à plusieurs reprises au cours de la dernière heure, je ne portai pas tellement attention.

— Jamais je n'aurais cru qu'elle viendrait ! Séréna ! Héé-ooh ! Séréna !

Le mec aux cheveux bouclés bougea un peu et, dans l'ouverture, j'aperçus la fille élégante. Aussi connue sous le nom de Séréna. Et derrière elle se trouvait Colin Selwick.

Quelque chose de froid et humide gouttait sur mes pieds chaussés de sandales. Oooups ! Je redressai rapidement mon verre de champagne avant de renverser plus de libations sur mes orteils.

— Héé-ooh !

Même malgré le vacarme, Pammy réussit à se faire entendre.

— Par ici !

Avec un sourire timide, Séréna répondit par un petit signe de la main, dit quelque chose à Colin et commença à se frayer un chemin entre les corps qui s'interposaient entre elle et Pammy.

— Tu la connais ? soufflai-je pendant que Séréna, suivie de Colin, contournait le mec aux cheveux bouclés.

— Elle fait partie du groupe de St-Paul, chuchota Pammy en guise de réponse. Un peu timide, mais une soie. Chérie ! s'écria-t-elle en se précipitant sur Séréna pour l'embrasser sur les deux joues. Et voici Éloïse, une amie de très longue date. Éloïse, j'aimerais te présenter Séréna et son...

— Nous nous sommes déjà rencontrés, l'interrompis-je en agitant mon verre de champagne. Salut Séréna.

Je souris gentiment à Séréna, qui avait effectivement l'air d'être une soie malgré le fait qu'elle portait une autre paire de bottes pour laquelle on tuerait, en cuir noir souple cette fois, agencée à une petite robe noire absolument pas digne d'une mère d'élève de Chapin.

— Toi, dis-je en pointant Colin avec mon verre de champagne.

J'avais le pressentiment que Pammy me le reprocherait plus tard, mais le champagne est mère du courage et j'avais besoin, désespérément besoin, de parler de l'Œillet rose. L'Œillet rose féminin.

— Il faut que je te parle.

Colin haussa un sourcil.

— À quel sujet ?

— Oui, à quel sujet ? répéta effrontément Pammy.

Je lançai un regard noir à Pammy.

— Pas ici. Suis-moi. De retour dans un instant, promis-je à Séréna avant d'entraîner son copain à travers la salle.

Il y avait une poche d'intimité relative près de l'un des coins du podium. Les mannequins avaient depuis long-temps déserté leur plateforme, et deux filles ivres tour-noyaient au rythme de la musique, l'une d'elles vêtue d'une robe à sequins verte qui lui donnait l'air d'un sapin de Noël ambulant.

Colin se laissa entraîner, mais se libéra aussitôt que nous atteignîmes le coin.

— Bond, James Bond? plaisanta-t-il d'un ton narquois.

— C'est une femme!

Colin observa la femme sapin de Noël en fronçant les sourcils avec perplexité.

— Je n'en serais pas si convaincu.

— Pas elle! dis-je en le frappant à coups de bâton lumineux qui ne brillait plus depuis longtemps. Oh, pour l'amour du ciel! Cesse de faire l'idiot! Tu sais très bien de qui je parle! L'Œillet rose. Est. Une. Femme.

Cela retint son attention.

— Chuuut!

Je pris un air exaspéré.

— Crois-tu vraiment que ça intéresse quelqu'un ici? Ils croiraient probablement que nous parlons d'un nouveau groupe rock.

Son visage se détendit, et il eut un regard amusé.

— C'est vrai.

— Pourquoi ne me l'as-tu pas dit? lui demandai-je.

— Tu ne m'as pas posé la question.

— C'est le semblant de réponse le plus puéril que j'ai entendu.

Colin posa son verre de champagne vide sur le bord du podium.

— Bon, qu'aurais-je dû dire?

— Tu m'as laissée babiller pendant tout ce temps au sujet de l'Œillet rose, alors que tu savais…

Je me mordis les lèvres, fort.

Colin me fixait sans comprendre.

— Alors que je savais quoi ?

— Que l'Œillet rose était une femme !

— Ça te contrarie beaucoup, n'est-ce pas ?

— Grrr !

Dix points pour Monsieur de La Palice.

L'air complètement dérouté, Colin attrapa deux autres verres de champagne sur un plateau qui passait par là, m'en mit un dans les mains et referma mes doigts dessus.

— Tiens. Bois. Tu sembles en avoir besoin.

Bien qu'il vienne de Colin Selwick, c'était un excellent conseil. Je bus.

— Je sais que ça ne te plaisait pas que je sois là, mais ce n'était tout de même pas sympa de te moquer de moi, lâchai-je.

— Quand me suis-je moqué de toi ? s'enquit-il d'un ton qui imitait bien la surprise.

Je le dévisageai avec méfiance.

— La nuit dernière.

Colin médita là-dessus. Un éclair de compréhension illumina ses yeux noisette.

— Tu parles de la chemise de nuit ? Tu dois admettre que tu ressemblais *vraiment* à Jane Eyre.

Je ne pouvais gérer qu'un grief à la fois.

— Oublie ça.

— Comment pourrais-je ? demanda Colin, les lèvres agitées de spasmes. Ce n'est pas tous les jours qu'une héroïne de Brontë…

— Arrête ! dis-je en faisant un petit bond d'irritation. Je ne faisais pas référence à ça ! Je ne parlais pas du fait que tu te sois moqué de moi parce que j'avais l'air d'une héroïne gothique démente…

— Pas nécessairement une héroïne gothique *démente*, m'interrompit Colin en souriant de toutes ses dents.

— Ah, tais-toi! hurlai-je, ce qui le fit sans doute changer d'idée à propos de toute cette histoire de démence. Je parle de la masculinité de l'Œillet rose. Et ce n'était pas sympa de ta part.

— Pardon?

J'empoignai le pied de mon verre de champagne, pris une profonde inspiration et recommençai.

— Je fais référence, dis-je d'un ton volontairement grave, au fait que tu m'as laissée babiller au sujet de la masculinité de l'Œillet rose alors que, pendant tout ce temps, tu savais que l'Œillet rose était Amy.

— Tu crois que l'Œillet rose est...

Colin s'interrompit subitement.

— Oublie ça. Reprenons du début, d'accord? Premièrement, je ne me souviens pas t'avoir entendue dire que l'Œillet rose était masculin.

N'avais-je pas dit ça? Je creusai ma cervelle gorgée de champagne. Il avait dit quelque chose par rapport à cette chercheuse qui pensait que l'Œillet rose était un travesti et j'avais dit... Qu'*avais*-je dit? Je n'arrivais pas à m'en souvenir. Mince.

— Oh, dis-je d'une petite voix.

Peut-être le champagne ne supprimait-il pas entièrement la capacité de se sentir comme idiot.

— Deuxièmement, commença-t-il, je n'ai jamais...

Mais mon ego fut épargné d'un deuxième coup. Quelqu'un tira Colin par le coude et il s'interrompit au beau milieu de sa phrase. Nous jetâmes tous les deux un coup d'œil sévère. C'était Séréna.

— Colin? dit-elle d'une petite voix piteuse et rauque, je ne me sens pas très bien.

Le visage de Colin prit immédiatement une expression d'inquiétude affectueuse. Il posa un bras protecteur autour de ses épaules.

— Veux-tu que je te ramène à la maison?

Je restai à l'écart, me sentant comme la proverbiale cinquième roue du carrosse. L'attention de Colin était entièrement concentrée sur Séréna, la tête blonde de l'un attentivement penchée sur la tête brune de l'autre. J'observai la manière dont ses sourcils se froncèrent avec inquiétude, ainsi que celle dont il se pencha pour lui servir de bouclier contre les bousculades de la foule, et je sentis un grand vide au creux de mon estomac qui n'avait rien à voir avec le fait d'avoir sauté le dîner.

Je savais exactement de quoi il s'agissait et j'étais trop imbibée de champagne pour me raconter des histoires à ce sujet.

J'étais jalouse.

Ce n'était pas parce que j'avais envie de Colin Selwick, me rassurai-je. Juste ciel, non! J'avais envie de ce qu'il représentait. J'avais envie que quelqu'un mette fin à une conversation quand j'arrive, s'inquiète quand je dis que je ne me sens pas bien et empêche automatiquement que je me fasse bousculer sans même prendre le temps d'y réfléchir. Il y avait très longtemps qu'on n'avait pas pris soin de moi ainsi.

On apprend à se débrouiller autrement. On s'assure de ne jamais trop boire pour être capable de rentrer seul à la maison. On identifie les amis sur lesquels on peut compter. On enregistre des numéros de téléphone d'urgence dans son téléphone, on met des pansements dans son sac et on prend toujours de l'argent en plus pour les taxis de nuit. Mais ce n'est pas la même chose. C'est cela que j'enviais à Séréna.

À l'instant, elle n'avait pas l'air particulièrement enviable. Elle était affaissée contre Colin et se tenait le ventre à deux mains.

— Écoute, pourquoi n'irais-je pas nous chercher un taxi? proposa Colin, désespéré. Je vais juste aller...

Séréna secoua la tête.

— Je ne..., commença-t-elle avant de pincer fermement les lèvres.

Son visage passa d'un teint blême à verdâtre inquiétant.

— Je pense que je vais...

Elle pressa les jointures sur sa bouche et déglutit péniblement.

— Ah, mince. Euh..., dit Colin en faisant le tour de la pièce d'un regard complètement paniqué. Il doit bien y avoir des toilettes quelque part.

— Je vais l'emmener, intervins-je en glissant un bras sous celui de Séréna. Je crois en avoir vu juste là.

— Merci, dit Colin, visiblement soulagé. Je vous attends ici.

Prenant Séréna par le bras, je la guidai jusqu'aux toilettes des dames en me frayant brutalement un chemin entre des groupes de personnes qui bavardaient. J'atteignis les toilettes avec Séréna juste à temps. Évidemment, il y avait la queue, mais nous passâmes devant; le teint verdâtre de Séréna et sa posture recroquevillée expliquaient la situation beaucoup mieux que je n'aurais pu le faire.

L'une des femmes dans la queue émit un « eh bien! » vexé, mais je remarquai qu'elle écarta rapidement ses Manolo Blahniks de la potentielle ligne de tir.

Comme je l'avais fait pour des colocataires ivres pendant mes premières années d'université, je m'agenouillai derrière Séréna, un bras autour de ses épaules et l'autre qui retenait ses longs cheveux bruns pour éviter qu'ils lui tombent devant le visage, tandis que je lui murmurais des trucs débiles, mais apaisants, comme « c'est bon, laisse tout sortir » et « ne t'en fais pas, tout va bien, tu te sentiras mieux dans un instant, laisse tout sortir ».

Il y en avait affreusement beaucoup à laisser sortir.

Entre deux haut-le-cœur, elle leva sur moi des yeux pleins d'eau.

— Je suis tellement embarrassée, murmura-t-elle. Je ne comprends pas comment ça se fait... Je n'ai bu qu'un verre... Je n'ai pas l'habitude de...

Puis elle se prosterna à nouveau devant la déesse en porcelaine.

— Ça va, ça va.

Je rattrapai quelques mèches de cheveux bruns qui s'étaient échappées.

— Ne t'en fais pas. Peut-être est-ce quelque chose que tu as mangé. Crois-moi, personne ne te jugera pour ça. Au moins, tu t'es rendue jusqu'aux toilettes, dis-je pour l'encourager. Une fois, j'ai vomi sur les chaussures d'un ex-copain.

Un gloussement émergea des profondeurs de la cuvette.

Tandis qu'elle se rasseyait sur son arrière-train, je ramassai une poignée de papier toilette et la lui donnai en guise de mouchoirs.

— Malheureusement, c'était un ex-copain plutôt sympa, alors je ne peux même pas dire que je l'ai fait pour me venger, continuai-je d'un ton délibérément léger en lui passant d'autres mouchoirs. Et c'était des chaussures neuves en plus.

— Qu... qu'a-t-il dit ? hasarda Séréna en se mouchant.

— Il a très bien réagi au fait que j'aie vomi sur ses chaussures, me rappelai-je. Ce qu'il a eu plus de mal à digérer, c'est que j'ai éclaté d'un rire frénétique en pointant ses chaussures. Eh bien. Ça va mieux ?

Séréna hocha timidement la tête.

Je me hissai sur mes pieds en m'aidant du distributeur de papier de toilette, puis tendis une main vers elle.

— Dans ce cas, pourquoi n'irions-nous pas te rincer la bouche ? Je devrais avoir des pastilles à la menthe dans mon sac…

Tout en fouillant dans mon petit sac Coach, je poussai la porte de la cabine avec mon épaule pour l'ouvrir sans me soucier des regards noirs des femmes qui attendaient à l'extérieur. Comment un rouge à lèvres, une brosse à cheveux et des pastilles à la menthe réussissent-ils toujours à trouver un endroit où se cacher dans un sac qui fait cinq centimètres sur dix ? C'est un grand mystère pour moi.

Sentant un léger contact sur mon bras, je levai des yeux interrogateurs.

— Merci, dit doucement Séréna.

Son mascara avait coulé, et elle avait le nez rouge, mais ses yeux s'étaient éclaircis, et ses joues avaient repris un peu de couleurs.

— Tu as été vraiment très charmante.

Je secouai la tête et me remis à la recherche des pastilles.

— Ce n'est vraiment rien. Nous sommes toutes passées par là. Bon, pas exactement là, mais tu vois ce que je veux dire. Pastilles ?

Je fis tomber deux minuscules Certs dans ma main et les tendis à Séréna.

— Merci.

Elle se pencha au-dessus de l'évier pour s'asperger le visage d'eau fraîche. Je lui tendis un essuie-main.

— À propos d'hier, dit-elle avec hésitation en prenant l'essuie-main pour éponger son visage humide, je voulais m'excuser.

— Tu n'as aucune raison de t'excuser, répondis-je avec fermeté.

Sauf pour le fait d'avoir eu des bottes plus jolies que les miennes, mais je décidai de garder cette information pour moi.

— Colin a été incroyablement impoli.

Je pouvais être d'accord avec ça. Énergiquement. Je me demandai s'il lui avait raconté notre conversation dans la cuisine au milieu de la nuit. Je souris évasivement et lui passai mon mini-mascara.

— Il n'est vraiment pas comme ça d'habitude, poursuivit-elle nerveusement, ses grands yeux noisette plongés dans les miens à travers le miroir.

J'avais vu des yeux exactement de la même couleur récemment, mais je n'arrivais pas à me souvenir où.

— Il s'est senti très mal après coup.

J'admirai sa loyauté, mais je n'avais pas tellement envie d'entendre une apologie de Colin Selwick.

— Je crois qu'on nous regarde de travers, l'interrompis-je rapidement. Si tu te sens mieux, nous devrions probablement libérer le miroir.

Après avoir ramassé mes articles de toilette, je poussai Séréna vers la sortie de la salle de bain. Colin et Pammy nous attendaient près de la porte. Je rendis Séréna à Colin, qui l'aida à mettre son manteau et demanda au videur de héler un taxi. Tandis que Séréna faisait ses adieux à Pammy,

Colin se tourna légèrement de manière à ce que lui et moi soyons séparés des deux autres.

— C'est très sympa de ta part d'avoir pris soin de Séréna, dit-il doucement.

— Je ne fais que polir mon auréole, proclamai-je en balayant l'air de la main d'un geste désinvolte qui faillit me faire tomber à la renverse.

Les deux heures de sommeil plus les quatre — ou était-ce cinq? — verres de champagne commençaient à se faire sentir.

Colin m'attrapa par le coude.

— Doucement! Es-tu certaine de n'avoir besoin de personne pour prendre soin de *toi*?

Ç'avait incontestablement été cinq verres de champagne. Souriant, Colin était exactement comme sur la photo sur le manteau de la cheminée chez madame Selwick-Alderly — mais sans le cheval. Je fermai brièvement les yeux pour que ça cesse de tourner et secouai la tête.

— Nan, je vais parfaitement bien. Aucunement — je dus étirer le bras pour retrouver l'équilibre quand il me lâcha — instable.

— D'accord, acquiesça Colin sans cacher son amusement.

Je m'efforçai de me tenir plus droite.

Les petits plis de sourire aux coins des lèvres de Colin se creusèrent.

Reculant d'un pas, il passa un bras autour des épaules de Séréna.

— Prête, Séréna?

Elle hocha la tête et se blottit sereinement au creux de son épaule.

— Nous pourrions te déposer chez toi si tu veux, me proposa-t-il.

L'effet du champagne se dissipait, me laissant fatiguée et légèrement malade.

— Non merci, répondis-je vivement en attrapant du champagne que je n'avais absolument pas l'intention de boire et en levant mon verre. Je reste ici avec Pammy. La soirée n'est pas finie! Pas vrai, Pams?

Pammy me lança un regard du genre «tu sais que tu es une sacrée tordue».

— Bien sûr, Ellie.

— Dans ce cas, dit Colin en entraînant Séréna vers la sortie, bonne nuit.

Il était probablement soulagé d'avoir une seule femme chancelante à gérer et avait peur que je change d'idée.

— Bonne nuit, Éloïse, murmura Séréna en regardant par-dessus son bras. Merci encore.

Je les regardai disparaître derrière les cordons rouges tandis que le verre de champagne non désiré pendait lourdement dans ma main.

Pammy fixait le dos de Colin alors qu'il aidait Séréna à monter dans le taxi.

— Je ne me souvenais pas que le frère de Séréna était si canon.

Je pivotai pour lui faire face.

— Qui? demandai-je.

— Le frère de Séréna, répéta Pammy. Tu sais, le grand blond qui a un nom très anglais… Cédric ou Cécil ou…

— Colin.

— Oui, c'est ça. Il est bien plus mignon qu'avant.

— Son frère.

— Non, le pape. *Évidemment* que je parle de son frère. Pauvre Séréna, continua Pammy, elle a vécu une rupture difficile le mois dernier, alors son frère garde un œil sur elle. Elle m'en a parlé pendant que tu étais partie chuchoter avec lui. De quoi parliez-vous tous les deux là-bas, de toute façon? Ellie? Ellie? Héé-ooh! La Terre à Ellie! Ça va? Tu sembles un peu dans les vapes.

Mes yeux restaient braqués sur la porte, à l'endroit où Colin — et sa sœur — était sorti un instant plus tôt.

— Dans les vapes est loin d'une description appropriée, dis-je, l'air grave.

Chapitre 30

✿

La Gentiane pourpre, dans l'ignorance totale de la création d'une fleur rivale, bondit gaiement en haut des marches de sa maison de ville et ouvrit la porte à la volée, sans attendre l'arrivée de Stiles. Tout au long du chemin jusqu'à la maison, il avait savouré le souvenir de l'expression d'Amy lorsqu'il avait embrassé sa main en lui disant au revoir. Lorsqu'il avait traversé le jardin des Tuileries en souriant, il s'était remémoré le plaisir confus dans ses yeux et, lorsqu'il avait évité la bouillie qu'une domestique musclée avait jetée d'une fenêtre à l'étage, il avait souri au souvenir de ses lèvres légèrement entrouvertes. L'opération «Charmer Amy» allait merveilleusement bien, se réjouissait-il en arrivant dans le hall d'entrée et en lançant son chapeau sur la table.

Il n'y avait qu'un seul petit problème.

La table du hall d'entrée n'était pas là. Ou si elle y était, il ne la voyait pas. Son vestibule était entièrement rempli de piles de boîtes à chapeau et sa…

— Mère?

Richard cligna des yeux une fois, puis deux. Sa mère était toujours là.

— Oh, bonjour mon chéri, dit sa mère en le saluant d'un signe de la main avant de se remettre à harceler son majordome. Allons, mettons un peu d'ordre dans tout ça. Ces deux boîtes à chapeau vont dans la chambre avant et la grosse malle va dans...

Stiles émit l'un de ses gémissements théâtraux. Richard l'enviait de pouvoir le faire.

— Euh, mère ?

— Oui, très cher ? demanda sa mère en plaçant une autre boîte à chapeau sur la pile que Stiles tenait déjà. Oh, mais cessez de vous plaindre ! Vous avez la constitution d'un homme qui a la moitié de votre âge.

— Il a la moitié de son âge, répondit sèchement Richard. Mère, que faites-vous ici ?

Il avait eu l'intention de poser la question calmement, mais, au dernier mot, sa voix reprit une intonation quelque peu préadolescente.

— Oh, comme je suis bête !

Stiles profita de l'instant de distraction de Lady Uppington pour filer derrière la pile de bagages. La marquise fit un grand sourire à son fils.

— Nous sommes venus t'aider, bien entendu !

Richard se sentit étourdi et s'assit plutôt brusquement sur une immense malle dans laquelle, à en juger par sa taille, sa mère devait avoir rangé un service d'argenterie complet, deux garde-robes et peut-être un ou deux valets. Ou du moins sa collection de chaussures.

Richard aborda la question la plus urgente en premier.

— Que voulez-vous dire par « nous » ?

— Ils étaient ici il y a un instant, dit sa mère en regardant la pile de bagages comme si elle s'attendait à ce que la moitié de l'annuaire nobiliaire *Debrett's* en sorte. J'imagine que Geoff les a emmenés au salon. Ton père est là, bien entendu. Il y a longtemps que lui et moi n'étions pas venus à Paris ensemble, poursuivit la marquise avec un petit sourire ému. Tu es arrivé après notre dernier voyage à Paris, mon chéri.

— Mère ! s'écria Richard.

Quel dieu avait-il offensé ? Peut-être existait-il un fond de vérité dans toutes ces rumeurs de malédictions qui frappaient les gens qui profanaient les tombes des pharaons.

— Henrietta est ici elle aussi, l'informa Lady Uppington en prenant son fils, qui avait rougi jusqu'aux oreilles, en pitié. Un peu de raffinement continental est exactement ce qu'il lui faut pour bien entamer la prochaine saison.

Lady Uppington aurait pu en dire plus, mais ses paroles furent brusquement interrompues par la cacophonie de plusieurs bruits sourds, un cri de rage à vous glacer le sang (que Richard put identifier comme étant une interprétation du roi Lear par Stiles) et un cri masculin cordial.

Richard fronça les sourcils.

— Ça ne ressemble pas à la voix d'Henrietta.

— Non, en effet. Nous avons aussi emmené...

— Salut, Richard ! dit Miles, qui faisait le tour de la pile de boîtes en repoussant une mèche de cheveux blonds qui lui pendait devant les yeux. Pourquoi ton majordome me déteste-t-il ?

— Ne te méprends pas. Il déteste tout le monde.

Richard se tourna pour regarder sa mère.

— Avez-vous emmené quelqu'un d'autre dont vous aimeriez m'annoncer la présence ? Grand-tante Hyacinthe ? Le sous-valet d'Uppington Hall ?

— Toujours heureux de te voir aussi, vieux, intervint Miles en donnant une tape dans le dos de Richard. Cesse de râler et viens avec nous. Geoff a fait servir du thé et des gâteaux pour nous tous au salon.

Richard lança un regard noir au derrière de la tête de Miles tandis qu'il le suivait jusqu'au salon.

Henrietta se hissa sur la pointe des pieds pour embrasser Richard sur la joue.

— Richard, je suis désolée, chuchota-t-elle, je sais que j'aurais dû essayer de les en empêcher.

— Merci, Hen, répondit Richard en serrant l'épaule de sa sœur.

— Mais, bon, j'avais bien envie de visiter Paris, alors...

Henrietta haussa les épaules d'un air désolé.

— Merci, répéta Richard, l'air sombre. Merci beaucoup.

Hen se couvrit la bouche avec la main et retourna s'asseoir.

— Désolée.

— Ce tableau est-il de travers ?

Lady Uppington fit irruption dans la pièce derrière Richard et déplaça de quelques millimètres vers la gauche les bergères minaudantes de Watteau au-dessus du canapé.

— Franchement, Richard, je ne comprends pas comment vous, les jeunes hommes, faites pour vivre dans un tel chaos. Des foulards sales sous le canapé, des verres de brandy vides sur la table et serait-ce un morceau de fromage sous le fauteuil d'Henrietta ?

Dans un bruissement de jupons, Henrietta déménagea promptement sur le canapé.

Lady Uppington secoua la tête et redressa un autre tableau.

— Je vais parler aux femmes de chambre quand nous aurons bu notre thé.

— Je suppose que vous n'êtes pas venue jusqu'ici pour superviser la tenue de ma maison.

— Ce serait absurde, n'est-ce pas ? répondit Lady Uppington d'un ton aigre. Oh, mais assieds-toi, Richard. Tu m'étourdis à tourner en rond ainsi. J'ai l'impression de regarder les lions à la Tour.

Richard eut un grand élan de sympathie pour la ménagerie de la Tour lorsqu'il se jeta dans un fauteuil qui, évidemment, dérapa aussitôt d'une bonne quinzaine de centimètres. Sa mère le regarda avec indulgence. Un élan d'*empathie* pour la ménagerie de la Tour serait peut-être plus juste. Richard aimait sa mère ; il serait le dernier à le nier. Elle était le parangon même de la mère et il était extrêmement heureux d'être né d'elle et non d'une autre femme, *et cætera, et cætera, et cætera*. Mais à l'âge de vingt-sept ans, on pourrait se dire qu'il méritait une certaine intimité, n'est-ce pas ? Il était persuadé qu'il devait être l'unique agent secret en mission en France — ou en Angleterre, ou en Russie, ou dans les contrées sauvages des Amériques — dont la mère se présentait inopinément à sa porte. Ça n'allait tout simplement pas.

— Dès que tu es parti, je me suis mise à réfléchir…, commença Lady Uppington.

— Elles font ça, tu sais, observa le père de Richard depuis la sécurité de son fauteuil.

Lady Uppington le gifla, un geste qui était plus symbolique que pratique, puisque la marquise était assise au moins un mètre trop loin pour le toucher.

— Comme je disais, poursuivit-elle en gratifiant son mari d'un regard acerbe, après avoir réfléchi, ton père et moi avons décidé que ta mission avancerait beaucoup plus vite si nous venions t'aider.

Richard fit volte-face pour lancer un regard noir à son père. Pointant subtilement vers sa femme, Lord Uppington prit un air innocent. Richard n'était pas dupe. Son père essayait depuis des années d'être impliqué dans ses missions. Bon sang ! Il était encore pire que sa mère. Richard regarda sévèrement Lord Uppington. Parce qu'il était un pair du royaume, un homme digne et fortuné, maître de quatre domaines et de centaines de personnes à charge, Lord Uppington ne rougit pas plus qu'il ne se tortilla. En revanche, il développa soudain un profond intérêt pour les plis de son foulard.

— M'aider, répéta Richard. Mère...

À l'instant même où il croyait que rien de pire ne pouvait arriver, à l'instant même où il était sur le point de s'attaquer à la catastrophe en tant que telle, une autre catastrophe s'abattit sur lui.

— Richard est amoureux ! s'esclaffa Miles en se levant d'un bond du fauteuil dans lequel il était assis à côté de Geoff.

Toutes les activités dans la pièce prirent fin brusquement. L'air coupable, Geoff s'immobilisa, sa tasse de thé à mi-chemin entre la table et sa bouche. Henrietta laissa tomber son gâteau. Sa mère cessa de redresser les tableaux sur les murs. Son père leva les yeux de son foulard.

— Amoureux ! s'exclama Lady Uppington avant que ses lèvres prennent la forme d'un O de ravissement. Oh, Richard !

— Miles, maudit sois-tu ! Je ne suis pas... Argh !

Richard imita un bruit d'étranglement.

Sa mère le tira par le bras.

— Mon chéri, comme c'est merveilleux ! De qui s'agit-il ?

Il se dégagea.

— Mais je viens de dire que... Argh !

Miles hocha sagement la tête tandis qu'un très grand sourire enrageant s'étendait sur son visage.

— Oui. Visiblement une victime des flèches de Cupidon... Ouf! Tu sais, me lancer ce coussin ne fait que prouver que j'ai raison. Qu'en penses-tu, Henrietta?

— Henrietta, articula froidement Richard, n'en pensera rien du tout. Pas si elle ne veut pas être embarquée de force sur le prochain bateau postal pour Douvres.

Henrietta ferma subitement la bouche.

Miles, trop lourd pour être porté, était plus difficile à faire taire.

— Moi, en tout cas, je veux rencontrer ce parangon, déclara Miles en prenant une pose languissante et en pinçant les cordes d'un luth invisible. A-t-elle un balcon sous lequel nous pourrions nous cacher pour l'appeler? Oh, Amy, Amy, pourquoi...

— Ton temps sur la Terre s'achève, le menaça Richard entre ses dents.

Miles ôta sa main de la position languissante qu'elle occupait sur son front.

— En voilà une façon de parler de ton amoureuse! répliqua-t-il sur un ton de reproche.

— Je parlais de toi.

— Mais, Richard, je ne savais pas que ça t'inquiétait.

— Tais-toi, Miles, dit Henrietta qui, en passant, marcha «accidentellement» sur le pied de Miles assez fort pour s'assurer que les seuls bruits qui sortiraient de sa bouche seraient des sons inarticulés qui exprimeraient la douleur. Nous n'obtiendrons rien de sensé de la part de Richard si tu n'arrêtes pas de le provoquer.

Attrapant la taille d'Henrietta entre ses grandes mains, Miles la souleva pour l'ôter de son pied et l'assit fermement sur le canapé.

— Mais où est le plaisir dans «sensé»?

— Miles marque un point, commenta Lady Uppington.

Cinq têtes se tournèrent vivement vers elle. Ou plutôt, six têtes, si l'on comptait Stiles, qui écoutait de l'autre côté de la porte entrouverte.

— Ma chère, remarqua le marquis avec douceur, je vous connais depuis plus longtemps que quiconque dans cette pièce, et je dois dire que vous m'êtes toujours apparue comme une femme extrêmement sensée. Je serais plutôt opposé au fait que vous changiez aussi tardivement votre nature.

— Merci, mon chéri, répondit Lady Uppington en soufflant un baiser à son mari. J'aime bien votre caractère aussi. Mais je faisais référence à la proposition de Miles de rencontrer cette Amy. Si nous allions lui rendre visite après le dîner...

— Il sera trop tard pour lui rendre visite, plaida Richard pour la décourager.

— Ne sois pas ridicule! répliqua gaiement sa mère. Nous sommes en France. Les gens ne respectent pas les heures de visites convenables ici.

Richard se tourna pour en appeler silencieusement à Lord Uppington.

— Ne me regarde pas, dit son père en s'étirant les jambes. J'ai appris à reconnaître quand ne pas me mettre en travers du chemin de ta mère.

— Merci, mon chéri, dit sa mère, rayonnante. C'est une des raisons pour lesquelles je vous aime.

— Je vous accompagnerai, Lady Uppington, offrit Miles sur un ton angélique.

— On ne t'a rien demandé, cracha Richard.

— Est-ce ainsi que tu traites ton plus vieil ami?

— Ne veux-tu pas dire mon *ancien* plus vieil ami?

— Ne me crie pas dessus ; crie sur Geoff. C'est lui qui m'a parlé d'Amy.

— Si Miles peut y aller, j'y vais aussi ! intervint Henrietta sur un ton de rébellion. Après tout, *il* ne fait même pas partie de la famille. Si Amy doit devenir ma sœur, je devrais avoir la priorité pour la rencontrer.

— Avant que vous réserviez la chapelle, dit Richard de sa voix traînante la plus digne d'un odieux homme du monde londonien, il y a quelques éléments qui doivent être mis au clair.

— Mon chéri, tu n'as pas peur que nous t'embarrassions, n'est-ce pas ? Je te promets que nous nous conduirons de notre mieux, même ton père, fit valoir la marquise en plissant le nez d'un air taquin en direction du marquis.

— Mère, voudriez-vous cesser de charmer père un instant et m'écouter ?

— Je ne cesse jamais de charmer ton père, répliqua avec complaisance Lady Uppington. C'est pourquoi nous sommes si heureux en ménage. Et j'espère que vous trouverez tous quelqu'un que vous pourrez joyeusement charmer jusqu'à la fin de vos jours.

Lord Uppington et elle échangèrent un regard que Richard ne pouvait qualifier autrement que de *doucereux*.

— C'est un miracle que nous soyons devenus aussi normaux que nous le sommes, n'est-ce pas ? chuchota Henrietta en arrivant derrière le fauteuil de Richard.

— Je ne t'ai toujours pas encore pardonné, l'avertit Richard.

— Oh, mais tu le feras, répondit gaiement Henrietta en se penchant pour l'embrasser sur la joue. Je suis ta sœur favorite, tu te souviens ? En outre, ajouta-t-elle en balayant la pièce du regard, tu sais que tu auras besoin de mon aide pour les discipliner ce soir.

— Cela suppose que nous allions quelque part.

Henrietta gratifia Richard d'un regard compatissant qui disait, beaucoup plus fort que des mots l'auraient fait, «tu peux bien te faire des illusions si ça te plaît».

Henrietta en savait diablement trop pour une fille de dix-neuf ans.

Chapitre 31

❀

— Où est-elle? Où est la petite sorcière?

Un Georges Marston très en colère fit irruption en claudiquant par la porte de la salle à manger où les Balcourt prenaient le souper.

Ses yeux bleus se posèrent sur Amy.

— Toi! hurla-t-il en boitant le long de la table.

— Monsieur!

Marston s'arrêta net au son de la voix de mademoiselle Gwen.

— Que nous vaut cette intrusion?

— La, dit Marston en pointant Amy, la bouche presque écumante. La!

— Elle, le corrigea sagement mademoiselle Gwen.

— Oui, *la*!

Les lèvres de Marston se retroussèrent d'une manière qui donna très envie à Amy de se trouver une raison urgente pour se retirer dans une autre pièce. De préférence avec la porte verrouillée derrière elle. Ses bras lui faisaient mal au souvenir de la poigne douloureuse de Marston. Elle ne le laisserait pas la toucher une fois de plus. Elle lui casserait son verre de vin sur la tête et le repousserait avec les éclats.

Elle lui casserait l'autre orteil — non, cela exigerait une proximité désagréable.

Mademoiselle Gwen soupira.

— Non, monsieur Marston. Pas la, elle. La famille de votre père ne vous a-t-elle inculqué aucune notion de grammaire? Ou la vie dans l'armée a-t-elle altéré vos facultés d'élocution à tel point que vous ne puissiez plus prononcer autre chose qu'une occasionnelle monosyllabe incorrecte? Après le verbe implicite « être », le nom doit toujours être au nominatif plutôt qu'à l'accusatif.

— Accusatif, répéta Marston avec un regard mauvais dont Amy craignait qu'il n'ait rien à voir avec la grammaire. Je vais vous montrer ce qu'est l'accusatif! Je l'accuse!

Un doigt costaud pointa droit sur Amy.

Amy bondit sur ses pieds à sa place.

— Et je vous accuse de conduite inappropriée de la part d'un gentilhomme et vous demande de quitter immédiatement ma demeure!

— Je crois que je vais vous laisser, murmura Édouard en levant sa corpulence de sa chaise.

— Assis! ordonna mademoiselle Gwen.

Édouard s'assit. Contre toute attente, Georges Marston fit de même.

— J'ai toujours été très douée avec les chiens, commenta mademoiselle Gwen.

Georges Marston se releva promptement.

Mademoiselle Gwen haussa un sourcil.

— Certains ont besoin d'un dressage plus poussé que d'autres.

Marston l'ignora et se remit à avancer en direction d'Amy.

— Qu'entendez-vous par votre demeure? C'est *sa* demeure, et il fera ce que je lui dirai ou il en subira les conséquences. Pas vrai, Balcourt?

— Euh...

Édouard, à qui on avait interdit de quitter la table, semblait essayer de se cacher dessous.

— Pourquoi ne vous assiériez-vous pas, monsieur Marston? proposa Jane. Je suis persuadée que nous pouvons démêler tout ça.

Concentré sur sa proie, Marston ne porta pas plus attention à Jane qu'aux chandeliers sur la table ou au valet silencieux près du buffet. Si Marston s'attaquait à elle, se demanda Amy, l'un de ces hommes à perruque blanche viendrait-il à sa défense?

— Je suis si heureuse que vous soyez passé, monsieur Marston, continua Jane en projetant sa voix pour qu'elle porte.

Mais de quoi Jane pouvait-elle bien parler? Amy ne partageait certainement pas son opinion.

— Je voulais vous parler du thé et de la mousseline des Indes, termina-t-elle.

Marston s'arrêta net à deux chaises d'Amy, les yeux et la langue sortis comme ceux d'un chien dont le maître viendrait de tirer trop brusquement sur la laisse.

— Le thé, répéta-t-il d'une voix rauque sans se retourner.

— Et la mousseline des Indes, lui rappela doucement Jane.

Amy aurait pu jurer qu'elle avait vu une lueur d'amusement dans les yeux de sa cousine, mais l'attitude de Jane était tout aussi bien maîtrisée qu'à l'habitude, et sa voix était dénuée de toute trace de moquerie.

— Dites-moi, s'enquit-elle d'un ton qui ne dénotait qu'une question innocente, les autorités sont-elles au courant de votre entreprise d'importation ?

Dans la tête d'Amy, un kaléidoscope d'images se mit en place pour former un tout. Les étranges paquets dans la salle de bal, dans lesquels Amy avait espéré qu'il y ait eu du matériel pour la Gentiane pourpre, alors que ce n'était pas le cas. Les portes et les fenêtres de l'aile ouest salies de boue. Maintenant que Jane avait mis les pièces du casse-tête ensemble, c'était tout aussi absolument évident que la rage coupable de Marston. Édouard n'avait jamais rien eu à voir avec la Gentiane pourpre. Pas plus que Marston.

Son frère et Marston étaient des contrebandiers.

Marston regarda furtivement d'un côté, puis de l'autre, avant de poser les yeux sur Édouard. Prenant une inquiétante teinte verdâtre, Édouard secoua vigoureusement la tête.

— Mais… le blessé ? s'entendit demander Amy.

— Un douanier nommé Pierre Laroc, répondit Jane sans jamais détourner les yeux de Marston. Combien l'avez-vous payé pour qu'il oublie ce petit incident, monsieur Marston ?

— Je ne sais pas de quoi vous parlez, grogna Marston en traversant la pièce d'un pas lourd pour se pencher sur Jane d'un air menaçant.

— Vraiment ? Et je suppose que mon cousin ne sait rien non plus, ajouta-t-elle doucement en jetant un œil à Édouard, dont non seulement la tête mais aussi le corps replet étaient secoués de tremblements.

Son foulard frémit sous l'effet de la nervosité. Jane soupira.

— Je suppose qu'il ne reste plus qu'à demander aux autorités de satisfaire ma curiosité à propos du thé et de la mousseline dans la salle de bal. Le thé et la mousseline d'*Angleterre*.

Le nez fracturé de Marston rougit sous le coup de la colère.

— Vous n'oseriez pas!

— Vous, monsieur Marston, n'êtes pas en position de négocier.

— Vous ne pouvez rien prouver, fulmina Marston en éclaboussant l'air de petites gouttes de salive. La salle de bal est vide. Vous n'avez aucune preuve.

— Je crains, monsieur Marston, que vous fassiez erreur à ce sujet. Voyez-vous, dit Jane en souriant d'un petit sourire tendre qui tint toute la pièce en haleine, j'ai des preuves. J'ai vos registres et votre correspondance. Je les ai trouvés cachés dans un globe terrestre évidé dans le bureau de mon cousin. Votre propre plume vous inculpe.

Marston serra dangereusement ses grandes mains. Jane ne tressaillit même pas.

— Touchez une fois de plus à mademoiselle Balcourt, l'avertit Jane d'une voix aussi inflexible que sa colonne, que ce soit par colère, par luxure ou même pour la saluer, et ces documents iront directement aux autorités.

Le silence tendu fut brisé par le bruit sec des applaudissements de mademoiselle Gwen. Puis la folie s'empara de la pièce. Rugissant, Marston se jeta sur Édouard. Édouard supplia, cria et bafouilla. Les mains de Marston se refermèrent autour de sa gorge, transformant ses protestations en gargouillis. De la porcelaine se brisa en morceaux sur le parquet du plancher. Amy courut serrer Jane dans ses bras. Les valets eurent le bon sens de se faufiler hors de la pièce pendant que personne ne regardait. Mademoiselle Gwen frappait le derrière de la tête de Marston à grands coups de cuillère à soupe en le traitant d'insolent fils de chien enragé. Puis le majordome s'éclaircit la voix.

— *He-hem!*

Il dut faire plusieurs tentatives avant que la pièce se calme et élever la voix à un niveau qui aurait rendu muet pour un mois n'importe quel homme avec des capacités vocales moins développées que les siennes. Mademoiselle Gwen s'arrêta, la cuillère dans les airs au-dessus de la tête de Marston. Marston s'immobilisa, les doigts enfoncés dans les cordes vocales d'Édouard. Et Édouard resta exactement comme il était, la langue légèrement pendante et les yeux écarquillés de terreur.

Le majordome présenta à Édouard une carte sur un plateau d'argent. Mademoiselle Gwen l'attrapa à sa place.

— Lord et Lady Uppington souhaitent présenter leurs respects, entonna le majordome, le regard fixé quelque part au-dessus de la scène étrange incarnée par son maître, Marston et mademoiselle Gwen.

— Installez-les dans le salon vert, lui intima mademoiselle Gwen puisque Édouard semblait incapable de parler.

Pour rendre justice à Édouard, les mains de Marston étaient toujours serrées autour de sa gorge, de sorte que son incapacité aurait pu être causée par un manque d'air plutôt que d'esprit.

— Et vous! dit-elle à Marston en lui assénant un autre vigoureux coup de sa cuillère à soupe maintenant plutôt cabossée, cessez d'étrangler monsieur Balcourt et disparaissez immédiatement! Oust!

Marston disparut. Jetant un éloquent regard méprisant à Jane et à Amy, qui se confortaient en se tenant par la taille, il sortit d'un pas nonchalant à la suite du majordome.

— On ne peut qu'espérer qu'il ne croise pas la famille Uppington, déclara mademoiselle Gwen en laissant bruyamment tomber sa cuillère dans son bol.

Uppington. Le nom semblait familier, mais Amy était trop occupée à s'assurer que le dos de Marston qui s'éloignait continue de s'éloigner pour y réfléchir.

— Quand as-tu découvert l'histoire de la contrebande? chuchota-t-elle à Jane.

— La nuit dernière, chuchota Jane en retour. J'allais t'en parler ce matin, mais... Pourquoi chuchotons-nous?

— Je ne sais pas, répondit Amy en haussant les épaules d'un air impuissant. J'avais l'impression que c'était la chose à faire.

— Venez, les filles, dit mademoiselle Gwen en les poussant hors de la salle à manger. Nous ne voulons pas faire attendre nos invités.

— Je suis surprise que tu réagisses avec tant de calme, souffla Jane à Amy tandis qu'elles approchaient de la porte du salon vert.

— Eh bien, j'étais un peu inquiète, mais tu lui as admirablement bien réglé son compte.

Jane la regarda, confuse.

— Oh, parles-tu de Marston? Je parlais de...

Le valet, qui les précédait avec un candélabre, ouvrit grand les portes du salon.

— ...Lord Richard, finit Jane d'une petite voix.

Amy ouvrit la bouche, mais aucun son n'en sortit.

Lord Richard Selwick était nonchalamment appuyé contre un sarcophage, les bras croisés sur son torse. Lorsqu'Amy entra, il décroisa les bras et sourit si chaleureusement que son estomac fit plus de pirouettes que toute une troupe d'acrobates à une fête foraine.

Ces lèvres, étirées en un sourire dévastateur, étaient les mêmes qui avaient si passionnément revendiqué les siennes la nuit précédente. Cette main, qui jouait si distraitement avec son monocle, était la même qui avait pris son visage, caressé ses cheveux et son... euh, bon. Les joues d'Amy s'empourprèrent.

Uppington. S'ils n'avaient été si nombreux à la regarder, Amy se serait frappé la tête du dos de la main. C'était sa récompense pour avoir lu du latin et du grec au lieu de mémoriser l'annuaire nobiliaire *Debrett's*. Comme mademoiselle Gwen l'avait si aimablement souligné dans l'après-midi, la famille Selwick portait le titre d'Uppington.

Une *petite** femme vêtue d'une robe vert et bleu poussait du doigt une urne funéraire avec curiosité, tandis que la *brunette** à côté d'elle protestait :

— Mais, mère, voulez-vous vraiment savoir ce qu'il y a là-dedans ?

Lorsqu'Amy et Jane s'approchèrent, Jane gardant une main sur le bras d'Amy pour la conforter, elles levèrent toutes deux les yeux. La dame en vert laissa tomber le couvercle de l'urne et s'avança, arborant un sourire chaleureux qui ressemblait de façon alarmante à celui de Richard.

— J'espère sincèrement que nous ne vous dérangeons pas ! J'étais si impatiente de rencontrer les compagnes de voyage de Richard. Vous devez être mademoiselle Balcourt ?

La *brunette** la salua de la main avec enthousiasme au-dessus de la tête de sa mère.

— Puisque nous nous présentons nous-mêmes, je suis Henrietta! Vous savez, Henrietta? Hen? Sa petite sœur? Richard ne vous a-t-il pas parlé de moi?

À côté d'Henrietta, un homme aux larges épaules, qui portait un foulard froissé, leva les yeux au ciel.

— Il doit certainement avoir parlé de moi, son meilleur ami? dit-il d'un air coquet, imitant manifestement l'accueil enthousiaste d'Henrietta. Vous savez, son meilleur ami? Miles?

Amy vit la *brunette** le fusiller de ses yeux noisette.

— Vous pouvez parfois être si enfantin, Miles!

— Le prochain bateau postal pour Douvres, Henrietta, l'avertit Richard d'un ton menaçant.

Henrietta se tut sur-le-champ. Elle se retint même de rendre la pareille à Miles lorsque celui-ci lui tira la langue.

— Ils viennent d'être nourris, expliqua Lady Uppington en guise d'excuse.

Toc! Toc! Toc!

— Jeune homme! dit sèchement mademoiselle Gwen, appuyée sur l'ombrelle avec laquelle elle venait de marteler le sol. Veuillez replacer cet objet dans votre bouche!

La langue de Miles disparut derrière ses lèvres à la vitesse d'une armée qui se replie dans le château et abaisse la herse en hâte.

— Magnifique! s'exclama Lady Uppington en s'avançant pour poser une main amicale sur le bras osseux de mademoiselle Gwen. Vous *devez* me dire comment vous faites. Et qui vous êtes, ajouta-t-elle après coup.

Mademoiselle Gwen, dont l'angle du menton montrait amplement sa désapprobation quant au caractère inconvenant du procédé bien que la cause du chaos fût une marquise, se présenta à Lady Uppington, puis présenta Jane et

Édouard, dont la gorge était toujours un peu pourpre, et les yeux, un peu exorbités.

Lady Uppington ignora la désapprobation qui émanait de mademoiselle Gwen et s'adressa directement à Amy avec un grand sourire.

— Je ne me suis toujours pas présentée, n'est-ce pas? Je suis Lady Uppington, et lui — elle fit un geste d'une main couverte d'émeraudes en direction d'un homme aux cheveux gris, qui observait avec amusement la scène d'un peu plus loin —, c'est Uppington, et elle, c'est... eh bien, vous savez, Henrietta.

Henrietta sourit.

— Et le jeune homme aux cheveux hirsutes qui s'est mal conduit...

Miles porta nerveusement la main à ses cheveux. Henrietta eut un petit sourire suffisant.

— ... est l'honorable Miles Dorrington. Voyons voir, vous connaissez tous déjà Richard. Ai-je oublié quelqu'un?

La *brunette**, aussi connue sous le nom de «vous savez, Henrietta», passa le bras autour de celui de Lady Uppington.

— Vous avez encore omis Geoff.

— Geoff, mon chéri! s'écria Lady Uppington, bouleversée, en tendant la main vers un jeune homme silencieux qui se tenait près de Richard. Je n'ai pas voulu vous négliger.

— Il en a l'habitude, maintenant, expliqua Henrietta à Amy en aparté.

— *Ça* — Lady Uppington braqua un regard de reproche sur sa fille —, c'était méchant. C'est simplement que Geoff se conduit tellement mieux que vous tous qu'il est facile d'oublier sa présence.

— Était-ce un compliment? demanda Miles à Geoff.

— Voyez-vous ce que je veux dire ? demanda en soupirant Lady Uppington à Amy.

Amy, complètement déroutée par toute cette invasion d'Uppington, fit la seule chose dont elle était capable : elle sourit. Elle était plutôt contente de la volubilité enjouée de Lady Uppington. Cela lui évitait de devoir parler à Lord Richard. À force de garder les yeux fixés sur Lady Uppington et Henrietta, elle pouvait presque prétendre qu'il n'était pas là. Presque. Plus elle se disait de ne pas regarder, plus ses yeux étaient attirés vers lui.

Comment devrait-elle se conduire envers lui ? se demandait Amy tandis que les Uppington et leur entourage continuaient à se chamailler entre eux. Elle ne pouvait pas crier ni lancer d'objets ; cela préviendrait certainement Lord Richard du fait qu'elle avait récemment découvert sa double vie. Le tourmenter lui était apparu comme une idée tellement géniale dans le carrosse, mais la présence de Lord Richard compliquait les choses les plus simples. La vengeance, par exemple. Une idée si charmante, si simple. Mais quand Lord Richard lui souriait au-dessus de la tête de sa mère, Amy avait envie de lui sourire en retour.

Peut-être n'était-ce pas une si mauvaise idée, raisonna Amy. Après tout, elle avait effectivement besoin de lui faire croire que tout allait bien avant de perpétrer sa vengeance. Elle le séduirait, le répudierait, puis le battrait à l'espionnage. Tout cela faisait partie du plan.

Après de longues altercations, Lady Uppington arriva finalement à présenter Geoffrey, second vicomte de Pinchingdale, huitième baron de Snipe.

— Tant de titres pour un si petit Geoff, soupira Miles en s'étirant pour souligner son avantage de cinq centimètres sur le vicomte.

— Tant de muscles pour un si petit cerveau, répliqua Henrietta d'un ton bon enfant.

— Qui a battu l'autre aux dames la semaine dernière ?

— Qui a sournoisement créé une diversion en heurtant le plateau ?

Miles prit un air angélique.

— Je n'ai aucune idée de ce à quoi vous faites référence. Je ne ferais jamais une chose aussi ignoble que de renverser le plateau pour réarranger les pièces.

— Richard ne triche jamais aux dames, chuchota Lady Uppington à Amy.

— Non, seulement au croquet, intervint Miles d'un ton ironique. À moins que cette balle ait simplement avancé de deux arceaux par elle-même ?

— Toi, répondit Richard d'une voix traînante en s'approchant nonchalamment du petit groupe réuni autour de Lady Uppington, tu es simplement blessé parce que j'ai envoyé ta balle dans les ronces à mûres.

— Mon pantalon favori était couvert d'épines, déplora Miles.

— Oh ! Voilà ce qui lui est arrivé ! s'exclama Henrietta.

— Croyais-tu que Miles s'était subitement découvert un bon goût ? lui demanda Richard avec un grand sourire.

— Je ne sais pas pourquoi je supporte cette famille, murmura Miles à l'intention d'Amy et de Jane.

— C'est parce que nous te nourrissons, expliqua Henrietta.

— Merci, Hen, répondit Miles en lui ébouriffant les cheveux. Je n'aurais jamais compris ça tout seul.

— Il est comme un de ces chiens errants qui vous suivent jusqu'à la maison et qui, une fois que vous leur avez donné à manger, continuent à gratter à la porte de la cuisine en vous regardant avec de grands yeux tristes, poursuivit Henrietta, se laissant emporter par le sujet.

— C'est *bon*, Hen, répliqua Miles.

— La folie ne court que dans une partie de ma famille, dit doucement Richard à Amy. Mon frère Charles est tout à fait sain d'esprit, je t'assure. Et Miles n'a aucun lien de parenté avec nous.

— Petit cousin éloigné au deuxième degré! protesta Miles.

— Par alliance, corrigea Richard sans quitter Amy des yeux. J'espère que vous avez passé un agréable après-midi.

Amy avait passé le reste de l'après-midi couchée sur le ventre sur son lit à comparer les avantages de le faire bouillir dans l'huile à ceux de le pendre par les pieds et le frapper avec un bâton hérissé de pointes.

— Plutôt, oui. Les antiquités m'ont *particulièrement* plu, ajouta Amy lorsqu'elle se rappela, un peu tard, qu'elle était censée le séduire.

— Ah! Ainsi, vous aimez les antiquités! l'interrompit Lady Uppington en lançant à Richard un regard lourd de sens. Comme c'est magnifique! Dites-m'en plus…

En moins de dix minutes, Lady Uppington avait habilement soutiré à Amy les informations selon lesquelles elle était née en France, avait grandi dans le Shropshire et ne s'intéressait pas tellement aux navets. Richard écouta, muet d'horreur, tandis que Lady Uppington sondait les préférences littéraires ainsi que les convictions politiques d'Amy. Elle semblait sur le point de lui demander sa pointure lorsque, heureusement, Henrietta intervint.

— Mère vous a-t-elle déjà raconté la fois où Richard avait tenté de détruire le plancher du pavillon à l'aide d'une pioche?

Richard n'était plus reconnaissant. Au-dessus de la tête d'Henrietta, il vit Miles foncer sur elles d'un air déterminé. La pièce lui parut soudain insupportablement petite.

— Mademoiselle Balcourt — il interrompit sa mère dans son récit largement exagéré de la fois où il avait accidentellement embroché un jardinier alors qu'il s'exerçait à l'épée sur le topiaire —, les statues dans la cour semblent d'une beauté exceptionnelle. Me feriez-vous l'honneur de me les montrer ?

En entendant cette invitation, Amy fut parcourue d'un frisson d'excitation. Tout son large bon sens lui criait de refuser. Mais il y avait certainement plus de gens que nécessaire pour les chaperonner, raisonna Amy pour convaincre son large bon sens. Il s'agissait d'une occasion en or pour mettre à exécution son plan de vengeance — y avait-il plus romantique qu'un jardin au clair de lune ? —, et elle serait folle de ne pas en profiter.

— Oui, avec plaisir, répondit-elle sans avoir hésité plus d'un instant.

— ...du sang qui giclait partout ! Un instant, qu'avez-vous dit, très cher ?

— J'ai demandé à mademoiselle Balcourt si elle accepterait de faire un tour dans la cour avec moi. Elle a dit oui. Et je tiens à préciser que je lui avais à peine éraflé la main.

— La cour ! Quelle bonne idée ! Enfin, il vous faudra un chaperon, bien entendu. Henrietta, ma chérie, pourquoi n'irais-tu pas avec eux ?

— Comment puis-je *servir* de chaperon quand j'ai moi-même *besoin* d'un chaperon ? protesta Henrietta.

Tapant du pied avec impatience, Lady Uppington chuchota quelque chose à l'oreille d'Henrietta.

— Ah, d'accord ! répondit-elle en remuant les sourcils en direction de sa mère d'un air entendu.

— On y va ? demanda sèchement Richard en tendant le bras à Amy.

Le frère et la sœur échangèrent un long regard en sortant sur le balcon par les portes-fenêtres. Henrietta bâilla ostensiblement et s'affala sur un banc en pierre.

— La journée fut affreusement longue ! Je vais rester assise ici à regarder les étoiles, si ça ne vous dérange pas trop.

Merci, articula silencieusement Richard.

Serrant le bras d'Amy plus fermement sous le sien, Richard lui fit descendre les trois petites marches, puis la conduisit dans le jardin, éclairé par la lune.

Chapitre 32

❁

Amy cherchait quelque chose à dire tandis qu'ils marchaient en direction de la fontaine au milieu de la cour. Les pieds bottés de Lord Richard suivaient le rythme de ses pas sur le sentier. Amy s'efforça de cesser de contempler leurs quatre ensembles d'orteils (deux dans des chaussons couverts de rubans et deux dans des bottes noires cirées) pour lever les yeux et regarder son pire ennemi en face. Lorsqu'il baissa les yeux sur elle, quelque chose dans la façon dont il inclina la tête lui fit tellement penser à la Gentiane pourpre qu'elle en eut le cœur serré. Idiote, se dit Amy en s'efforçant de répondre à son regard perplexe par un sourire figé. Évidemment qu'il ressemblait à la Gentiane pourpre; le maudit homme *était* la Gentiane pourpre. Amy espéra que le crissement du gravier sous leurs pieds suffisait à couvrir le grincement de ses dents.

— Vous êtes-vous vraiment battu en duel avec des haies? demanda Amy.

Elle était forte, se rappela-t-elle. Elle avait un cœur de pierre.

— Seulement parce que mon père m'avait dit qu'il s'agissait de dragons, répondit Lord Richard avec un sourire à faire fondre la pierre.

Amy modifia rapidement son discours pour un cœur de fer.

— Je vous assure que le jardin de votre frère ne court aucun danger avec moi, poursuivit Lord Richard en faisant du bras gauche un geste en direction des sombres massifs d'arbustes.

— On dirait bien qu'une bonne taille à coups d'épée ne ferait pas de mal à certaines de ces plantes, commenta Amy en se penchant pour toucher la feuille d'un rosier envahissant. Aïe !

— Épineux, n'est-ce pas ?

Lord Richard saisit la main qu'Amy agitait dans les airs et la retourna pour examiner la blessure sur le bout de son doigt. Le poignet et la paume d'Amy brûlèrent au contact des doigts de Lord Richard.

— Il faut bien qu'ils se protègent d'une manière ou d'une autre, répliqua Amy en retirant sa main brusquement.

— On dirait que vous compatissez.

— Ma tante Abigaël est très douée pour cultiver les roses.

Amy évita la question implicite ainsi que le regard amusé de Richard en se détournant du rosier pour suivre un petit sentier de gravier. Elle s'en tirait très bien, se félicitat-elle. Elle gardait la conversation sur un ton léger, et le contact de Richard ne lui avait fait aucun effet. Du moins, presque aucun. Oh, ciel ! Elle espérait qu'il n'avait pas senti le rythme de son pouls accélérer à son poignet.

— Peut-être devrais-je la consulter pour savoir comment retirer des épines.

Oublions le contact. Le monstre n'avait même pas besoin de la toucher pour que sa colonne soit parcourue de frissons.

— Ne devrions-nous pas regarder quelques statues ? suggéra Amy, à bout de souffle. Après tout, c'est ce que vous avez dit à votre mère.

— Ah, ça. Je suis désolé de vous avoir infligé ma famille de la sorte.

Ce n'était pas parce qu'il avait l'air d'un écolier en punition qu'elle devait avoir de la sympathie pour lui, se dit Amy. Cela ne changeait rien au fait qu'il avait joué avec ses sentiments. Barbe bleue avait probablement eu une mère, lui aussi.

— Je la trouve charmante, dit Amy d'un ton résolu ; elle le pensait.

— La plupart du temps, je serais d'accord avec vous, répondit Richard avec ironie en jetant un œil derrière eux vers le balcon où Henrietta était assise, la tête ostensiblement penchée en arrière vers le ciel étoilé.

— Vous avez de la chance de l'avoir.

Lord Richard baissa sur elle des yeux verts beaucoup trop compréhensifs.

— Je suis désolé pour vos parents. Vraiment désolé.

Embarrassée, Amy haussa les épaules.

— Il n'est pas nécessaire de revenir là-dessus.

— Moi, je crois que si, affirma Richard, qui s'arrêta derrière un buisson envahissant pour tendre la main vers celle d'Amy. Nous avons pris un mauvais départ sur le bateau, et je voudrais corriger ça.

— Ce n'est pas nécessaire, répondit Amy en déplaçant rapidement sa main de sorte qu'elle soit hors de portée.

Ne sachant pas très bien quoi en faire, ni de l'autre main, qui était tout aussi vulnérable, elle les joignit derrière son dos. Malheureusement, cela eut pour effet de mettre sa poitrine en évidence encore plus qu'à l'habitude. Le regard de

Lord Richard plongea à la vitesse d'un faucon qui descend en piqué vers sa proie.

Résistant à l'envie de tirer sur son corsage, Amy laissa ses bras retomber le long de son corps.

— Vous avez été plus qu'aimable. En nous invitant à voir vos antiquités, par exemple, poursuivit-elle un peu trop gaiement. C'était terriblement, euh, aimable de votre part. Alors maintenant, tout va bien.

À l'évidence, ce n'était pas le cas. Lord Richard s'approcha encore.

— Que puis-je faire pour vous convaincre que je ne suis pas un ignoble régicide ?

Le buisson la piquait à travers la fine étoffe de sa robe. Quand, se demanda-t-elle avec indignation, avait-elle cessé de mener la conversation ? Elle était censée le séduire, il était censé ramper à ses pieds, épris, et elle était censée réduire ses espérances en miettes sous le délicat talon de son chausson. Pas *ça* ! Son eau de Cologne acidulée lui emplissait les narines, masquant les parfums du jardin ; les souvenirs l'assaillaient, et le désir l'affaiblissait.

— J'en suis convaincue, lâcha Amy dans son foulard.

Il était tellement près que les extrémités de l'étoffe amidonnée lui chatouillaient presque le bout du nez. Un pas de plus, et leurs genoux se frôleraient.

— Vraiment ! insista-t-elle.

Le foulard recula.

— Bien.

Amy se permit de lever les yeux. Ce ne fut pas la décision la plus avisée qu'elle ait prise.

— Je ne voudrais pas que vous pensiez du mal de moi, dit-il doucement.

Si doucement, que ses paroles effleurèrent Amy de la même façon que la brise du soir. Il leva la main pour repousser une mèche de cheveux sur sa joue. Lentement. Tendrement. Les yeux verts de Richard cherchèrent les siens, et il la caressa longuement du regard tandis qu'il penchait la tête vers elle.

— Non!

Amy rejeta la tête en arrière si brusquement que ses cheveux se prirent dans les branches d'un arbuste. Ses yeux bleus s'étaient écarquillés sous le coup de la panique.

— Non! Je... Je ne peux pas. Je ne peux tout simplement pas.

Lord Richard recula d'un pas, les mains dans les poches.

— Pourquoi pas? demanda-t-il d'un ton neutre. Me détestez-vous toujours autant?

Détester. Oh, bonté divine! Quel terme inapproprié! Elle avait envie de le prendre par les épaules et de le secouer jusqu'à ce qu'il claque des dents, puis de l'embrasser jusqu'à ce qu'ils soient tous deux à bout de souffle. Et il lui demandait si elle le *détestait*? Amy n'avait pas la moindre idée des sentiments exacts qu'elle éprouvait pour lui — la langue anglaise offrait un vocabulaire trop limité pour décrire le blizzard d'émotions qui faisait rage en son for intérieur —, mais elle ne le détestait certainement pas.

Comment était-il possible d'à la fois désirer quelqu'un à ce point et de le mépriser tout autant? Y avait-il un mot pour cela dans une langue quelconque?

— Non, répondit-elle d'une voix rauque. Je ne vous déteste pas.

Le visage de Lord Richard se détendit presque imperceptiblement.

— Dans ce cas, pourquoi… ?

Elle pourrait lui dire la vérité, se dit follement Amy. Elle pourrait lui demander de répondre de ses actes et lui donner la chance de s'expliquer. Elle se délecta des traits de son visage : la pente droite de son nez, les yeux verts attentifs, les angles nets de ses pommettes et de sa mâchoire. La Gentiane pourpre, démasquée.

Le souvenir vivant de son imposture raffermit la résolution d'Amy de le faire souffrir le plus possible.

— Je suis amoureuse d'un autre, déclara-t-elle en détournant le regard avec toute la conviction dont elle était capable.

De toutes les réponses auxquelles Richard s'attendait — et Amy était restée là à réfléchir pendant tellement diablement longtemps qu'il avait eu le temps d'en imaginer assez pour remplir toute une encyclopédie —, celle-ci ne faisait pas partie de la liste.

— Qui est-ce ?

— S'il vous plaît, ne me le demandez pas.

Richard avait les idées — et l'estomac — à l'envers. De qui pouvait-il s'agir ? Peu importe de qui il s'agissait, Richard éprouverait une grande satisfaction à lui envoyer son poing au visage. Ça ne pouvait pas être Marston, à moins qu'Amy eût de secrètes tendances perverses. Bon sang, qui d'autre connaissait-elle donc en France ? Avait-elle un amoureux en Angleterre ? Était-ce la réponse ? Mais pourquoi donc embrassait-elle la Gentiane pourpre si… Oh. Oh non ! La terrible vérité frappa Richard avec autant de force qu'une colonne qui s'effondre.

Il était jaloux de sa propre fichue personne.

Avait-on déjà connu, dans toute l'histoire de la Terre, une situation aussi absurde ? Au moins, le roi Arthur, Ménélas et tous les autres avaient été cocufiés par des rivaux réels. Il était franchement embarrassant de voir ses amours contrariées par sa propre satanée personne. Quel genre d'idiot se mettait soi-même des bâtons dans les roues à l'heure de faire la cour?

Lord Richard Selwick, la Gentiane pourpre, voilà qui!

Grrr.

Tout comme Amy, Richard trouvait la langue anglaise totalement inadéquate dans ce contexte.

— Dites-m'en plus au sujet de votre parfait amour, dit-il d'un ton tranchant.

— Je n'ai jamais dit qu'il était parfait.

— Il ne l'est pas?

Richard était offensé. Qu'est-ce qui n'allait pas avec la Gentiane pourpre? Il était un parangon d'homme, un héros, un — eh, un instant, il était censé être son rival.

Derrière ses cils bruns, Amy leva les yeux vers lui.

— Vous avez entendu mademoiselle Gwen; l'homme parfait n'existe pas.

— Qu'est-ce qui ne va pas chez lui?

Richard fit un rapide inventaire des possibilités. Était-ce son haleine? Cette maudite cape?

— Il ne m'a pas accordé la confiance qu'il aurait dû, répondit promptement Amy en lançant un regard noir à Richard.

Sacrebleu. Il aurait été beaucoup plus facile de se procurer une nouvelle cape.

C'était ridicule! Il ne savait pas s'il devait se défendre — ou plutôt, défendre la Gentiane pourpre en lui — ou être jaloux de la Gentiane pourpre en lui au nom de lui-même. Diantre! Même ses pensées étaient diablement embrouillées. Il y avait bien un moyen d'en finir avec les embrouilles et la confusion.

Richard ouvrit la bouche, mais aucun son n'en sortit. Il avait cru qu'il se sentirait mieux après l'avoir dit à Deirdre, n'est-ce pas? Et voyez le résultat. Qui serait la victime cette fois? Geoff? Miles?

Richard referma la bouche et pinça les lèvres très fort. Amy l'observait attentivement.

— Alliez-vous dire quelque chose?

Richard haussa les épaules.

— Simplement que votre amoureux secret, quel qu'il soit, a vraiment beaucoup de chance. Devrions-nous rejoindre les autres?

Le retour à travers le jardin fut considérablement plus rapide que l'aller; Amy dut se hâter pour soutenir la vive allure de Richard. Peut-être cela avait-il quelque chose à voir avec le fait qu'elle était essoufflée, mais la victoire avait un goût beaucoup plus amer que ce à quoi Amy s'attendait. Pouvait-on vraiment parler de victoire si Lord Richard ne lui avait même pas jeté un coup d'œil depuis qu'ils avaient fait demi-tour?

S'il avait déjà été réellement amoureux d'elle, jamais il n'aurait abandonné si facilement. De toute évidence, se dit cruellement Amy, elle n'avait même pas été une idylle. Elle n'avait été rien de plus qu'un *badinage*.

Henrietta leva les yeux avec enthousiasme lorsque Richard et Amy apparurent.

— Avez-vous fait une belle…, commença-t-elle gaiement, mais elle s'interrompit en voyant le visage de marbre de son frère.

— Je vais vous laisser faire connaissance.

Richard se débarrassa pratiquement des doigts d'Amy sur son bras et s'inclina en direction de l'endroit où elle se tenait avant de disparaître dans le salon par les portes-fenêtres.

— Richard ! Psst !

Le bras de sa mère jaillit devant lui et l'attira derrière un faux sarcophage.

— Par ici !

— Aïe.

Richard jeta un regard noir à sa mère en se frottant le poignet. Lorsqu'elle était en mode entremetteuse, sa minuscule mère trouvait le moyen d'avoir la force de dix personnes. De dix pugilistes en fait.

— Navrée, mon chéri, dit la marquise en tapotant distraitement le poignet de son fils, mais sa sollicitude fut de courte durée. Que s'est-il passé ? Vous êtes restés dehors pendant une éternité !

Richard tenta de se dérober.

— Miles courtise-t-il Hen ?

Lady Uppington leva les yeux au ciel.

— Si Miles courtise Hen, je suis certaine qu'Hen le courtise volontiers en retour. D'ailleurs, ils sont parfaitement bien chaperonnés par cette aimable mademoiselle Meadows. Cesse d'essayer de changer de sujet, Richard. Je ne sais pas pourquoi vous, les enfants, pensez toujours arriver à me distraire si facilement.

— Quand avons-nous donc déjà essayé de vous distraire, mère ? Vous êtes beaucoup trop futée pour nous.

Lady Uppington plissa les yeux.

— Voyons voir... Il y a eu cette fois où Charles et toi avez... Oh non ! Je ne me laisserai pas avoir par *cette* vieille astuce ! Allez, mon chéri, ne diras-tu rien à ta — Lady Uppington tapota le côté du sarcophage — *momie* ?

Richard gémit.

— C'était pire qu'atroce, mère.

— Certains enfants ne font preuve d'aucune gratitude. Que s'est-il passé, mon chéri?

— Amy pense qu'elle est amoureuse de la Gentiane pourpre.

— Mais tu *es*...

— Je sais!

Miles choisit ce moment hautement édifiant pour apparaître derrière le sarcophage. La marquise eut l'air contrariée.

— Pourquoi êtes-vous si lugubres? Est-ce à cause de la... momie?

— Ne commence pas, avertit Richard en lançant un regard noir à son meilleur ami.

— Je promets de bien me conduire si tu me protèges contre le groupe de filles, et je parle bien du groupe d'Hen, sur le balcon. Elles sont toutes penchées les unes vers les autres, et quand je suis passé par là, Hen m'a renvoyé du revers de la main en me disant que j'étais superflu. Je ne sais pas ce qui m'a choqué le plus; l'intention ou son vocabulaire.

Miles lâcha un soupir de mécontentement. Lady Uppington rayonna de fierté maternelle. Richard ne remarqua rien de tout cela; il tendait le cou pour regarder au-delà du sarcophage, en direction du petit groupe de l'autre côté des portes-fenêtres. C'était aussi terrifiant que ce que Miles avait décrit: la tête blonde de Jane, celle châtain brillant d'Henrietta et les boucles souples d'Amy étaient toutes penchées les unes vers les autres. Un son sifflant flottait constamment dans l'air. Richard ne voulait pas savoir de quoi elles parlaient. Ce qui voulait plutôt dire, bien entendu, qu'il mourait d'envie de savoir si elles parlaient de lui.

Les doigts agrippés sur les côtés du sarcophage, Richard tendit l'oreille.

— Non! s'exclama Henrietta en sautillant sur son banc. Tu ne peux pas être sérieuse!

Les têtes se rapprochèrent à nouveau. *Psss, psss, psss…*

Si Richard avait su ce qui se disait sur le balcon, il aurait été encore plus inquiet.

— Que veux-tu *dire*, il ne t'a pas dit qui il était? C'est horrible!

En moins de dix minutes, au moyen de demi-affirmations ambiguës et de haussement de sourcils stratégiques, Amy avait réussi à établir qu'Henrietta était au courant de la double identité de Richard. Une fois cette question réglée, la conversation prit une tournure beaucoup plus directe.

— Comment a-t-il pu te laisser croire qu'il était deux personnes? s'exclama Henrietta en jetant un regard noir en direction de son frère. C'est…

Puisqu'elle avait déjà employé « horrible », elle chercha un autre terme.

— Inconcevable! termina-t-elle, triomphante.

— Je me sens idiote de ne pas m'en être rendu compte. Si je n'avais pas été si convaincue qu'il était sous la coupe de Bonaparte…

— C'est une excellente couverture, n'est-ce pas?

Henrietta se souvint un peu tard qu'elles étaient censées dénigrer Richard et non l'encenser.

— Mais il aurait *tout de même* dû te le dire, ajouta-t-elle.

— Le plus blessant, c'est qu'il n'a pas suffisamment confiance en moi pour me le dire, avoua Amy. Il y a un instant, quand je lui ai dit que j'étais amoureuse de quelqu'un d'autre, il aurait pu faire amende honorable en disant tout simplement...

— «Au fait, il se trouve que cette autre personne, c'est moi? Navré, j'ai oublié de te le dire avant?» proposa Henrietta.

Amy sourit malgré elle.

— Quelque chose comme ça.

— Mais non. Ç'aurait été beaucoup trop facile. Il est absolument charmant et c'est un frère merveilleux, mais c'est un garçon, dit Henrietta en secouant la tête avec dépit. Il croit naïvement qu'il a de l'autorité. Ils sont tous ainsi. Il s'imagine toujours savoir ce qui est le mieux pour tout le monde et comment organiser leur vie. Bla-bla-bla.

— C'est exactement ça le problème! répondit Amy en agitant les mains dans les airs. On doit lui montrer qu'il ne peut pas toujours tout organiser pour tout le monde.

Henrietta eut l'air satisfaite.

— Oh, absolument!

— On doit faire quelque chose.

— Je ne pourrais pas être plus d'accord, répliqua Henrietta en hochant énergiquement la tête. Ils ont besoin d'être remis à leur place de temps à autre. Pour le bien de la gent féminine.

— Amy, tu en viens aux faits? intervint Jane.

— Avez-vous déjà un plan? Oh, s'il vous plaît! Dites-le-moi! s'exclama Henrietta en écartant ses longs cheveux de son visage et en se penchant en avant d'un air implorant. Je ne dirai pas un mot.

— Nous avons effectivement un plan, dit Amy, excitée.

Henrietta écouta, captivée.

— Formidable ! s'exclama-t-elle lorsqu'Amy et Jane eurent terminé de lui en dévoiler les détails. L'Œillet rose, j'adore ! Surtout le nom, gloussa-t-elle. Comment puis-je vous être utile ?

— Chut ! souffla subitement Jane. Il arrive !

Les trois filles s'assirent soudain bien droites et joignirent les mains sur leurs genoux.

En sortant sur le balcon, Richard lança un regard suspicieux à sa sœur. Henrietta lui sourit si innocemment qu'il sut immédiatement qu'il avait raison de craindre le pire.

Richard donna un baiser sur la joue de sa sœur et s'inclina devant la main de Jane.

Il ne s'inclina pas devant celle d'Amy. Il ne lui fit pas de signe de tête. Il la regarda, tout simplement. En revanche, il n'y avait rien de simple dans la manière dont il la regardait.

Amy fut pétrifiée par les yeux chargés d'un mélange de désir et de douleur qu'il riva sur elle. Lui retournant son regard, douleur pour douleur, désir pour désir, Amy résista à l'envie de lui prendre la main. Même si elle n'avait pas eu à tenir compte de son orgueil, une main aurait été redondante. Leurs regards les rapprochaient plus que ne l'aurait fait une poignée de main, plus que ne l'aurait fait une conversation.

Richard fut le premier à détourner les yeux.

— Bonne nuit, mademoiselle Balcourt, dit-il d'une voix terne avant de faire demi-tour pour quitter le balcon.

Sa silhouette rigide entra par les portes-fenêtres, traversa le salon, puis disparut.

La sœur de Richard glissa son bras sous celui d'Amy et le serra.

— Courage, l'encouragea Henrietta. Pense que c'est pour le bien de la gent féminine.

— C'est vrai, murmura Amy, qui fixait toujours la porte par laquelle Richard venait de sortir. Pour le bien de la gent féminine.

Le reste de la soirée, on put l'entendre répéter régulièrement cette phrase entre ses dents.

Chapitre 33

❀

Dans l'obscurité qui précédait l'aube sur l'île de la Cité, dans une maison sombre d'une rue sombre brûlait une seule chandelle. La lumière vacillante de la chandelle illuminait une chambre aussi sobre que l'unique flamme elle-même. Contre l'un des murs, un lit étroit et peu accueillant dans lequel personne n'avait dormi côtoyait une table de chevet sur laquelle il n'y avait rien. Une paire de vieilles pantoufles reposait de façon asymétrique sur le plancher en bois usé. Sur une chaise au dossier droit près de l'unique fenêtre de la pièce était assis Gaston Delaroche.

À deux heures et demie, le signal se fit entendre : le cri d'un hibou qui ululait dans la ruelle devant la fenêtre. L'adjoint au ministre de la Police ouvrit le châssis à guillotine, puis une silhouette sombre rejoignit les ombres sous le surplomb distordu, au deuxième étage de la vieille maison. Si des paroles furent chuchotées, elles furent couvertes par les milliers de bruits nocturnes de la rue surpeuplée : les reniflements et les sifflements soudains de ronfleurs, les craquements de lits de corde et les bruissements de matelas de plumes créaient un bourdonnement monotone. Des étages supérieurs de la pension où Delaroche logeait provenaient les pleurs étouffés d'un bébé et le grognement irrité d'un homme. La fenêtre de Delaroche se referma sans bruit. Les ombres redevinrent de simples ombres.

La table gauchie trembla lorsque Delaroche se rassit sur la chaise bancale. La flamme de la chandelle tremblota, menaçant de s'éteindre. Delaroche ne sembla pas s'en rendre compte.

Deux fois. Lord Richard Selwick avait été vu deux fois en compagnie de mademoiselle Amy Balcourt. Ils avaient d'abord été vus dans la cour des Tuileries. Ensuite, Selwick avait été aperçu en train de franchir le portail de la maison de ville de Balcourt accompagné d'un groupe plus nombreux constitué, selon les informations fournies par l'espion de Delaroche, de la famille de l'Anglais.

Qu'est-ce qui poussait un homme à voir une femme deux fois le même jour?

Delaroche écarta rapidement la possibilité que la fille Balcourt soit une agente secrète. Son frère était un parasite bien connu de la cour du Premier Consul. Ce simple fait ne garantissait pas l'innocence de la fille. Les liens familiaux, ha! La voix du sang avait beau toujours parler plus fort dans la salle d'interrogatoire, Delaroche en était depuis longtemps venu à la conclusion que là s'arrêtait le truisme. Les liens familiaux étaient un obstacle. Un réconfort pour les plus faibles, mais un fardeau pour les plus forts.

Cependant, Delaroche l'aurait su depuis longtemps s'il y avait un nouvel espion en fonction à Paris. Il y aurait eu des vagues et des échos dans les abysses obscurs de son univers souterrain, des chuchotements et des rumeurs. Il n'y en avait eu aucun. La petite Balcourt était innocente — d'espionnage, du moins.

Sur ce, Delaroche revint à sa première question : pourquoi la Gentiane pourpre perdrait-elle son précieux temps avec un petit bout de femme?

C'était chez Balcourt que Lord Richard avait d'abord été aperçu, l'avant-veille, dans une étreinte amoureuse avec une femme inconnue. Delaroche avait lui-même été témoin de leur badinage dans l'un des salons de madame Bonaparte. Un sourire méprisant illumina lentement le visage de l'adjoint au ministre de la Police.

Tout homme avait une faiblesse, même la «oh combien intrépide» Gentiane pourpre.

— Une erreur Selwick, exulta doucement Delaroche dans l'obscurité. Tout ce qu'il faudra, c'est une erreur fatale.

Pour piéger l'homme, il suffisait de mettre la main sur la fille.

Delaroche moucha la chandelle.

Chapitre 34

✻

À l'insu tant du ministère de la Police que de la Gentiane pourpre, dans une grande maison à l'autre bout de la ville, la Ligue de l'Œillet rose préparait sa première escapade.

Il fut beaucoup réfléchi à la façon dont devrait débuter la carrière de l'Œillet rose. Mademoiselle Gwen, qui, sous ses corsages à col montant, cachait le genre d'esprit assoiffé de sang qui jugeait que regarder des gladiateurs se faire éventrer par des lions était plutôt amusant, ne serait pas satisfaite tant qu'un Français ne serait pas passé à l'épée et pendu par les pieds à la lame d'une guillotine (elle laissait gracieusement le choix du Français au comité).

Jane, après avoir lancé un regard étonné à mademoiselle Gwen, proposa de piquer des dossiers dans le bureau de Delaroche, un plan que les deux autres rejetèrent immédiatement ; Amy, parce qu'il n'était pas suffisamment audacieux, et mademoiselle Gwen, parce qu'il était n'était pas assez sanglant pour être intéressant. Le plan A d'Amy, soit s'introduire, astucieusement déguisées, dans la prison du Temple pour libérer un prisonnier qui le méritait, fut accueilli avec autant de mépris. Tout comme les plans B, C et D, qui impliquaient de revêtir des habits à la mode d'il y a dix ans, de s'enfariner de la tête aux pieds et de voleter autour du lit de Bonaparte en faisant mine d'être les fantômes d'aristocrates assassinés.

— Comme Richard III qui était hanté par ses victimes, expliqua joyeusement Amy.

Mademoiselle Gwen, qui vit là un potentiel de matière pour son horrible roman, fut intriguée, mais jugea finalement qu'escalader les fenêtres des Tuileries vêtues de paniers d'un mètre de large et couvertes de farine serait à la fois difficile et salissant.

Le visage inquiet de Jane se détendit.

— Il n'est pas nécessaire de faire quelque chose de très spectaculaire, remarqua-t-elle rapidement avant qu'Amy puisse exposer les grandes lignes du plan E. Après tout, il ne s'agit que d'une carte de visite. Quelque chose qui est destiné à faire savoir au ministère de la Police qu'il a un nouvel adversaire.

— Un *meilleur* adversaire, corrigea mademoiselle Gwen en reniflant.

— Puisque notre vraie mission est de récupérer l'or suisse, poursuivit Jane, ne devrions-nous pas garder celle-ci simple ?

— Oh ! J'ai une idée ! s'exclama Amy, dont les yeux bleus brillaient d'espièglerie, en s'asseyant aussi droite qu'un piquet sur le canapé. Pourquoi ne pas nous introduire dans sa chambre pour laisser une note et un œillet rose sur son oreiller ?

Les minces lèvres de mademoiselle Gwen, qui avaient machinalement commencé à se mettre en position rictus, se détendirent plutôt pour prendre un air calculateur.

— Ça me plaît, l'appuya Jane d'un ton tellement surpris que c'en était insultant.

— Nous pourrions l'écrire en vers, gloussa Amy. Que pensez-vous de « Cherchez-moi où et quand vous le désirez/ Vaincre l'Œillet rose, jamais vous ne pourrez » ?

— Ça ne respecte pas la métrique, répondit mademoiselle Gwen d'un ton dissuasif.

— Certes, mais c'est la première chose qui m'est passée par la tête.

Les yeux plissés de mademoiselle Gwen laissaient sous-entendre qu'elle n'avait pas une très haute opinion des premières choses qui passaient par la tête d'Amy.

— Peut-être devrions-nous nous en tenir à la prose, proposa Jane avec tact. Quelque chose de...

— *Simple*, je sais, termina Amy en gratifiant Jane d'un regard affectueux. Dans ce cas, pourquoi ne pas lui laisser une note disant qu'il peut remercier l'Œillet rose pour la disparition de l'or suisse ? Nous pourrions la laisser juste avant de nous emparer de l'or.

L'idée fut approuvée à l'unanimité par le comité de l'Œillet rose. Tout cela semblait être une excellente idée sur le moment ; même mademoiselle Gwen avait daigné y accorder un de ses rares hochements de tête approbateurs. Jane, l'Œillet dont l'écriture était la plus soignée, rédigea la note pour Delaroche. Mademoiselle Gwen leur procura des costumes, une tâche accomplie en une descente rapide dans les quartiers des palefreniers. Le soin de découvrir le meilleur moment pour se faufiler dans la pension de Delaroche fut laissé à Amy, qui engagea la conversation avec le palefrenier de Delaroche pendant qu'on avançait le carrosse des Balcourt après une soirée aux Tuileries. S'il fut troublé par le fait qu'une demoiselle lui adressât la parole, il n'en laissa rien paraître. Il se révéla étonnamment utile pour connaître l'horaire de son maître, répétant plusieurs fois que

Delaroche était appelé à l'extérieur de Paris le trente au soir. Amy aurait dû être heureuse que ç'ait été si facile. Mais avant que deux jours fussent passés, elle se surprit à souhaiter qu'on lui eût confié quelque chose d'un peu plus, eh bien, actif. Quelque chose qui l'eût empêchée de penser à Lord Richard.

Cette tâche était d'autant plus difficile que Lady Uppington avait adopté Jane et Amy avec enthousiasme et qu'elle persistait à raconter à Amy, tout en lui jetant des regards en coin lourds de sens, de nombreuses histoires adorables sur l'enfance de Richard. Amy essayait de ne pas l'écouter trop avidement, mais comment pouvait-elle faire autrement ? Il lui suffisait d'imaginer un Richard miniature qui avançait d'un pas leste pour pointer son épée sur un buisson d'if et, à partir de là, il n'y avait qu'un pas à franchir pour voir un Richard adulte dévastateur affronter Marston et, à partir de là... À partir de là, Amy avait tendance à devenir écarlate au souvenir de choses qui n'avaient aucun droit de lui venir à l'esprit en présence de la mère et de la sœur de Richard.

Si elle était honnête envers elle-même, il n'y avait pas qu'en présence des membres de la famille de Richard que ses souvenirs la tourmentaient. Ils lui bondissaient en tête lorsqu'elle complotait avec mademoiselle Gwen, voltigeaient devant elle lorsqu'elle se brossait les cheveux devant le miroir et la narguaient franchement lorsqu'elle était étendue éveillée dans son lit. Il était absolument exaspérant d'entendre la voix de la Gentiane pourpre lui chuchoter quelque chose à l'oreille et de sentir sa main lui frôler la joue alors qu'elle était assise à table pour le petit déjeuner, à fixer les restes d'une brioche. Et le cœur d'Amy faisait un bond douloureux dans sa poitrine chaque fois qu'elle voyait une cape noire flotter au loin dans la rue.

Pourquoi ne pouvait-il pas la laisser tranquille ? Oh, mais là était le problème : Lord Richard et son alter ego, la Gentiane pourpre, la *laissaient* tranquille. Lorsque Jane et Amy avaient rendu visite à Lady Uppington et à Henrietta pour le thé, il était scrupuleusement resté dans son bureau. Il se tenait à l'autre bout du salon dans les réceptions de madame Bonaparte (Amy s'entourait de très grands officiers pour bloquer physiquement la tentation de jeter un œil dans sa direction afin de voir si peut-être il jetait un œil sur elle). Lorsqu'elle flânait dans les corridors des Tuileries en revenant de la leçon d'anglais hebdomadaire qu'elle donnait à Hortense, il disparaissait si vite derrière un coin qu'elle ne voyait rien d'autre que le reflet d'une tête blonde familière. Elle n'avait pas non plus reçu de visite nocturne de la silhouette vêtue d'une cape et d'un masque de la Gentiane pourpre.

Mais ça allait, non ? Elle avait seulement besoin de le voir une fois de plus, de le rencontrer pour se vanter de son triomphe avant qu'il rentre en Angleterre couvert de honte et qu'elle soit débarrassée de lui une fois pour toutes. Terminé, Lord Richard Selwick. Terminée, la Gentiane pourpre.

Amy lança un regard noir à une autre brioche mutilée.

Le jour où l'or suisse devait arriver, Amy fit les cent pas devant la fenêtre de sa chambre en regardant les rayons du soleil couchant, qui descendait dans le ciel avec une lenteur excessivement pénible. Pourquoi le soleil n'était-il pas déjà *couché* ? Amy commença à s'habiller une bonne heure avant qu'il soit temps de partir et étira le processus aussi longtemps que possible.

Se bander les seins se révéla beaucoup plus difficile qu'Amy l'avait imaginé. Comment faisaient toutes ces héroïnes de Shakespeare qui se déguisaient en garçon ? Amy jeta un regard noir à la longue bande de lin blanc qui s'était — encore — défaite. Trois autres essais et plusieurs cris de douleur plus tard, le bandage se retrouva dans l'âtre. Après tout, la chemise était lâche et très ample, alors si elle se voûtait un peu, peut-être que personne ne remarquerait.

Fronçant le nez de dégoût, elle enfila le pantalon crasseux — dont la couleur indéterminée aurait pu être, à l'origine, de n'importe quelle teinte entre le noir et le marron — et passa la grossière chemise de lin beige par-dessus sa tête. Elle avait malheureusement l'odeur d'un garçon d'écurie.

Une fois qu'elle fut tout habillée et eut chaussé une paire de bottes marron boueuses, Amy se retrouva une fois de plus à ne rien faire — mais avec une odeur nauséabonde. La prochaine fois, décida-t-elle d'un air grave, elles trouveraient des costumes plus chics. Quelque chose de moins malodorant. Peut-être auraient-elles dû faire semblant d'être des belles-de-nuit qui allaient rejoindre un client.

Jane frappa à la porte tandis qu'Amy lançait un regard noir à un exaspérant rayon orangé dans le ciel qui s'assombrissait.

— Prête ? demanda-t-elle.

— Depuis une heure.

Les lèvres de Jane se tordirent tandis qu'elle observait attentivement les vêtements d'homme crasseux ainsi que les traces de suie qui ornaient le visage d'Amy.

— C'est bien ce que je croyais. Je viens de parler à mademoiselle Gwen, et elle a dit qu'elle nous rejoindra ici à vingt-trois heures pour que nous partions ensemble pour l'entrepôt.

— Elle ne viendra pas porter la note avec nous ? demanda Amy en peignant tous ses cheveux en arrière d'une main et en cherchant à tâtons un ruban sur sa coiffeuse de l'autre.

— Non, répondit Jane en attrapant le ruban dans les mains d'Amy et en commençant à enrouler la masse de boucles brunes de façon très serrée de manière à ce qu'elle tienne sous un bonnet. Elle garde ses énergies pour la véritable mission. Quand je suis entrée, elle transperçait des oreillers avec son ombrelle.

— Tu parles d'un chaperon, marmonna Amy.

— Heureusement pour nous, riposta Jane avec ironie en nouant le ruban. Je vais m'habiller... Es-tu certaine que tout va bien?

— Simplement nerveuse.

Amy prouva ses dires en se remettant à faire les cent pas, répandant de la boue séchée partout sur le tapis.

— Mais je serai *parfaitement* heureuse demain, une fois que Lord Richard grincera des dents de frustration parce que nous l'aurons vaincu.

— N'est-ce pas Bonaparte que nous sommes censées vaincre? s'enquit Jane avec délicatesse.

— Une pierre, deux coups, déclara Amy en levant le nez.

Jane secoua la tête et se dirigea vers la porte.

— Je serai prête à partir dans cinq minutes, dit-elle à sa cousine pour la rassurer.

Amy jeta un œil sur l'horloge. Presque dix-neuf heures trente. D'ici vingt heures...

À dix-neuf heures trente, dans une petite maison à l'autre bout de la ville, Geoff passa la tête par la porte entrouverte du bureau de Richard.

— Veux-tu du thé?

— Tu peux entrer, tu sais, répondit sévèrement Richard en éloignant sa chaise de son secrétaire. Je ne te mordrai pas.

— Tu le promets ?

Geoff ouvrit grand la porte. D'un coup de pied, Richard envoya une chaise vers lui. Puisque le plancher du bureau était recouvert d'un tapis persan, la chaise n'alla pas très loin, mais Geoff saisit l'idée et la chaise.

— J'ai cru que tu allais transpercer Miles avec ton couteau à beurre au dîner ce soir, poursuivit Geoff.

— Ouais... Miles.

Richard haussa les épaules comme si cela expliquait tout.

— Brandy ?

— Merci, répondit Geoff en acceptant un verre. Pourquoi ne lui parles-tu pas, tout simplement ?

Richard se raidit, la carafe de brandy suspendue dans les airs au-dessus du verre de Geoff.

— À qui ?

Geoff le regarda de travers.

— À la reine de Saba, qui d'autre ?

Richard se concentra sur la tâche de verser le liquide ambré.

— À Amy, bien entendu.

— Oh.

Richard reboucha la carafe de brandy et se rassit.

— Fléchettes ? demanda-t-il, plein d'espoir.

Cependant, Geoff n'avait pas l'intention de se laisser décourager.

— Tu vas faire quelque chose à son sujet après la mission de ce soir, n'est-ce pas ? Je me moque plutôt de ce que c'est, mais tu es de plus en plus difficile à supporter.

— Merci.

— Je t'en prie. Alors ?

— Je n'y ai pas vraiment réfléchi, grommela Richard sans croiser le regard de Geoff.

Là était le problème avec les amis qui vous connaissaient depuis la tendre enfance. Ils détectaient beaucoup trop facilement les mensonges — et n'éprouvaient aucune gêne à les faire remarquer. Bon, d'accord, Richard y avait réfléchi. Constamment. Il avait répété environ vingt versions d'un discours qui ressemblait à «Seule la nécessité de sauver l'Angleterre m'a empêché de vous révéler mon identité…». Non, il avait rejeté celui-là parce que trop pompeux. «Au fait, j'ai pensé que vous aimeriez peut-être savoir que je suis la Gentiane pourpre. Voulez-vous m'épouser?» paraissait un peu trop cavalier. Les autres étaient encore pires.

— J'avais pensé faire un peu de reconnaissance avant la mission de cette nuit, annonça Richard haut et fort.

Certes, Geoff n'était qu'à un peu plus d'un demi-mètre de lui, mais hausser le ton l'aida à couvrir le silence sceptique qui émanait de son ami.

Richard se leva péniblement de sa chaise. Il n'avait pas réellement envisagé de partir en reconnaissance, mais maintenant qu'il en avait annoncé l'intention, l'idée lui parut plutôt bonne. Cela l'occuperait, l'empêcherait de penser à Amy et le mettrait dans un bon état d'esprit pour la soirée.

— Il se pourrait que je passe par la pension de Delaroche pour voir s'il y a quelque chose sur l'or dans ses dossiers secrets là-bas.

— Ceux qu'il garde sous son oreiller? s'enquit Geoff, distrait. Comment un agent si accompli peut-il choisir les cachettes les plus ridicules…?

— Troublant, n'est-ce pas? approuva vivement Richard pour profiter du changement de sujet tout en se précipitant vers la porte avant que Geoff se souvienne de son objectif initial. Le tiroir du secrétaire dans son bureau et sous son oreiller. Il n'y a même plus de défi. Bon, je vais me changer. Je te rejoindrai ici vers vingt-deux heures.

— Y a-t-il autre chose que je peux faire ? demanda Geoff.

— Si jamais ma mère a l'idée de venir avec nous cette nuit, dissuade-l'en, tout simplement. À part ça, je ne vois pas ce qui pourrait mal tourner, répondit Richard avec assurance avant de sortir pour entreprendre la tâche apaisante et familière de dévaliser les quartiers de Delaroche.

Il jeta un œil à l'horloge : à peine plus de dix-neuf heures trente. Il pouvait facilement être là-bas en moins d'une demi-heure et de retour pour vingt-deux heures.

À vingt heures, la chambre déserte de Delaroche devint un endroit étonnamment animé.

Perché avec un pied sur linteau de la fenêtre de la chambre de Delaroche, Richard se figea lorsqu'il entendit le son d'une porte qui s'ouvrait en douceur. Tentant d'ignorer l'inconfort dans les muscles de sa jambe (après tout, ce n'était pas la position la plus confortable qui soit), Richard observa le panneau de bois décrire lentement un demi-cercle, puis un corps vêtu de noir se glisser dans la petite pièce.

Delaroche ? Non. La silhouette, bien que difficile à apercevoir dans la pièce sombre, était manifestement trop petite pour qu'il s'agisse de Delaroche, aussi chétif fût-il. D'ailleurs, pourquoi Delaroche s'introduirait-il furtivement dans sa propre chambre ? Le Français était étrange, et probablement un peu fou, mais Richard n'arrivait tout de même pas à l'imaginer en train de rôder par plaisir dans l'obscurité de sa propre chambre. Il préférait s'amuser à rôder dans l'obscurité des chambres d'autres personnes ; Richard devait avouer qu'il partageait plutôt son goût pour ce passe-temps.

La petite silhouette avança sans bruit vers le lit en balançant les hanches. En faisant quoi avec les hanches ? Quelque chose dans la façon que le rôdeur avait de se déplacer titillait la mémoire de Richard. Sans se soucier de la prudence, Richard se pencha brusquement en avant. Concentré sur la tâche de marcher sur la pointe des pieds, l'intrus ne s'en rendit pas compte. Un intrus très *féminin*. Un... Bon Dieu ! C'était Amy. Pas étonnant que son dos lui semblât familier. Il avait certainement passé assez de temps à l'observer au cours des dernières semaines.

L'intrus était *Amy*.

Que diable faisait Amy dans la chambre à coucher de Delaroche ?

Amy fit un écart en entendant qu'on soulevait la guillotine de la fenêtre derrière elle — et trébucha sur une pantoufle en cuir que Delaroche avait négligemment laissé traîner par terre à côté de son lit. Elle tomba sur le sol poussiéreux avec un *ouf* qui couvrit le bruit du premier pas et se releva juste à temps pour voir un deuxième pied botté rejoindre le premier. Son regard remonta des bottes noires usées... jusqu'à l'ourlet d'une cape noire dont les sombres plis flottaient contre le haut des bottes. Ah non !

Les mains d'Amy devinrent glaciales.

En fait, son corps en entier devait s'être changé en glace, parce qu'elle resta figée dans sa posture semi-accroupie, une main toujours sur les lattes poussiéreuses du plancher. Ses yeux horrifiés s'aventurèrent vers le haut, sur un pantalon noir ajusté, ainsi que des gants noirs qui reposaient lâchement sur le rebord de la fenêtre...

C'était *injuste*. Que faisait-il là, maintenant, quand elle était si près d'obtenir sa vengeance bien méritée ? Pourquoi n'avait-il pas pu apparaître à l'heure du thé la veille ou au salon de madame Bonaparte l'avant-veille? Pourquoi venait-il la tourmenter *maintenant*? Amy se mit à trembler de tous ses membres lorsqu'elle contempla les fins traits de sa gorge et la forme familière de son visage sous le cercle obscur de sa capuche. Elle ne se jetterait *pas* dans ses bras. C'était une très mauvaise habitude et, d'ailleurs, il ne la voulait manifestement pas là de toute façon. Tout cela était terminé, terminé, terminé. Mais pourquoi avait-il encore le pouvoir de la réduire en une masse de gelée émotive? C'était pire qu'injuste; ça n'allait pas.

— Que faites-vous ici? demanda-t-elle en essuyant ses mains poussiéreuses sur ses cuisses.

Puisqu'il était dos à la fenêtre et qu'il bloquait le peu de clair de lune qu'il y avait, c'était à peine si elle pouvait voir son visage, sans parler de ses expressions.

— Je pourrais vous poser la même question, rétorqua la Gentiane en s'écartant de la fenêtre en un tourbillon d'étoffe noire.

Machinalement, Amy recula d'un pas vers le lit, comme si le fait de mettre quelques centimètres de plus entre eux atténuerait l'effet de sa présence. Ce ne fut pas le cas. Sa proximité se faisait toujours sentir sur chaque centimètre de sa peau; elle lui donna la chair de poule sous le lin grossier de sa chemise et envoya des picotements à la racine de ses cheveux. Amy avait des fourmis dans les doigts. Espérant que cela ferait cesser les fourmillements, elle serra les poings. Les fourmillements s'étendirent dans ses paumes.

La Gentiane secoua la tête sous sa capuche.

— Vous n'abandonnez pas facilement, n'est-ce pas? demanda-t-il avec un certain amusement dans la voix.

Amy sentit sa poitrine se serrer devant l'injustice. Ainsi, la répudier ne lui avait pas suffi? Il fallait qu'il se moque d'elle, en plus.

— Pas les choses importantes, cracha-t-elle.

— J'imagine que vous n'êtes pas sortie pour une simple promenade nocturne.

Amy sentit la carte rigide avec la note de l'Œillet rose à l'intention de Delaroche dans sa poche. Peu importe ce qui arriverait, il était impératif, absolument impératif qu'il ne découvre pas l'existence de l'Œillet rose. Amy, dont l'esprit était rapidement réduit en purée à mesure que Richard continuait à s'approcher d'un pas nonchalant, s'accrocha à cette pensée. L'arrière des genoux d'Amy se heurta au matelas de Delaroche. Merci, mon Dieu, la poche était profonde!

— Si vous cherchez les dossiers secrets de Delaroche — la Gentiane pourpre se pencha vers Amy —, je vais vous donner un petit indice. Il les garde sous son oreiller.

— D'accord, bégaya Amy en se penchant si loin en arrière que sa tête était presque au niveau des épaules de la Gentiane. Merci.

— Ne voulez-vous pas y jeter un coup d'œil?

Boum! Il ne fallut que quelques instants; la Gentiane pourpre tendit le bras vers l'oreiller par-dessus Amy. Amy tenta de se pencher encore plus en arrière, perdit l'équilibre et tomba à la renverse sur le lit. C'était désastreux. Non seulement elle était étendue sur le dos, les membres inférieurs pendant du lit et les jambes vêtues de pantalon écartées, mais en plus la main de la Gentiane pourpre était prise sous sa tête.

Amy leva subitement ses yeux écarquillés sur le visage de Richard. Il souriait toujours, mais pas d'un air moqueur; c'était un sourire… carnassier. À travers les fentes du masque de Richard, Amy put voir ses yeux verts se fixer sur ses lèvres. La respiration d'Amy s'accéléra, et ses lèvres s'entrouvrirent d'effroi — il fallait que ce soit d'effroi — tandis que le rebord de la cape de Richard lui frôlait les bras et que l'odeur familière de son parfum l'emplit de souvenirs ardents. Il retourna la main pour lui prendre la tête, enfouit les doigts dans ses cheveux et lui massa le crâne.

— Je rêve, se plaignit Amy.

— D'accord, murmura tendrement la Gentiane pourpre, dont le visage était si près du sien qu'Amy pouvait sentir le souffle doux de sa respiration contre ses lèvres.

Il avait une odeur de brandy, de clous de girofle et de quelque chose d'autre qui lui était indescriptiblement personnel.

— C'est un rêve.

Chapitre 35

❀

Mais ce n'était *pas* un rêve, et Amy ne voulait pas que cela s'arrête. Les lèvres de la Gentiane rejoignirent les siennes, et la réalité disparut dans un brouillard de goûts, de caresses et d'odeurs. La langue de la Gentiane s'enfonça profondément dans sa bouche, et sans réfléchir, Amy leva les bras pour s'agripper fermement à son cou. Ils s'embrassèrent avec toute la fureur accumulée au cours de leur longue séparation; les lèvres inclinées, les langues emmêlées, les corps pressés l'un contre l'autre. La main de Richard glissa sous le dos d'Amy, la serra contre lui, tandis que sa cuisse était pressée entre ses jambes.

Amy hoqueta, se cambra contre lui et l'embrassa goulûment en retour. Pourquoi ne pourrait-elle pas en profiter, juste une dernière fois? se dit-elle vaguement. Simplement pour emmagasiner un dernier souvenir afin de le savourer durant toutes les longues soirées libres à venir… Le fait de savoir que c'était la dernière fois, la toute dernière fois qu'elle sentait ses lèvres, ses caresses et son corps musclé contre le sien — que ç'avait l'air d'un rêve, mais que ça n'en était *pas* un —, amplifia toutes les sensations. Le contact vif de ses cheveux sur le bout de ses doigts sensibles, les petits coups de langue le long de la courbe de ses lèvres, la chaude pression de sa main sur sa colonne. Seulement cette fois..., se promit-elle. Puisqu'elle n'en aurait plus jamais l'occasion... Amy tira avidement sur la chemise de la Gentiane pour la sortir de son pantalon et glisser les mains contre la peau douce de son dos. Elle suivit le contour de ses muscles pour en mémoriser la forme et la texture.

Les lèvres de la Gentiane quittèrent celles d'Amy pour suivre sa joue jusqu'à la courbe de son menton. Amy laissa échapper une faible protestation, puis pressa plus fermement contre son dos pour tenter de forcer sa bouche à revenir sur la sienne, mais Richard ne fit que sourire d'un air diabolique avant de suivre avec sa langue la courbe de son cou et de...

Richard fronça les narines. Il sentit le cou d'Amy. Il fronça les sourcils. Il sentit à nouveau.

— Qu'est-ce que c'est que cette odeur? demanda-t-il, hébété.

Le nez d'Amy s'était depuis longtemps habitué au parfum de palefrenier malpropre qui imprégnait ses vêtements empruntés. En outre, elle n'avait pas envie de parler. S'ils parlaient, elle pourrait être obligée de réfléchir.

— Retenez votre souffle, lui conseilla-t-elle d'une voix rauque en attirant brusquement sa tête vers la sienne.

La Gentiane pourpre ne montra aucun signe de désaccord. Il s'empressa de revendiquer à nouveau sa bouche avec la sienne. Il glissa les mains sous la taille ample du pantalon d'Amy pour la presser contre le renflement de son excitation.

Instinctivement, Amy lui entoura la taille de ses jambes et, d'une voix qui était à moitié une plainte et à moitié une prière, elle murmura :

— Richard...

Soudain, la Gentiane pourpre l'attrapa par les épaules d'une poigne de fer et la tira brusquement en position assise.

— Qu'as-tu dit ? cracha-t-il.

— J'ai dit... oh.

Amy déglutit. Elle avait la tête qui tournait d'avoir été relevée brusquement, mais même malgré son vertige, les yeux verts de Richard plongés dans les siens étaient aussi implacables que les yeux de jade d'une statue antique.

— J'imagine que tu ne me croirais pas si je te disais que je viens tout juste de le deviner ?

Richard la secoua brièvement.

— Depuis quand le sais-tu ?

Amy pensa tergiverser, mais quelque chose dans la façon dont les doigts de Richard étaient enfoncés dans ses épaules et dont son regard était rivé au sien l'avertit que ce serait une très mauvaise idée.

— Depuis le lendemain de la Seine.

— Ce soir-là, dans le jardin, tu le savais ?

Amy put à peine hocher la tête.

— Maudite sois-tu, Amy !

Il la lâcha si subitement qu'elle faillit retomber sur le matelas et dut attraper le bout de la table de chevet pour se retenir.

— Pendant tout ce temps où j'étais rongé par la jalousie, envers ma propre fichue personne, rien de moins !, tu le savais ?

— Je voulais...

Amy avait la gorge tellement sèche qu'il lui fallut faire un effort pour parler. Elle lécha ses lèvres enflées.

— Je voulais que tu voies l'effet que ça fait. Qu'on se joue de toi ainsi. Je suis navrée.

Elle n'entendit ses propres paroles qu'à moitié. La jalousie? Il était jaloux?

— Tu es navrée. *Maintenant*, tu es navrée.

Avec tout le sarcasme qui suintait de ses paroles, Amy s'étonna de ne pas s'être dissoute dans le néant sur-le-champ.

Elle se surprit au bord des excuses et se leva du lit d'un bond.

— Je ne vois pas pourquoi je devrais l'être. Si tu te souviens bien, c'est *toi* qui *m'as* répudiée.

— Uniquement parce que je le devais.

Richard, qui n'aimait pas la tournure de la conversation, fronça les sourcils derrière son masque.

Amy avança d'un pas, les mains sur les hanches. Si Amy n'avait pas arboré une expression aussi menaçante, Richard aurait aimé la vue — il s'agissait, après tout, d'une très jolie paire de hanches.

— Puis tu m'as séduite le lendemain!

— Sur le coup, ça semblait logique.

— Pour ce que j'en savais, tu ne faisais que jouer avec moi par... par caprice malveillant!

— Tu n'as jamais été un caprice.

— C'est pourtant ce dont ç'avait l'air. Pour ce que j'en savais, tu aurais pu être le genre de goujat qui s'amuse à rendre les femmes folles de lui par pur plaisir. Tu m'as dit que j'étais une *idylle*.

— J'avais de bonnes raisons.

— D'accord. Quelles étaient-elles? À moins que tu aies besoin de temps pour en inventer?

Richard ravala l'envie machinale de rétorquer que cela ne la concernait pas. Parce que cela la concernait et que c'était le cas depuis qu'il l'avait embrassée dans le bureau de son frère. En baissant les yeux sur le visage empourpré d'Amy, Richard se sentit étrangement penaud. C'était un sentiment désagréable, un sentiment tout à fait indigne d'un agent secret intrépide, et il fit de son mieux pour le réprimer. Il *avait* eu de bonnes raisons, se rappela-t-il. Deirdre. La mission. Sauver l'Angleterre, *et cætera*. Sauver l'Angleterre comptait certainement comme une bonne raison. Si seulement il pouvait en convaincre Amy... Eh bien, peut-être n'aurait-il plus autant l'impression d'être un parfait crétin.

— Il y a eu quelqu'un. Quelqu'un de qui je croyais être amoureux. Il y a longtemps.

Amy ravala l'envie de lui demander avec sarcasme si cette personne anonyme avait été plus qu'une simple idylle. Elle se demanda s'il l'avait embrassée au clair de lune sur la Seine. S'il l'avait invitée à voir ses antiquités. Si cette dernière était plus jolie et plus amusante qu'elle. Si elle était blonde.

— Qui était-ce?

Richard haussa les épaules.

— La fille de voisins bourgeois.

Il fit une pause pour essayer de réfléchir à ce qu'il allait dire. Bien que tous les détails de la trahison de Deirdre et de la mort de Tony fussent gravés avec précision dans sa mémoire, jamais auparavant il n'avait vraiment eu à les exprimer avec des mots. Ceux qui savaient, savaient. Geoff, Miles, Sir Percy, ses parents... Aucun d'entre eux n'avait exigé d'explications. Ils savaient, tout simplement. Et ils n'en avaient jamais parlé.

— Je croyais être amoureux d'elle, répéta-t-il, comme si le fait d'insister sur le côté naïf du prétendant éperdu qu'il avait été lui permettait d'éviter l'autre côté, le côté obscur. C'était il y a presque six ans.

— Es-tu toujours amoureux d'elle ? demanda Amy d'une voix rauque.

Richard baissa subitement la tête vers Amy.

— Amoureux d'elle ? Palsambleu, non ! Ce n'était que...

— Une idylle ?

Richard ne saisit pas le sarcasme.

— Une idylle, acquiesça-t-il. Elle était jeune, jolie et à proximité. J'étais impressionnable.

Amy renifla avec mépris.

— J'avais un rival. Un veuf d'âge mûr. J'accomplissais des missions pour Percy depuis à peine plus d'un an. J'ai cru que si je le lui disais... Bon sang, je mourais d'envie de le lui dire. De le dire à quelqu'un. J'étais jeune, stupide et j'avais envie de me vanter. Même s'il n'y avait pas eu le baron Gérard, tôt ou tard, j'aurais parlé de la Ligue à Deirdre.

Deirdre. Le nom rendait en quelque sorte la femme plus réelle aux yeux d'Amy. Deirdre. C'était un nom affreux, décida méchamment Amy, bien qu'il lui eût toujours plutôt plu jusqu'ici et qu'elle l'eût donné à la poupée qui était la troisième sur la liste de ses favorites quand elle avait dix ans.

— Sa femme de chambre était une agente secrète française.

Amy, étonnée, leva subitement les yeux vers son visage.

Avec l'air sombre d'un homme qui se fait passer à tabac, Richard se lança :

— J'ai fait l'erreur de parler à Deirdre, de façon assez détaillée, d'une mission que nous avions prévue pour le mois suivant. Sa femme de chambre a alerté le ministère de la Police. Ils sont arrivés au point de rendez-vous avant nous.

— As-tu été blessé ?

— Moi ? demanda Richard en riant amèrement. Pas même une égratignure. Ils sont arrivés à la cabane juste avant que T..., qu'un de nos meilleurs hommes arrive avec un comte français qu'il venait de faire évader de la Bastille. Le temps que Geoff et moi arrivions, le comte avait été capturé à nouveau. Tony était mort. J'étais sain et sauf. Il n'a pas été difficile de faire le lien avec Deirdre.

— Je suis vraiment navrée.

— Je l'étais aussi, dit Richard en secouant la tête. Mais cela n'a fait aucune différence pour Tony.

Le souvenir du chagrin creusa de profondes rides de chaque côté des lèvres de Richard et anéantit la colère d'Amy. Tout paraissait tellement simple quelques instants plus tôt. Il lui avait fait du mal. Il l'avait prise pour une idiote. Il avait tort, et aucune excuse, absolument aucune excuse (à l'exception d'une perte de mémoire ou d'un jumeau maléfique), ne suffirait à arranger les choses. Lorsqu'il avait mentionné Deirdre, Amy s'était, avec raison, hérissée d'indignation. C'eût été si facile de se moquer d'un amour trahi, de lui servir de la dérision véhémente en guise de flèches empoisonnées.

Même en connaissant la fin de l'histoire, une partie d'Amy avait toujours envie de se jeter sur lui telle une harpie en hurlant : «C'est *tout*? Tu as joué avec *mon* cœur parce qu'une autre femme — une femme qui n'était pas moi — a trahi ta confiance il y a des années? Tu as rendu ma vie misérable pour *ça*?»

Mais elle ne le pouvait pas.

Pas alors que les remords de Richard flottaient entre eux comme s'ils avaient été vivants. Ou devrait-elle dire comme s'ils avaient été morts? Tony.

— Mais je ne suis pas Deirdre, lâcha-t-elle.

— Je ne pouvais pas te le dire, Amy, répondit doucement Richard. Trop de vies étaient en jeu.

Amy le fixa en silence. «Tu n'avais pas besoin de badiner avec moi, pensa-t-elle. Tu aurais pu simplement me laisser tranquille. Ou tu aurais pu me faire confiance. Je n'aurais rien dit.» Elle se remémora désespérément toutes les récriminations qui l'avaient hantée depuis l'après-midi où elle s'était rendu compte de sa double identité. Mais elles disparurent toutes devant ces mots horriblement lourds : *trop de vies en jeu.*

Amy secoua la tête et recula d'un pas.

— Je ne peux pas…, commença-t-elle avant d'être étranglée par sa propre confusion.

Comment pouvait-elle dire qu'elle ne pouvait pas accepter cela, alors qu'elle savait qu'il avait raison, qu'il avait fait ce qui était honorable? Son propre chagrin ne faisait pas le poids dans la balance contre une vie humaine. Elle le savait. Un vers de l'un de ses poèmes favoris lui vint en tête : «Je ne pourrais, chère, t'aimer autant si je n'aimais bien plus l'honneur[4].» Cela lui avait toujours semblé un sentiment si noble. Ce sentiment se tenait pourtant là, incarné devant elle, mais Amy avait envie de hurler et de pester. Comment était-il possible que tout soit devenu sens dessus dessous? Il y avait cinq minutes, il était un voyou et un imposteur, alors qu'elle était une jeune fille à qui l'on avait fait du tort. Maintenant, Amy avait la désagréable impression d'avoir tort au lieu qu'on lui ait fait du tort, et cela lui donnait mal à la tête.

«Mais il m'a blessée», répliquait son cœur.

Pourquoi ne pouvait-il pas être l'ignoble goujat dont il avait l'air, qu'elle puisse simplement le détester? Au lieu de ressentir toutes ces émotions horribles, complexes et confuses.

— Je rentre à la maison, dit-elle d'une voix sourde.

---

4. N.d.T.: Vers du poème *À Lucasta, sur le chemin de la guerre du poète* anglais Richard Lovelace.

Richard avança machinalement.

— Je t'accompagne.

— Non.

Amy secoua la tête en balançant dangereusement les jambes par-dessus le rebord de la fenêtre. Elle avait envie de marcher, de marcher et de continuer à marcher comme si le fait d'aller assez vite pouvait lui permettre de semer les pensées confuses qui la poursuivaient et l'importunaient.

— Non, répéta-t-elle, tout ira bi... Aaaaah !

Les paroles d'Amy se transformèrent en un cri agité lorsqu'une paire de mains l'attrapa par la taille et la tira en bas de la fenêtre.

— Lâchez-moi !

Amy donna un coup de coude dans le bras de son assaillant, ce qui lui valut un *ouf* étouffé. En retour, le bras autour de sa taille resserra son étreinte. Amy haletait et tentait en vain de donner des coups de pied par-derrière tandis qu'elle était inéluctablement emmenée dans la ruelle derrière la pension de Delaroche.

Richard se jeta par la fenêtre derrière elle dans un bruissement de cape noire — et se figea lorsqu'une phalange de soldats sortit de l'ombre. Les insignes sur leurs uniformes n'étaient peut-être pas très visibles dans l'obscurité, mais le faible clair de lune suffisait amplement à voir que leurs mousquets étaient sortis et chargés.

Un homme courtaud aux jambes arquées avança fièrement au centre du demi-cercle formé par les pointes des mousquets.

— La Gentiane pourpre, je présume ? demanda Delaroche avec mépris.

Chapitre 36

❀

— Lâchez-la, ordonna sèchement Richard.

Il sut qu'il venait de faire une erreur tactique lorsque le sourire de Delaroche s'agrandit.

— Quel touchant *tête-à-tête**, dit le petit homme d'une voix douce. Et tellement... opportun.

Quinze hommes. Richard évalua rapidement la situation. Quinze fantassins costauds entassés dans la ruelle derrière la pension de Delaroche. Parmi les quinze, trois hommes étaient entièrement occupés à maîtriser Amy. Un shako roula dans la poussière lorsqu'Amy fonça sur l'un de ses assaillants et le fit vaciller. Un autre dansait sur place pour tenter d'éviter les coups de pied d'Amy pendant qu'il lui liait les poignets avec une corde. Un troisième la tenait toujours par la taille, mais depuis qu'Amy lui avait donné un coup de tête bien placé, du sang coulait de son nez sur ses baudriers blancs croisés.

Ce qui ne laissait que douze fantassins qui pointaient leurs mousquets sur Richard.

— Un seul geste, et mes hommes tireront sur la charmante mademoiselle Balcourt, l'avertit Delaroche.

Douze mousquets changèrent rapidement de cible.

— Vous vous attaquez à des femmes maintenant, Delaroche ? demanda Richard sans avoir besoin de feindre le dégoût dans sa voix. Vous aviez besoin de vous en prendre à quelqu'un de plus petit que vous, n'est-ce pas ?

— Les insultes ne changeront rien à la situation délicate dans laquelle vous vous trouvez, mon ami, répondit Delaroche avec un petit sourire satisfait. Vous êtes tombé dans mon piège, exactement comme je l'avais prévu.

— Un piège ? haleta Amy.

— Un piège, répéta Delaroche d'un air suffisant. Tout homme a une faiblesse, monsieur la Gentiane pourpre. Pour certains, c'est l'alcool. Pour d'autres, c'est le jeu. Pour...

— La dissertation sur la nature humaine est-elle vraiment nécessaire ? l'interrompit Richard en jetant un regard en coin à Amy.

La corde avait finalement été attachée autour de ses poignets.

— Pour vous, poursuivit Delaroche sans tenir compte des paroles de Richard, c'est une femme. Cette femme-ci.

— Elle n'a rien à voir avec ça, Delaroche.

— Ah non, monsieur la Gentiane pourpre ? Elle m'a pourtant guidé jusqu'à vous. Exactement comme je l'avais prévu.

— Non ! hurla Amy en se tortillant entre les mains de son assaillant. Jamais je ne...

Ses paroles furent brusquement étouffées lorsqu'une grosse main se plaqua sur sa bouche. Un cri masculin suivit à l'instant où le soldat retira vivement sa paume mordue de sa bouche.

L'horrible vérité s'abattit sur Amy. Le palefrenier de Delaroche, ce garçon boutonneux qui souriait bêtement et qui lui avait si ouvertement révélé les moments précis où son maître ne serait pas dans sa chambre. Amy se plia en deux, prise d'un soudain malaise qui n'avait rien à voir avec le gros bras enroulé autour de ses côtes.

Richard obligea son corps à se détendre, s'obligea à faire un signe de la main nonchalant en direction d'Amy.

— Toute une histoire pour une amourette.

— Une amourette ?

Richard évita volontairement les yeux d'Amy en espérant fichtrement qu'elle comprendrait ce qu'il essayait de faire.

— Une femme légère, expliqua-t-il en imitant de son mieux l'expression d'ennui sophistiqué de l'homme mondain. Un simple objet de badinage. Vous, les Français, n'êtes-vous pas experts en la matière ? Ou avez-vous perdu votre goût de l'aventure en même temps que votre monarchie ?

— Un simple objet de badinage, répéta Delaroche avec dédain pour se familiariser avec les mots anglais inconnus. C'est ce que vous prétendez. Nous avons des moyens de savoir si vous dites vrai. Pierre ?

Une grosse main frappa Amy au visage, projetant sa tête en arrière. Amy eut un hoquet de surprise et de douleur.

— Antoine ?

Du métal brilla contre la gorge d'Amy. Un couteau.

— Il a reçu l'ordre de l'utiliser, dit doucement Delaroche. Une amourette, dites-vous ?

Un cri étouffé s'échappa de la gorge d'Amy tandis que la lame laissait une fine marque rouge sur sa peau.

— Que voulez-vous ? demanda Richard, l'air grave.

— Ça devrait être évident, monsieur la Gentiane.

— Pas pour nous tous, cracha Richard.

— Vos aveux et votre reddition.

— Non! cria Amy. Ne fais pas ça! Vous faites erreur, monsieur Delaroche! Il n'en a rien à faire de moi. Vraiment! Ce n'est pas la peine de... Grrr! Ôtez votre sale main de ma bouche! Aïïïïïe...

— À une condition!

La voix de Richard retentit par-dessus les cris d'Amy. Le soldat qui la retenait se figea.

— Laissez la fille tranquille. Autrement, l'entente ne tient pas. Pas d'aveux. Pas de reddition. Je veux votre parole d'honneur, Delaroche, que vous laisserez la fille ici. *Indemne.*

Delaroche hocha la tête.

— Indemne.

Le couteau s'éloigna de la gorge d'Amy, et les bras qui tenaient ses mains liées derrière elle se relâchèrent.

Les yeux du petit Français brillèrent de triomphe.

— Votre masque, Gentiane.

Richard porta les mains aux cordons de son masque noir.

— Non! protesta Amy tandis que les doigts gantés de la Gentiane défaisaient le nœud. Tu n'as pas à faire ça!

Amy tira sur les bras qui la retenaient, tentant frénétiquement de rejoindre Richard avant qu'il ne révèle son identité à Delaroche une fois pour toutes. Elle ne pouvait pas le laisser faire ça! Elle ne pouvait pas le laisser tout perdre, perdre tout ce pour quoi il avait travaillé et s'était battu, et peut-être même perdre la vie dans le lot, tout ça par sa faute. Si c'était le cas... L'estomac d'Amy se souleva lorsque le nœud céda et que les cordons se relâchèrent. Si c'était le cas, elle serait pire que Deirdre.

Le masque tomba par terre.

Un murmure de détresse inarticulé, résonnant anormalement fort dans le silence qui s'était abattu sur la ruelle, s'échappa de la gorge d'Amy. Tous les yeux étaient rivés sur le visage pâle de Richard baigné par le clair de lune : l'arête droite de son nez, la lueur froide de ses yeux verts et le reflet doré de ses cheveux lorsqu'il abaissa la capuche de sa cape ; tous les traits qui l'identifiaient de façon accablante et irrévocable comme Lord Richard Selwick, ennemi de la République française.

— Tu peux encore t'enfuir ! cria désespérément Amy. Richard, tu n'as pas à faire ça !

L'un après l'autre, ses gants noirs rejoignirent son masque par terre. Ses longs doigts fins, maintenant nus, se dirigèrent vers les brandebourgs qui tenaient sa cape fermée. Enlevant le vêtement d'un geste théâtral, Richard fit une révérence ironique.

— Me voici, Delaroche. Démasqué, dévoilé et à votre service. Maintenant, relâchez la fille.

Delaroche claqua des doigts, et Amy, toujours ligotée, tomba dans la poussière. Utilisant ses mains menottées comme levier, elle rampa péniblement vers Richard. Elle tentait désespérément de penser à un plan. Si seulement elle pouvait créer une diversion... un feu, peut-être ? Toutefois, même si ses mains avaient été libres, elle n'avait rien pour faire du feu. Jane ! Pourquoi Jane ne faisait-elle rien ? Amy savait qu'elle se cachait dans l'ombre, là derrière, à patienter en attendant son heure comme seule Jane savait le faire, mais pourquoi, oh pourquoi donc ne pouvait-elle pas simplement agir ? Craquer une allumette, crier au meurtre, arriver en titubant en faisant semblant d'être un domestique ivre, n'importe quoi !

Sous le regard horrifié d'Amy, Delaroche enroula une corde autour des poignets tendus de Richard. Quinze soldats armés de mousquets serrèrent les rangs autour d'eux, bloquant la vue d'Amy avec leurs grands chapeaux.

— Vous ne vous en tirerez pas si facilement! lança-t-elle à la rangée de dos vêtus de bleu en se traînant péniblement sur le sol. L'Œillet rose viendra à sa rescousse et vous fera pendre!

Puisque tout le monde était concentré sur Richard, personne ne lui prêta la moindre attention, sauf un fantassin en bordure du groupe, qui se tourna et pointa Amy du doigt.

— Monsieur, que fait-on avec la fille?

Sans lever les yeux du trophée qu'il convoitait depuis longtemps, une Gentiane pourpre ligotée (sinon déjà humiliée), Delaroche haussa les épaules.

— Laissez-la aux chiens.

Tandis que les pieds bottés disparaissaient au loin, Amy entendit Delaroche :

— Nous avons beaucoup de choses à nous dire, vous et moi, monsieur Selwick. Et vous *parlerez*.

Richard ne regarda pas une fois en arrière.

Amy, des cris d'indignation figés sur les lèvres, commençait lentement à saisir l'énormité de la situation tandis qu'elle fixait le groupe de soldats qui s'éloignait. Elle espérait presque entendre le bruit d'une bagarre et voir une silhouette vêtue de noir sortir du groupe pour se précipiter dans l'obscurité. Mais il ne le fit pas.

— Amy! s'exclama Jane en se penchant nerveusement au-dessus d'elle. Penche-toi en avant, que je puisse te détacher.

— Ils ont Richard, chuchota Amy, incrédule.

— Je sais, répondit Jane en tirant sur le bout de corde brute. J'ai vu.

— Pourquoi n'as-tu rien fait ? s'enquit Amy en se tournant vers Jane lorsque celle-ci lui érafla les poignets en tirant sur la corde pour l'enlever.

— Amy, ils étaient *quinze*, répliqua Jane qui, par souci d'économie, enroula la corde autour de son bras et fit une boucle. J'ai pensé aller chercher de l'aide, mais il m'a paru plus prudent d'attendre pour voir ce qui allait arriver avant de partir au pas de course.

Prudent. Le mot laissa un goût amer dans la bouche d'Amy.

— Eh bien, maintenant, tu le sais, dit Amy en se relevant péniblement. Alors, suivons-les !

Amy grimaça lorsque la main de Jane, qui l'attrapa par le poignet, se referma sur la peau éraflée par la corde.

— Pas toutes seules, protesta Jane. Seules, nous ne lui serons d'aucune utilité. Ils vont simplement nous capturer et nous utiliser contre lui.

— Comme ils l'ont déjà fait, dit Amy, dont le visage se décomposa. Mais nous ne pouvons pas le laisser là ! Nous ne le pouvons pas ! Jane, le *ministère de la Police* l'a emmené ! Sais-tu ce qu'ils font aux gens ? Oh mon Dieu… Il n'y a pas une seconde à perdre !

— Arrête ! fit Jane en secouant brusquement Amy. Comment crois-tu pouvoir l'aider en courant derrière lui toute seule ?

Amy fixa Jane, les yeux écarquillés par l'horreur.

— Que voudrais-tu que je fasse ? Que je m'asseye et que j'attende qu'on l'exécute ? Jane, je ne peux pas faire ça ! J'aimerais mieux être capturée et torturée !

— Nous irons le sauver, dit Jane, dont le visage était blême et misérable au clair de lune, en prenant une profonde inspiration. Nous irons. Amy, tu voulais être l'Œillet rose ? C'est l'occasion. Tu dois *réfléchir* comme l'Œillet rose. Pas comme... comme l'héroïne idiote d'un roman horrible qui court droit vers la catastrophe ! Fais preuve d'un peu de *bon sens* ! Nous avons besoin de renforts et nous avons besoin d'un plan, termina Jane d'un air résolu.

Amy, qui savait que Jane avait raison, mais détestait cela, prit une inspiration saccadée.

— Sa famille. Nous pouvons aller chez Lord Richard. Il doit y avoir là-bas des membres de sa ligue qui pourront nous aider.

Amy ne gaspilla pas davantage son souffle ; elle partit au pas de course. Elles connaissaient toutes deux la réputation de cruauté du ministère de la Police. Abus, torture, on parlait même de magie noire. On racontait que des agents secrets anglais se faisaient capturer et qu'on ne les revoyait jamais. Ou, pire encore — pouvait-ce être pire ? —, qu'on les relâchait lorsqu'ils n'étaient plus que des vestiges d'eux-mêmes, que leurs âmes étaient aussi brisées que leurs corps et qu'ils bredouillaient comme des idiots de villages en se traînant sur des membres meurtris.

Elles coururent dans des rues sinueuses, passèrent à côté de fêtards ivres et traversèrent des mares de crasse. Jane glissa sur une flaque de boue, mais Amy la releva brusquement et la tira en avant.

Amy était poursuivie par d'horribles pensées. Oh, ciel ! Richard avait raison : son implication lui avait été fatale. S'il ne l'avait jamais rencontrée, il serait toujours libre au lieu d'être entre les mains d'un maniaque fanatique déterminé à

le torturer tant pour des raisons personnelles que profes-
sionnelles. Si elle n'avait pas été si naïve... Pourquoi ne
s'était-elle pas rendu compte que le palefrenier de Delaroche
lui fournissait des informations beaucoup trop ouvertement ? Même un enfant aurait pu s'apercevoir que c'était un
piège ! Mais non ! Elle, Amy, avec son orgueil démesuré, avait
simplement présumé que leur succès immédiat était dû à
son don inné pour l'espionnage plutôt qu'au fait qu'elle
n'était qu'un pion sans défense entre les mains du ministère
de la Police français. Et comme si ce n'était pas suffisant, elle
avait gardé Richard là, à argumenter. Qu'est-ce qui lui avait
pris de rester là à se chamailler avec lui dans la chambre de
l'adjoint au ministre de la Police ? Juste ciel ! Elle aurait été
à la solde de Delaroche qu'elle ne lui aurait pas fait plus de
tort !

Incarner l'Œillet rose lui avait paru une si bonne idée ;
faire un pied de nez à Richard en même temps qu'à la France
révolutionnaire. Pourquoi n'avait-elle jamais pensé aux
conséquences ? Elle *était* pire que Deirdre. Au moins la détestable Deirdre s'était-elle contentée de manquer de discerne-
ment. Amy, elle, connaissait les risques que Richard courait
en tant que Gentiane pourpre et avait délibérément cherché
à le déjouer. Elle aurait dû prévoir les dangers. Elle aurait dû
savoir.

Les poumons en feu et les muscles de ses jambes douloureux, Amy se livrait à son pénible jeu des *si*. Si elle ne s'était
pas laissé gouverner par son orgueil blessé... Si, si, si. Si seulement elle lui avait dit, dans le jardin, qu'elle savait qui il
était et qu'elle l'aimait quand même.

Si seulement elle pouvait le revoir, elle le supplierait de
lui pardonner. Elle ne se disputerait plus jamais avec lui

pour des détails. Elle se délecterait du simple luxe de le regarder en face. Il lui serait même égal qu'il soit amoureux d'elle ou non, tant qu'il était sain et sauf.

Amy se cramponna aux restes d'une image de Richard, dont les yeux verts brillaient de malice et les lèvres souples étaient étirées par l'amusement. Richard, avec ses tournures de phrases brillantes et ses instants de puérilité désarmante. Richard qui lui prenait la main et la taquinait à propos d'épines.

Elles étaient allées chez Lord Richard une seule fois auparavant, pour prendre le thé avec Lady Uppington, et même l'excellent sens de l'orientation de Jane ne suffit pas à leur éviter de s'égarer irrémédiablement dans les rues tortueuses de Paris. Un temps dangereusement long s'écoula avant que les deux filles gravissent l'escalier devant la porte d'entrée de la maison de Lord Richard. Amy frappa nerveusement à l'aide du gros heurtoir en métal, frappa encore et encore, jusqu'à ce que la porte s'ouvre à la volée. Amy s'effondra sur le seuil.

Le majordome aux cheveux gris renifla comme s'il avait senti quelque chose de dégoûtant (ce qui était probablement le cas puisque les vêtements d'Amy avaient préalablement appartenu à un garçon d'écurie) et repoussa d'un orteil ciré la silhouette d'Amy sur le sol.

— Les marchands par la porte de service, dit-il avec dédain.

La lourde porte en bois commença à se fermer.

— Qui est-ce, Stiles ?

La voix de Lady Uppington résonna à travers le hall, et par la fente de la porte entrouverte, Amy put tout juste l'apercevoir debout en haut de l'escalier, tel un ange gardien en peignoir et en bonnet de nuit à rubans.

— Amy Balcourt et Jane Wooliston, cria Amy en se relevant péniblement.

— Nous sommes navrées de vous rendre visite à cette heure tardive, ajouta poliment Jane.

— Poussez-vous, Stiles, et laissez-les entrer! ordonna Lady Uppington en descendant l'escalier à la hâte. Mais qu'est-ce que...?

Pour un bref instant, la marquise resta bouche bée tandis qu'elle observait les accoutrements excentriques d'Amy et de Jane.

— C'est Richard, dit Amy avec empressement en lui prenant la main. Ils l'ont capturé. Le ministère de la Police.

À la lueur de sa chandelle, le visage de la marquise blêmit.

— Eh bien, nous n'avons pas d'autre choix que d'aller le libérer dans ce cas, n'est-ce pas? dit-elle en posant brusquement la chandelle sur le pilastre de l'escalier.

— Mère? demanda Henrietta en se précipitant en bas de l'escalier dans une profusion de volants en lin blanc. Se passe-t-il quelque chose? Oh, bonsoir, Amy. Que fais-tu ici?

Entre-temps, Miles et Geoff s'étaient introduits dans le vestibule par une porte éloignée du hall, et on pouvait apercevoir la silhouette de Lord Uppington en haut de l'escalier. Lady Uppington serra la mâchoire d'une façon qui rappela péniblement Richard à Amy, puis regarda tour à tour les visages anxieux.

— Richard a été capturé par le ministère de la Police. Uppington...

Le marquis n'eut pas besoin d'attendre que sa femme termine sa phrase.

— Je vais immédiatement voir Whitworth à l'ambassade.

— Merci.

Le marquis et la marquise échangèrent un regard qui fit qu'Amy sentit sa gorge se nouer.

— Qu'est-il arrivé ? demanda Henrietta en se précipitant à travers le hall pour rejoindre Amy. La mission a-t-elle mal tourné ? Et que faisait Richard là-bas ?

— La mission ? Quelle mission ?

Une fois que le marquis eut accepté le chapeau et le manteau que Stiles lui présentait et fut parti en hâte, Lady Uppington redirigea son attention sur Amy. Et sur Henrietta. Ses yeux verts anxieux brillèrent d'un éclat d'inquiétude maternelle lorsqu'elle prit conscience de la tenue diaphane de sa fille.

— Henrietta Anne Selwick, va mettre un peignoir immédiatement !

Ses paroles eurent en quelque sorte l'effet contraire à celui désiré puisqu'elles attirèrent aussitôt l'attention de Miles et de Geoff. La mâchoire de Miles tomba, et ses lèvres formèrent ce qui aurait pu devenir un sifflement si la femme en question n'avait pas été la sœur de son meilleur ami. Puisque c'était le cas, il ne put s'empêcher de laisser échapper un « Palsambleu, Hen » incrédule. Geoff eut l'élégance de paraître embarrassé.

Henrietta les ignora tous les deux.

— Mais je pourrais rater quelque chose, protesta-t-elle.

— Manifestement, tu es déjà au courant de cette soi-disant mission, répondit Lady Uppington sur un ton qui ne présageait rien de bon.

— Mais...

— Allez !

Henrietta y alla.

Les yeux de Lady Uppington firent le tour du groupe inquiet dans le hall, et elle sembla se ressaisir légèrement.

— Il n'y a aucune raison pour que nous restions tous debout ainsi, déclara-t-elle. Allons nous asseoir au salon. Geoff, très cher, demandez à Stiles de nous apporter du thé ; nous aurons besoin de quelque chose pour nous donner de l'énergie en vue des activités de la soirée. Amy, voudriez-vous nous expliquer ce qui est arrivé ?

Ainsi conduits comme une armée de petite taille, mais bien disciplinée, ils suivirent tous Lady Uppington jusqu'au salon pendant qu'Amy leur racontait le plan pour intercepter l'or avant Richard. Elle n'expliqua pas les raisons qui le motivaient, mais les coins des yeux perspicaces de Lady Uppington se ridèrent d'une façon qui, en d'autres circonstances, aurait dénoté de l'amusement.

— C'était un excellent plan, commenta Lady Uppington. J'aurais fait de même, ajouta-t-elle ensuite avec nostalgie. Mais là n'est pas la question, dit-elle vivement en s'asseyant dans le large fauteuil en brocart à l'avant de la pièce. L'important, c'est de sortir Richard de là. Geoff ?

— Oui, Lady Uppington ?

— Où l'auront-ils emmené ?

— Delaroche a une salle d'interrogatoire extraspéciale qu'il utilise pour les prisonniers importants, répondit Geoff sans hésiter. Il mettra Richard en cellule pour quelques heures, histoire de le laisser mijoter, puis il le transférera dans la salle d'interrogatoire. À cet étage du ministère, aucune pièce n'a de fenêtre, alors impossible d'entrer par là.

— Pourrions-nous infiltrer les gardes ? demanda nerveusement Amy. Les assommer, prendre leurs uniformes, ce genre de choses ?

Geoff secoua la tête.

— Je ne le conseillerais pas. Ils sont trop nombreux.

Henrietta fit irruption par la porte après avoir enfilé à la hâte une robe foncée à col montant dont tous les boutons étaient dans les mauvais trous.

— Ai-je raté quelque chose ?

— Nous tentons de secourir ton frère, répondit Lady Uppington.

— Oh, pourquoi ne pas assommer les gardes… ?

— Tu es un peu en retard sur ce coup, l'interrompit Miles. Mademoiselle Balcourt a déjà proposé cela, ajouta-t-il après l'avoir regardée de la tête aux pieds et s'être détendu dans son fauteuil comme s'il était soulagé de retrouver la bonne vieille Henrietta entièrement vêtue.

— As-tu une meilleure idée ? demande Henrietta en s'asseyant à côté d'Amy.

— Ce n'est pas le moment de se chamailler, intervint Lady Uppington avec fermeté. Ah, le thé arrive. Henrietta, pourquoi ne le servirais-tu pas ?

— En fait, j'ai une idée, dit Miles en jetant un regard hautain à Henrietta, qui affichait un air renfrogné au-dessus du service à thé. Geoff et moi pourrions aller au ministère et prétendre que nous nous rendons. Ensuite, nous pourrions nous retourner contre les gardes et…

— Les assommer ? termina Henrietta en lui tendant une tasse de thé.

— Exactement. Tu apprends vite, mon enfant.

— Ça me semble trop risqué, intervint Jane, l'air songeuse.

Bien qu'elle portât des vêtements d'homme outrageusement sales et une moustache dessinée, elle réussissait tout de même, d'une manière quelconque, à paraître élégante et posée.

— Il y a trop de risques qu'ils vous attrapent, poursuivit-elle, ce qui nous ferait trois personnes à libérer au lieu d'une. Je pense que nous devrions laisser tomber toutes ces histoires de coups à la tête pour trouver quelque chose d'un peu plus subtil.

— Infiltration! lâcha Amy, à qui les propos polis autour du thé portaient sur les nerfs, en se tortillant dans son fauteuil doré. De qui pourrions-nous prendre l'apparence?

— Geoff fait une formidable imitation de Fouché, proposa Miles.

Cinq paires d'yeux indignés le fusillèrent du regard.

— J'étais sérieux! protesta Miles. C'est vrai! Qui de mieux placé que le ministre de la Police pour accéder librement au ministère de la Police? Pensez-y!

Jane secoua la tête avec regret.

— Malheureusement, Lord Pinchingdale-Snipe ne ressemble pas du tout à monsieur Fouché.

— Un grand chapeau?

— Mademoiselle Wooliston a raison, répliqua Geoff en avalant sa troisième tasse de thé en autant de minutes. Même un grand chapeau ne pourrait camoufler notre différence de taille, et les gardes l'ont vu assez souvent pour avoir une bonne idée de ce dont il a l'air.

Amy se leva subitement.

— Pour l'amour du ciel, trouvons quelque chose! N'avez-vous jamais libéré personne?

Geoff se ragaillardit l'espace d'un instant, puis secoua la tête.

— Uniquement de la Bastille. Nous n'avons jamais essayé de faire sortir quelqu'un du repaire de Delaroche.

Sur cette note déprimante, Lord Uppington entra. Il était clair à voir ses épaules voûtées que sa propre tâche avait été tout aussi infructueuse.

— Whitworth n'a été d'aucune utilité, dit-il, l'air las. Il se serait disputé avec Bonaparte l'autre soir, à propos de Malte, a-t-il dit. Il était pratiquement en train de faire ses bagages quand je suis passé. Il ne peut rien faire pour Richard.

— Nous sommes donc laissés à nous-mêmes, dit Lady Uppington. Comme nous nous y attendions.

Le marquis lui prit la main et la serra.

— Comme nous nous y attendions, ma chère.

Il jeta un regard vif à Geoff.

— J'imagine que ce Delaroche ne se laissera pas corrompre ?

— Aucune chance, monsieur.

— C'est bien ce que je craignais. Il n'y a rien de pire qu'un fou incorruptible.

Jane ouvrit de clairs yeux gris.

— Il y a peut-être une autre solution, monsieur. Amy, te souviens-tu de la suie sur nos dents ? demanda-t-elle avec ce même air énigmatique exaspérant qu'elle prenait chaque fois qu'elle avait une idée vraiment inspirée.

Amy hocha la tête avec hésitation en essayant de comprendre où Jane voulait en venir.

— Oui, bien sûr. Quand nous avions l'habitude de... Ah ! Des domestiques ! C'est ça !

— Pourriez-vous nous éclairer ? demanda Miles.

— Voulez-vous utiliser des domestiques pour faire une descente au ministère et secourir Richard ? s'enquit Henrietta en regardant avec intérêt par-dessus sa tasse de thé. Ce serait formidable.

— Non, répondit Amy en secouant la tête si violemment qu'elle en perdit son couvre-chef. Nous pourrions *être* des domestiques. Il doit certainement y avoir quelqu'un qui fait le ménage au ministère ? Et qui ferait attention à une femme de ménage qui porte un seau ? Jane, tu es géniale !

— C'est une excellente idée ! approuva Lady Uppington. Vous avez tout à fait raison. Personne ne regarde le personnel de près. Geoff, très cher, vous pouvez nous fabriquer une espèce de laissez-passer, n'est-ce pas ?

— J'ai bien une copie du sceau de Delaroche, admit Geoff, mais vous ne pensez certainement pas y aller vous-même ?

Un épouvantable raffut éclata dans la pièce lorsque Lord Uppington, Geoff et Miles tentèrent de décourager Lady Uppington et Amy — car Amy avait rapidement mis au clair que le seul moyen de l'empêcher d'y aller serait de l'enfermer dans une tour sans portes ni fenêtres, ce qui était rare dans les environs. Miles continua d'insister sur le fait qu'en tant que meilleur ami de Richard, il devait vraiment y aller. Le marquis fit valoir ses privilèges paternels, et la voix habituellement douce de Geoff s'éleva à un niveau inhabituel pour leur rappeler à tous que lui seul savait réellement où Richard était enfermé.

— Vous feriez tous d'horribles femmes, intervint énergiquement Lady Uppington à travers le brouhaha. Et si Amy et moi nous faisons prendre — oui, j'admets que c'est une possibilité ! —, il y a beaucoup plus de chances qu'ils soient plus indulgents envers nous qu'envers vous.

— En outre, fit remarquer Jane calmement, quelqu'un doit tout de même intercepter l'or suisse.

— Ah, fichtre ! grommela Miles. L'or suisse.

— L'Œillet rose volera l'or, exactement comme nous l'avions prévu, dit fermement Jane. Avec la Gentiane pourpre incarcérée, nous avons d'autant plus besoin de l'Œillet rose.

Mais si Amy va secourir Lord Richard, nous aurons besoin de quelqu'un pour la remplacer.

Miles hocha la tête, faisant rebondir ses cheveux devant ses sourcils.

— Comptez sur moi.

— Sur moi aussi ! intervint Henrietta.

— Toi, répondit laconiquement Lady Uppington, tu resteras à la maison. Un enfant entre les mains des Français est plus que ce qu'une mère peut supporter. C'est décidé, donc, dit-elle avant qu'Henrietta ait le temps de se lancer dans une véritable protestation. Amy et moi irons à la rescousse de Richard ; Geoff, je crois que vous devriez venir avec nous pour nous servir de guide. Miles, Jane et Uppington, vous irez intercepter l'or suisse. On y va ?

Tout le groupe bondit sur ses pieds, remettant les tasses de thé sur le plateau et ergotant sur des détails. Amy exprima son intention d'aller se procurer des vêtements dans les quartiers des domestiques, Jane donna l'ordre à un valet de porter une note à mademoiselle Gwen pour l'informer de les rejoindre chez Lord Richard, et la voix d'Henrietta s'éleva en protestations agitées.

— Mais, mère…

— Pas de mais, Henrietta !

Henrietta pinça les lèvres en signe d'extrême irritation.

— Je ne perdrai pas de temps à supplier de venir avec vous. Mais vous avez tous oublié une chose. Comment allons-nous faire sortir Richard de Paris ?

Miles laissa tomber sa tasse de thé. C'était un point si simple, mais si essentiel, qu'Amy n'arrivait pas à croire que personne n'y ait pensé. À en juger par les airs stupéfaits des membres de la famille et des amis de Richard, aucun d'entre eux n'y avait réfléchi non plus. Peut-être, pensa rapidement

Amy, pourraient-ils cacher Richard à l'hôtel Balcourt jusqu'à ce que les choses se soient calmées et que les agents français aient trouvé un autre pauvre héros à persécuter.

Soudain, Jane sourit.

— Oh, je crois que nous avons la réponse à cette question. Il y a un certain gentilhomme de notre connaissance qui possède à la fois un carrosse et un bateau et qui, je crois, sera plus qu'heureux de les mettre à notre disposition.

— Marston! s'exclama Amy.

— Lui-même, acquiesça Jane. Si quelqu'un avait l'amabilité de lui rappeler que j'ai en ma possession des documents qui lui appartiennent, je suis plus que certaine qu'il acceptera.

— Donnez-moi son adresse, et j'irai le voir, dit Lord Uppington en traversant la pièce à grands pas en direction de Jane.

Jane le remercia d'un signe de tête.

— Il serait peut-être avisé de prendre la précaution de remplacer le cocher de Marston et d'envoyer quelques-uns de nos hommes en avance à Calais pour sécuriser le bateau. Je ne me fierais pas à la parole de Marston.

Miles, très sérieux pour une fois, tira sur la cloche.

— Le cocher de Richard peut s'occuper du carrosse, et Stiles peut partir devant pour le bateau avec cinq de nos valets. Je leur parlerai moi-même.

— Pouvons-nous y aller maintenant? demanda nerveusement Amy, déjà à moitié hors de la pièce.

Lady Uppington, qui la suivait, passa une dernière fois la tête par la porte du salon.

— Conduisez le carrosse à l'hôtel Balcourt, ordonna-t-elle. Si ces Français ont le moindre bon sens, ils surveilleront cette maison. Je ne crois pas qu'ils aient beaucoup de bon sens, mais nous ne pouvons pas nous y fier. Nous vous rejoindrons là-bas vers une heure. Si nous n'y sommes pas...

Amy courut devant Lady Uppington vers les quartiers des domestiques pour ne pas entendre ses derniers mots. Il n'était pas question de penser que le plan puisse mal tourner. Pas plus qu'elle ne pouvait supporter de penser à ce que Delaroche pourrait être en train de faire subir à Richard en cet instant.

Chapitre 37

❋

Des pieds bottés s'arrêtèrent subitement devant la porte de la cellule de Richard.

S'appuyant sur ses poignets liés, il se leva péniblement du sol sur lequel les gardes l'avaient jeté plusieurs heures plus tôt avec beaucoup plus de force que nécessaire. Il leur avait fait part du fait qu'ils gaspillaient leur énergie à utiliser une telle force, mais ils n'avaient répondu que par un grognement à ses conseils professionnels bienveillants. Ils s'étaient aussi montrés grossiers en ne lui laissant aucune chance de mettre en pratique le plan d'évasion qui impliquait de voler leurs vêtements après les avoir assommés de ses poings liés alors qu'ils étaient penchés sur lui pour le détacher. Dommage. Ç'avait si bien fonctionné en 1801. Peut-être s'étaient-ils passé le mot. De toute façon, ils avaient tout simplement évité la situation en refusant de le détacher. Richard avait donc passé les nombreuses dernières heures étendu, toujours ligoté, sur le sol couvert de paille, anxieusement plongé dans ses pensées. Il ne pensait pas aux moyens de torture que le petit homme dérangé se préparait à employer sur lui, mais à Amy, ligotée et sans défense, étendue sur les pavés devant la pension où logeait Delaroche.

Une clé grinça dans la serrure. La porte trembla.

— Ouvrez-la, espèces d'idiots ! tonna une voix.

— Euh, elle est coincée, monsieur, dit quelqu'un d'une voix chevrotante.

Un juron retentit très fort de l'autre côté de la porte, puis la porte trembla à nouveau avant de s'ouvrir à la volée. Deux gardes tombèrent sur le sol. Derrière eux se tenait... Delaroche. C'était vraiment un drôle de personnage, se dit Richard. Petit et maigre, tout de noir vêtu tel un Oliver Cromwell au rabais, il se pavanait avec des bottes qui auraient eu besoin d'être cirées. Richard fit quelques bonds en avant sur ses jambes entravées et exécuta ce qu'il espérait être une révérence moqueuse.

— Ainsi, grogna Delaroche, nous nous rencontrons enfin.

— En fait, répondit platement Richard, si ma mémoire est bonne, je crois que nous avons d'abord été présentés dans le salon de madame Bonaparte.

— Vos puissants amis ne peuvent rien pour vous ici. Vous êtes sur *mon* territoire maintenant, répliqua Delaroche en riant.

De façon démoniaque.

— Vous devriez vraiment faire examiner ce grincement dans votre voix, conseilla Richard en regardant Delaroche avec le plus grand sérieux. Ce doit être à force de traîner dans des cachots pleins de courants d'air. C'est très mauvais pour la santé, vous savez.

— Vous devriez plutôt vous inquiéter pour *votre* santé.

Le rire diabolique commençait à taper sur les nerfs de Richard. Sans compter que ce dernier avait mal au cou à force d'essayer de garder un œil sur Delaroche, qui lui tournait autour en faisant craquer la paille et les débris éparpillés par terre sous ses bottes.

Sur ses jambes arquées, Delaroche retourna à grands pas vers la porte, tapa des mains et hurla :

— Préparez la salle d'interrogatoire !

— La salle d'interrogatoire régulière, monsieur ? demanda l'un des gardes en faisant bien attention de ne pas franchir l'encadrement en pierre de la porte.

— Oh non ! répondit Delaroche en lâchant un autre de ses rires dépourvu d'humour. Emmenez-le à la salle d'interrogatoire extraspéciale !

Le fait que le garde lui-même blêmisse à cette mention ne fit rien pour remonter le moral de Richard.

Au bas de plusieurs escaliers, au cœur de catacombes de cellules souterraines, Delaroche ouvrit la porte de sa salle d'interrogatoire extraspéciale avec une fierté digne de la reine du foyer.

— Admirez ! exulta Delaroche tandis que les gardes poussaient doucement Richard vers le centre de la pièce et s'enfuyaient vers le couloir.

Dérapant légèrement sur la paille qui couvrait le sol, Richard admira. Geoff et lui avaient entendu des rumeurs au sujet de la salle d'interrogatoire extraspéciale — c'était le genre de bruit qui courait entre agents secrets — et ils avaient même envisagé de s'y introduire dans le cadre de leur campagne « que pouvons-nous faire pour énerver le ministère de la Police ? ». Mais ils n'avaient jamais trouvé le temps de le faire. De plus, Richard avait toujours cru, au fond de lui, que toute cette histoire de salle d'interrogatoire extraspéciale était très probablement une rumeur inventée pour terrifier les ennemis de la République. Certes, Delaroche devait bien avoir une petite pièce dans laquelle il questionnait ses malheureuses victimes ; peut-être même possédait-il une paire de poucettes, mais une véritable salle de torture ? Le concept lui-même était trop moyenâgeux, trop mélodramatique, trop... Delaroche.

Fichtre. Il aurait dû s'en douter.

— Des amis à vous ? s'enquit Richard en faisant un geste de la main en direction des crânes enfoncés sur les piques tout autour de la pièce.

— Non, cracha Delaroche. Mais *vous* serez bientôt ami avec eux.

Richard ne s'en inquiéta pas trop. Lui aussi commençait à manquer de répliques cinglantes dans cette situation, qui semblait de moins en moins prometteuse. Delaroche était encore plus fou que Richard l'avait cru. Bien que les crânes fussent un peu poussiéreux, la vaste collection d'instruments de torture exposée tout autour de la pièce était bien affûtée et étincelait de propreté. Delaroche devait avoir fouillé les donjons de tous les châteaux d'Europe pour acquérir ses jouets, qui semblaient inclure non seulement la collection complète du marquis de Sade, mais aussi un échantillon représentatif de ce que l'Inquisition avait eu de mieux à offrir. En faisant rapidement le tour de la pièce du regard — il ne pouvait pas se permettre de quitter Delaroche des yeux trop longtemps —, Richard remarqua pas moins de deux vierges de fer, des poucettes de dix tailles différentes, ainsi qu'un chevalet de luxe. Delaroche salua personnellement chacun des instruments de torture — d'après ce que Richard put comprendre, il ne leur avait pas donné de noms (quoiqu'il n'aurait pas été étonné que c'eût été le cas), mais il s'arrêta à côté de chacun pour toucher les pointes et tourner les manivelles avec une tendresse macabre.

À l'autre bout de la pièce, Delaroche replaça doucement une hache à double tranchant sur un support spécialement conçu pour mettre en valeur les deux lames à la fois.

— Par quoi devrions-nous commencer? se demanda Delaroche en croisant les bras sur sa poitrine et en se dirigeant fièrement vers Richard.

Ce dernier avait plutôt espéré qu'il n'en arriverait pas là avant un bon moment encore. N'avait-il pas d'autres instruments de torture à caresser?

— Quelque chose qui est de circonstance, de bon goût. La torture est un art, vous savez, le sermonna Delaroche. Un art qui doit être pratiqué avec soin et finesse. Qu'utilisez-vous dans les prisons anglaises? Le chevalet? Vos poings?

— En fait, répondit Richard d'une voix traînante, nous utilisons un petit instrument appelé un «procès en bonne et due forme».

L'espace d'un instant, Delaroche eut l'air intrigué, puis il haussa les épaules.

— Peu importe ce que c'est, seuls les amateurs utilisent le même instrument pour tous les crimes! Ici, nous choisissons soigneusement la punition en fonction du crime.

— Comme c'est raffiné.

— Les compliments ne vous sauveront pas, Selwick. Je pourrais mettre un poison douloureux dans ce thé que vous, les Anglais, aimez tant; rien de mortel — non, non! —, mais quelque chose qui ferait que vous vous tordriez de douleur et supplieriez de vous confesser. Ou je pourrais vous couper un membre pour chaque ennemi de l'État que vous avez enlevé à madame Guillotine...

— Pourquoi ne commenceriez-vous pas par la tête? suggéra Richard.

Tandis que Delaroche hésitait encore entre ses jouets, Richard tordit les poignets une fois de plus pour vérifier s'il y avait un jeu dans ses liens. Il n'y en avait aucun. Mais ç'aurait pu être pire. Au moins, ils lui avaient attaché les poignets devant plutôt que derrière le dos. Si Delaroche s'approchait suffisamment, il aurait la possibilité de rassembler assez de force pour lui asséner un coup sur la tête, une chose à laquelle l'adjoint au ministre de la Police ne s'attendait manifestement pas. Idéalement, il le ferait suivre d'un coup de pied, mais ses pieds étaient attachés assez serrés pour que la tentative ait plus de chance de le renverser lui-même que son adversaire.

— Ah! J'ai trouvé!

Richard avait cessé d'écouter environ quatre suggestions plus tôt, mais la joie dans la voix de Delaroche détourna son attention de ses plans d'évasion.

— Puisque vous vous plaisez tant en compagnie du sexe faible, ricana Delaroche, nous commencerons par vous présenter à la demoiselle qui est dans le coin.

Il fit un geste en direction de la vierge de fer, et Richard le suivit involontairement des yeux. Il s'agissait certainement de la vierge de fer la plus luxueuse qu'on puisse imaginer. Tout comme les sarcophages que Richard avait vus en Égypte, le revêtement avait été peint pour ressembler à une femme. Le fait de savoir ce qu'il y avait à l'intérieur donnait un aspect carnassier à sa bouche rouge et une lueur avide à ses yeux peints.

Delaroche attrapa la poignée adroitement dissimulée dans les plis des jupes rouge et or de la demoiselle. Un redoutable centimètre à la fois, la façade voyante de la vierge de fer s'ouvrit pour révéler ses intestins épineux.

Pour la première fois de sa longue et brillante carrière, il passa par la tête de Richard l'idée qu'il pourrait effectivement affronter la mort — une mort très douloureuse — et qu'il ne pouvait pratiquement rien faire pour s'en sortir.

La mort était, bien entendu, une possibilité qu'il avait déjà envisagée. Percy les avait tous prévenus de cela très sérieusement lorsqu'ils avaient rejoint la Ligue du Mouron rouge. Mourir ne lui avait pas paru si urgent à l'époque, mais plus tard, après la mort de Tony, Richard avait été convaincu que son tour viendrait à tout moment, que sa vie était le prix à payer pour celle de Tony. Vu l'imprudence suicidaire avec laquelle il s'était jeté tête baissée dans les missions pendant les mois qui avaient suivi, la mort avait semblé possible, sinon inévitable. Mais il avait survécu. Le sort était bien étrange.

Toutes les fois où il avait envisagé son décès potentiel — dans les secondes avant de se glisser par une fenêtre de la prison du Temple ou de foncer dans un groupe d'agents français armés —, il s'était consolé en pensant qu'il laissait un héritage duquel il pouvait être fier. Il avait fait quelque chose d'héroïque de sa vie. Combien d'hommes pouvaient en dire autant ?

Bon sang ! Pourquoi n'était-ce plus suffisant ? La gloire, se rappela-t-il. Pense à Ajax, à Achille. La gloire, la gloire, la gloire.

Mais il ne pensait qu'à Amy.

Lorsqu'il tentait de s'imaginer Henri V qui fonçait dans la brèche à Honfleur, il voyait plutôt Amy sortir de sous un secrétaire. Au lieu d'Achille qui hurlait aux pieds des murs de Troie, c'était Amy qui envoyait un coup de poing à Georges Marston. Partout, Amy, Amy — et en général là où elle ne devait pas être, pensa Richard avec ce qui aurait pu devenir un grand sourire si Delaroche n'avait pas testé l'une des pointes de la vierge de fer et sursauté avant de porter un mouchoir à son doigt ensanglanté.

Sacrebleu! Il ne voulait pas mourir. Non qu'il eût déjà vraiment *voulu* mourir, même après Tony, mais là... Comment diable était-il censé dire à Amy qu'il était amoureux d'elle s'il mourait?

Delaroche laissa tomber le mouchoir ensanglanté et se rua sur Richard.

— Selwick, haleta-t-il d'un air triomphant, ton heure a sonné!

Richard espérait de tout son cœur que Miles et Geoff aient trouvé un plan pour le sortir de là.

— Jamais je n'aurais cru qu'ils seraient si nombreux, chuchota Amy.

Les pierres inégales du mur frottaient contre le dos d'Amy tandis qu'elle passait prudemment la tête au-delà du coin pour regarder à nouveau. Zut. Ils étaient toujours là. Trois gardes vêtus de vestes bleu foncé et armés de mousquets étaient alignés devant une large porte en bois renforcée de fer. Il y avait cinq autres portes dans le couloir; quatre d'entre elles étaient de simples grilles qui laissaient voir les cellules à l'intérieur. Lorsqu'elle tendait le cou, Amy pouvait apercevoir un faible mouvement dans l'une d'elles et quelque chose qui pouvait être un bras squelettique dans une autre. La cinquième porte était une réplique plus petite de celle qui était gardée, c'est-à-dire un lourd panneau en chêne dont les gonds et les clous étaient en fer, avec une fenêtre à volets miniature à la hauteur de la tête d'un homme. Le regard d'Amy revint à la plus grande des portes. La fenêtre était fermée; l'épais bois de la porte et les murs en pierre massive étouffaient tous les bruits de l'intérieur. Mais Amy ne doutait pas du fait qu'elles étaient finalement arrivées en vue de la salle d'interrogatoire extraspéciale de Delaroche. Et de Richard.

Et de trois gardes armés.

Elle qui avait cru que le simple fait d'entrer dans l'immeuble avait été éprouvant pour les nerfs ! Il y avait eu cet instant à vous glacer le sang lorsque le gardien à l'entrée principale du ministère de la Police leur avait demandé leurs laissez-passer. Il avait scruté si minutieusement le sceau que Geoff avait dérobé à Delaroche que cela pouvait être un signe soit de méfiance, soit d'une mauvaise vue. Amy et Lady Uppington avaient évité de se regarder, de peur de trahir leur crainte par un coup d'œil coupable. Mais après un insoutenable examen attentif d'une heure (qui avait en réalité duré tout au plus trente secondes), le gardien avait brusquement rendu les documents à Amy en grognant que « tout était en ordre ».

Il avait néanmoins demandé à voir le contenu de leurs seaux.

— Le ministre croit qu'il pourrait y avoir du grabuge ce soir, avait-il grommelé en guise d'explication, alors que l'eau clapotait dans le seau d'Amy et que le chiffon, qui avait été posé sur le bord, glissait dans le liquide avec un doux *plouf*.

Amy s'était efforcée de prendre un air nonchalant, mais elle sentait une brûlure à l'endroit sur son mollet où la gaine d'un poignard formait une masse inhabituelle. Elle tenta de se tenir de la même manière qu'une femme de ménage, peut-être légèrement courbée à cause du poids du seau.

En levant les yeux sur Lady Uppington, Amy ne put s'empêcher d'être impressionnée par l'œuvre de Jane ainsi que par le talent d'actrice de la dame d'âge mûr. Chez la femme à ses côtés, il ne restait rien de la marquise anglaise.

Les boucles blond argenté de Lady Uppington avaient été généreusement enduites de cendres pour les rendre d'un gris sale et rêche, puis couvertes d'un fichu tout aussi noir de suie, qui semblait avoir été utilisé tant comme chiffon que comme mouchoir avant qu'on lui impose de servir de couvre-chef. Sa robe marron en lambeaux tombait de manière informe tandis que sa silhouette incroyablement vieillie avançait en traînant les pieds, tenant deux châles volumineux autour de ses épaules pour réchauffer ses vieux os et compenser les manches déchirées et rapiécées de sa robe. Même son visage était différent. Jane avait accentué ses pattes d'oie à l'aide d'un minutieux réseau de lignes dessinées au charbon, mais ce n'était pas tout ; il y avait aussi quelque chose dans la façon dont sa bouche pendait mollement, dont ses paupières fatiguées tombaient lourdement.

Une fois le premier obstacle passé, Lady Uppington et Amy s'étaient frayé un chemin dans les couloirs nocturnes du ministère de la Police en récurant le plancher. Les torches le long des murs projetaient des reflets vacillants sur l'eau de leurs seaux tandis qu'elles avançaient péniblement dans les halls à la recherche de l'escalier qui les mènerait au sous-sol, vers les cachots et Richard. Elles restaient dans les cercles de lumière plutôt que dans l'obscurité. C'était moins suspect ainsi, les avait avisées Miles.

— Pourquoi une femme de ménage se cacherait-elle si elle est vraiment une femme de ménage ?

Les dalles du ministère fournissaient un avertissement résonnant à l'approche de quiconque — à moins que cette personne ait, à l'instar d'Amy et de Lady Uppington, enlevé ses chaussures. Cependant, les seules personnes qu'elles avaient croisées étaient des soldats dont les pieds chaussés de bottes et d'éperons sonnaient l'alarme bien assez tôt pour leur permettre de se jeter à genoux et de faire mine d'être profondément absorbées par leur tâche consistant à nettoyer la crasse.

Toutes les épreuves précédentes perdirent pourtant de leur éclat en comparaison de la perspective de devoir se frayer un chemin entre trois gardes avec ce qui, Amy devait l'admettre, constituait un bien maigre arsenal. Dans ses fantasmes d'espionnage, elle avait toujours été armée d'une épée et d'un pistolet (sans tenir compte du fait qu'elle n'avait jamais appris à manier ni l'un ni l'autre) et escortée par un groupe de membres bien musclés de la Ligue de la Gentiane pourpre, qui savaient certainement se servir tant d'une épée que d'une arme à feu. Jamais elle n'avait imaginé se retrouver dans les donjons de l'édifice le mieux gardé de Paris accompagnée d'une noble Anglaise d'âge mûr et équipée d'une armurerie composée d'un poignard attaché à son mollet, d'un vieux pistolet de duel (fourni par Lord Uppington et qui avait tiré pour la dernière fois en 1772), ainsi que d'une bouteille de brandy qui contenait de la drogue. Jane avait insisté sur le brandy, malgré les protestations de Miles, qui disait que les opiacés n'avaient pas leur place dans les combats rapprochés. Amy se dit qu'elles pourraient toujours utiliser la bouteille comme massue.

Un poignard, un pistolet et une bouteille contre trois hommes costauds armés de mousquets.

— Croyez-vous qu'il y aura d'autres hommes à l'intérieur avec lui ? chuchota Amy à Lady Uppington en se penchant pour s'assurer que son poignard était toujours bien dans sa gaine.

— Nous affronterons cela quand nous y serons. Ou plutôt — Lady Uppington tapota le pistolet de duel enfoui sous ses châles volumineux — *ils nous* affronteront. Prête, très chère ?

Amy desserra les rubans qui attachaient son corsage et ouvrit son décolleté jusqu'à la limite de l'arrogance. Quatre armes, se dit-elle avec une montée d'optimisme. Après tout, même les gardiens de la révolution ne pouvaient être entièrement à l'épreuve de la tendance masculine à se conduire comme de vrais idiots devant une silhouette féminine bien proportionnée. Jane avait exactement cela en tête lorsqu'elle l'avait déguisée ; elle avait fouillé les garde-robes des femmes de chambre de Richard jusqu'à ce qu'elle ait trouvé un chemisier décolleté lacé à l'avant ainsi qu'une jupe en laine ample qui s'arrêtait à quelques centimètres au-dessus des chevilles d'Amy et qui accentuait le roulement de ses hanches.

— Prête, chuchota Amy.

Se laissant tomber à quatre pattes, les deux femmes tournèrent le coin en faisant tourbillonner leurs chiffons sales sur les dalles. *Fschhh-fschuiii. Fschhh-fschuiii.* Deux mètres plus près de la porte gardée... un autre coup de chiffon sale, et un autre mètre disparut sous une fine couche d'eau glissante. Amy se demanda si les trois gardes, dont elle ne voyait que trois paires de retroussis de bottes et trois paires de guêtres noires, se rendraient compte que les femmes de ménage récuraient très négligemment et omettaient de larges bandes de plancher. Quoiqu'à voir l'état des dalles, on eût dit qu'il y avait bien longtemps que personne n'avait fait le ménage dans les donjons. Beurk, était-ce du sang coagulé ? Amy s'éloigna d'une tache brunâtre particulièrement dégoûtante et en écarta ses jupes en laine.

— Vous !

Une paire de bottes se détacha des autres pour se diriger lourdement vers Amy.

Amy leva brusquement la tête au-dessus des guêtres noires et du pantalon bleu jusqu'à ce que son cou refuse de plier davantage. S'asseyant sur ses genoux, elle pencha la tête en arrière pour apercevoir un large visage qui arborait une barbe blonde de trois jours. Le garde qui s'était avancé était le plus musclé des trois et manifestement leur chef : un Goliath massif avec des bajoues pendantes de chaque côté de son visage costaud et une crinière de cheveux pâles d'une couleur indéterminée. Il n'allait pas être facile à vaincre, se dit gravement Amy. Derrière lui, postés de chaque côté de la porte massive, les deux autres observaient la scène. Si le premier garde était Goliath, le deuxième, qui était considérablement plus petit que ses compagnons, devait être David ; le regard d'Amy le prit en plein bâillement. Quant au troisième, il était mince et foncé. Une fine moustache, qui ressemblait à celle qu'Amy avait dessinée sur le visage de Jane plus tôt dans la soirée, lui obscurcissait les lèvres. Il était dangereusement calme, comme s'il se maintenait en état d'alerte, prêt à bondir. Tel un lance-pierre, décida Amy. Il faudrait le surveiller de près.

— Vous ! aboya encore le gros soldat — Goliath.

— Oui, monsieur ?

— Que faites-vous ici, en bas ?

Amy baissa les yeux sur son seau, puis vers Lady Uppington qui continuait à manier son chiffon sale en cercles lents tout autour de la même dalle.

— Le ménage, monsieur ? répondit-elle.

— Je vois bien ça, répliqua le garde en se frottant la barbe sous le menton. Personne ne vous a dit qu'il ne fallait pas faire le ménage ici ?

Son ton était irrité, mais pas méfiant. Amy laissa silencieusement échapper un soupir de soulagement et feignit la confusion.

— Non, monsieur, dit-elle avec empressement en faisant mine de se relever péniblement et de lisser ses jupes rapiécées. On nous a seulement dit de faire le ménage. Vous avez entendu ça, M'man?

— Oui, oui, répondit Lady Uppington d'une voix rauque et brisée.

C'était le seul mot qu'on pouvait être certain qu'elle puisse dire en français sans qu'un auditeur remarque son accent anglais.

Le garde fit un signe de tête.

— Je comprends qu'il s'agisse d'une erreur de bonne foi. Un gros édifice comme celui-ci...

Amy hocha la tête avec enthousiasme. Le garde ne sembla pas se rendre compte qu'en même temps, elle s'approchait de quelques centimètres de la porte.

— Vous ne savez pas à quel point c'est un soulagement de ne pas avoir à faire cet étage aussi. Ma foi, on a cru qu'on ne verrait pas nos lits avant l'aube, et M'man, eh bien, elle a un autre emploi le jour, dans une grande maison chic du faubourg Saint-Germain, dit Amy en prononçant ce dernier nom avec le mépris digne de tous bons révolutionnaires.

— Longue nuit, acquiesça le garde avec un hochement de tête

— Oui, oui, croassa à nouveau Lady Uppington de son ton de vieille mégère.

Au grand étonnement d'Amy, le garde sourit.

— Une femme agréable, votre mère.

Lady Uppington répondit par un large sourire, révélant une bouche pleine de dents noircies. Amy avait toujours su que ce truc avec la suie et la gomme serait utile un de ces jours.

— Oui, oui.

Amy aurait pu être tentée de sourire si elle n'avait pas capté quelque chose qui ressemblait à un bruit derrière la porte. Tout amusement potentiel résultant de la performance de Lady Uppington disparut instantanément. Richard était derrière cette porte, soumis à la question et possiblement — non, probablement — torturé. Assez bavardé.

Amy rejeta les épaules en arrière et se pencha de sorte que son corsage desserré s'ouvre bien grand. La bouche du petit garde fit de même. Sa mâchoire tomba d'un air appréciatif, et son mousquet s'abaissa de plusieurs centimètres. Utilisant son avantage, Amy enroula une mèche de cheveux bruns autour de son doigt.

— Longue nuit pour vous aussi, pas vrai ?

— Oh, ce n'est pas si mal, bredouilla David en s'éloignant de la porte de quelques pas en direction d'Amy pour avoir un meilleur aperçu de ses charmes.

Un de moins, pensa-t-elle. Lady Uppington poussait doucement son seau sur les dalles, s'approchant de plus en plus de la porte.

Amy recula d'un pas pour éloigner davantage David de la porte, puis concentra le pouvoir de son sourire sur Goliath.

— Ça doit devenir vraiment ennuyeux de rester plantés là toute la nuit, dit-elle avec un semblant de sympathie. Je ne sais pas comment je pourrais rester debout si longtemps. Mais bon, je ne suis pas un homme grand et fort comme vous.

Quelque chose qui ressemblait à un renâclement émergea de la silhouette enveloppée de châles de Lady Uppington, mais Goliath bomba le torse.

— Ça ne demande pas beaucoup de force, dit-il d'un ton bourru.

— Simplement de l'endurance, intervint le petit en remuant les sourcils de façon suggestive.

Amy n'était pas certaine de comprendre ce qu'il voulait dire, mais à en juger par le regard qui accompagna ses paroles, ça se voulait manifestement lubrique, alors elle lui sourit en retour comme si elle avait compris, remua les sourcils pour faire bonne mesure et se pencha un peu plus afin de montrer un maximum de décolleté.

Seul à ne montrer aucun signe de vouloir succomber aux charmes ni à la poitrine d'Amy, Lance-pierre se tenait tout aussi raide à son poste que cinq minutes plus tôt et empoignait tout aussi fermement la crosse de son mousquet. Et il observait les bouffonneries d'Amy d'un œil résolument hostile. Zut ! Soit il était fanatiquement dévoué à son devoir, soit il était plus malin que les autres et avait senti le piège. Aucune des deux options ne plaisait à Amy.

Celle-ci faillit afficher un vrai grand sourire lorsqu'elle eut une idée. Elle avait trouvé comment désarmer Lance-pierre ! Goliath était encore en train de nier modestement toute habileté particulière à se tenir debout. Amy laissa échapper un couinement agité — pas assez fort pour déranger les occupants de la pièce, mais juste assez aigu pour attirer l'attention des trois gardes.

— Un raaaaaaat ! s'écria-t-elle en rassemblant ses jupes autour de ses chevilles et en sautillant sur un pied, puis sur l'autre. Ooooh ! Ooooh ! Il y a un raaaaat ! Au secours !

Elle se jeta directement sur Lance-pierre. Pris au dépourvu, le garde chancela de côté — s'éloignant de la porte. Amy l'attrapa par le bras et l'attira vers le centre du couloir sans cesser de crier et de sautiller.

— Là ! dit-elle, à bout de souffle, en pointant un doigt tremblant vers un point fictif du hall. Je l'ai vu juste là ! Tout noir et poilu avec ses petites dents pointues ! Ooooooh !

Elle enlaça Lance-pierre de ses deux bras, l'immobilisant au centre du couloir. Par le creux de son bras, elle put voir Lady Uppington postée droit devant la lourde porte en chêne. Mais elle ne l'ouvrait pas. Amy lui fit de petits signes en battant l'air de la main. Lady Uppington secoua la tête. Zut! Qu'attendait-elle?

Amy fronça les sourcils. Lady Uppington mima des bruits de glouglou — et se pencha sur le sol à la hâte lorsque David regarda dans sa direction. Ah oui. Le brandy.

Goliath tapota lourdement l'épaule d'Amy.

— Ça va, ça va, mademoiselle. Il est parti maintenant.

Amy se détourna brusquement de Lance-pierre en s'assurant de garder un bras autour du sien et leva de grands yeux inquiets vers Goliath.

— Vous en êtes certain? Il était grand comme ça, montra-t-elle d'un geste de la main. J'ai pu le *sentir* me frôler la jambe.

Amy souleva ses jupes et baissa le regard sur le membre en question. Trois paires d'yeux masculins suivirent.

— Je garderai le gros méchant rat loin de vos jambes, offrit le petit avec un regard concupiscent.

— Je pense...

Amy se laissa artistiquement tomber contre Lance-pierre. Il avait peut-être fixé sa cheville comme les autres, mais elle avait toujours l'impression qu'il retournerait à son poste en vitesse aussitôt qu'elle le lâcherait.

— Je pense que j'ai besoin d'un peu de brandy.

Elle sortit une bouteille de l'une des larges poches de son ample jupe, la déboucha et, tournant la tête de côté, fit mine de boire à grands traits.

— Comme je suis assoiffée! s'exclama-t-elle en gloussant et en essuyant ostensiblement des gouttes sur son menton. L'un de vous, gentilshommes, aimerait-il une gorgée?

— Nous ne sommes pas censés…, commença Goliath en jetant un regard envieux vers la flasque.

Amy lui tendit la bouteille en battant des cils.

— Oh, allez! Je ne le dirai à personne!

— Oui, allez, le pressa David, mais laisse-m'en un peu!

Goliath prit une grande lampée et passa la bouteille à David, qui but avidement avant de l'offrir à Lance-pierre. L'homme foncé secoua la tête.

— Nous sommes en service, les avertit-il en leur lançant un regard noir.

— Quel mal cela peut-il…

Vlan!

David se tut au milieu de sa phrase lorsque la porte du cachot s'ouvrit et frappa contre le mur. La silhouette dépenaillée de Lady Uppington se rua à l'intérieur. Trop tard, Lance-pierre tenta un geste pour attraper Amy à l'instant où celle-ci lâchait son bras pour courir derrière Lady Uppington. Les deux autres gardes restèrent pétrifiés par la surprise tandis que, à travers la porte ouverte, la vieille femme de ménage dépenaillée tirait un élégant pistolet de duel incrusté d'or des plis de son châle crasseux.

Lady Uppington pointa le pistolet de son mari sur Delaroche avec autant d'assurance qu'un duelliste aguerri.

— Lâchez ces poucettes et éloignez-vous de mon fils.

Chapitre 38

❀

— M ère ?
Richard eut le souffle coupé. Grand Dieu,
Delaroche n'avait même pas commencé à le torturer qu'il
hallucinait déjà. Mais cela ressemblait bel et bien à sa mère
et, juste derrière elle, c'était… Amy ?

Richard cligna des yeux. C'était indéniablement Amy —
et on pouvait en voir une bonne partie grâce à son chemisier
délacé.

— Ne pensez même pas à bouger, dit Lady Uppington à
Delaroche tandis qu'Amy la dépassait au pas de course pour
se diriger directement vers Richard.

Derrière elle, trois gardes, soit un gros, un petit et un
grand mince, étaient entassés dans l'embrasure de la porte
et s'arrêtèrent en titubant à deux pas de Lady Uppington et
de son pistolet.

— T'a-t-il fait mal ? demanda Amy en attrapant les mains
liées de Richard avant de se mettre à tirer sur les séries de
nœuds compliqués. Je ne vois pas de sang.

Amy se concentra sur la tâche de retirer les cordes pour
libérer les poignets de Richard en essayant de ne pas
regarder la vierge de fer qui était grande ouverte dans le
coin de la pièce. La paille sur le sol piquait les pieds nus

d'Amy, et l'odeur nauséabonde — une odeur froide et humide de pièce restée trop longtemps sans être aérée, avec un soupçon fétide de quelque chose de plus inquiétant encore, de sang et de peur — lui soulevait l'estomac. Elle enfonça les ongles dans la corde.

Au-dessus de la tête penchée d'Amy, Richard vit sa mère se déplacer prudemment en cercle afin de pouvoir tenir à l'œil à la fois les gardes et Delaroche.

— Jetez ces mousquets! ordonna-t-elle en anglais. Jetez-les, j'ai dit!

Lady Uppington renâcla d'agacement. Trois bruits sourds suivirent.

Lady Uppington leur lança un regard noir par-dessus le viseur de son pistolet.

— Si l'un d'entre vous ne fait qu'envisager de bouger, je tirerai sur monsieur Delaroche. Compris?

Beaucoup de piétinements et de murmures s'élevèrent des gardes.

— On ne parle pas! les réprimanda Lady Uppington avec un mouvement de son pistolet à crosse argentée, qui fit tressaillir Delaroche.

— Oh, ne soyez pas si trouillard, méchant petit bonhomme. Je vous assure que je suis un as du fusil. Je ne vous toucherai pas à moins d'en avoir l'*intention*.

De ce que Richard en savait, sa mère n'avait jamais approché un pistolet de sa vie. Mais qui savait réellement ce que les femmes fabriquaient pendant leur temps libre? C'était une pensée terrifiante. Mais pas tout à fait aussi terrifiant que de voir Amy fouiller sous ses jupes et se relever avec un poignard à la main.

— La corde est tout emmêlée, expliqua-t-elle en réponse à son regard horrifié. Je n'arrive pas à la détacher.

— Comment diable êtes-vous arrivées jusqu'ici ? s'enquit Richard, hébété, en essayant de garder les yeux loin de la lame qu'Amy maniait comme une scie entre des veines très vitales.

Un brin lâcha, et il sentit la corde se desserrer un peu.

— Je t'expliquerai plus tard.

Amy jeta un coup d'œil anxieux en direction des trois gardes excessivement agités. Richard tressaillit lorsque la lame faillit lui entailler la paume.

Combien de temps fallait-il pour que les somnifères fassent effet ? Jane avait versé beaucoup plus que dix doses de poudre blanche dans la petite bouteille de brandy ; assez, avait-elle promis à Amy, pour endormir un éléphant pendant une semaine. Goliath avait beau ressembler un peu à un éléphant, ni lui ni David ne semblait sur le point de succomber à un long sommeil, et Amy doutait que Lady Uppington puisse les retenir encore longtemps. Était-il possible que Jane ait fait une erreur de dosage ? David bâilla, mais bon, il bâillait déjà avant, et minuit était passé depuis longtemps. Certes, les mouvements tant du gros que du petit semblaient plus lents, mais ç'aurait pu être le résultat du pistolet de Lady Uppington et non celui de la drogue.

— Aïe ! cria Richard.

— Désolée, désolée, murmura Amy en reportant son attention sur les mains de Richard.

Un autre brin céda, puis un autre. Tordant résolument les poignets, Richard se libéra de la corde.

Amy s'agenouilla et commença à scier frénétiquement la corde attachée aux pieds de Richard. Elle n'aimait pas la façon dont Lance-pierre regardait Lady Uppington ni celle dont Delaroche s'approchait d'une hache à double tranchant à l'apparence mortelle posée sur un support en velours cramoisi.

— Je vais prendre la relève.

Richard se pencha, éloignant Amy de ses jambes. Entre sa mère qui pointait une arme sur Delaroche et Amy qui le détachait, il avait la désagréable impression de jouer un rôle secondaire dans sa propre évasion. Miles ne le lâcherait jamais avec ça. Bon sang, il n'oserait plus jamais se montrer en compagnie masculine. Il pouvait aussi bien résilier ses adhésions à ses clubs et se joindre à un cercle de couture. Diable, sa mère prenait beaucoup trop de plaisir à se servir de son pistolet pour piquer Delaroche dans les côtes.

— Plus un geste ! cracha Lady Uppington lorsque le petit garde fit quelques pas de côté en titubant.

Quelques pas plus près de la pile de mousquets. Le petit garde s'arrêta, chancelant sur ses jambes.

— J'ai sommeil, dit le petit garde en bâillant et en se laissant tomber contre le mur.

Richard tira sur les nœuds qui lui liaient les jambes et défit un bout de corde avec un grognement satisfait. Presque libre.

Boum !

De la paille et de la poussière s'envolèrent dans toutes les directions au moment où le gros garde tomba lourdement sur ses genoux avant de s'écrouler face contre terre sur le sol. Son collègue plus petit bâilla fortement et lui tomba dessus en ronflant. Choqué, Delaroche tordit le cou. Tout comme le fit une Lady Uppington surprise et ravie. Son pistolet vacilla, oublié dans sa main, tandis qu'elle fixait le petit tas d'hommes endormis. Cet instant était tout ce dont Lancepierre avait besoin. Bondissant, tel qu'Amy l'avait craint, avec autant d'énergie qu'un ressort, il frappa la main de Lady Uppington pour en faire tomber le pistolet et attrapa celle-ci par-derrière, la tirant en arrière avec tant de force que ses pieds quittèrent le sol. Le pistolet glissa sur le plancher couvert de paille du cachot.

Laissant tomber le poignard avec fracas, Amy plongea vers le pistolet — exactement comme le fit Delaroche. Gênée par son ample jupe, Amy atteignit le pistolet à l'instant où la main squelettique de Delaroche le ramassa sur les dalles. Sa main agrippa le vide ainsi qu'une poignée de paille qui traînait. Son bras gauche heurta douloureusement les dalles lorsqu'elle tomba lourdement en avant. Le souffle coupé, Amy haleta, mais sa respiration se figea dans sa gorge lorsque le long canon du pistolet de duel argenté et or emplit son champ de vision.

Amy fouilla le sol crasseux en reculant à toute vitesse, tandis que Delaroche la suivait, un petit sourire d'autosatisfaction dessiné sur ses traits anguleux.

Elle libéra à coups de pied ses jambes prises dans les plis de sa jupe et se releva d'un bond. Delaroche suivit son mouvement avec le pistolet. Derrière Delaroche, Amy pouvait entendre Lady Uppington se battre avec Lance-pierre, mais elle n'osait pas détourner les yeux du canon du pistolet étincelant pointé droit sur son cœur. À sa gauche, elle entendait la respiration difficile de Richard et le raclement désespéré du poignard contre la corde qui lui entravait toujours les jambes.

— Vous, mademoiselle Balcourt — Delaroche avança délibérément d'un pas, ce qui força Amy à reculer, les yeux rivés sur le pistolet —, avez fait votre temps. Vous êtes devenue… Comment dites-vous dans votre langue barbare ?

Ah, oui! Une *nuisance**. Mais plus pour très longtemps, je crois, termina Delaroche en forçant inexorablement Amy à reculer.

Amy s'arrêta doucement lorsqu'un inquiétant sourire défigura l'étroit visage de Delaroche. Elle tourna la tête et se figea lorsqu'elle découvrit d'un œil horrifié la vierge de fer et son étreinte épineuse à un demi-mètre derrière elle. Amy laissa involontairement échapper un gémissement de détresse. Ça… Il ne pouvait pas…

— Sale démon! hoqueta-t-elle.

— Comme vous voulez, répondit-il avec un sourire. Maintenant, si vous vouliez bien vous donner la peine?

Delaroche agita son pistolet dans une macabre parodie de politesse.

Amy jeta un coup d'œil paniqué autour d'elle. À sa droite, le couvercle ouvert de la vierge de fer l'empêchait de bondir de côté. À sa gauche… Amy poussa un grand soupir de soulagement en voyant Richard se précipiter à ses côtés. D'un mouvement fluide, il la tira hors de portée de la vierge de fer et s'interposa entre Delaroche et elle. Un bout de corde usé traînait toujours à sa jambe gauche.

— Vous vous êtes suffisamment amusé pour ce soir, Delaroche, dit-il d'un air grave en brandissant le poignard d'Amy. Il est maintenant temps de vous battre comme un homme.

Delaroche grogna.

— Richard, chuchota Amy, il a toujours un pistolet.

— Mère! cria Richard sans quitter Delaroche des yeux. Ce satané machin est-il chargé?

— Je ne… Grrr!

Lance-pierre tenta de plaquer sa main contre la bouche de Lady Uppington, mais elle lui administra un vif coup de coude dans les côtes.

— … sais pas, mon chéri !

— Génial, marmonna Richard en tournant autour de Delaroche pour s'éloigner le plus possible de la vierge de fer.

On pouvait compter sur sa mère pour se frayer un chemin jusque dans les donjons du ministère de la Police avec un pistolet qui n'était peut-être pas chargé.

— Il n'y a qu'un moyen de le savoir, gloussa Delaroche en braquant le pistolet sur le cœur de Richard. Adieu, Selwick.

Amy donna un coup sur le bras de Delaroche à l'instant où ses doigts se refermaient sur la gâchette, faisant dévier la cible sur le côté. Le pistolet fit feu, et un fragment de pierre se détacha du mur. Disons un pistolet chargé, conclut Richard en se relevant de sa roulade défensive. L'intensité du recul fit tituber Delaroche de plusieurs pas vers l'arrière. Amy éternua de façon frénétique tandis qu'une âcre fumée noire s'échappait du pistolet.

Delaroche fixa avec inquiétude l'arme à feu fumante. D'un mouvement brusque, il laissa tomber le pistolet rendu inutile et se rua sur la hache à double tranchant.

— Richard ! cria Amy.

Elle tira un glaive fixé au mur entre deux crânes souriants. Le poids de l'arme la fit chanceler en arrière. Richard courut la rejoindre et lui prit le glaive des mains à l'instant où Delaroche tirait sur la hache pour la libérer de son support.

— Tiens, prends ça, ordonna-t-il à Amy en lui remettant le poignard dans les mains. Libère ma mère.

Delaroche porta un coup vers Richard, et la lame à double tranchant décrivit un arc de cercle meurtrier dans la lumière des torches. Richard fit un bond en arrière, laissant la lame de la hache faire jaillir des étincelles au contact du mur en pierre. Richard tenta de brandir son glaive à une main comme il l'aurait fait avec une rapière, mais son poignet faillit céder sous la pression. Après avoir rajusté à la hâte ses deux mains sur la garde, Richard leva l'arme avec difficulté en jurant à voix basse. L'école d'escrime d'Angelo ne l'avait pas du tout préparé à cela. Sacrebleu! C'était le genre d'épée qu'un de ses ancêtres aurait pu brandir à Azincourt. Elle avait été conçue pour de robustes barbares qui portaient des armures et montaient de massifs chevaux de bataille — pas pour un gentilhomme civilisé du XIXe siècle habitué à la finesse d'une rapière. Bon sang! Richard s'élança à nouveau, mais le coup maladroit rata Delaroche d'une quinzaine de centimètres.

Cling! La hache heurta le glaive et en entailla la lame. Les répercussions du coup firent trembler le bras de Richard.

Qui aurait cru que Delaroche pouvait posséder autant de force?

Richard se replia en essayant de se rappeler tout ce qu'il avait lu, lorsqu'il était jeune et curieux, sur l'art de la guerre au Moyen Âge. C'était peu. Uniquement quelque chose au sujet du fait qu'il valait mieux, avec un glaive, frapper de haut en bas plutôt que de poignarder. Mais il n'était même pas certain que ce fût exact.

La hache de Delaroche siffla à nouveau à côté de lui; Richard bondit en arrière tandis que la lame passait à quelques centimètres de son abdomen. Delaroche vacilla sous la force du coup.

Commençant à s'habituer à son arme, Richard porta à nouveau un coup vers Delaroche en espérant le toucher pendant qu'il était déséquilibré. Il le rata, mais l'arme réagit avec plus de souplesse cette fois, et son adversaire tituba en arrière, la hache visiblement pendante. Les lèvres de Richard s'étirèrent en un sourire carnassier.

Le furieux cliquetis de leurs armes résonnait dans les oreilles d'Amy tandis qu'elle courait à la rescousse de Lady Uppington, qui se débattait toujours avec son assaillant à l'autre bout de la pièce. Le fichu de Lady Uppington lui avait été arraché, et ses cheveux couverts de suie tombaient en mèches folles autour de son visage. La peau autour de l'un de ses yeux commençait déjà à bleuir et à enfler, mais elle continuait à se battre courageusement, frappant de ses pieds nus les mollets de son assaillant tandis qu'il tentait de lui immobiliser les bras, qu'elle agitait dans tous les sens. Du sang gouttait d'une série de vilaines éraflures qui labouraient le visage de Lance-pierre, de l'œil à la mâchoire.

— Lâchez-moi, espèce d'infâme petit homme! dit-elle à bout de souffle. Votre mère ne vous a-t-elle jamais — coup de pied — appris les bonnes manières?

— Comment osez-vous parler ainsi de ma mère!

Avec un grognement, les mains de Lance-pierre se déplacèrent des bras de Lady Uppington à sa gorge. Celle-ci émit de petits bruits étouffés lorsqu'il commença à serrer.

— Nooooon!

Amy se jeta sur le garde. Son poignard lui lacéra la manche, lui laissant une longue déchirure sanglante sur le bras. Hurlant de douleur, il lâcha Lady Uppington, qui tomba à la renverse, pantelante. Enragé, il se tourna vers Amy, qui observait sans mot dire le sang qui obscurcissait le métal affûté de son poignard. Oh, mon Dieu! Elle avait poignardé un homme. Et elle pourrait bien avoir à le refaire, si l'on pouvait se fier à l'expression que le garde arborait. Amy remit rapidement le poignard ensanglanté en position.

Lady Uppington se précipita sur les mousquets abandonnés et en attrapa un dans la pile.

— Je recommencerai ! menaça Amy avec virulence tandis que le garde avançait vers elle, le visage marbré de colère et de sang.

Mais ce ne fut pas nécessaire. Derrière le garde, Lady Uppington leva péniblement le mousquet et lui abattit la lourde crosse en bois sur la tête. Lance-pierre s'effondra sur le sol, inconscient.

— Ha ! s'exclama Lady Uppington, épuisée. Il était temps.

Jonchée de corps, la salle d'interrogatoire commençait à ressembler à la dernière scène d'*Hamlet*. Au centre de la pièce, Richard et Delaroche continuaient à se battre avec des armes qui étaient déjà vieilles quand Shakespeare était jeune. Cela ne ressemblait en rien aux duels qu'Amy s'était imaginés : il n'y avait pas de gracieux jeux de lames, ni de parades imprévisibles, ni de jeux de jambes éclair. À la place, les combattants titubaient maladroitement d'avant en arrière, propulsés par le simple poids de leurs armes. Les deux respiraient difficilement. Les deux se cramponnaient à des gardes rendues glissantes par la transpiration. Richard boitait légèrement ; la hache de Delaroche l'avait entaillé juste au-dessus du genou. Delaroche ménageait son bras gauche ; Richard l'avait frappé avec toute la puissance du plat de sa lame.

— Nous devrions les arrêter, souffla Amy lorsqu'un audacieux coup de hache passa insupportablement près du bras gauche de Richard.

Le teint de Lady Uppington était aussi vif et ses yeux aussi brillants que ceux de son fils.

— Non, très chère. Vous ne feriez que les gêner.

Delaroche chargea. Richard écarta sa lame.

— Tsss, tsss, tsss, le réprimanda-t-il, essoufflé. Ce n'était pas très poli.

— Je n'ai pas à recevoir de leçons d'étiquette de votre part, Selwick! maugréa Delaroche, épuisé.

— Compte tenu du fait que j'ai vu comment vous divertissez vos invités, je n'en serais pas si convaincu.

Delaroche gronda de colère et prit un grand élan — un trop grand élan.

— Pour notre première leçon — Richard enfonça sa lame sous la garde de Delaroche —, nous discuterons des règles de capitulation.

Avec un effort vigoureux, Richard appuya son épée contre le manche de la hache et s'en servit comme levier pour envoyer l'arme de Delaroche valser hors de ses mains.

Delaroche dérapa vers l'arrière.

— Votre capitulation, Selwick! Pas la mienne!

Richard avança.

— Votre capitulation, Delaroche. Ou alors la prochaine fois, ma lame frappera dans le mille.

— Arrogant..., bredouilla Delaroche. Anglais...

Il se retourna brusquement et courut vers la porte du cachot. Richard laissa tomber son épée et partit à ses trousses.

«Gardes!» voulut hurler Delaroche. Mais seul un «Ga...» étouffé s'échappa de ses lèvres tandis qu'il trébuchait sur un mousquet abandonné et s'effondrait lourdement sur le sol. Richard dérapa, puis s'arrêta juste à temps pour éviter de tomber par-dessus la silhouette face contre terre de Delaroche. Tirant avantage de la situation, Amy attrapa le premier objet qui lui tomba sous la main — le seau que Lady Uppington avait abandonné — et en vida le contenu sur la tête de Delaroche à l'instant où il ouvrait la bouche pour hurler à nouveau. Un plouf d'eau sale transforma son cri en un toussotement indigné. Un chiffon trempé pendait de l'une de ses oreilles.

— Vite !

Lady Uppington s'empara du chiffon et le fourra dans la bouche de Delaroche, juste au cas où il aurait encore l'idée d'appeler des renforts. Amy lui attacha rapidement les jambes pendant que Richard immobilisait ses bras qui battaient l'air. Les membres ligotés, les yeux écarquillés et une boule de tissu dans la bouche, Delaroche ressemblait à un cochon de lait particulièrement dégoûtant.

Lady Uppington recula et jeta un regard noir à leur adversaire.

— Je suggère que nous le jetions dans la vierge de fer.

Vlan ! La tête de Delaroche fut projetée en avant quand Richard lui asséna un bon coup avec le canon d'un mousquet. Richard attrapa sa mère d'une main et Amy de l'autre.

— Je suggère que nous partions d'ici… tout de suite !

Amy et Lady Uppington n'étaient que trop heureuses d'obéir.

Chapitre 39

❀

Un climat d'excitation refoulée émanait du petit groupe rassemblé dans la cour des Balcourt. Même les chevaux attelés au carrosse noir au milieu de l'allée pavée semblaient sentir la tension ; ils remuaient impatiemment et faisaient claquer leurs crinières brunes. Lorsque trois silhouettes échevelées se faufilèrent entre les grilles, le groupe laissa échapper des acclamations épuisées.

— Vous avez réussi ! Hourra ! Je savais que vous y arriveriez ! s'écria Henrietta en se jetant au cou de sa mère et de son frère.

— Pourquoi avez-vous mis tant de temps ? s'enquit Miles en donnant une tape dans le dos de son meilleur ami.

Amy attendit derrière Lady Uppington et observa tandis que Richard était submergé par un accueil chaleureux. Henrietta se cramponnait au bras de Richard, bavardait et s'exclamait. Geoff ne cessait de secouer la tête en murmurant « merci, mon Dieu ». Miles sautillait aux côtés de Richard comme un fidèle chien de chasse, et Lord Uppington serra la main de Richard d'un air assez solennel pour faire pleurer n'importe qui. Même mademoiselle Gwen se détendit suffisamment pour déclarer qu'elle était heureuse de le retrouver sain et sauf, ce qui, pour mademoiselle Gwen, représentait un important débordement d'émotions.

Toute la cour retentissait de joie. À l'exception d'Amy, qui n'avait qu'une seule envie : se laisser tomber lourdement sur les pavés. Après tout, ç'avait été une longue nuit angoissante avec l'excitation de planifier le braquage de l'or suisse, la dispute avec Richard et l'angoisse de son évasion... Sans compter la course à travers la moitié de Paris en pleine nuit. N'importe qui aurait les jambes flageolantes après tant d'exercice.

Amy tenta de se joindre aux réjouissances. Après tout, elles avaient libéré Richard. Hourra ! Même dans la tête d'Amy, le *hourra* manquait de conviction. Elle avait peut-être libéré Richard — avec beaucoup d'aide de la part de Lady Uppington et de son pistolet vétuste —, mais il y avait l'embêtante question de savoir, à la base, pourquoi Richard avait dû être libéré. Comme il devait la mépriser ! Il n'avait pas dit un mot sur le chemin du retour — Lady Uppington avait suffisamment parlé pour eux trois —, mais bon, c'était inutile, n'est-ce pas ? Elle savait ce qu'il devait penser. Elle lui avait donné dix mille raisons de ne pas lui faire confiance ; elle avait même fait ce que la vilaine Deirdre n'avait pas réussi à faire : elle avait mis un terme à la carrière de la Gentiane pourpre.

Tout était fini. Non seulement Delaroche, mais quinze — quinze ! — de ses hommes avaient vu Richard démasquer la Gentiane pourpre de ses propres mains. La nouvelle ferait le tour de Paris dès le matin et serait dans les gazettes illustrées de Londres avant midi le lendemain. Richard ne pourrait jamais revenir à Paris. Il n'était peut-être pas mort, mais la Gentiane pourpre, si. Delaroche pouvait être fier, se dit amèrement Amy.

Elle avait envie de se traîner jusque dans la maison et d'enfouir la tête sous un oreiller pour se cacher.

— Amy ! cria Henrietta en se précipitant sur Amy pour l'attirer dans le cercle. Tu es si héroïque ! À quoi ressemblait la salle de torture ?

— Les chambres de torture sont tellement galvaudées, renifla mademoiselle Gwen.

Henrietta l'ignora.

— Était-ce vraiment effrayant ?

Amy fut à peine consciente de l'échange parce que Richard avait posé les yeux sur elle et qu'il lui lançait un autre de ses indéchiffrables regards en coin. Tout au long du chemin jusqu'à l'hôtel Balcourt, il ne lui avait pas adressé un seul mot. Uniquement ces *regards*.

Amy hocha distraitement la tête.

— Effrayant, répéta-t-elle.

Elle souhaitait qu'il explose maintenant, qu'on en finisse. Qu'il lui dise qu'il la détestait. Qu'il lui dise qu'elle avait ruiné sa vie. Qu'il lui dise...

— Oooh, splendide ! Plus tard, il faudra tout me raconter. Mais pour l'instant, dit Henrietta en virevoltant en cercle pour exécuter une danse de la victoire improvisée, devinez ce que nous avons dans le carrosse !

— Nous ? demanda Miles en remuant ses sourcils blond-roux en direction d'Henrietta. Qui, exactement, a accompli cette mission ?

Sous le couvert de leurs chamailleries, Richard se dirigea vers Amy en souhaitant être n'importe où plutôt qu'au centre d'un cercle de gens qu'il appelait sa « famille ». Tout au long du chemin depuis le ministère de la Police, il avait attendu l'occasion de lui parler. Mais sa mère les avait tellement pressés de se hâter dans les rues de Paris qu'il avait été impossible de discuter.

Geoff lui dit quelque chose, mais Richard l'ignora, gardant un œil sur Amy, qui était à moitié cachée derrière Lady Uppington. Richard avait déjà essayé pas moins de trois fois de se frayer un chemin jusqu'à elle. La première fois, Miles l'avait coincé en exigeant de connaître tous les détails de son évasion. Pour ne pas être en reste, Henrietta lui avait demandé une description complète de la chambre de torture. Et son père, avec la tranquillité qui lui était propre, avait beaucoup insisté pour raconter la saga de l'or suisse avec d'interminables détails. Lord Uppington, après avoir passé sept ans à suivre les exploits de son fils depuis son fauteuil favori dans la bibliothèque d'Uppington House, était aux anges d'avoir enfin participé à une mission. Richard écouta d'une oreille distraite le processus de construction d'une barricade pour entraver la progression du carrosse qui transportait l'or. Il ignora complètement le récit de son père sur la manière dont il s'y était pris pour calmer les chevaux pendant que Miles en décousait avec le cocher. Le temps que Lord Uppington se rende à la partie du récit où mademoiselle Gwen, armée de sa fidèle ombrelle, désarmait un garde et en frappait un autre dans le ventre, Richard cessa de faire semblant de porter attention et abandonna son père au beau milieu d'une phrase.

Il voulait demander à Amy pourquoi elle paraissait si affligée. Il voulait s'assurer qu'elle sache qu'il n'avait jamais pensé ce qu'il avait dit sur le fait qu'elle n'était qu'une amourette. Ou une femme légère ou un simple objet de badinage. Il voulait... Bon sang, tout ce qu'il voulait, c'était Amy. Les hommes des cavernes savaient comment s'y prendre, pensa Richard, dégoûté : assommer la fille, puis la porter jusqu'à sa caverne, tout simplement. Pas de ce genre d'histoires qui consistaient à exprimer des émotions qui donnaient à un homme l'impression qu'on lui arrachait le cœur alors qu'il battait toujours, puis qu'on le montait sur un pieu pour l'exposer aux railleries de tous.

D'accord. Il enfouit ses mains dans ses poches et se balança sur ses talons. Il allait lui dire qu'il était amoureux d'elle et en finir avec tout ça dès maintenant.

— Je suis tellement navrée, lâcha misérablement Amy, interrompant Richard avant même qu'il ait pu commencer. Je sais que j'ai tout gâché et j'aimerais connaître une façon de me faire pardonner.

— Tout gâché ?

— La Gentiane pourpre, dit Amy en se dandinant sur ses pieds nus tout sales. Ta mission. Tout.

— Pas exactement tout, intervint mademoiselle Gwen d'un air suffisant. Nous avons l'or et nous aurons bientôt sorti Lord Richard sain et sauf de Paris.

— Nous avons un bateau qui t'attend, dit Miles en contournant mademoiselle Gwen.

Tout espoir qu'aurait pu entretenir Richard d'avoir une conversation privée avec Amy s'envola rapidement.

— Un bateau qui appartenait auparavant à Georges Marston, intervint Geoff d'un air suffisant en se joignant au groupe.

— Ne t'inquiète pas, ajouta Miles. Nous avons aussi envoyé Stiles le vider pour toi.

— Nous emballerons tes affaires et te rejoindrons dans quelques jours, intervint Lady Uppington. Nous nous occupons de tout, mon chéri. Tu n'as pas besoin de t'inquiéter de quoi que ce soit.

— On dirait bien que vous avez tout prévu, répondit placidement Richard.

Ne pars pas, voulait le supplier Amy. Mais elle ne le pouvait pas. Delaroche connaissait l'identité de Richard ; rester à Paris équivaudrait à courtiser la potence, sinon quelque chose de bien pire. Mademoiselle Gwen avait raison : il devait partir et vite.

Amy avait mal partout à force de retenir ses larmes. Elle tenta de se consoler en pensant à la perspective de poursuivre l'œuvre de l'Œillet rose — ce qui, après tout, était la raison pour laquelle elle était venue à Paris. Mais l'espionnage avait en quelque sorte perdu de son lustre à ses yeux. Comment pourrait-elle rester à Paris sans Richard ? Elle serait hantée par sa présence dans les recoins du salon jaune de madame Bonaparte, ainsi que dans les couloirs des Tuileries. Et puis il y avait la Seine... le bateau... le carrosse... et même la demeure de son frère. Il n'y avait aucun endroit dans toute la ville qui n'était pas imprégné de souvenirs de Richard.

Même les étoiles qui scintillaient dans le ciel nocturne au-dessus de sa tête appartenaient à Richard.

— Puis-je y aller avec toi ?

Henrietta se tut au milieu de sa phrase, mademoiselle Gwen cessa de donner des coups d'ombrelle à Miles, la cour entière devint silencieuse, et tout le monde dirigea son attention sur Amy. C'était comme se retrouver dans le château de la Belle au bois dormant, entourée de silhouettes figées prisonnières d'un sortilège.

— Je veux y aller avec toi, répéta Amy d'une voix qui parut anormalement forte dans le calme soudain.

Puisque Richard ne répondait pas, ne bougeait pas, elle ajouta :

— Enfin, si tu veux de moi ?

— Si je veux de toi? répéta Richard, incrédule. Si *je* veux de *toi*?

Péniblement consciente des sept paires d'yeux rivées sur elle, Amy s'empourpra.

— Eh bien, oui, bredouilla-t-elle. C'était la question.

— *Si je veux de toi!*

Richard poussa un cri de joie. Il fondit sur Amy, la souleva de terre et la fit tournoyer jusqu'à l'étourdir.

— Oh non, non! Tu as tout faux. La question, déclara-t-il en la reposant très, très doucement sur ses pieds, c'est : veux-*tu* de *moi*? Après tout, c'est moi qui ai semé la pagaille en ne te disant pas la vérité...

— Mais je t'ai fait révéler ton identité secrète, l'interrompit Amy, à bout de souffle.

Richard baissa les yeux sur elle en souriant.

— J'aurais dû *te* la révéler il y a des jours.

Pouvait-on exploser de pure allégresse? Si c'était le cas, Amy savait que son temps était compté. Son cœur battait si fort qu'il était sur le point de sortir de sa poitrine, le sourire qui s'étendait sur son visage était sur le point de lui en déchirer les côtés, et elle avait la tête si légère qu'elle était près de se détacher du reste de son corps pour s'envoler.

— Tu ne me détestes pas de t'avoir exposé à Delaroche?

— Pas si tu ne me détestes pas de t'avoir traitée de femme légère.

— C'est l'amourette qui a fait mal, répliqua Amy, étourdie, en se délectant de la pression des mains de Richard au creux de ses reins et de la façon dont les coins de ses yeux verts se plissaient tandis qu'il la regardait en souriant.

— Donne-moi une cinquantaine d'années, et je me ferai pardonner.

— Je crois qu'il essaie de te demander en mariage, intervint Henrietta, l'air ravie.

— Ne devrais-tu pas être ailleurs ? lui dit Richard d'un air renfrogné.

— Tu ne t'y prends pas de la bonne manière, l'interrompit Henrietta à nouveau. Tu es censé t'agenouiller et… Argh !

Elle se retira avec un cri étouffé lorsque Lady Uppington lui plaqua une main sur la bouche.

— Ne les interromps pas ou tu gâcheras tout, lui souffla Lady Uppington en aparté.

— Ne pourriez-vous pas tout simplement *disparaître* ? hurla Richard.

Si, en cet instant, Amy n'avait pas été amoureuse du monde entier (même de Bonaparte et du ministère de la Police), elle aurait appuyé la motion.

— Tout cela est vraiment très charmant, déclara mademoiselle Gwen, mais je crois que *vous*, milord, êtes celui qui doit disparaître avant que quelqu'un du ministère de la Police alerte les gardes aux portes de la cité.

Richard jeta un regard noir à mademoiselle Gwen avant de se retourner vers Amy. Lui prenant les mains, il dit doucement (toute la foule rassemblée étira le cou comme un seul homme) et rapidement :

— Amy, je t'aime. Je veux t'épouser. Je m'agenouillerai aussi souvent que tu me le demanderas… aussitôt qu'ils *disparaîtront* tous.

Il baissa la voix davantage.

— Veux-tu venir avec moi ?

— Jusqu'au bout du vaste monde, répondit Amy. Ou jusqu'à Calais ; l'endroit qui est le plus proche.

Richard sourit de toutes ses dents.

— Certainement Calais, dans ce cas. Est-ce que ça veut dire que tu m'aimes ? demanda-t-il d'une voix destinée uniquement aux oreilles d'Amy.

— Oui, oui, *oui* !

— Ah, mes excellents pouvoirs de séduction t'ont persuadée...

— Ha ! cria Miles en arrière-plan.

— Oh, tais-toi ! le gronda Henrietta, qui était plutôt curieuse d'en apprendre davantage sur les techniques de séduction, même s'il s'agissait de celles de son frère.

Amy se mordit les lèvres.

— Crois-tu vraiment que nous devrions parler de séduction devant ta famille ?

Elle était si adorable quand elle était dans l'embarras qu'il importait peu à Richard que sa famille soit penchée par-dessus leurs épaules ou qu'elle soit coincée aux antipodes. Il savait tout simplement qu'il devait l'embrasser. À cet instant précis.

— Ça va, murmura-t-il en se penchant vers elle. Nous allons nous marier.

— Ah bon, dans *ce* cas...

— Chut !

À travers le brouillard, Richard entendit Henrietta faire taire le commentaire narquois que Miles avait au bord des lèvres.

— Je pense qu'il va l'embrasser !

Le visage de Richard se figea à un cheveu de celui d'Amy. Il serra les dents. Entre-temps, Amy était redevenue rouge vif et se frappait la tête contre le torse de Richard, se basant sur le principe consacré par l'usage selon lequel si elle ne voyait personne, personne ne pouvait la voir non plus.

— Bon, dit Richard les lèvres pincées. Ça suffit. Allons-y.

— Attends, nous voulons connaître ta technique ! se moqua Miles. Aïe !

Mademoiselle Gwen obtint un effet immédiat en donnant un coup d'ombrelle sur le bras de Miles

— Aïïïe...

— Tu ne peux pas partir avec Amy aussi facilement ! protesta Lady Uppington, l'air anormalement troublée. Je sais que j'ai toujours été une mère plutôt permissive — Henrietta émit un bruit qui se transforma rapidement en toux —, mais je ne peux vraiment pas te laisser partir seul avec une demoiselle de bonne famille. Et en pleine nuit, en plus ! Non, Richard. Tu devras attendre que nous ramenions Amy avec nous. Ensuite, nous pourrons tout organiser comme il se doit. Le petit déjeuner de mariage aura lieu à Uppington House, Amy, très chère, à moins que vous croyiez que votre tante et votre oncle puissent s'y opposer ? Hum, je me demande si l'archevêque...

D'un air résolu, Amy passa son bras sous celui de Richard.

— Et si quelqu'un nous chaperonnait ? demanda-t-elle en lançant un regard implorant à sa cousine. Jane ?

Jane plissa le front. Elle joignit les mains devant elle.

— Amy, je ne rentrerai pas.

— Que veux-tu dire ? s'enquit Amy.

Les joues pâles de Jane se teintèrent de petits ronds roses.

— Je sais que ç'a toujours été ton rêve, Amy, mais, si ça ne te dérange pas trop, j'aimerais continuer de jouer le rôle de l'Œillet rose.

— Oh. Bien sûr que ça ne me dérange pas. Seulement, es-tu bien certaine que c'est ce que tu veux, Jane ?

— Plus que tout, répondit simplement Jane.

— Qu'est-ce que l'Œillet rose ? chuchota Richard à Amy.

— Je t'expliquerai plus tard, chuchota Amy en réponse.

— Et moi — mademoiselle Gwen frappa le sol de son ombrelle pour attirer l'attention —, je reste avec elle, alors ne me demandez pas de vous chaperonner, mademoiselle.

— Aucune chance, marmonna Richard.

— Je vous servirais bien de chaperon, offrit Henrietta, mais mère ne me le permettrait jamais.

— D'ailleurs, remarqua Miles en ignorant l'expression de plus en plus menaçante sur le visage de son ami, plus vous serez nombreux, plus il sera difficile de tous vous faire sortir clandestinement. Fais un baiser d'adieu à ta fiancée, vieux, et bon retour à la maison.

— Ça suffit !

Amy tapa du pied, et la botte robuste qu'elle portait résonna de façon satisfaisante sur les pavés. Qui donc avait consenti à ce que son avenir, le sien et celui de Richard, soit décidé par un comité ? Il était temps d'agir.

— Richard, déclara-t-elle en lui prenant les mains, je te donne l'entière permission de me compromettre.

— Pourquoi n'avons-nous pas tous cette chance ? soupira Miles au milieu du silence stupéfait.

— Amy, vous n'êtes pas sérieuse ? l'interrompit Lady Uppington.

— J'espère naturellement que tu le sois, souffla Richard à l'oreille d'Amy.

— Oh, je le suis, chuchota malicieusement Amy en réponse, adorant la manière dont les mains de Richard se mirent à trembler dans les siennes.

— Votre réputation…, poursuivit Lady Uppington.

— Si quelqu'un apprend que j'étais seule avec Richard, ne pouvons-nous pas simplement faire courir la rumeur que

nous nous étions déjà mariés secrètement en France ?
Personne, à part nous tous ici, ne saura jamais la vérité.

Amy lança un regard implorant autour du groupe réuni dans la cour. Henrietta semblait sur le point d'applaudir. Mademoiselle Gwen la scruta froidement.

— S'il vous plaît. Je ne veux pas être séparée de lui à nouveau.

— J'appuie la motion, intervint Richard en serrant Amy par les épaules d'un geste possessif.

Du soutien leur parvint d'une source absolument inattendue. Depuis la périphérie du groupe leur parvint un fort gloussement.

— Honoria, qui sommes-nous pour nous mettre en travers d'un amour naissant ? demanda le marquis d'un ton joyeux. Après tout, si vous vous souvenez bien...

La marquise devint rose vif.

Le marquis tapota la main de son épouse en arborant un large sourire.

— C'est bien ce que je me disais, ma chère.

Richard regarda tour à tour ses parents d'un air horrifié.

— Je ne veux pas savoir. Je ne veux tout simplement pas savoir, marmonna-t-il.

— Si vous utilisez votre autorité pour protéger la réputation de mademoiselle Balcourt, personne n'osera dire quoi que ce soit contre elle.

Lord Uppington plut davantage à Amy à partir de cet instant. Elle gratifia le marquis d'un sourire radieux et faillit lâcher la main de Richard d'étonnement lorsque le père de ce dernier abaissa une paupière pour lui faire un petit mais indéniable clin d'œil.

— Bienvenue dans la famille, très chère. Bon, ne croyez-vous pas qu'il serait temps de vous mettre en route ?

Chapitre 40

✿

— Tu sais que je ne t'ai jamais considérée comme une idylle, une femme légère ou une amourette? dit Richard pour la dixième fois au moins depuis qu'ils avaient quitté Paris.

Amy se blottit au creux de son bras avec l'impression d'être plus parfaitement heureuse qu'elle ne l'avait été depuis... eh bien, depuis sa naissance. Durant la course folle de Paris à Calais, Richard et elle avaient été cachés, de façon plutôt inconfortable, dans de grands tonneaux de vin. Mais parce que Richard chuchotait de temps en temps à travers les bondes de leur tonneau respectif pour la rassurer sur les profonds et sincères sentiments qu'il éprouvait pour elle, Amy n'avait senti aucune fourmi dans ses jambes ni de crampes dans ses bras. Elle comprit enfin ce qu'Hamlet voulait dire lorsqu'il affirmait qu'il pourrait être enfermé dans une coquille de noix, mais se considérer tout de même le roi de l'univers; cela décrivait parfaitement ce qu'elle ressentait pour Richard. Bien qu'elle fût coincée dans un espace semblable à une coquille de noix géante, chaque fois que Richard lui murmurait quelque chose comme «toute la semaine dernière, penser à toi m'a empêché de dormir», son esprit s'élevait dans les airs, plus haut que l'infini.

Évidemment, elle était plutôt heureuse de sortir de ce tonneau, infini ou pas. La tentative d'embrasser Richard à travers les bondes des tonneaux s'était soldée par une écharde dans sa lèvre.

Amy profita de l'avantage d'être sortie de son tonneau pour poser un baiser sur la main qui lui flattait les cheveux.

— Tu peux continuer d'essayer de m'en convaincre pour, disons, les soixante prochaines années environ.

Richard y réfléchit. Cela lui parut une très bonne affaire, particulièrement lorsqu'il passait en revue les différentes manières dont il pourrait s'y prendre pour convaincre Amy de l'ampleur et de la durabilité de son affection. La plupart d'entre elles impliquaient de lui enlever beaucoup de vêtements.

— Ça me paraît juste, consentit Richard.

Ils étaient debout sur le pont du bateau de Marston et regardaient s'élargir la masse d'eau qui les séparait de la France et des sbires du ministère de la Police. L'équipage de Marston, à la vue de quelques pièces d'or, était rapidement passé aux tavernes avoisinantes pour être remplacé par le personnel de Richard. Celui-ci espérait seulement qu'un ou deux de ses hommes connaissent quelque chose à la navigation; sinon, rentrer à la maison pourrait se révéler une nage très mouillée. D'un autre côté, se dit Richard, Amy serait plutôt jolie, mouillée. Il réfléchit plus profondément à la question et arriva à la conclusion qu'il pourrait obtenir le même effet agréable, en risquant beaucoup moins leurs vies, dans l'intimité de leur chambre à l'aide d'une baignoire et de quelques serviettes bien moelleuses. Et peut-être de quelques huiles...

Richard gémit.

— Tout va bien ? s'enquit Amy d'une voix endormie.

La nuit blanche passée dans un tonneau commençait à la rattraper. Elle se tourna avec langueur dans les bras de Richard pour lever les yeux sur son visage, ce qui eut pour corollaire que ses seins entrent en contact avec le flanc de ce dernier.

Richard grinça des dents. Après tout, ils seraient mariés dans une semaine environ. Si peu de temps ! Il restait si peu de temps ! Il pouvait attendre, n'est-ce pas ?

Certaines parties de son anatomie étaient fortement en désaccord.

— Mère insistera probablement pour avoir l'archevêque de Canterbury, marmonna-t-il. Et combien de temps cela prend-il pour préparer un petit déjeuner de mariage pour cinq cents personnes ?

— Cinq cents personnes ? Hein ? demanda Amy en bâillant.

Richard la prit par les épaules. Elle ouvrit brusquement les yeux.

— Les capitaines de bateau peuvent célébrer un mariage, n'est-ce pas ? C'est légal, pas vrai ?

— Ai-je raté quelque chose ? s'enquit Amy en se frottant les yeux avec ses poings. Je suis désolée, j'ai dû m'assoupir. Cinq cents capitaines de bateau… ?

— Marions-nous !

— N'était-ce pas déjà ce qui était prévu ?

— Non, je veux dire tout de suite. Ici. Le capitaine peut nous marier. Qui que soit le capitaine.

— Mais pourquoi ? commença Amy d'un air perplexe.

Richard la fit basculer en arrière au-dessus du bastingage le temps d'un long baiser torride. Heureusement, le bateau de Marston était en bien meilleur état que le bateau postal qu'ils avaient pris. Sinon, ils seraient tous deux tombés à l'eau dans la Manche.

Le visage d'Amy parut considérablement moins endormi au fur et à mesure qu'elle commença à comprendre.

— Quelle idée splendide !

— Excellent ! s'exclama Richard en attrapant la main d'Amy pour l'éloigner du bastingage. Qui fait office de capitaine ? hurla-t-il à travers le pont.

— C'est moi !

C'était Stiles qui traversait le pont à grands pas, seulement... Richard cligna des yeux. Il ne pouvait pas savoir si ses cheveux étaient toujours teints en gris, parce qu'ils étaient cachés sous un bandana d'un rouge éblouissant. Un anneau argenté pendait de l'oreille du majordome de Richard. Une chemise blanche bouffante tombait par-dessus un pantalon, dont les ourlets devaient avoir été effilochés volontairement. Et pour couronner le tout, un perroquet en peluche était perché sur l'épaule de Stiles.

— Couac ! cria le perroquet.

Disons un vrai perroquet, corrigea Richard.

— Arrr, c'est moi le capitaine, grommela Stiles.

— Amy, tu te souviens de mon majordome, Stiles, n'est-ce pas ?

— Y'aura pas le temps de jouer les majordomes en haute mer, mon p'tit gars, ronchonna sombrement Stiles. Je serai occupé à lutter contre les serpents de mer et à combattre les vagues déchaînées, des vagues qui peuvent engloutir un bateau sans même qu'on s'en rende compte.

— Ah. Mais peux-tu célébrer un mariage ?

Avec une grande quantité d'*arrr* et d'expressions nautiques incompréhensibles, Stiles affirma qu'il le pouvait et partit à la recherche d'un *Livre de la prière commune*. Puisque l'équipage de Marston n'était pas très porté sur les cérémonies religieuses spontanées, la quête fut infructueuse. Stiles improvisa donc.

Cela ne ressemblait en rien au mariage qu'Amy avait imaginé. Le soleil de la matinée brillait sur eux comme une bénédiction. L'air avait une odeur de poisson et d'eau de mer, la musique était offerte par les vagues qui clapotaient contre la quille et les invités au mariage, les valets de Richard, chancelaient de gauche à droite au rythme du balancement du bateau. Un bout de toile à voile faisait office de voile pour Amy, et le pasteur était un acteur devenu majordome devenu pirate, dont l'interprétation d'une cérémonie de mariage aurait suffi à aliter l'archevêque de Canterbury. Amy adora chaque instant. Après tout, s'ils avaient été dans l'abside de l'abbaye de Westminster, Amy doutait que Richard ait eu la permission de garder son bras autour de sa taille et d'appuyer la tête contre la sienne. Pas plus qu'il n'aurait eu la permission d'embrasser la mariée pendant cinq bonnes minutes, ce qui, conclut la mariée, aurait été une perte déplorable.

— Je le veux ! Couac ! Je le veux ! criailla le perroquet, semblant croire qu'il méritait un rôle plus important dans la cérémonie.

Amy ouvrit les yeux en battant des paupières lorsque le long baiser prit fin.

— Je ne suis pas certaine que ce soit totalement légal, mais ça m'est plutôt égal.

Richard sourit, souleva sa nouvelle — bien que peut-être pas tout à fait légale — épouse dans ses bras, puis déposa un baiser sur le bout de son nez retroussé.

— Je t'adore, Amy. Vraiment.

Amy lui souffla un baiser en retour.

— Malgré ma morale douteuse, qui fait que je te laisse me compromettre ainsi ?

Richard la serra encore un peu plus fort en la portant jusqu'au bas de l'escalier étroit qui menait à la cabine de Marston.

— Je te garantis, dit-il avec un regard concupiscent exagéré, que je ne considère vraiment pas cela comme un défaut.

Se tournant de côté, il ouvrit d'un coup d'épaule la porte de la cabine de Marston.

Amy aperçut un bref rayon de soleil oblique qui illuminait les lattes de bois usées, une table et une chaise massives, ainsi qu'un lit substantiel. C'était tout à fait le style de Marston de couvrir son lit de draperies en velours rouge.

— Votre seuil, milady, déclara Richard en y faisant passer Amy.

Amy se frotta la tête contre son épaule et se mit à rire.

— N'est-ce pas tout à fait typique de nous ? haleta-t-elle entre deux fous rires. Nous ne pouvons rien faire comme il faut ! Nous n'avons même pas une nuit de noces, nous avons un *après-midi* de noces.

L'affirmation la fit hurler de rire.

Richard fit passer Amy par la porte, qu'il ferma d'un coup de pied derrière eux.

— Considère ça sous cet angle, suggéra-t-il en la posant doucement sur le couvre-lit voyant en soie rouge de Marston. Nous aurons un après-midi de noces *et* une nuit de noces.

— Quelle chance nous avons ! acquiesça Amy à bout de souffle, tandis que les lèvres de Richard effleuraient les siennes dans un baiser tendre à en pleurer.

— C'est si magnifique de pouvoir t'embrasser et de savoir que c'est bien toi, dit Amy après plusieurs longs baisers en resserrant ses bras autour du cou de Richard.

— La Gentiane pourpre te manque-t-elle? demanda Richard en enroulant une des boucles brunes d'Amy autour de son doigt.

Elle y réfléchit un instant en enfonçant sa tête dans l'oreiller, ce qui fit en sorte de dénuder l'arche pâle de son cou. Incapable de résister à la tentation, Richard glissa un doigt le long de sa gorge et le suivit de ses lèvres.

— Oooh. Tu sais, c'est très difficile de réfléchir quand tu fais ça. Non. Non, la Gentiane pourpre ne me manque pas. C'était un charmant fantasme romantique, mais je préfère de loin... Ouf!

La force avec laquelle Richard la serra dans ses bras l'empêcha de terminer d'exprimer sa pensée.

— Bonne réponse.

— Réponse *honnête*. De plus, ajouta Amy à bout de souffle en lui souriant de toutes ses dents, le masque m'irritait.

S'il avait un jour pris le temps d'imaginer sa nuit de noces — ou, dans ce cas, son après-midi de noces —, éclater de rire n'aurait pas été inscrit à l'horaire. C'était pourtant exactement ce qu'il était en train de faire. C'était comme si toute la joie qui l'envahissait avait besoin d'un exutoire. D'autres choses demandaient aussi un exutoire, mais Richard voulait maîtriser ces choses-là aussi longtemps que possible étant donné qu'Amy méritait le plus beau de tous les après-midi de noces.

Il chassa les cheveux de son visage.

— Je t'aime.

— Dis-le encore, le supplia Amy, les yeux brillants. Je n'en aurai jamais assez de te l'entendre dire.

— Je t'aime, répéta Richard en donnant un baiser sur le bout du nez d'Amy, qui gloussa. Je t'aime.

Le gloussement d'Amy se changea en hoquet lorsque les lèvres de Richard se posèrent dans le creux sensible au-dessus de sa clavicule.

— Je t'aime, dit-il encore tandis que ses lèvres descendaient dans la profonde cavité de son corsage. Tout entière, corrigea-t-il en se redressant pour s'asseoir sur ses talons, laissant courir son regard le long du corps d'Amy, de l'encolure ample de son chemisier jusqu'à la manière dont la laine brute de sa jupe lui moulait les jambes. Mais je t'aimerais encore plus, poursuivit-il en tirant sur les lacets de son corsage, si tous ces vêtements n'étaient pas dans le chemin.

— Attends, répondit Amy d'une voix rauque en immobilisant ses mains sur les lacets de son corsage. N'ai-je pas le droit de te regarder aussi ?

Bien qu'il fût réticent à cesser de détacher Amy, dont le corsage était déjà suffisamment ouvert pour laisser voir une quantité alléchante de chair joliment rebondie, Richard n'eut pas besoin de beaucoup d'encouragement pour obéir. Amy se souleva sur un coude pour l'observer tandis qu'il passait sa chemise par-dessus sa tête. Comment avait-elle bien pu le comparer à une illustration d'Horace ? Apollon, le dieu solaire, était plus près de la réalité. Richard rayonnait. La lumière du soleil se reflétait sur les poils drus et dorés de son torse et le transformait en un objet d'adoration. Il lui appartenait. Complètement et entièrement. Cette pensée ravissait Amy.

N'ayant jamais été du genre à laisser de nouveaux jouets prendre la poussière, Amy tendit les mains et appuya timidement ses paumes sur la peau lisse du ventre de Richard ; la façon dont les muscles de ce dernier se crispèrent sous ses doigts lui plut énormément. Elle glissa les mains vers le haut, fascinée par la chaleur qui émanait de sa peau, par l'inhabituelle caresse du poil sur ses doigts.

Richard enroula ses doigts autour des poignets d'Amy et lui plaqua fermement les mains sur le couvre-lit voyant en soie.

— Ton tour, déclara-t-il d'une voix inégale.

— Mais tu portes toujours...

Les paroles d'Amy furent brusquement interrompues lorsque Richard passa prestement son chemisier et sa chemise par-dessus sa tête en un seul mouvement vigoureux.

— Beaucoup mieux, décréta-t-il en les mettant de côté. Beaucoup, beaucoup mieux. Tu ne peux pas savoir à quel point j'ai attendu ce moment, murmura-t-il en prenant doucement un sein dans chaque main.

— J'ai cru — Amy se tut avec un soupir lorsque Richard frôla la petite bosse plissée de son mamelon avec sa paume — que tu ne me toucherais plus jamais ainsi.

Prenant un air sincèrement offensé, Richard referma les mains sur ses seins d'un geste possessif.

— Loin de moi cette idée! J'ai l'intention de te toucher ainsi encore...

Ses lèvres effleurèrent doucement un mamelon.

— ... et encore...

Il visita l'autre.

— ... et encore.

Sa bouche se referma sur le premier mamelon, et Amy perdit tout intérêt pour la conversation. Elle gémit lorsqu'il retira sa bouche pour taquiner du bout de la langue son mamelon durci. Elle se cambra contre lui en le tenant par les cheveux.

— Quelqu'un commence à s'impatienter, murmura-t-il en laissant courir ses doigts sur le torse d'Amy jusqu'aux cordons de sa jupe.

— La patience, répondit Amy d'un ton féroce en emmêlant ses doigts dans les cheveux blonds de Richard et en attirant sa bouche vers la sienne, n'est pas une de mes vertus.

Elle n'aurait pas su dire exactement ce qui la rendait impatiente, mais la sensation des muscles effilés de Richard contre son corps et des poils drus de son torse qui effleuraient ses seins douloureux lui donnait envie de se presser contre lui dans un inexplicable état d'agitation. Laissant courir ses mains sur les épaules de Richard, elle sentit ses muscles se contracter tandis qu'il glissait sa jupe sous ses hanches. Il libéra sa bouche de celle d'Amy et descendit pour suivre sa jupe et embrasser, à mesure qu'il la dénudait, chaque centimètre de peau; le creux de sa taille, ses cuisses, ses mollets, le bout de ses orteils.

Richard jeta sa jupe et sa culotte dans un recoin éloigné de la pièce — le plus loin était le mieux, pour peu qu'on lui demande son avis —, se redressa et admira. Bien entendu, il se l'était imaginée. Quel homme au sang chaud n'aurait pas fait de même? Mais ses fantasmes n'étaient même pas près de ressembler à la véritable Amy, dont la peau laiteuse contrastait avec le couvre-lit en soie rouge. Richard ne fit qu'admirer, bouche bée, la perfection de son corps, de ses bras et de ses jambes parfaitement proportionnés, du léger gonflement de son ventre et des courbes des os de ses hanches.

— Tu es si petite, s'émerveilla-t-il. Si petite et si parfaite.

Amy se redressa un peu vers lui et passa les bras autour de son cou.

— Tout comme toi, déclara-t-elle tandis que Richard refermait les mains autour de sa taille et commençait à remonter le long de sa cage thoracique jusqu'à ses seins.

— Aïe! fit-il en reculant d'un air faussement offensé.

Amy rougit.

— Pas petit. Parfait, je veux dire. Du moins, je pense que je veux dire...

Elle avait l'air si charmante dans son embarras que Richard conclut qu'il n'y avait qu'une seule chose humaine à faire. Il la fit taire d'un long baiser passionné.

Leurs jambes, leurs bras et leurs lèvres entrelacés, ils se déplacèrent de côté en direction de l'oreiller. Richard fit balader ses mains tout le long du corps d'Amy, faisant naître d'urgents fourmillements partout où il la touchait. Il fit courir sa langue sur le bord de l'oreille d'Amy, qui se tortilla en murmurant de façon incohérente. Elle le serra encore plus fort en se cramponnant à la peau chaude de ses omoplates, se pressant si fort contre lui qu'elle put sentir le gémissement monter dans son torse. De sa langue à elle, elle toucha délicatement l'oreille de Richard et fut récompensée par un frisson qui lui parcourut tout le corps. Elle entendit le vif sifflement de son inspiration, puis...

Amy, perplexe, fronça les sourcils.

— Pourquoi comptes-tu en grec? demanda-t-elle.

— Pour ne pas — Richard glissa la main à l'intérieur de sa cuisse et taquina les boucles brunes emmêlées à la base de ses jambes — exploser.

— Oh, fit Amy

Elle n'était pas certaine de comprendre, mais cela lui était totalement égal parce qu'un des doigts agiles de Richard était passé au-delà des boucles pour se glisser dans ses profondeurs humides et, oh mon Dieu, était-ce seulement *possible* pour quelqu'un de se sentir ainsi? Il la touchait comme il l'avait touchée ce soir-là sur la Seine, seulement, cette fois-ci, avec le corps nu de Richard pressé contre le sien et son visage démasqué tendu par la passion au-dessus du sien, c'était dix fois mieux, et Amy n'était pas certaine de survivre à l'expérience. Elle cria lorsqu'il glissa un doigt dans son doux fourreau.

— Oh, bon sang, grommela Richard.

Il recula et tira sur les boutons de son pantalon. L'un d'eux fut projeté sur le mur, où il ricocha. Amy, riant et pleurant à la fois, joignit ses mains aux siennes pour l'aider à enlever la peau de daim ajustée.

— Fichtre, jura Richard, le pantalon en tas autour des chevilles.

Donnant frénétiquement des coups de pied pour s'en débarrasser, il revint vers Amy, la prit dans ses bras et l'embrassa d'une passion toujours aussi intense malgré les morceaux de vêtements entêtés.

— Où en étions-nous ? souffla-t-il.

Le prenant par la main, Amy le lui montra. En une seconde, le sang de Richard passa de surchauffé à bouillant. Il se serait remis à compter en grec s'il n'avait pas cru cela inefficace. Sentant qu'Amy recommençait à se tortiller sous lui, il éloigna lentement sa main et la remplaça par le bout de sa verge tout en se mordant fortement les lèvres pour résister à l'envie de la pénétrer sur-le-champ.

Amy frissonna lorsque l'inhabituelle plénitude se faufila entre ses jambes et, désespéré d'en avoir plus, son corps se tendit vers le haut.

— S'il te plaît…, souffla-t-elle.

— Ça… pourrait… faire mal, dit Richard, dont les paroles sortirent en une suite de halètements.

Amy enfonça ses ongles dans les muscles fermes des bras de Richard ; la pression de son membre excité contre son point sensible la rendait à moitié folle de désir inassouvi.

— Oh, Richard…

C'était plus qu'un être humain ne pouvait supporter. Au son de son propre nom qui résonnait dans son oreille, Richard plongea en Amy, vérifiant seulement brièvement que tout allait bien lorsqu'il sentit céder la barrière de sa virginité. Elle se raidit sous lui.

— Devrais-je arrêter? demanda Richard en se préparant à se retirer.

Amy se mordit les lèvres et secoua la tête.

— Non, dit-elle en approchant son visage du sien. N'arrête pas, s'il te plaît.

Même s'il avait voulu faire autrement, Richard n'était pas certain qu'il aurait pu, mais il tenta de bouger plus lentement tandis que le corps d'Amy s'ajustait au sien. Il glissa sa langue entre ses lèvres dans une imitation inconsciente du mouvement de leurs corps. Lentement, maladroitement, elle commença à remuer les hanches en petits cercles contre celles de Richard et à gémir alors que sa passion augmentait en crescendo. Elle enroula ses jambes autour de sa taille pour l'attirer plus profondément en elle, poussa, tira et le supplia pour en avoir plus.

Richard abandonna toute tentative de retenue. Avec un cri primal, il s'enfonça profondément en elle. L'embrassant frénétiquement et lui lacérant le dos de ses ongles, Amy se cambra contre lui. Elle cria de plaisir lorsque des milliers d'étincelles de diamants explosèrent derrière ses paupières closes et baignèrent son corps d'une splendeur effervescente. Un instant plus tard, tandis qu'elle tressaillait sous lui, Richard laissa échapper un cri rauque et s'effondra sur elle.

Toujours incapable de parler, Richard retourna Amy de sorte qu'elle soit étendue à moitié par-dessus lui.

Amy se délecta de sentir le corps chaud et merveilleusement masculin de Richard sous le sien. Sa jambe se blottit confortablement entre ses cuisses, et ses seins se pressèrent contre son flanc. Elle tendit un bras en travers du torse de Richard et frotta sa joue dans le creux parfait entre son épaule et son cou, un espace manifestement formé en prévision de la tête d'Amy.

— Mmm, murmura-t-elle en caressant paresseusement du bout des doigts le poil humide sur le torse de Richard. Si heureuse.

— Mmm, acquiesça Richard en soufflant sur une mèche de cheveux bruns qui avait décidé de lui envahir le nez. Je ne sais pas comment je vais faire pour garder les mains loin de toi quand nous serons de retour à Londres.

— Est-ce vraiment nécessaire? demanda Amy en levant la tête, l'air véritablement ébranlée par cette idée.

— Jusqu'à ce que nous soyons officiellement mariés.

— Combien de temps cela peut-il prendre?

— Des semaines! Des mois! hurla Richard. Toutes ces… *choses* qui viennent avec un mariage, ajouta-t-il d'un air dégoûté.

— Zut, dit Amy. Peut-être devrions-nous tout simplement rester sur le bateau.

— Ce n'est pas une mauvaise idée.

— Penses-tu qu'il pourrait y avoir un orage?

Les mots titillèrent la mémoire d'Amy, et elle sourit pour elle-même en se remémorant la dernière fois qu'elle avait prononcé une question semblable, sur un autre petit bateau qui traversait la Manche.

Les yeux de Richard se rivèrent aux siens.

— J'ai entendu parler d'une traversée particulièrement difficile qui avait pris quatre longues journées.

Amy se redressa sur un coude et baissa les yeux sur le visage de Richard.

— As-tu une forte impression de déjà vu ? demanda-t-elle sur le ton de la conversation.

— Hum. Il y a quelques différences fondamentales, réfléchit Richard d'un ton faussement sérieux.

— Quelles seraient-elles ?

— La dernière fois, dit Richard en remontant ses mains le long des côtes d'Amy jusqu'à ses seins, tu étais entièrement vêtue.

— Ce n'est qu'une différence.

— Mais une différence fondamentale, ne crois-tu pas ?

— J'en ai trouvé une, dit Amy lorsqu'elle put parler à nouveau.

Richard réfléchit.

— Je dois rester avec le fait que tu n'es pas entièrement vêtue.

Amy secoua la tête.

— Réfléchis.

— Je donne ma langue au chat.

— *Cette fois-ci*, je t'aime.

Chapitre 41

❋

Onslow Square était beaucoup plus joli sous le soleil. Ou plutôt, il l'aurait été si je n'avais pas été victime d'une énorme gueule de bois qui transformait les rayons de soleil reflétés par les balustrades en fer et les fenêtres de voiture en affront direct. Je me réfugiai dans le hall d'entrée de l'immeuble où habitait madame Selwick-Alderly et contemplai la sonnette. Une partie de moi était tentée d'avaler deux autres comprimés d'analgésique, d'appeler madame Selwick-Alderly pour lui raconter de terribles histoires au sujet de la peste bubonique et de m'enfuir jusque dans mon appartement sombre.

Évidemment, cela impliquait de reprendre le métro. Le métro n'est pas un bon endroit pour un estomac nauséeux.

Si ç'avait été uniquement une question d'estomac instable, j'aurais peut-être bravé le métro. Mais j'étais ancrée sur place par le fardeau que j'avais dans les bras. Dans un grand sac de la librairie Waterstone, je transportais le paquet bombé et enveloppé de plastique qui contenait les manuscrits. J'avais promis à madame Selwick-Alderly de les rapporter aujourd'hui ; je devais donc les rapporter aujourd'hui.

La nuit dernière… À quoi avais-je pensé ? Je résistai à l'envie de me frapper la tête sur l'interphone. J'avais eu l'air complètement ridicule devant Colin Selwick. Oh, mon Dieu. Je n'étais pas tombée, n'est-ce pas? Ou avais-je chanté quelque chose? Je fouillai désespérément dans mes archives mentales, tressaillant à mesure que je feuilletais ma collection de souvenirs embarrassants de la veille. Pas de chute ni de chant. Je pourrais toujours appeler Pammy ce soir pour m'en assurer. Je ne pensais pas avoir d'importants trous de mémoire, mais là était le problème avec les trous de mémoire, n'est-ce pas? On ne peut pas savoir qu'ils sont là parce qu'on ne peut pas s'en souvenir. Grrr.

Ce dont je me souvenais était bien assez grave. Pourquoi diable l'avais-je frappé avec ce bâton lumineux? Mais le bâton lumineux n'était rien comparé au fait de l'avoir attrapé et tiré à travers la salle. Mais rien de tout cela n'avait d'importance, me rappelai-je pour la cinquantième fois. Si une personne devait être embarrassée, c'était Colin Selwick. Qu'était cette idée de me laisser croire que sa sœur était sa copine? Pour lui rendre justice, c'était moi qui avais sauté à la conclusion qu'elle était sa copine. Mais il aurait pu rectifier le tir. La seule raison que j'avais trouvée pour m'expliquer qu'il ne l'avait pas fait, c'était qu'il craignait que je me jette sur lui si je pensais qu'il n'avait pas de copine. Pas tout à fait flatteur. Ai-je l'air si désespérée?

J'espérais vraiment que Colin Selwick soit rentré à Selwick Hall. Ou parti voir un film. Ou n'importe où. Ça m'était égal où il était, tant que ce n'était pas au 43, Onslow Square.

Bon. Assez tergiversé. J'allais rendre les manuscrits, prendre une tasse de thé avec madame Selwick-Alderly et rentrer à la maison. Aucune raison de faire toute une histoire. J'appuyai sur la sonnette.

— Oui?

— C'est moi, Élo…

— Monte, Éloïse, dit madame Selwick-Alderly.

Seulement, à travers l'interphone, c'était sorti comme «Grrr grrr grrr, rrrr». Le crissement métallique résonna dans mon crâne.

Traînant ma tête douloureuse jusqu'au premier étage, je tentais de me composer une expression amicale de circonstance lorsque j'aperçus la porte ouverte. Ainsi que son occupant.

Tant pis pour la tentative de sourire.

— On ne se sent pas très bien ? s'enquit Colin Selwick depuis la place qu'il occupait contre l'encadrement de la porte.

— Qu'est-ce qui te fait croire ça ? grommelai-je.

C'était injuste. Il était sorti la veille, lui aussi, et avait sifflé le champagne, mais il n'avait pas la moindre trace de cernes sous les yeux. Bon, d'accord, j'avais eu une avance de quatre verres sur lui, mais quand même. Il n'avait pas le droit d'avoir l'air si radieux, alerte et reposé.

Puisque je ne pouvais exprimer rien de tout cela, j'évacuai une partie de mon mécontentement en lui refilant le paquet emballé de plastique.

— Tiens. J'ai rapporté les manuscrits de ta tante.

À en juger par son expression lorsqu'il accepta le paquet, on aurait dit que sa tante n'avait pas trouvé le temps de l'informer du prêt des manuscrits. Il n'y avait pas d'autre mot pour le décrire que «déconcerté». Heureusement, madame Selwick-Alderly apparut avant que Colin ait retrouvé sa faculté de parole.

— Éloïse ! Bienvenue !

— J'ai rapporté les manuscrits, répétai-je, faute de trouver mieux à dire.

Heureusement, Colin semblait être passé de l'appréhension à la résignation en sautant l'étape de la colère. Ou, du moins, s'il était en colère, il tint sa langue tandis qu'il passait silencieusement les manuscrits à sa tante.

— Ils sont tous là, ajoutai-je à l'intention de Colin.

— Je n'en doute pas.

Madame Selwick-Alderly me conduisit dans le petit salon; Colin nous suivit en silence. Mince! J'avais espéré qu'il parte. Comment pourrais-je parler librement avec madame Selwick-Alderly si Colin restait dans les parages? Je n'arrivais pas à le regarder sans tressaillir.

Le petit salon paraissait identique à ce qu'il était l'avant-veille, jusqu'à la présence du plateau à thé. Seulement, ce matin, le feu n'était pas allumé. Et il y avait trois tasses sur le plateau au lieu de deux. Mince, mince, mince. Je me laissai tomber sur le canapé du même côté que lors de ma visite précédente, à la droite de madame Selwick-Alderly. Colin se jeta sur le fauteuil rembourré à côté de mon extrémité du canapé.

— Comment va ta sœur? lui demandai-je sèchement.

Colin n'hésita pas un instant.

— Beaucoup mieux, répondit-il promptement. Elle croit que c'est à cause d'un sandwich aux crevettes douteux qu'elle a mangé au déjeuner hier.

— Qu'est-ce que c'est que cette histoire? demanda madame Selwick-Alderly en jetant un regard inquiet par-dessus le plateau à thé. Séréna est-elle malade?

Colin expliqua la situation pendant que j'acceptais une tasse de thé que me tendait madame Selwick-Alderly et que je scrutais les biscuits à la recherche de quelque chose de léger.

— Tu as gagné une admiratrice pour la vie, Éloïse, termina-t-il en étirant confortablement ses longues jambes devant lui. Elle n'a cessé de chanter tes louanges dans le taxi jusqu'à la maison.

Je ne m'attendais pas à cela. Je lui lançai un regard en coin suspicieux.

— C'était très aimable de ta part, très chère, dit madame Selwick-Alderly sur un ton approbateur. Des biscuits, Colin ?

Colin en prit trois.

Puisqu'il n'allait manifestement nulle part, je décidai tout simplement de faire comme s'il n'était pas là. Posant ma tasse sur la table basse, je me penchai vers madame Selwick-Alderly, ce qui excluait effectivement Colin de la conversation.

— Qu'est-il arrivé après que Richard et Amy sont rentrés en Angleterre ?

Madame Selwick-Alderly inclina la tête d'un côté, perdue dans ses pensées.

— Ils se sont mariés, bien entendu. Jane et mademoiselle Gwen sont toutes deux rentrées brièvement de France pour l'occasion, Édouard aussi. L'évêque de Londres a célébré la cérémonie à Uppington House, et le prince de Galles en personne a assisté au petit déjeuner de mariage.

— Ce bon vieux Prinny, commenta Colin. Il espérait probablement relancer le droit de cuissage.

Je l'ignorai. Les techniques de madame Selwick-Alderly furent plus efficaces.

— Colin, très cher, demanda-t-elle, irais-tu chercher les miniatures ?

Colin courut à travers la pièce pour aller les chercher. Il libéra minutieusement de leurs minuscules crochets les deux petits portraits miniatures accrochés au-dessus du coffre et les apporta à madame Selwick-Alderly.

— Ç'a été peint peu de temps après leur mariage, m'informa madame Selwick-Alderly tandis que Colin approchait son fauteuil.

Plantant le coude sur le bras du canapé, il se pencha par-dessus mon épaule pour regarder les miniatures. Je m'approchai de madame Selwick-Alderly.

— Lui — elle me passa la première peinture, celle d'un homme vêtu d'un haut col et d'un foulard noué de façon compliquée —, c'est Richard.

Je m'attendais à ce qu'il ressemble à Colin. Ce n'était pas le cas.

Le visage de Lord Richard était plus étroit ; ses pommettes, plus hautes ; et son nez, plus long. Leurs teints étaient semblables, mais même là, les cheveux de Lord Richard étaient une teinte plus pâle, et ses yeux étaient, même sur le minuscule portrait, d'un vert marqué. J'imagine que ce n'est pas étonnant, après deux cents ans, que les airs de famille se soient estompés. J'avais été induite en erreur par les commentaires d'Amy sur les cheveux blonds et l'expression hautaine. J'observai cette dernière. Hum. Les airs de famille ne s'étaient peut-être pas entièrement perdus, après tout.

— Et elle — madame Selwick-Alderly me passa la seconde miniature lorsque je posai soigneusement Lord Richard sur mes genoux —, c'est Amy.

Les cheveux bruns d'Amy étaient coiffés en anglaises de chaque côté de son visage, comme ceux de Lizzy dans la version de la BBC d'*Orgueil et préjugés*, et elle portait une robe unie à taille haute en mousseline blanche. Dans ses mains, qu'on aurait dit tendues vers l'occupant de l'autre miniature, elle tenait une petite fleur en forme de jacinthe des bois, mais une teinte plus foncée. Pourpre, en fait. Malgré mon manque de connaissances en horticulture, j'avais le pressentiment de savoir quel type de fleur tenait Amy. Mignon. Très mignon. Amy elle-même était plus mignonne que jolie, avec ses boucles souples et ses lèvres en bouton de rose étirées en un large sourire à peine contenu. Elle avait l'air de la fille qui mènerait la descente nocturne dans la cuisine lors d'une soirée pyjama. Ou qui dévaliserait le bureau de Napoléon.

Je posai Amy à côté de Richard sur mes genoux. Ils semblaient plutôt heureux d'être réunis ; Amy regardait Richard au-delà de la bordure ovale de son cadre, les yeux brillants de malice, et Richard arborait une expression moins hautaine et plus du genre « *tu* vas voir ».

Je me demandai si Amy avait trouvé la vie en Angleterre intolérablement ennuyeuse après ses aventures en France. Avait-elle regretté, à la fin, d'avoir cédé le titre d'Œillet rose à Jane ? Je n'aimais pas du tout penser qu'elle était devenue vieille, aigrie, et qu'elle en avait voulu à Richard de l'avoir privée des aventures qu'elle aurait pu vivre.

— Étaient-ils... heureux ? demandai-je.

— Est-ce qu'ils vécurent heureux et eurent beaucoup d'enfants, tu veux dire ? précisa madame Selwick-Alderly.

Un bruit qui sonnait étrangement comme un renâclement s'éleva du fauteuil à ma droite.

— Autant que cela était possible pour deux personnes avec de forts caractères, continua madame Selwick-Alderly. La garniture de l'une des chaises de la salle à manger porte toujours la tache laissée par une carafe de bordeaux qu'Amy avait versée sur la tête de Richard un soir.

— Il s'était plaint du fait qu'elle n'avait pas choisi une meilleure année, intervint Colin, la bouche pleine de biscuits enrobés de chocolat.

— Il aurait dû y penser avant de la provoquer, remarquai-je.

— Peut-être était-ce la raison pour laquelle il l'avait fait, riposta Colin. Pour se débarrasser du mauvais vin.

La logique de cette affirmation me parut quelque peu défectueuse, mais j'avais trop mal à la tête pour savoir pourquoi.

— Il aurait pu le boire, tout simplement.

— Comme hier soir? murmura Colin avec un sourire qui semblait m'inviter à partager son amusement.

Je dirigeai ostensiblement mon attention sur ma tasse de thé.

— Maintenant que tu as trouvé ce que tu cherchais, me demanda Colin en appuyant les deux coudes sur le bras de son fauteuil et en inclinant la tête dans ma direction, vas-tu rentrer aux États-Unis?

— Certainement pas!

Il pourrait être un peu plus subtil sur le fait qu'il voulait se débarrasser de moi, pensai-je avec indignation.

— J'ai des centaines de questions auxquelles je n'ai toujours pas trouvé de réponses; Jane Wooliston, par exemple. A-t-elle toujours été l'Œillet rose?

Je fixai Colin d'un regard vif; je n'avais toujours pas oublié son «Tu penses qu'Amy est l'Œillet rose?». Il aurait pu tout simplement me dire qu'éventuellement, ce serait Jane qui deviendrait l'Œillet rose, au lieu de me laisser le découvrir par moi-même ce matin, alors que je galérais pour terminer les manuscrits. Mais non! Cela m'aurait été trop utile.

Cette fois-ci, je n'allais courir aucun risque.

— Est-ce Jane qui met fin à la rébellion irlandaise et vient en aide à Wellington au Portugal ou est-ce quelqu'un d'autre qui utilise le même nom?

— Oh, c'est bel et bien Jane, confirma affablement Colin.

— Que voulez-vous savoir d'autre, très chère ? demanda madame Selwick-Alderly.

Il y avait quelque chose d'intrigant dans la dernière lettre que j'avais lue, une lettre d'Amy à Jane (Jane était retournée à Paris à ce moment-là) datée de peu après le mariage d'Amy. Plutôt que de laisser leurs talents pour l'espionnage se perdre, Amy avait proposé d'ouvrir une école d'agents secrets basée sur le domaine de Richard dans le Sussex. Mais l'idée n'avait été mentionnée qu'en passant et aurait très bien pu, comme tant de plans d'Amy, rester lettre morte. Cependant, poser des questions ne coûtait rien...

— L'école d'espionnage, demandai-je avec enthousiasme, est-ce que ça s'est vraiment fait ?

— Écoute, intervint Colin en se redressant sur sa chaise, tout ceci est très intéressant, mais...

— La meilleure description de l'école d'espionnage a été écrite par Henrietta, l'interrompit sereinement madame Selwick-Alderly.

— La petite sœur de Richard ?

— Elle-même. Richard était furieux contre elle et a insisté pour qu'elle la laisse à Selwick Hall. Ils faisaient de leur mieux pour éviter que la rumeur d'une école pour espions se propage, tu comprends.

— Est-elle ici ?

Après tout, il y avait tous ces autres documents dans le coffre. Les manuscrits qui m'avaient été donnés ne constituaient qu'une petite fraction des dossiers et des boîtes de manuscrits que j'avais aperçus dans le coffre l'avant-veille. Il était possible qu'il s'agisse uniquement de listes de blanchissage du XIXe siècle, mais...

— Tous les documents reliés à l'école d'espionnage, répondit madame Selwick-Alderly en inclinant la tête en direction de Colin, sont toujours à Selwick Hall.

— Ils sont en très mauvais état, répliqua Colin.

— Je suivrai les procédures de bibliothéconomie appropriées, promis-je. Je porterai des gants, j'utiliserai des poids et je les garderai loin de la lumière.

S'il le désirait, je porterais même une combinaison de protection complète, je désinfecterais mes cils et danserais en sens inverse des aiguilles d'une montre autour d'un feu de camp à la pleine lune. J'étais prête à tout pour qu'on me donne accès à ces manuscrits. Je pourrais régler plus tard l'histoire de le convaincre de me laisser publier l'information.

— Nos archives — Colin laissa sa petite cuillère tomber dans sa soucoupe avec un tintement sans appel — n'ont jamais été ouvertes au public.

Je le regardai en fronçant le nez.

— N'avons-nous pas déjà eu cette conversation?

Les lèvres de Colin s'étirèrent pour former un léger semblant de sourire.

— Je crois qu'il s'agissait en fait d'une lettre. De toute façon, ajouta-t-il d'un ton beaucoup plus humain, tu trouverais que Selwick Hall est plutôt difficile d'accès depuis Londres. C'est à des kilomètres de la gare la plus proche, et les taxis se font rares.

— Tu devras donc y passer la nuit, tout simplement, intervint madame Selwick-Alderly comme si c'était inévitable.

Colin lança un regard sévère à sa tante.

Madame Selwick-Alderly lui retourna son regard d'un air innocent.

Je posai très délicatement ma tasse dans ma soucoupe.

— Je ne voudrais pas m'imposer.

— Dans ce cas…

— Mais si ça ne dérange pas trop, ajoutai-je en vitesse, je serais extrêmement reconnaissante d'avoir la chance de voir ces documents. Tu n'aurais pas besoin de me divertir. Tu peux simplement me montrer où sont les archives et tu ne te rendras même pas compte que je suis là.

— Hum.

C'est ainsi que Colin exprima ce qu'il en pensait.

Je ne pouvais pas lui en vouloir. En tant qu'individu qui aimait bien son intimité, il ne me plairait pas tellement non plus de me faire coller un invité pour la fin de semaine.

— Je ferai même ma propre vaisselle. La tienne aussi, lançai-je comme incitation supplémentaire.

— Ce ne sera pas nécessaire, répondit sèchement Colin. Je serai là-bas cette fin de semaine, poursuivit-il, mais tu as certainement déjà des plans. Pourquoi ne pas nous rencontrer pour un verre, la semaine prochaine ? Je pourrais te résumer…

Il pensait se débarrasser de moi avec un verre, n'est-ce pas ? J'allais y mettre un terme.

— Aucun plan, ripostai-je avec entrain.

Pammy comprendrait pourquoi je la laissais tomber pour notre frénésie d'achats du samedi — du moins, elle comprendrait si je mentionnais le frère étonnamment canon de Séréna plutôt que du matériel documentaire du XIXe siècle.

— Merci infiniment pour l'invitation.

Il ne s'agissait pas réellement d'une invitation. Il le savait. Je le savais. Sans doute que madame Selwick-Alderly ainsi que les portraits miniatures sur mes genoux le savaient aussi. Mais une fois les mots sortis de ma bouche, il n'y avait rien qu'il pût faire pour les nier sans paraître impoli. Remercions le ciel pour les conventions sociales.

Colin tenta une autre approche.

— J'avais prévu de partir en voiture cet après-midi, mais j'imagine que tu as besoin de...

— Je peux être prête dans une heure.

— Très bien, dit Colin en se levant de son fauteuil, les lèvres pincées. Dans ce cas, je vais aller prendre les dispositions nécessaires, d'accord ? Peux-tu être prête à partir pour seize heures ?

Il espérait sans doute que je lui réponde « non ».

— Absolument, dis-je gaiement.

Je lui donnai mon adresse. Deux fois. Uniquement pour qu'il ne puisse pas affirmer avoir attendu devant le mauvais immeuble ou quelque chose comme ça.

— Très bien, répéta-t-il. Je serai à la porte à seize heures.

— À plus tard ! criai-je à son dos qui battait en retraite.

C'est incroyable comme la perspective d'un trésor de documents historiques peut guérir une gueule de bois. J'avais toujours mal à la tête, mais cela m'était désormais égal.

Dans le couloir, une porte claqua.

Cela ne présageait rien de bon pour notre fin de semaine.

Se levant, madame Selwick-Alderly commença à ramasser les tasses de thé. Je bondis sur mes pieds pour l'aider, mais elle me chassa d'un geste de la main.

— Vous, me dit-elle en agitant une petite cuillère dans ma direction, vous devriez faire vos bagages.

Devant mes protestations, elle me poussa vers la porte.

— J'attendrai avec impatience de connaître les résultats de vos recherches à votre retour, me dit-elle avec fermeté.

Je murmurai la réponse appropriée, puis me dirigeai vers l'escalier.

— Et, Éloïse ?

Je fis une pause au sommet de l'escalier pour me retourner.

— Ne faites pas attention à Colin.

— Promis, la rassurai-je d'un air désinvolte avant de la saluer de la main et de continuer mon chemin.

Manuscrits, manuscrits, manuscrits, chantai-je dans ma tête. Toutefois, malgré mon attitude cavalière devant madame Selwick-Alderly, je ne pouvais m'empêcher de me poser des questions. Deux heures de route jusqu'au Sussex — serions-nous capables de tenir une conversation polie pendant si longtemps ? Et ensuite, deux nuits sous le même toit, deux jours dans la même maison.

Ç'allait être une fin de semaine intéressante.

Notes historiques

❀

À la fin d'un roman historique, je suis toujours curieuse de savoir quelles parties ont réellement eu lieu. Les aventures de Richard et d'Amy, tout comme la bande d'espions aux noms de fleurs, sont malheureusement purement fictives. Les projets de Napoléon concernant l'invasion de l'Angleterre ne l'étaient pas. Dès 1797, le littoral voisin était dans sa ligne de mire. «Notre gouvernement doit anéantir la monarchie britannique… Une fois cela fait, l'Europe sera à nos pieds», conspirait Napoléon. Même durant la courte période de la paix d'Amiens (la trêve qui a permis à Amy de rejoindre son frère en France), Napoléon continuait d'accumuler des bateaux à fond plat pour transporter ses troupes en Angleterre. En avril 1803, à la veille de la fin de la trêve, Napoléon a vendu la Louisiane aux États-Unis afin de recueillir des fonds pour l'invasion — une méthode beaucoup plus fiable que l'intimidation de banquiers suisses.

Quant à la famille Bonaparte et à ses parasites, bien qu'un peu caricaturés (ce qu'auraient certainement approuvé les bulletins de nouvelles si chers à Amy), ils ont largement été tirés de la réalité. Une riche collection de mémoires contemporains et un assortiment époustouflant de biographies modernes sont consacrés à la cour de Napoléon. Les extravagances de Joséphine, les entrées brutales de Napoléon dans le salon de sa femme, les aventures incessantes de Pauline — tout cela était monnaie courante dans le Paris de Napoléon. Le compagnon de beuverie de Georges Marston, Joachim Murat, a vécu un mariage tumultueux avec Caroline, la sœur de Napoléon. Hortense, la fille de Joséphine, a suivi des cours d'anglais aux Tuileries jusqu'à ce que son précepteur soit renvoyé parce qu'il était soupçonné d'espionnage pour le compte des Anglais. Et Beau Brummell s'intéressait vraiment à ce point à la mode.

Pour le bien de l'histoire, j'ai pris de grandes libertés par rapport à certains faits historiques. Napoléon a viré Joseph Fouché et aboli le ministère de la Police sur un coup de tête en 1802 ; les deux ont été rétablis en 1804 — un an trop tard pour les besoins de ce livre. Mais aucun roman d'espionnage se déroulant à Paris sous l'ère napoléonienne ne serait complet sans Fouché, l'homme qui a créé le réseau d'espions de Napoléon et semé la terreur dans le cœur de toute une génération de Français et d'espions anglais. En plus d'avoir réembauché Fouché un an trop tôt, je lui ai aussi fait cadeau d'un impressionnant nouveau ministère de la Police sur l'île de la Cité ; aucun immeuble existant ne possédait de salle d'interrogatoire extraspéciale assez monstrueuse pour Gaston Delaroche.

J'ai aussi légèrement réorganisé les services secrets anglais. Pendant les guerres napoléoniennes, l'espionnage était coordonné par un sous-département du ministère de l'Intérieur, appelé le Bureau des étrangers, et non par le ministère de la Guerre. Étant donné la longue tradition existant dans la fiction qui veut que les espions élégants soient associés au ministère de la Guerre, je n'arrivais tout simplement pas à me faire à l'idée que Richard et Miles se rapportent au Bureau des étrangers. Je m'imaginais les fronts plissés, les sourcils froncés et les expressions de confusion : « Ne devraient-ils pas dépendre du ministère de la Guerre ? Quel est le rapport avec les étrangers ? Je ne savais pas que c'était ce genre de livre *là* ! » Comme compromis, même si je l'appelle le ministère de la Guerre, toutes les descriptions que je fais du personnel, des édifices ou des pratiques liés au travail de Richard et de Miles correspondent en fait au Bureau des étrangers. Pour l'histoire peu connue du Bureau des étrangers et beaucoup d'autres choses, je dois énormément au formidable livre d'Elizabeth Sparrow, *Secret Service : British Agents in France 1792-1815*, qui constitue, essentiellement, la thèse d'Éloïse. Éloïse, en revanche, n'est pas jalouse, car a) elle a cette fabuleuse exclusivité au sujet de l'Œillet rose, et b) elle est un personnage fictif.

GUIDE DU LECTEUR
ENTREVUE AVEC LAUREN WILLIG

Q. *Comment l'idée de La série de l'Œillet rose vous est-elle venue ?*

R. La baronne Orczy disait toujours que le Mouron rouge lui avait foncé dessus un jour dans une station de métro. Ma rencontre avec la Gentiane pourpre a été beaucoup moins dramatique. Après avoir été exposée pendant des années au Mouron rouge et à ses camarades de capes et d'épées, je me suis dit que le Mouron, Zorro et tous ces autres hommes masqués avaient eu la vie beaucoup trop facile. Leurs plans étaient rarement déjoués, ils retombaient sur leurs pieds chaque fois qu'ils se jetaient par une fenêtre et, dans la plupart des cas, leur héroïne restait hors de leur chemin à applaudir en arrière-plan. Cet état de fait ne pouvait certainement pas continuer ainsi. Je me suis donc préparée à semer la pagaille et j'ai vite conclu que mettre un ennemi sur le chemin de mon espion suave ne serait pas un obstacle suffisant. Les ennemis étaient trop simples, trop faciles. Je tourmenterais donc mon héros non pas avec un ennemi, mais plutôt avec un allié indésirable : une héroïne avec beaucoup de caractère, bien décidée à le démasquer — pour pouvoir l'aider. C'était le pire cauchemar d'un espion. Une fois cette importante question résolue, l'intrigue s'est rapidement mise en place. L'intérêt de Napoléon pour les antiquités et les aspects archéologiques de la campagne d'Égypte fournissait une couverture à mon héros, et la guillotine, un motif à mon héroïne. Après cela, toutefois, les personnages m'ont mise de côté et ont pris le dessus. Richard a catégoriquement refusé d'entrer dans une pièce en se balançant au bout d'une corde, et l'intrigue secondaire à propos de la contrebande, qui jouait un rôle beaucoup plus important au départ, a tout bonnement disparu. Quant à Jane... Disons simplement que Jane était censée, à la base, être douce et docile.

Q. Pourquoi avez-vous choisi cette époque en particulier ?

R. Quand j'avais dix ans, une de ces inévitables miniséries sur Napoléon et Joséphine a été diffusée à la télévision. Captivée, j'ai harcelé mon père, un ex-historien, pour des livres sur le sujet. Il a répondu par une pile de pavés bien épais. Ils étaient peut-être poussiéreux à l'extérieur, mais l'intérieur regorgeait de couleurs et d'intrigues. J'ai ri quand le carlin de Joséphine a mordu Napoléon pendant leur nuit de noces et j'ai pleuré lors du mariage malheureux de la sœur de Joséphine au frère de Napoléon. J'ai même nommé tous les guppys de mon projet de science de cinquième année en l'honneur des multiples membres de l'entourage de Napoléon. Bien que tous ces guppys m'aient quittée depuis longtemps pour rejoindre le grand bocal à poissons dans le ciel, mon intérêt pour les guerres napoléoniennes, tant du côté anglais que du côté français, est demeuré intact. Avec Waterloo si bien ancré dans notre imaginaire, il est parfois facile d'oublier que la menace de la suprématie française semblait très réelle à l'époque, alors que la galante petite Angleterre résistait seule à la force croissante de la France (les alliés continentaux de l'Angleterre faisaient preuve d'une inquiétante tendance à se rendre, chaque fois que Napoléon gagnait une bataille). C'était une époque de changements et de chambardements pendant laquelle l'Angleterre, craignant tant la rébellion de l'intérieur que l'invasion de l'extérieur, réagissait aux nouvelles et aux idées choquantes qui traversaient la Manche. L'incertitude et les bouleversements ne donnent peut-être pas lieu à des vies confortables, mais ils fournissent de l'excellente matière aux historiens et aux romanciers.

Q. Vous êtes étudiante au doctorat ainsi qu'à la faculté de droit et trouvez tout de même le temps d'écrire des romans. Comment y arrivez-vous ?

R. Le fait de très mal capter la télévision m'aide beaucoup. À part le manque de distractions, tout tourne autour de ce que j'aime appeler la « Théorie de la procrastination productive ». Un triste aspect de la nature humaine — ou, du moins, de la mienne — fait qu'on n'a jamais envie de faire ce qu'on est réellement censé faire. À l'instant où j'entreprends quelque chose, j'ai soudainement envie de faire autre chose. De la lessive, par exemple, ou le ménage du fond du placard. Écrire La série de l'Œillet rose m'a fourni quelque chose à faire lorsque je voulais éviter de travailler sur ma thèse. Évidemment, il fallait tout de même faire la thèse, alors j'ai dû ajouter les études de droit. Comparés à mes devoirs sur les actes délictuels, les fougueux royalistes qui constituent le sujet de ma thèse prenaient subitement un tout nouvel intérêt. Et pour me motiver à faire mes devoirs de droit… eh bien, il y a maintenant toujours un nouveau livre qui peut être victime de procrastination, même si cela signifie que mon placard est toujours en désordre et a de bonnes chances de le rester. Je pense que la même règle s'applique à l'intérieur des livres de La série de l'Œillet rose ; lorsque je commence à en avoir assez des personnages historiques, je peux toujours jouer avec Éloïse, et vice-versa.

Mis à part l'impératif de procrastination, jongler avec plusieurs carrières s'est révélé étonnamment productif de plusieurs manières. J'ai écrit La série de l'Œillet rose pendant les étés qui ont précédé et suivi ma troisième année au doctorat. Cette pause de neuf mois au milieu, bien que frustrante à l'époque, a donné à l'intrigue et aux personnages le temps de mijoter en arrière-plan et de prendre de la maturité d'une façon que je n'aurais jamais anticipée. Récemment, j'ai pris une pause du troisième livre de La série de l'Œillet rose afin de travailler pendant plusieurs mois pour une firme d'avocats. Les interactions et les anecdotes de la vie de bureau m'ont fourni toutes sortes d'aperçus de la nature humaine et d'idées de rebondissements pour de futures intrigues. L'un des aspects extraordinaires de l'écriture est qu'aucune expérience n'est inutile ; on ne sait jamais quand un bout de dialogue, un fait historique ou un peu de jargon de droit peut soudain se rendre utile en remontant à la surface depuis les confins du cerveau humain. Bien que la conception de l'écrivain introverti dans sa mansarde soit répandue, s'aventurer à l'extérieur, dans la vie de tous les jours, aide à enraciner les dialogues et les personnages dans un semblant de réalité.

Q. *Tout comme Éloïse, vous avez passé les six dernières années à travailler sur un doctorat en histoire anglaise. Votre formation en histoire vous a-t-elle aidée dans vos recherches pour La série de l'Œillet rose.*

R. Oui et non. Je me suis spécialisée en histoire britannique contemporaine (qui est définie comme tout ce qui s'est passé après 1714), après quoi je me suis retrouvée avec une bibliothèque remplie de monographies sur l'Angleterre georgienne et j'étais passée maître dans l'art d'arpenter les rayons de la bibliothèque Widener avec la tête tournée à un angle de quarante-cinq degrés, juste au cas où il y aurait quelque chose sur les étagères que le catalogue de la bibliothèque aurait oublié. Je savais comment faire fonctionner le lecteur de microfilms et où chercher les revues historiques les plus obscures. Au début, tout semblait bien aller. J'avais même toutes sortes de potins historiques de choix que j'avais glané dans des mémoires contemporains (l'entourage de Napoléon fournit toujours des lectures hautes en couleur) —, puis je suis tombée sur un os. Amy était sur le point de se jeter dans un fauteuil, mais je n'avais aucune idée de ce dont il avait l'air. Je me suis tournée vers mes bibliothèques, mais aucun des ouvrages didactiques qui en alourdissaient les étagères ne contenait quoi que ce soit d'utile. Une cinquantaine de livres sur l'Angleterre georgienne, mais pas une seule description de chaise. Tout ceci est une bien longue façon de dire qu'une formation d'historienne a ses limites lorsqu'on écrit un roman historique. Peu à peu, j'ai appris à regarder plus loin pour trouver ces petits détails embêtants sur l'époque qu'on ne trouve pas dans les récits historiques traditionnels et j'ai rassemblé une collection de bouquins sur les antiquités, l'architecture, les costumes et même des livres de cuisine. Les cartes historiques sont soudainement devenues des objets de convoitise. J'ai arpenté les salles de l'époque du Metropolitan Museum, plissé les yeux pour lire de petites plaques de musées populaires en Angleterre et découvert une foule de ressources sur Internet, en particulier des forums d'écrivains consacrés à cette époque.

Q. Pourquoi un livre dans un livre ?

R. Trop de caféine ? Mis à part les effets d'un surplus de caféine, les chapitres sur Éloïse sont nés d'un ensemble de facteurs. Pendant mon année en Angleterre, je suis devenue accro à la *chick lit* et j'avais envie de m'y essayer. En tant qu'écrivaine, j'ai aimé le défi de travailler avec différentes voix et divers styles dans un même livre. Les chapitres sur Delaroche, volontairement écrits dans un style que j'appelle « mélodrame intense 101 », sont nés de la même façon. Écrire à la première personne impliquait un tout nouvel ensemble de défis à relever. Comment décrire adéquatement un personnage à partir de l'intérieur ? Puisque tout doit passer par le point de vue du personnage, comment lui permettre de nourrir ses fausses idées tout en mettant le lecteur dans le secret ?

En tant qu'historienne, j'avais un autre dada pour me tenir occupée. L'un des plus grands défis, tant pour l'historien que pour l'auteur de romans historiques, est de rendre le passé accessible au public moderne. En juxtaposant les chapitres historiques et modernes, j'espérais faire ressortir les ressemblances qui persistent d'un siècle à l'autre, malgré les changements de costumes et de coutumes. Pendant les années passées à plonger dans les archives, j'ai été frappée à de multiples reprises par le peu de changement dans la nature humaine. À ce sujet, l'exemple qui est de loin mon favori vient d'une série de lettres du XIVe siècle dans laquelle un adolescent au pensionnat écrit à ses parents parce que sa tunique favorite a besoin d'être lavée, mais qu'il n'a plus d'argent (ce qui me rappelait étrangement les appels de mon frère à la maison quand il était au pensionnat), et une fille adulte se vide le cœur en écrivant à son frère que si elle doit passer une journée de plus dans la même cuisine que sa mère, l'une d'elles n'en sortira pas vivante (nous sommes toutes passées par là). J'ai aussi lu une lettre rédigée par un fils à sa mère, une reine du XVIe siècle, pour se plaindre que son grand-père était un gros méchant parce qu'il refusait de le laisser monter à cheval, lui raconter qu'il avait grandi de cinq centimètres et lui demander quand elle viendrait à la maison parce qu'il voulait lui montrer sa nouvelle épée jouet. Plus ça change, plus c'est pareil !

Q. Éloïse et vous êtes toutes les deux des étudiantes au doctorat qui ont passé un an à l'étranger en Angleterre. Le livre est-il autobiographique ?

R. La réponse à cette question a probablement été résumée au mieux par un de mes colocataires à l'université qui, en lisant le livre, s'est exclamé sur un ton indigné : « Mais Éloïse ne te ressemble pas du tout ! » Nous partageons bien une prédilection pour les talons de sept centimètres et demi et les cafés au lait caramel et noix, mais mis à part cela, les aventures d'Éloïse sont entièrement personnelles. Mes propres recherches se passent deux cents ans avant celles d'Éloïse, soit au XVIIe siècle plutôt qu'au XIXe, et je ne suis pas, à ma grande déception, tombée sur un trésor d'archives familiales égarées. En revanche, j'ai développé un profond attachement à mon bureau favori de la salle des manuscrits au troisième étage de la Bibliothèque nationale du Royaume-Uni et passé plusieurs semaines à apprendre comment faire fonctionner le distributeur d'eau dans la salle à manger du Bureau des registres publics. À mon corps défendant, c'était un distributeur d'eau vraiment déroutant.

Cela dit, même si Éloïse et moi sommes loin d'être la même personne, nous évoluons dans des univers très semblables. Le fait qu'Éloïse soit une étudiante au doctorat du Département d'histoire de Harvard était une concession destinée à flatter l'amour-propre de tous ces professeurs d'anglais qui, pendant des années, m'ont sévèrement fait la morale à propos du fait d'écrire sur ce que l'on connaît. Je détestais ce conseil. Je ne voulais pas écrire sur ce que je connaissais; je voulais écrire sur des hommes élégants en hauts-de-chausses suspendus de façon précaire à des cordes pour s'échapper audacieusement en pleine nuit. Cependant, bien que j'aie fulminé et que je me sois débattue, je dois reconnaître la sagesse de leur conseil. Il a été beaucoup plus facile d'écrire sur Éloïse en l'inscrivant dans le même programme d'études que moi et en lui prêtant mon appartement en sous-sol à Bayswater. Je pouvais ainsi me représenter son trajet jusqu'à la Bibliothèque nationale du Royaume-Uni tous les matins, le restaurant de kebab où elle achetait ses poissons-frites, ainsi que les vêtements dans sa penderie. Même la fête où Éloïse attaque Colin avec un bâton lumineux est basée sur une soirée tout aussi bizarre à laquelle j'ai assisté pendant mon séjour à l'étranger. Je prends un certain plaisir nostalgique à revisiter mes anciens repaires à travers les yeux d'Éloïse.

Q. La série de l'Œillet rose emprunte des éléments de nombreux genres différents. Le legs de la baronne Orczy est évident, mais quels autres auteurs ont influencé votre travail ?

R. Frappée de schizophrénie littéraire, j'ai grandi en lisant des romans policiers, des histoires d'amour, des suspenses, du fantastique, des romans d'espionnage, de la fiction du XIXe siècle, ainsi que ces magnifiques épopées historiques multigénérationnelles, qui proliféraient dans les bibliothèques des années quatre-vingt. Mon père aimait les fictions historiques, et ma mère, le genre le plus lugubre de littérature japonaise et russe; notre bibliothèque était donc des plus éclectiques. Je lisais n'importe quoi, n'importe où, n'importe quand (quoique lire en faisant du patin à roulettes n'a pas été la meilleure de mes idées). Depuis, j'ai toujours erré entre les genres.

Si je devais m'en tenir aux plus importants, je dirais que mon imagination a été modelée par un mélange d'Alexandre Dumas, de Margaret Mitchell et de Judith McNaught. Je me suis précipitée dans des allées étroites avec d'Artagnan, j'ai enfoncé des barricades avec Rhett Butler et j'ai échangé des plaisanteries avec des héros hautains dans les salles de bal de Regency. Mais j'ai été sensibilisée au style à l'école de L. M. Montgomery, de Nancy Mitford et d'Elizabeth Peters qui, bien qu'elles aient écrit des genres littéraires complètement différents, ont toutes un don pour les tournures de phrase ironiques ainsi qu'une manière efficace de souligner des absurdités de la vie. Lorsque *A Vision of Light* de Judith Merkle Riley a été publié, suivi de près par *Le Chardon et le Tartan* de Diana Gabaldon, c'était le meilleur mélange possible des deux tendances : de vives scènes historiques présentées avec un soupçon d'ironie.

Q. Qu'est-ce qui a été le plus difficile ou le plus frustrant dans le processus d'écriture ?

R. Il est difficile de choisir une seule chose. Je crois que je vais y aller pour ces jours où je m'assieds devant mon ordinateur et qu'il n'y a personne; tous mes personnages sont partis en pause-déjeuner. Même le méchant refuse de sortir du lit pour faire un coup foireux. Je suis assise et je regarde l'écran avec de gros yeux, je bois du thé en quantité ridicule, je vérifie mes courriels toutes les trois minutes et, normalement, je deviens de mauvaise humeur. La langue anglaise devient une jungle inhospitalière, et les mots, aussi récalcitrants qu'un troupeau de moutons entêtés, refusent de se mettre en ordre pour former un semblant de cohérence. Et puis il y a le revers de la médaille, ces jours où les personnages bondissent dans ma tête en criant «Occupe-toi de moi!» et où des lignes fluides de prose parfaite déferlent dans ma tête — mais que je ne peux rien y faire parce que je dois m'occuper d'autre chose, comme corriger les travaux d'étudiants, ou qu'il est quatre heures du matin et que mon ordinateur est déjà éteint. Ayant appris au fil d'expériences passées que ces moments sont fugaces, j'essaie de toujours garder un crayon et du papier à portée de main pour pouvoir attraper au moins une partie de ces fragments de narration et de dialogues avant qu'ils ne s'éclipsent à nouveau. Bien entendu, ces situations — l'ensemble de chacune d'elles — sont plus que compensées par les magnifiques moments où les personnages batifolent à travers les pages en faisant toutes sortes de choses extraordinaires auxquelles je ne me serais jamais attendue.

Q. L'histoire d'Éloïse et de Colin continuera-t-elle dans le prochain livre?

R. Bien que l'histoire d'Éloïse et de Colin continue, le prochain livre, *Le masque de la Tulipe noire*, se concentre sur

Henrietta Selwick et Miles Dorrington, la sœur et le meilleur ami de la Gentiane pourpre. Lorsqu'Éloïse suit Colin jusqu'à Selwick Hall pour fouiller dans les archives familiales, elle découvre qu'il y a un nouvel espion français en liberté : la Tulipe noire (mes excuses à Alexandre Dumas pour lui avoir volé le nom!), qui a reçu la mission de trouver et d'éliminer l'Œillet rose — ce qui veut dire que quelqu'un devra inévitablement trouver et éliminer la Tulipe noire. Et qui de mieux placé que Miles? Évidemment, Henrietta, la fille dont les premiers mots ont été «moi aussi!», insiste pour mener sa propre enquête. Pendant que j'écrivais *La mystérieuse histoire de l'Œillet rose*, il est devenu incroyablement évident qu'Henrietta et Miles étaient parfaitement assortis — et tout aussi évident qu'ils lutteraient certainement contre cela sur tous les plans. Je suis heureuse de dire qu'ils m'ont donné raison dans les deux cas.

Q. Quand Jane aura-t-elle son propre livre ?

R. Je ne sais pas jusqu'à quel point je devrais révéler ce qui s'en vient… mais la réponse courte à cette question est : pas tout de suite. Une des contraintes, quand on travaille sur le début du XIXe siècle, c'est que les héroïnes ont tendance à se marier jeunes, beaucoup trop jeunes pour répondre à nos attentes modernes. Si ce n'est pas le cas, l'auteur doit se livrer à de troublantes contorsions afin d'expliquer pourquoi cette héroïne a été laissée pour compte si longtemps — obligation de s'occuper du domaine familial, manque d'argent pour se permettre de participer à une saison mondaine, enlèvement par des bandits ou emprisonnement dans une boîte jusqu'à ce qu'elle ait vingt et un ans, etc. L'une des tendances intéressantes ces temps-ci est de choisir des héroïnes plus âgées et veuves, pour lesquelles le problème de l'âge a été réglé par l'expédient d'un mariage hâtif et d'un mari providentiellement décédé. Avec Jane, en revanche, le problème ne se pose pas. En effet, Jane a une excellente raison de ne pas se marier jeune : elle est trop occupée à sauver la civilisation de la déprédation des armées napoléoniennes. Toutefois, je dirais que Jane vivra un jour sa propre histoire d'amour et que je sais exactement avec qui — mais ça, ça reste entre Jane et moi.

Ne manquez pas la suite

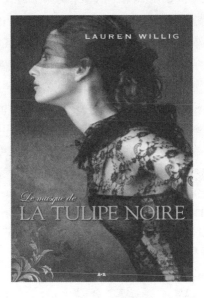

Chapitre 1

❀

Londres, Angleterre, 2003

J e me mordis les lèvres pour retenir un «Quand est-ce qu'on arrive?».

Si jamais le silence avait déjà été mère de sûreté, c'était maintenant. Des vagues de mécontentement palpables d'une densité suffisante pour constituer une présence supplémentaire dans la voiture émanaient de l'homme assis à côté de moi.

Faisant mine d'inspecter mes ongles, je jetai furtivement un autre regard en coin vers mon compagnon de voyage. De cette perspective, tout ce que je pouvais voir, c'était une paire de mains crispées sur le volant. Leur aspect bronzé et calleux contrastait avec les manches en velours côtelé de sa veste, le soleil de fin d'après-midi faisait ressortir une fine couche de poils blonds et, sur sa main gauche, la pâle cicatrice d'une vieille coupure détonnait sur la peau plus foncée. De grandes mains. Des mains agiles. À cet instant, il les imaginait probablement autour de mon cou.

Et certainement pas en une étreinte amoureuse.

Je ne faisais pas partie des plans de monsieur Colin Selwick pour la fin de semaine. J'étais un caillou dans sa chaussure, un grain de sable dans l'engrenage. Et le fait qu'il était un engrenage très attirant et que j'étais très célibataire à ce moment-là n'avait absolument aucune importance.

Si vous vous demandez ce que je fabriquais dans une voiture en direction d'une destination inconnue avec un individu qui m'était relativement étranger et qui aurait été très heureux de me larguer dans un fossé — eh bien, j'aimerais préciser que moi aussi. Mais je savais très bien ce que je faisais. Cela se résumait en un mot : archives.

J'avoue que les archives ne sont habituellement pas le genre de choses qui donnent des palpitations, mais c'est le cas pour quelqu'un qui en est à sa cinquième année d'études au cycle supérieur, qui est en quête d'une thèse et dont le directeur a commencé à faire des allusions menaçantes à propos de conférences, d'emplois, ainsi que des choses fâcheuses qui arrivent aux étudiants des cycles supérieurs affaiblis qui n'ont pas rédigé une pile de papiers avant leur dixième année. Selon ce que j'ai compris, ils sont subtilement traînés hors du Département d'histoire de Harvard au milieu de la nuit pour être jetés en pâture à une horde d'implacables crocodiles mangeurs d'universitaires. Ou ils se retrouvent en faculté de droit. D'une manière ou d'une autre, c'était clair : je devais trouver des sources primaires et je devais le faire au plus vite avant que les crocodiles ne s'impatientent.

Il y avait une minuscule petite motivation supplémentaire. La motivation avait les cheveux bruns et les yeux noisette et occupait un poste de professeur adjoint au Département de sciences politiques. Il s'appelait Grant.

Je me rends compte que j'ai oublié sa principale caractéristique : il était un tas de boue infidèle. Et je le dis de façon tout à fait objective. N'importe qui serait d'accord pour dire qu'embrasser une étudiante en première année des cycles supérieurs — pendant la fête de Noël de mon département à laquelle il assistait parce que *je* l'y avais invité — est une preuve indiscutable d'appartenance à la race des tas de boue infidèles.

Bref, il n'y avait jamais eu de moment plus propice pour partir faire des recherches à l'étranger.

Je n'avais pas inclus l'histoire de Grant dans ma demande de bourse. Il y avait une certaine ironie dans tout cela, n'est-ce pas ? Grant... *grant*[1]... Le simple fait que je trouve cela résolument amusant n'était qu'une preuve de l'état pathétique auquel j'avais été réduite.

Cependant, si la masculinité moderne m'avait laissé tomber, le passé promettait du moins des spécimens plus radieux. Notamment le Mouron rouge, la Gentiane pourpre et l'Œillet rose, ce trio d'espions élégants qui avaient gardé

---

1. N.d.T.: Grant signifie « bourse » en anglais.

Napoléon bouillant de rage et la population féminine d'Angleterre bouillante de quelque chose de tout à fait différent.

Évidemment, lorsque j'avais soumis ma demande de bourse à mon directeur, j'avais omis toute référence à des ex diaboliques ou aux propriétés esthétiques des hauts-de-chausses. J'avais plutôt parlé très sérieusement des impacts des agents secrets aristocratiques anglais sur le déroulement de la guerre contre la France, de leur influence sur les politiques parlementaires et des profondes implications culturelles de l'espionnage en tant que construction sexuée.

Toutefois, ma véritable mission avait peu à voir avec le parlement ou même le Mouron. J'étais sur les traces de l'Œillet rose, l'espion qui n'avait jamais été démasqué. Le Mouron rouge, immortalisé par la baronne Orczy, était connu dans le monde entier comme Sir Percy Blakeney, baronnet, propriétaire d'une vaste collection de monocles et porteur des foulards les plus impeccablement noués de Londres. Son successeur moins connu, la Gentiane pourpre, avait continué son œuvre avec assez de succès pendant plusieurs années jusqu'à ce qu'il soit, lui aussi, vaincu par l'amour et que la presse internationale proclame qu'il était Lord Richard Selwick, l'élégant dépravé. L'Œillet rose restait un mystère tant pour les Français que pour les intellectuels.

Mais pas pour moi.

J'aurais aimé pouvoir me vanter d'avoir décrypté un message codé, déchiffré un texte ancien ou suivi une carte incompréhensible jusqu'à une cache de documents. En fait, il ne s'agissait que de pure chance qui avait pris l'apparence d'une descendante âgée de la Gentiane pourpre. Madame

Selwick-Alderly m'avait donné le libre accès tant à sa demeure qu'à une vaste collection d'archives familiales. Elle ne m'avait même pas demandé de lui sacrifier mon premier-né en échange, ce qui, si j'ai bien compris, est souvent le cas avec les fées marraines dans ce genre de situation.

L'unique inconvénient de cet heureux arrangement était le neveu de madame Selwick-Alderly, le propriétaire actuel de Selwick Hall et gardien autoproclamé de l'héritage familial. Son nom? Monsieur Colin Selwick.

Oui, *ce* Colin Selwick-là.

Dire que Colin n'avait pas été très heureux de me voir feuilleter les papiers de sa tante aurait été comme affirmer qu'Henri VIII n'avait pas eu beaucoup de chance en amour. Si la décapitation était toujours considérée comme un moyen légitime de régler les problèmes conjugaux, ma tête aurait été la première sur le billot.

Influencé soit par ma charmante personnalité ou par le fait que sa tante lui avait sévèrement passé un savon (je soupçonnais la deuxième option), Colin avait commencé à se détendre jusqu'à adopter un comportement presque humain. Je dois avouer que le processus était impressionnant. Lorsqu'il ne m'abreuvait pas d'insultes, il arborait un de ces grands sourires radieux qui font soupirer à l'unisson toutes les femmes d'une salle de cinéma. Si on aimait le genre blond costaud et athlétique. Personnellement, j'étais plutôt du genre grand brun intellectuel comme moi.

Non que ce fût un problème. Toute trace de relation que nous aurions pu avoir développée s'était désintégrée lorsque madame Selwick-Alderly avait suggéré à Colin qu'il me donne accès aux archives familiales de Selwick Hall pour la fin de semaine. «Suggérer» est un peu faible; «lui forcer la main» serait plus près de la réalité. Les dieux de la circulation n'avaient rien fait pour améliorer la situation. J'avais abandonné l'idée d'essayer de bavarder quelque part sur l'autoroute 23, où il y avait eu un bouchon de circulation épique dans lequel étaient impliqués une voiture immobilisée, un poids lourd renversé et une dépanneuse qui, par solidarité, était vite tombée en panne en arrivant sur les lieux du crime.

Je jetai un autre coup d'œil furtif en direction de Colin.

— Veux-tu bien cesser de me regarder comme si tu étais le Petit Chaperon rouge, et moi, le loup?

Peut-être n'avais-je pas été aussi furtive que je le croyais.

— Ma foi, Mère-grand, comme vous avez de grandes archives?

Ce n'était pas génial comme tentative de blague, mais considérant le fait que c'était la première fois que mes cordes vocales faisaient de l'exercice depuis deux heures, j'étais raisonnablement satisfaite du résultat.

— T'arrive-t-il de penser à autre chose? s'enquit Colin.

De la part de n'importe qui d'autre, j'aurais interprété ce genre de question comme une tentative de drague. De la part de Colin, cela sonnait seulement comme de l'exaspération.

— Pas avec une date de remise de thèse qui approche à grands pas.

— Nous, prononça-t-il d'un ton menaçant, devons toujours discuter plus précisément de ce que contiendra ta thèse.

— Mmm, répondis-je d'un air énigmatique.

Il avait déjà exprimé clairement ce qu'il en pensait, et je ne voyais pas l'utilité de lui donner l'occasion de le répéter.

Moins on en parlait, plus c'était facile de l'ignorer. Il était temps de changer de sujet.

— Bonbon?

Colin émit un bruit étouffé qui aurait pu devenir un rire s'il l'avait laissé grandir. Ses yeux croisèrent les miens dans le rétroviseur; il arborait une expression qui aurait pu vouloir dire «J'admire ton sang-froid» ou alors «Oh, mon Dieu, qui a laissé cette folle monter dans ma voiture et où puis-je la déposer?».

Tout ce qu'il finit par dire fut «merci», puis il tendit la main, paume vers le haut.

Dans un esprit de bonne camaraderie, j'écartai un bonbon orange pour en faire tomber un rouge dans sa main. Je mis l'orange méprisé dans ma propre bouche et le suçai d'un air méditatif en essayant de trouver une phrase d'approche qui n'aborderait pas un sujet tabou.

Colin le fit à ma place.

— Si tu regardes vers la gauche, dit-il, tu devrais pouvoir voir la maison.

Je captai un aperçu attrayant de remparts à créneaux, qui se profilèrent derrière les arbres tels les vestiges perdus d'un plateau de tournage d'un film de Frankenstein avant que la voiture prenne un virage et que la maison devienne entièrement visible. Construite en pierre couleur crème, la demeure était d'un style que les magazines pourraient appeler «manoir historique» : une section centrale carrée avec les ornements classiques habituels et une aile plus petite qui ressortait de part et d'autre du bloc central. C'était une résidence de gentilhomme du XVIIIe siècle parfaitement normale, exactement le genre où l'on s'attendrait à ce que la Gentiane pourpre ait vécu. Il n'y avait pas de remparts.

éditions

www.ada-inc.com
info@ada-inc.com

 www.facebook.com/EditionsAdA

www.twitter.com/EditionsAdA